3 1336 00173 5464

D0046648

AN
ANGLO-SAXON READER

BY

GEORGE PHILIP KRAPP
COLUMBIA UNIVERSITY

AND

ARTHUR GARFIELD KENNEDY
STANFORD UNIVERSITY

NEW YORK
HENRY HOLT AND COMPANY

PRINTED IN THE UNITED STATES OF AMERICA

PREFACE

The compilers of a first book in Anglo-Saxon find their main difficulty in the attempt to discover the golden mean between too much and too little. To treat Anglo-Saxon as an approach to general Indo-European philology for students who have not yet read Anglo-Saxon itself seems like going too far. On the other hand the mere ability to read the texts is not quite enough. A distinguished executive, therefore not a teacher, has remarked that it is possible to learn the grammar and read all the literature of Anglo-Saxon over night. This exaggeration contains a slight element of truth, for a good case could be made for the position that Anglo-Saxon is more important as a point of departure than it is as an end in itself. In this book the center of interest is taken to be Anglo-Saxon as an early, and therefore historically illuminating stage in the development of the English language and of English civilization whence instructive journeys may be made in various directions.

If the student will bear in mind in approaching the subject that the elements of Anglo-Saxon grammar are usually mastered in a much shorter time than is given to the elements of Latin, German or Spanish, for example, he will realize that his task calls for a method of its own. If he will attempt to focus his attention on the normal and regular things in Anglo-Saxon grammar, acquiring a goodly body of illustrations of those, and trust to picking up the exceptions and irregularities gradually, he will find that his conception of the grammar will take shape very rapidly. If, for example, he will bear in mind that each of the sounds of Anglo-Saxon has one and only one

i

representation, that, in other words, Anglo-Saxon spelling is phonetic and not conventional as in Modern English, he will need only a little careful practice to acquire a proper pronunciation and spelling of the language. Even the so-called special sound changes, such as *i*-mutation, breaking, labialization, etc., he will find working consistently and regularly, for the most part, and according to well-defined linguistic principles. These changes are to be expected wherever certain definite situations arise, and therefore are not so irregular, after all. If the student learns the workings of the four main noun declensions, he will very soon be able to round up the members of the other, less numerous, noun classes. If he learns the seven strong verb classes in their regular aspects and segregates the irregular verbs of those classes, he will in turn be able soon to account for almost all of the irregular forms as due to three or four special phonetic changes.

By this time the student should have become aware that the learning of the grammar is not so difficult a task, but that his big task is to learn the Anglo-Saxon vocabulary. And this task, again, can be much simplified if the student will take certain definite steps to build up his understanding of the Anglo-Saxon vocabulary. First, in learning the grammar, he should memorize as many of the illustrative words as possible. These have been chosen largely from the texts to be read, but also to a certain extent because they are the enduring words of later English. In addition to this mere memorizing, he may learn to recognize many Anglo-Saxon words if he becomes familiar with the regular developments of Anglo-Saxon sounds in later English, as set forth in Section 58. And the Anglo-Saxon vocabulary can be made still more familiar if the relations of cognate Anglo-

Saxon words to each other be made clear through a com-
prehension of the exact values of derivative prefixes and
suffixes, of mutation and gradation. The student who
knows German or any other Teutonic language besides
English will obviously find this knowledge helpful.

It is not possible to smooth out altogether in the presen-
tation of Anglo-Saxon those difficulties that arise from
the fact that the literature to be read illustrates the
linguistic developments of at least three centuries and
that this same literature is colored by the dialectal pe-
culiarities of a language not yet effectively standardized.
But if, once more, the student will pay some attention
to the special changes in pronunciation and spelling as
listed in Section 7, and will not overlook altogether the
inflectional variants given here and there, he will not
be seriously inconvenienced by the variations of Anglo-
Saxon which were due to times and places. He must
realize that he can not be too exacting in the way of the
uniformity which he may think to be a desirable thing in
language, but that we must take Anglo-Saxon as we find
it. One source of interest in this stage of the language
is that it has not yet been reduced to iron-clad rules.

From the point of view of editorial tradition, the com-
pilers of this book have introduced an innovation in
not marking the quantities of long vowels in the text.
Their purpose in thus omitting these quantity marks
has been to bring the printed texts into closer accord
with their manuscript sources. Anglo-Saxon scribes felt
it as no part of their duty to mark the quantities of all
long vowels, and the insertion of these quantity marks
in modern printed texts is really an editorial addition,
and not infrequently an editorial irrelevance. The proper
place for such historical and etymological comment is
not in the text, but in the grammar and glossary, and at

these places in this book, the quantities of long vowels have always been indicated. Perhaps students may be led thus to pay more attention to the important matter of quantities than they would if they knew that every time a long vowel occurred, it was marked as a long vowel. Quantity is specially important in verse, but there is no more need for marking every long vowel of the text of an Anglo-Saxon poem than there would be for marking every long vowel in the text of Vergil or Horace. It seems indeed not quite fair to Anglo-Saxon texts to impose upon them a burden of macrons, cedillas and other appendages, the likes of which will not be found in the texts of any other stage of English literature.

The texts presented in this volume are considered to be enough to occupy the attention of a class in a year's course. The texts have been chosen for the variety of their interest as representative of different types of Anglo-Saxon literature. They have been edited with a minimum of editorial comment and with as close adherence to the readings of the manuscripts as was possible. In general, reference to previous editorial opinion has been made only when an emendation suggested by an earlier editor has been incorporated in the text.

The work of putting this book together was begun some ten and more years ago. At that time the texts were chosen and assembled by one of the editors, but other demands intervened and the texts were laid aside. When the book was taken up again as a joint project in the winter of 1924, the editors found no reason for changing the body of texts as it was first made, except for increasing the length of the passage from *Beowulf*. If the texts contained in this reader are not always different from those contained in other similar books, the explanation is to be found partly in the limited extent of Anglo-Saxon literature, and partly also in the more comforting consideration that competent persons choosing independently will almost certainly in some instances make the same choices. The texts themselves have all been taken from published sources and proper acknowledgment of the source of each has been made in the explanatory notes that precede them.

G. P. K.
A. G. K.

CONTENTS

GRAMMAR

I. THE ANGLO–SAXONS

1. Anglo-Saxon, or Old English, as it is often called, is the earliest recorded form of the English language. It was brought to England as a spoken language in the latter half of the fifth century, when the Angles, Saxons and Jutes migrated from their Teutonic homeland in North Germany to the island of Britain.

At the time of migration the Anglo-Saxons had no written literature. The art of writing they acquired later in the schools of the missions which were established by the Roman church in England. The first missionary settlement was made at Canterbury, in 597 A.D., under the leadership of Augustine, and a little later other schools were founded at London, Winchester, York, Lindisfarne, Durham, and elsewhere. In these mission schools Latin was the language of chief interest, but in learning Latin the Anglo-Saxons also learned to write their own language. Not at once, however, for the oldest surviving documents containing Anglo-Saxon writing date from about a century later than the coming of Augustine. Even for that time the records are very meager, and the oldest abundantly surviving records written in Anglo-Saxon belong to the latter part of the ninth century. Undoubtedly much was written in the Anglo-Saxon vernacular before this time, but these earliest Anglo-Saxon texts for the most part have not come down to us.

The close of the Anglo-Saxon period is customarily placed at the year 1100.

The language and the civilization represented in this book may therefore be described as those of the English people in England from the beginning to the year 1100.

Almost all of the surviving literature of the Anglo-Saxons is written in the West Saxon dialect, the language of that portion of the Saxons who broke off from the old Saxon tribe of Germany and sailed west to settle most of England south of the Thames and west of Kent. The dialect of the West Saxons is usually called Early West Saxon as it was spoken before about 900 A.D. and Late West Saxon for the later period. Besides the West Saxon, there also existed during the Anglo-Saxon period the Kentish dialect, the Mercian, which was, broadly speaking, the language of the Anglo-Saxons who dwelt between the Thames and the Humber, and the Northumbrian, the language of the Anglo-Saxons north of the Humber.[1]

II. ALPHABET AND SOUNDS

2. The Anglo-Saxon alphabet is a modification of the Latin alphabet as the Anglo-Saxons acquired it from the Roman missionaries. But several symbols appear in Anglo-Saxon manuscripts which were not learned from the missionaries. These symbols are survivals from an older alphabet of runes which was probably known to the Anglo-Saxons before they migrated to England. This runic alphabet, in its remoter origins derived from the same source as

[1] Detailed bibliographies of matters of interest to students of Anglo-Saxon grammar will be found in Chap. V of A. G. Kennedy's *Bibliography of Writings on the English Language from the Beginning of Printing to the End of 1922* (Cambridge, Mass., and New Haven, 1927), and for the years after 1922 in the *Annual Bibliography of English Language and Literature* published by the Modern Humanities Research Association.

the Latin alphabet, was never extensively used for writing, but was employed in making inscriptions, sometimes on stones, sometimes on swords and similar objects. When they acquired the Latin alphabet, the Anglo-Saxons almost completely discarded their older runic alphabet, retaining from it only a few symbols, particularly the symbols for the sound of **w**, and for the sound of **th**. In modern printed texts of Anglo-Saxon the runic symbol for **w**, known as 'wen,' is usually replaced by the modern letter for this sound, but the sound of **th** is still represented by the runic letter **þ**, known as 'thorn.' It is also represented by another symbol, **ð**, which is by origin nothing more than a crossed *d*. These symbols, **þ** and **ð**, stand both for the voiced sound, as in *this*, and for the unvoiced sound, as in *faith*. Either symbol may stand for either sound, and either may be used at the beginning, in the middle, or at the end of a word. Although they may originally have had separate uses, by the time of the written records of Anglo-Saxon they were employed interchangeably.[1]

For the sound of the vowel in *hat*, the Anglo-Saxons employed a symbol **æ**, known as the digraph. This is not a diphthongal, but a simple sound.[2]

The letters **j, q, v, z** do not occur in the Anglo-Saxon

[1] Lest the uniformity in the use of **ð** in this grammatical introduction should be misleading, it is to be noted that **ð** has been employed generally in this part of the book for convenience whereas, in the texts following, an attempt has been made to print **þ** and **ð** exactly as they are found in the manuscripts, and in the glossary the spelling has been chosen for the head-word again arbitrarily, **þ** being used initially and **ð** medially and finally.

[2] Another digraph, **œ**, was used in very early Anglo-Saxon manuscripts to represent a sound like the modern German umlauted *ö*. This occurs in only a few words, such as **gœs**, *geese*, and was very early replaced by the simple **e**.

alphabet. The sound of modern *j* is expressed by **cg,** as in Anglo-Saxon **bycgan,** *to buy;* the sound of *q* is expressed by **cw,** as in **cwic,** *quick, alive;* the sound of *v* is expressed by **f,** which stands for the voiceless sound of Modern English *f* when it is used initially, medially before voiceless consonants, and finally, as in **findan,** *to find,* **æfter,** *after,* and **drāf,** *drove,* past tense of **drīfan,** but it represents the voiced or *v*-sound when it occurs between vowels or medially before voiced consonants, as in **drīfan,** *to drive,* **hæfde,** *had,* **stefn,** *stem.*

The letter **s** likewise does service in Anglo-Saxon for both **s** and **z**. It is voiceless **s** initially, medially before a voiceless consonant, and finally, as in **singan,** *to sing,* **mynster,** *monastery, church,* **wæs,** *was;* it has the voiced quality of Modern English *z* between vowels and medially next to voiced consonants, as in **rīsan,** *to rise,* **hūsl,** *the eucharist.* When it is doubled, **ss,** it is always pronounced as voiceless **s,** as in **mæsse,** *mass.*

The letter **þ,** and its equivalent **ð,** likewise have two values under exactly the same conditions as **f** and **s,** the voiceless quality being illustrated by **þēow, ðēow,** *slave, servant,* **sōþ, sōð,** *truth,* and the voiced quality by **swīþe, swīðe,** *very,* and **fæþm, fæðm,** *embrace.* The doubled form, **þþ, ðð,** represents the voiceless **þ,** as in **siþþan, siððan,** *since.*

Two other Anglo-Saxon consonants, **c** and **g,** likewise vary in value according to their position. The Anglo-Saxon **c** is always used with the value of Modern English *k,* and never with the *s*-sound of Modern English *nice.* The letter **k** is found but rarely in Anglo-Saxon manuscripts. Just as the *k* of Modern English *kodak* is more guttural than the *k* of *keen,* so the Anglo-Saxon **c** was more guttural just before or after the back vowels **a, o, u, y,** as in **camb,** *comb,* **cōl,** *cool,* **cuman,** *to come,* **bacan,** *to bake,*

bōc, *book*, **lūcan**, *to lock*, **cyning**, *king*, than it was just before or after the front vowels **æ, e, i,** and just before the diphthongs **ie, ea, eo, io.** In these latter positions, it was pronounced like the *k* of Modern English *keen*, and in the late Anglo-Saxon period became like the *ch* of Modern English *rich*, as in Anglo-Saxon **lǣce**, *leech, doctor*, **cīdan**, *to chide*, **ceaf**, *chaff*, **cēosan**, *to choose*, **cēse**, *cheese*.

In the combination **sc** the palatal and guttural sounds of **c** indicated above were probably spoken during most of the early Anglo-Saxon period, as in **scip**, *ship*, **disc**, *dish*, and **scop**, *poet*, **āscian**, *to ask*. In later Anglo-Saxon **sc** was generally pronounced as in Modern English *ship*.

The letter **g** also has two values in Anglo-Saxon. It has a front or palatal value when it immediately precedes or follows a front vowel, or when it stands before the diphthongs **ie, ea, eo, io.** This value of Anglo-Saxon **g** is approximately that of *y* in Modern English *yield*. Indeed, Anglo-Saxon **g** in this position has regularly become Modern English *i* or *y*, as in **dæg**, *day*, **plegian**, *to play*, **drȳge**, *dry*, **gēar**, *year*, **geoc**, *yoke*, **gieldan**, *to yield*, **mægden**, *maiden*. The letter **g** has a back or guttural value when it immediately precedes or follows one of the back vowels **a, o, u, y,** and in this position it may be pronounced like the *g* of Modern English *gun*, as in **gōd**, *good*, **būgan**, *to bow*, or *stoop*, **gān**, *to go*.[1] When the palatal **g** was geminated it was always written **cg** and pronounced like Modern English *j* in *judge*, as already explained.

The simple palatal consonant **c,** and the double palatals **cc** and **cg,** are frequently followed by an inorganic **e** before the infinitive ending **-an,** as in **cwecc(e)an**, *to quake* or *shake*, **sēc(e)an**, *to seek*, **secg(e)an**, *to say*, **ðenc(e)an**, *to think*, before the plural verb ending **-að**, as in **secg(e)að**,

---

[1] For a fuller discussion of the development of Anglo-Saxon **c** and **g** in later English, see Sec. 59, III.

say, and in some other instances where the inflectional suffix begins with a back vowel. This **e** was probably written merely to indicate the palatal character of the preceding consonant.[1]

In the combination **ng** in Anglo-Saxon the letter **n** has the value of the final consonant sound of a word like *sing* in Modern English, and the letter **g** has the back or guttural value of **g** described above. The sounds combined appear in Modern English *finger*, pronounced *fing-ger*. The Anglo-Saxon word **streng**, *string*, would therefore be pronounced *streng-g*, the verb **singan**, *to sing*, would be *sing-gan*, and the imperative of this verb, **sing**, would be *sing-g*.

The Anglo-Saxon consonant **h** in the initial position is like Modern English *h*, as in **healf**, *half*, **healdan**, *to hold*. In the combinations **hl, hn, hr**, both consonants are pronounced, as in **hlēapan**, *to leap*, **hnutu**, *nut*, **hring**, *ring*. Anglo-Saxon **hw** is pronounced like Modern English *wh*, as in **hwæt**, *what*, **hwīl**, *while*. But medially before other consonants and in the final position **h** is pronounced like *ch* in Scottish *loch*, or German *ich*, *ach*, as in Anglo-Saxon **geþōht**, *thought*, **lēoht**, *light*, **seah**, *saw*, past tense of **sēon**, *to see*.

The remaining Anglo-Saxon consonants, namely, **b, d, l, m, n, p, r, t, w, x**, are pronounced as in Modern English.

The Anglo-Saxon alphabet as used in this book therefore contains the following 24 letters: **a, æ, b, c, d, e, f, g, h, i, l, m, n, o, p, r, s, t, þ, ð, u, w, x, y**, the **w** being an editorial substitute for the runic character 'wen' in conformance with the usual editorial practice in presenting Anglo-Saxon texts.

Some of the vowel letters are combined to represent

[1] In this book parentheses are occasionally used, as in this paragraph, to indicate that a letter or syllable may or may not occur in an Anglo-Saxon word.

diphthongs, the most important of which are **ea, eo, ie,** and **io.**

All the consonants may be doubled (or geminated) in Anglo-Saxon except **x,** which in itself stands for a double consonant **cs,** and **w** which in early Anglo-Saxon is sometimes represented by double **u** (**uu** or **vv**). When palatal **g** is doubled it always appears as **cg,** with the sound of Modern English *j,* as already explained. In early Anglo-Saxon the doubling of **r** is rare except as it occurs in the comparison of certain adjectives ending in **r.**

With the single exception of an **e** after palatal **c, cc,** or **cg,** as already noted above, Anglo-Saxon contains no silent letters, but when a symbol is written it stands for a sound.

In some unusual spellings allowance must be made for foreign influence. In such Latin words as *Anthonius, Thomas, th* should be pronounced as *t.* In foreign words like *Iohannes, Iudeas,* the *i* is pronounced as *y* after the Latin fashion, and this spelling even occurs rarely in genuine Anglo-Saxon words, as in **iung** (for **geong**), *young.* The Latin custom of representing by single *u* the labial sound of Modern English *w* may be seen occasionally, as in **cuōm** (for **cwōm**), *came,* **tuēgen** (for **twēgen**), *two,* **cuēn** (for **cwēn**), *queen,* and the Latin *Octauianus,* Octavian, *Ualentines,* Valentine.

The Vowels in Accented Syllables

3. The vowels of Anglo-Saxon are either long or short. The term long as here used refers only to duration, a long vowel being presumably the same in quality, that is, the same sound, as a short vowel, only longer in duration. It is possible, however, that distinctions of quantity in Anglo-Saxon vowels also implied distinctions of quality, but distinctions so slight that they were not reflected in the

writing of the language and did not destroy the feeling
that long and short vowels were merely variations of the
same sound. The distinction of long and short is important
in Anglo-Saxon, especially in the scanning of verse, and it
is also historically important in the development of Eng-
lish vowel sounds. In the introduction and glossary of
this book the long vowels will be marked with the macron,
as in Anglo-Saxon **mān,** *wickedness,* **fōr,** *went,* past tense of
faran, *to go,* **gōd,** *good,* vowels not so marked being short,
as in Anglo-Saxon **mann,** *man,* **for,** *for* (the preposition),
god, *God.*

The long vowels of Anglo-Saxon are: **ā, ǣ, ē, ī, ō, ū, ȳ.**
These vowels are pronounced in general like the vowels of
German or Italian, that is, in the Continental fashion, as
follows:

ā   as in *father.* Ex.: **bān,** *bone,* **bāt,** *boat,* **hām,** *home.*

ǣ   as in *hat,* though longer, approximately like the vowel
     of *fair.* Ex.: **ǣfen,** *evening,* **lǣdan,** *to lead,* **sǣ,** *sea.*

ē   as in Modern English *mate* or *fête.* Ex.: **fēdan,** *to
     feed,* **hēr,** *here,* **mē,** *me.*

ī   as in *machine* or *meet.* Ex.: **fīf,** *five,* **hwīl,** *while,* **rīdan,**
     to ride.

ō   as in *vote.* Ex.: **dōm,** *judgment,* **mōna,** *moon,* **sōna,**
     soon.

ū   as in *rude, moon* (never as in *mute*). Ex.: **būtan,** *but,*
     fūl, *foul,* **hūs,** *house.*

ȳ   as in German *grün,* French *lune,* with the tongue posi-
     tion for *i* and the lips rounded for *u.* Ex.: **cȳðan,** *to
     make known,* **fȳr,** *fire,* **mȳs,** *mice,* plural of **mūs,** *mouse.*

The short vowels of Anglo-Saxon are: **a, æ, e, i, o, u, y.**
They are theoretically the same in quality as the long
vowels, only shorter in quantity, though it is almost
certain that **e** and **i** had already in Anglo-Saxon times

been lowered slightly from the tongue positions of the corresponding long vowels. The values of these short vowels are as follows:

a   as in *father*, only shorter, approximately as in the usual American pronunciation of *hot, stop*, etc. Ex.: **camp,** *battle,* **faran,** *to go,* **sadol,** *saddle.*

æ   as in *hat*. Ex.: **æt,** *at,* **fæt,** *vessel,* **þæt,** *that.*

e   as in *met*. Ex.: **betra,** *better,* **feðer,** *feather,* **settan,** *to set.*

i   as in *sit*. Ex.: **bridd,** *young bird,* **climban,** *to climb,* **sittan,** *to sit.*

o   as in the first syllable of *notable*. Ex.: **bolster,** *pillow,* **folgian,** *to follow,* **rodor,** *sky, heavens.*

u   as in the first syllable of *rudimentary*. Ex.: **full,** *full,* **lufu,** *love,* **sum,** *some.*

y   as in German *hütte*. Ex.: **fyllan,** *to fill,* **pytt,** *pit,* **wyrt,** *wort, herb.*

Before the nasals **m** and **n** the short vowel **a** frequently appears written as **o**. This variation in spelling indicates a variation in pronunciation, also, the **o** standing for a more rounded sound than **a**, like the *o* of Modern English *fond* or *offer*. This sound is sometimes indicated by the letter **o** with a cedilla, as in **and, ǫnd,** *and,* **lamb, lǫmb,** *lamb,* but the spelling itself is a sufficient indication of the pronunciation.

The diphthongs of Anglo-Saxon, like the simple vowels, are both long and short. They are pronounced with the stress on the first element. The commonest diphthongs are:

ēa, pronounced as **ē** + **a,** as in **cēas,** *chose,* past tense of **cēosan,** *to choose.*

ea, pronounced as **e** + **a,** as in **eall,** *all,* **heard,** *hard.*

ēo, pronounced as ē + o, as in lēoð, *song*.

eo, pronounced as e + o, as in eorðe, *earth*, **feohtan**, *to fight*.

īe, pronounced as ī + e, as in **hīeran**, *to hear*.

ie, pronounced as i + e, as in giefan, *to give*.[1]

4. The presence of a long vowel or diphthong in a syllable makes that syllable long, as in rīce, *powerful, rich*, mōna, *moon*. But a syllable is long also when it contains a short vowel or diphthong followed by two or more consonants, as in **bringan**, *to bring*, **meltan**, *to melt*, **heorte**, *heart*. A short syllable, on the other hand, contains a short vowel or diphthong followed by a single consonant only, as in **boga**, *bow*, **eofor**, *boar*, **fæger**, *fair*, **sagu**, *a saw*.

An accented syllable in a dissyllabic word in which the vowel or diphthong is followed by two consonants, or a monosyllabic word ending with a consonant, is said to be a closed syllable. Ex.: **standan**, *to stand*, **bærnan**, *to burn*, **cwæð**, *said, quoth*, past tense of **cweðan**, *to say*, **ðanc**, *thanks*. An accented syllable in a dissyllabic word in which the vowel or diphthong is followed by a single consonant, or a monosyllabic word ending in a vowel, constitutes an open syllable. Ex.: **wrītan**, *to write*, **rīce**, *kingdom*, **wē**, *we*.

The Vowels of Unaccented Syllables

5. The vowels of unaccented syllables in Anglo-Saxon are pronounced with the same quality as the vowels of accented syllables, or as nearly as this can be done. Thus in a word ending in **a**, like mōna, *moon*, sōna, *soon*, this final **a** should have the same sound as in a stressed syllable.

---

[1] Since it is sometimes helpful to know the correspondences between Anglo-Saxon sounds and their Modern English developments, a comparative table has been provided in Section 59.

Such words as **faran,** *to go*, and **bacan,** *to bake*, therefore, have approximately the same sound of the vowel in both the accented and unaccented syllables. A word ending in **e,** such as **sunne,** *sun*, has for its final sound approximately the vowel of Modern English *met*. A word ending in **u,** such as **sunu,** *son*, has for its final sound a vowel like the first vowel in Modern English *rudimentary*. From these statements it is apparent that unstressed syllables were given clearer phonetic value in Anglo-Saxon than such syllables are customarily given in Modern English pronunciation. It is obvious that the unstressed inflectional endings of nouns, adjectives and verbs in Anglo-Saxon must have been heard clearly in order to make plain the grammatical distinctions for which they stood.

Accent

6. The accented syllable of a word in Anglo-Saxon is ordinarily the root syllable, and the root syllable is usually the first syllable of an Anglo-Saxon word, as in **bīdan,** *to abide*, **gǽderian,** *to gather*. In compounds, however, a distinction must be made between (1) noun, adjective and adverb compounds, and (2) verb compounds. In noun, adjective and adverb compounds the chief stress is placed on the first element of the compound, even when it is a logically unimportant word, such as a preposition, as in **ófermōd,** *pride*, **ándgiet,** *understanding*, **ándswaru,** *answer*, **óreald,** *very old*. As exceptions to this rule, however, the two prefixes **be-** and **ge-** never take the accent, even in compound nouns. Ex.: **gebéd,** *prayer*, **gemōt,** *meeting*, **bebód,** *command*. In verb compounds the stress falls on the root syllable, never on the prefix, as in **wiðstándan,** *to withstand*, **ofsíttan,** *to besiege*, **bebēódan,** *to command*, **andgíetan,** *to understand*, **andswárian,** *to answer*.

III. SPECIAL NOTES ON SPELLING AND PRONUNCIATION

7. A glance down a page of Anglo-Saxon will show a greater variability in the forms of words than is to be found in Modern English. Some of these variations are merely slight inconsistencies of spelling, but in most instances the different spellings indicate differences of pronunciation. Familiarity with these variations is often helpful in recognizing the identity of words. The most important are as follows:

(*a*) Short **a** varies extensively with **æ.** The latter spelling and sound occur mostly in closed syllables, *i.e.*, in monosyllables ending in a consonant, as in þæt, *that*, **wæs**, *was*, or in the internal part of a word when the vowel is followed by two consonants, as in **hæfde**, *had*, **wæstm**, *fruit*. In dissyllabic words in which the vowel is followed by only one consonant, and in which it is, therefore, in an open syllable, the spelling **æ** usually occurs when the vowel of the succeeding syllable is **e,** as in **dæges**, genitive singular of **dæg**, *day*, **fæder**, *father*, **wæter**, *water;* but **a** appears when the vowel of the succeeding syllable is one of the back vowels **a, o, u,** as in **dagas**, nominative and accusative plural of **dæg**, **dagum**, dative plural of **dæg**, **magon**, plural of **mæg**, *may*.

But these rules are not observed with absolute regularity, and occasionally **a** occurs when followed by two consonants, as in **habban**, *to have*, **carcern**, *prison*, **abbud**, *abbot;* and sometimes **a** occurs in an open syllable followed by **e** in the succeeding syllable, as in **faren**, past participle of **faran**, *to go*, **bacen**, past participle of **bacan**, *to bake*.

Before the nasals **m** and **n** the form **æ** rarely occurs.

(*b*) Before **m** and **n,** either alone or followed by another consonant, **a** is frequently replaced by **o,** as in **monn,** for **mann,** *man,* **ond,** for **and,** *and,* **bond,** for **band,** past tense of **bindan,** *to bind.*

(*c*) Both **i** and **y,** long and short, are used interchangeably with **ie,** long and short, as in **fierd, fyrd,** *army,* **giefu, gifu, gyfu,** *gift,* **gīet, gīt, gȳt,** *yet,* **siex, six, syx,** *six.*

(*d*) The letters **i** and **y** are used interchangeably in late Anglo-Saxon texts for the sound of **i,** long and short, as in **sindon, syndon,** *are,* **drihten, dryhten,** *lord,* **hī, hȳ,** *they,* **īdel, ȳdel,** *idle, useless.*

(*e*) In some Anglo-Saxon texts the diphthong **io** appears commonly in place of **eo,** as in **bīon,** for **bēon,** *to be,* **hīo,** for **hēo,** *she.*

(*f*) Sometimes vowels are doubled to indicate length, as in **gōōd, gōd,** *good,* **āā, ā,** *ever,* **hīī, hī,** *they,* **hāām, hām,** *home,* **dōōm, dōm,** *judgment.* This method of indicating vowel length is used sparingly in very early Anglo-Saxon manuscripts, but is not much used again until late in the Anglo-Saxon period.

(*g*) For long **ī** the spelling **ig** is sometimes used, as in **hig,** for **hī,** *they,* **bigspell,** for **bīspell,** *parable.* Similarly the unstressed **i** to be found in the infinitive and other inflectional endings of many weak verbs frequently appears as **-ig-** or **-ige-,** as in **lufigean,** *to love* (for **lufian**), **cnocige,** *knock,* (for **cnocie**).

(*h*) The consonants **g** and **h** are often written interchangeably when final, as in **genōg, genōh,** *enough,* **burg, burh,** *fort,* **āstāg, āstāh,** past tense of **āstīgan,** *to ascend,* **ofslōg, ofslōh,** past tense of **ofslēan,** *to kill, slay.* Before **t,** however, both **g** and **c** usually become **h,** especially in weak verbs, as in **brōhte,** past singular of **bringan,** *to bring,* and **īhte,** past singular of **īcan,** *to increase.*

(*i*) In dissyllabic words the vowel of a short second syllable is frequently elided before inflectional endings if the radical syllable is long, as in **engel,** *angel,* genitive singular **engles, finger,** *finger,* genitive singular **fingres, drihten,** *lord,* genitive singular **drihtnes.** This elision of the unstressed vowel does not take place when the preceding radical syllable is short, as in **heofon,** *heaven,* genitive singular **heofones, eoten,** *giant,* genitive singular **eotenes, wæter,** *water,* genitive singular **wæteres,** except that in the inflection of certain words ending in **-el, -ol, -er, -or,** the unstressed vowel is dropped or syncopated even when the radical syllable is short, as in **fugol,** *bird,* genitive singular **fugles, micel,** *much, great,* dative plural **miclum, ator,** *poison,* genitive singular **atres.**

When the second or unstressed syllable is long, syncopation does not take place, and the vowel remains before inflectional endings, as in **hærfest,** *harvest,* genitive singular **hærfestes.**

(*j*) Final **h** is often lost before the vowel of an inflectional ending, and the vowel preceding the **h,** if it is short, becomes long, as in **mearh,** *horse,* genitive singular **mēares** (for **mearhes*), dative singular **mēare** (for **mearhe*). When the **h** is immediately preceded by a vowel, this loss of **h** before the vowel of an inflectional ending brings the two vowels together and they are then contracted into a simple vowel, as in **scōh,** *shoe,* nominative plural **scōs** (for **scōhas*), or else they form a diphthong, as in **feoh,** *property, money,* genitive singular **fēos** (for **feohes*), dative singular **fēo** (for **feohe*). A number of important verbs show the effect of this loss of **h** and consequent contraction in the present tense, such verbs as **flēon,** *to flee* (for *flēohan), sēon, *to see* (for *sehan), ðēon, *to thrive* (for *ðīhan), slēan, *to strike* (for *slahan), fōn, *to seize* (for *fōhan).[1]

(*k*) Medial **g** is often lost (i) before **d, n,** with a resultant lengthening of the preceding vowel, as in **sǣde,** from **sægde,** *said,* past tense of **secgan,** *to say,* **ðēn,** *thane, servant,* from **ðegn, mǣden,** *maiden,* from **mægden,** (ii) after the vowel **i,** as in **līð,** from **ligeð,** *lies,* third singular present of **licgan,** *to lie,* **stīrāp,** from **stig-rāp,** *stirrup.*

(*l*) Final doubled or geminated consonants are often simplified in late Anglo-Saxon, as in **mann, man,** *man,* **eall, eal,** *all,* **cynn, cyn,** *kin.* However final **cg** (for palatal **gg**) is never simplified in such words as **brycg,** *bridge.*

(*m*) A consonant no longer present in the nominative singular form of a word may appear in the inflected forms of the word, as in (i) **here,** *army,* genitive singular **herges,** nominative and accusative plural **hergas,** (ii) **gearu,** *ready,* masculine genitive singular **gearwes,** etc., **fēa,** *few,* or **fēawe,** (iii) **cnēo,** *knee,* genitive singular **cnēowes.**

In contract verbs, such as those discussed in paragraph (*j*) above, the **h** or its equivalent usually reappears in other forms of the verb, as in **slōh, slōg,** past tense of **slēan,** *to strike, slay,* **seah,** past tense of **sēon,** *to see,* **siehst,** present second singular of **sēon.**

(*n*) A number of spellings and pronunciations may be best grouped together under the head of diphthongizations. These diphthongizations take place when, under the influence of a neighboring sound, a glide sound is developed after or before the vowel of the accented syllable, this

[1] In this paragraph, and elsewhere in this book, starred forms indicate not the actually occurring words of Anglo-Saxon but hypothetically reconstructed forms from which the existing forms were derived.

glide sound combining with the vowel to form a diph-
thong. This is also called breaking.

(i) Before **r, l,** or **h** followed by a consonant, or before
final **h,** the vowels **a** and **æ** rarely occur in Anglo-Saxon,
but instead the vowel is said to be 'broken' into the diph-
thong **ea,** as in **heard,** *hard* (originally *hard or *hærd),
eald, *old* (originally *ald or *æld), **feallan,** *to fall* (origi-
nally *fallan or *fællan), **meahte,** *might,* past tense of
magan, *may* (originally *mahte or *mæhte), **seah,** *saw,*
past tense of **sēon,** *to see* (originally *sah or *sæh).

(ii) Before **r** or **h** followed by a consonant, before final
h and before **lc** or **lh,** the vowel **e** is commonly 'broken'
into the diphthong **eo,** as in **steorra,** *star* (originally
*sterra), **weorðan,** *to become* (originally *werðan), **feohtan,**
to fight (originally *fehtan), **reoht,** *right* (originally *reht),
feoh, *cattle, property* (originally *feh), **meolc,** *milk* (origi-
nally *melc), **seolh,** *seal* (originally *selh). Before **l** fol-
lowed by any other consonant, **e** remains unbroken, as in
helpan, *to help,* **meltan,** *to melt,* **helm,** *helmet.*

(iii) Between a palatal consonant sound and a succeed-
ing **æ** or **e** a transitional glide often develops, uniting with
the **æ** or **e** to form a diphthong. Thus after **g, c,** or **sc** the
following changes take place:

æ becomes **ea,** as in **geaf,** *gave,* past tense of **giefan,** *to give*
     (originally *gaf or *gæf), **ceaster,** *camp* (originally
     *caster or *cæster, from Latin *castra*), **sceal,** *shall*
     (originally *scal or *scæl).

ǣ becomes **ēa,** as in **gēafon,** *gave,* past plural of **giefan**
     (originally *gǣfon), **scēap,** *sheep* (originally *scǣp).

e becomes **ie,** as in **giefan,** *to give* (originally *gefan),
     scield, *shield* (originally *sceld).

These palatal consonants do not affect the vowel **e**
when the vowel is itself derived by mutation (see **7,** *o*)

from an earlier **a,** as in **sceððan,** *to hurt* (originally
*scaðjan), **cemban,** *to comb* (originally *cambjan).

(iv) When the syllable following the accented syllable
contains **u** or **o,** a front vowel **e** or **i** in the accented syllable
sometimes takes after it a glide vowel of more guttural
sound, thereby diphthongizing or breaking to **eo** or **io,** as in
seofon, *seven* (originally *sefon), **weorold,** *world* (originally
*werold), **meotod,** *ruler* (originally **metod**), **cliofu,** *cliffs*
(originally **clifu,** singular **clif**), **feola, feala,** *many* (originally
fela), **ðeossum, ðiossum,** dative plural of **ðēs,** *this* (origi-
nally **ðissum**).

(*o*) Certain variations are the result of a vowel adaptation
known as **i**-mutation (or *i*-umlaut), which took place before
the literary period of the Anglo-Saxons, but the effects of
which must be taken into consideration. The process of **i**-
mutation differs from the breakings just discussed in that
it produces not a diphthong but a simple vowel from a
vowel, and from a diphthong it produces merely a different
diphthong.

Wherever this **i**-mutation occurs, the word in which it
appears formerly contained a sound of the value of Anglo-
Saxon **i** or of **j** as in Modern German *ja* immediately
following the accented syllable, and the process of change
was one of approximate assimilation of the accented vowel
to this following *i*-sound. The vowel or diphthong of the
accented syllable was thus modified to bring it nearer to
the *i*-sound, and the *i*-sound for the most part disappeared,
though it occasionally survives as unaccented **i** or **e.** The
workings of **i**-mutation may be tabulated as follows:

ā and ǣ become ǣ.		e becomes i.	
a and æ " e (æ).		ēa and ea become īe and ie.	
ō and o " ē and e.		ēo and eo " īe and ie.	
ū and u " ȳ and y.			

The effects of **i**-mutation appear in the following classes of words:

(i) Those nouns whose plurals are formed by means of internal change, such as **fēt**, *feet*, singular **fōt**, **bēc**, *books*, singular **bōc**, **men**, *men*, singular **mann**, or **monn**, **mȳs**, *mice*, singular **mūs**.

(ii) The comparative and superlative forms of certain adjectives which, in addition to the regular suffixes used in comparison, also show this internal change, as in **ieldra**, *elder*, **ieldest**, *eldest* (from **eald**, *old*), **hīehra** or **hīerra**, *higher*, **hīeh(e)st**, *highest* (from **hēah**, *high*), **lengra**, *longer*, **lengest**, *longest* (from **lang** or **long**, *long*).

(iii) The second and third singular present of certain strong verbs in which the stem vowel undergoes a change similar to **i**-mutation, as in **ðū bir(e)st**, *thou bearest*, **hē bir(e)ð**, *he beareth* (from **beran**, *to bear*), **ðū hilp(e)st**, *thou helpest*, **hēo hilp(e)ð**, *she helpeth* (from **helpan**, *to help*).

(iv) A few irregular strong verbs of the fifth, sixth and seventh classes which show the effects of **i**-mutation in their present-tense stems only. Ex.: **biddan**, *to ask* (originally *bedjan), **steppan**, *to step* (originally *stapjan), **wēpan**, *to weep* (originally *wōpjan).

(v) A limited group of weak verbs of the first class, in which **i**-mutation is regarded as having affected the present stem and not the past or participial stem, causing an irregularity in these verbs which in several of the more common ones has remained down to the present day. Ex.: **sellan**, *to give*, past tense **sealde**, Modern English *sell*, *sold*, **sēc(e)an**, *to seek*, past **sōhte**, **bringan**, *to bring*, past **brōhte**.

(vi) Causative verbs, always of the weak conjugation, some of which appear to have been made from nouns, as

dēman, *to judge* (cf. dōm, *judgment*), lǣran, *to teach* (cf.
lār, *teaching* or *lore*), līehtan, *to illuminate* (cf. lēoht, *light*);
others from strong, and generally intransitive, verbs, as
ferian, *to carry* or *lead* (cf. faran, *to go*), settan, *to set* (cf.
sittan, *to sit*), lecgan, *to lay* (cf. licgan, *to lie*), wendan, *to
turn* (cf. windan, *to wind*); and others from adjectives, as
fȳsan, *to hasten* (cf. fūs, *ready* or *prompt*), brǣdan, *to
broaden* (cf. brād, *broad*), hǣlan, *to heal* or *make whole*
(cf. hāl, *whole*), cȳðan, *to make known* (cf. cūð, *known*).

(vii) Several other classes of Anglo-Saxon words which
can readily be associated with related forms if this earlier
modification of the stem vowel is assumed, such as the
abstract nouns like strengðu, *strength* (cf. strang or strong,
strong), lengð, *length* (cf. lang or long, *long*), wlencu, *pride*
(cf. wlanc or wlonc, *proud*); or the feminine forms of
masculine nouns, such as wylf, feminine of wulf or wolf,
wolf, gyden, *goddess*, feminine of god, *god*, fyxen, *she-fox* or
vixen, feminine of fox, *fox;* or certain derived adjectives,
such as gylden, *golden* (cf. gold, *gold*).

(*p*) A limited form of this mutation (or umlaut) appears
occasionally when the h immediately following a 'broken'
eo (io) or ea becomes strongly palatalized. The eo (io)
becomes ie (or i, y) as in rieht, riht, *right* (earlier reoht),
siex, six, syx, *six* (earlier seox), and likewise the ea ap-
pears as ie (or i, y) as in niht, *night* (earlier neaht),
miht, *might* (also meaht).

(*q*) The diphthong eo (appearing sometimes as io) is
likely to be labialized by a preceding w and converted into
a back vowel u or o, as in wurpan, *to throw* (from weorpan),
swurd, sword, *sword* (from sweord), worold, woruld, *world*
(from weorold). Likewise wi appears as wu, as in wucu,
week (from wicu), cwucu, cucu, *quick* (from cwic).

(*r*) A sound change which must have taken place so early in the development of Anglo-Saxon as to have little immediate bearing as a still active process upon the language of the period with which this grammar is concerned, but which should be clearly understood because it helps to explain the relationship of certain Anglo-Saxon words, particularly classes of the verbs, is that sound change called gemination or doubling of consonants. This doubling usually accompanied **i**-mutation if the mutated vowel was short, the **i** dropping out of the word after the doubling took place, as in **cynn,** *kin* (originally ***cunjo**), **fremman,** *to perform* (originally ***fromjan**), **sellan,** *to give* (originally ***saljan**). The consonant **r** does not geminate in this way.

IV. INFLECTION

Declension of Nouns

8. The Anglo-Saxon, like the Latin, German, and other more highly inflected languages, assigned grammatical gender to each noun. In many instances this grammatical gender does not coincide with the sex or natural gender of the object named by the noun, but whether a word is masculine, feminine or neuter depends upon the inflectional class to which it belongs. The gender of a noun can almost always be determined by means of the inflectional endings of the noun or by the inflections of accompanying modifiers.

Each Anglo-Saxon noun is declined to show number and case. Number is singular or plural as in Modern English. Of cases, however, the Anglo-Saxon noun possesses four in general use: the nominative, used as in later English to denote the subject or any subjective use in the sentence; the genitive, the older equivalent of the modern possessive

case, and having in addition most of the uses of the
modern "of" phrase; the dative, corresponding in general
to the indirect object in Modern English, and frequently
translatable by a phrase with *to* or *for;* and the accusative
or objective case, used for the direct object and similar
constructions.   Sometimes a fifth case, the instrumental,
is indicated by the ending of some accompanying modifier,
either adjective or pronoun; but since the dative and
instrumental forms are almost always identical in Anglo-
Saxon nouns, it is very difficult as a rule to distinguish the
instrumental case.   For other uses of the Anglo-Saxon
cases, see Section **68.**

It is helpful in learning the Anglo-Saxon noun declen-
sions to keep in mind the following facts: the singular
genitive endings of masculine and neuter nouns are almost
always identical, and, likewise, the dative singular mascu-
line and neuter are usually alike; the genitive and dative
endings of the feminine singular are always alike; in
strong nouns the singular nominative of the feminine and
the plural nominative of the neuter are identical; neuters
always have the same endings in both nominative and ac-
cusative, whether singular or plural; the plural genitive
for all three genders always ends in **-a;** the plural dative
for all the genders always ends in **-um;** the nominative
and accusative plural are always alike.

Since it is seldom possible to determine from the singular
nominative form of an Anglo-Saxon noun to which gender
or declensional class it belongs, it is necessary to know
other forms of the noun, and especially the plural nomi-
native.   It is most convenient, therefore, to classify the
Anglo-Saxon nouns according to the different ways in
which their plurals are formed, attention being called by
means of special notes under each general head to the
peculiar sub-classes into which certain stems fall because

of the workings of special phonetic or orthographic laws
already discussed in the Special Notes on Spelling and
Pronunciation in Section **7**, *a–r*.

1. MASCULINES WITH PLURAL IN -as

9. Examples: **stān,** *stone,* **heofon,** *heaven,* **hierde,** *herds-*
man.

SINGULAR

Nom.	stān	heofon	hierde
Gen.	stānes	heofones	hierdes
Dat.	stāne	heofone	hierde
Acc.	stān	heofon	hierde

PLURAL

Nom.	stānas	heofonas	hierdas
Gen.	stāna	heofona	hierda
Dat.	stānum	heofonum	hierdum
Acc.	stānas	heofonas	hierdas

To this class belong all nouns of agency ending in **-ere,**
as **bōcere,** *scholar,* **fiscere,** *fisher,* **fugelere,** *fowler,* **leornere,**
learner; abstract nouns in **-scipe** (see also **12,** *a*), as
frēondscipe, *friendship,* **gebēorscipe,** *banquet,* **ðēodscipe,**
service, discipline; verbal derivatives in **-að, -oð,** as
hergað, *plundering,* **huntoð,** *hunting,* **waroð,** *shore.*

Other nouns of this class are: **abbod,** *abbot,* **ār,** *messenger,*
æðeling, *noble, prince,* **bēag,** *ring,* **cāsere,** *emperor,* **cniht,**
boy, **dæl,** *portion,* **dōm,** *judgment,* **earm,** *arm,* **eorl,** *earl,*
feld, *field,* **fisc,** *fish,* **gāst,** *spirit,* **gigant,** *giant,* **hād,** *rank,*
office, **hām,** *home,* **here,** *army,* **hring,** *ring,* **Metod,** *Creator,*
morgen, *morning, morrow,* **munuc,** *monk,* **rinc,** *warrior,*
rāp, *rope,* **secg,** *man, warrior,* **stede,** *stead, place,* **stōl,** *stool,*
seat, **ðanc,** *thanks,* **ðegen,** *servant, thane,* **wer,** *man,* **wulf,**
wolf.

After the wearing down of inflectional endings in Middle English and the accompanying loss of grammatical gender, this is the declensional class which gradually, by the process of assimilation, absorbed most of the nouns of the other genders and classes, becoming in later times the great noun declension of English.

Special Notes

(*a*) In a few nouns of this class the stem vowel is interchangeably **a** or **æ** according to the case ending present (see **7,** *a*).

SINGULAR		PLURAL	
Nom.	**dæg,** *day*	Nom.	**dagas**
Gen.	**dæges**	Gen.	**daga**
Dat.	**dæge**	Dat.	**dagum**
Acc.	**dæg**	Acc.	**dagas**

Like **dæg** are **hwæl,** *whale,* **pæð,** *path,* **stæf,** *staff.*

(*b*) Nouns of this class having stems ending in **h** lose the **h** before vowel-beginning inflectional suffixes (see **7,** *j*).

SINGULAR		PLURAL	
Nom.	**mearh,** *horse*	Nom.	**mēaras**
Gen.	**mēares**	Gen.	**mēara**
Dat.	**mēare**	Dat.	**mēarum**
Acc.	**mearh**	Acc.	**mēaras**

Other masculine nouns in **h** are: **fearh,** *swine,* **feorh,** *life,* **Wealh,** *Welshman,* **scēoh, scōh,** *shoe,* **eoh,** *horse,* **seolh,** *seal.*

(*c*) When dissyllabic nouns of this class have long accented syllables (see **4**), the unstressed vowel usually disappears before inflectional endings (see **7,** *i*).

	SINGULAR		PLURAL
Nom.	**engel**, *angel*	Nom.	**englas**
Gen.	**engles**	Gen.	**engla**
Dat.	**engle**	Dat.	**englum**
Acc.	**engel**	Acc.	**englas**

Like **engel** are inflected: **angel**, *hook*, **drihten**, *lord*, **ealdor**, *elder*, **ēðel**, *property*, **finger**, *finger*, **fugol**, *bird*, **þēoden**, *chief*.

(*d*) Most **w**-ending stems of this class are slightly irregular in declension owing to the fact that in the singular nominative and accusative the **w** is usually either dropped or changed to **u**, sometimes **o**.

SINGULAR

Nom.	**bearu, -o**, *grove*	**ðēo(w)**, *servant*
Gen.	**bearwes**	**ðēowes**
Dat.	**bearwe**	**ðēowe**
Acc.	**bearu, -o**	**ðēo(w)**

PLURAL

Nom.	**bearwas**	**ðēowas**
Gen.	**bearwa**	**ðēowa**
Dat.	**bearwum**	**ðēowum**
Acc.	**bearwas**	**ðēowas**

Other **w**-stems are: **hlāw, hlǣw**, *funeral-mound*, **hrā(w)**, *corpse*, **snā(w)**, *snow*, **ðēaw**, *custom*. A parasitic or ' glide' vowel **u, o** or **e** is often developed in the **bearu** type of noun, as in singular genitive **bearowes**.

(*e*) Words ending in a doubled consonant often lose the final letter in the singular nominative and accusative, but retain the doubled consonant before all inflectional endings (see **7**, *l*). Examples: **hwam(m)**, *corner*, **weal(l)**, *wall*.

2. FEMININES WITH PLURAL IN -a (OR -e)

10. In this class short monosyllabic stems end in **-u** in the singular nominative, as in **giefu**, *gift*, while long monosyllabic stems, and dissyllabic stems in general, do not have **u**, as in **lār**, *lore* or *learning*, **costung**, *temptation*. The ending **u** sometimes appears as **o**.

SINGULAR

Nom.	giefu, -o	lār	costung
Gen.	giefe	lāre	costunga, -e
Dat.	giefe	lāre	costunga, -e
Acc.	giefe	lāre	costunga, -e

PLURAL

Nom.	giefa, -e	lāra, -e	costunga, -e
Gen.	giefa, -ena	lāra, -ena	costunga
Dat.	giefum	lārum	costungum
Acc.	giefa, -e	lāra, -e	costunga, -e

Other nouns of this class are: **ǣht**, *property*, **bēn**, *prayer*, **brȳd**, *bride, spouse*, **duguð**, *manhood, nobles*, **fierd**, *army*, **geoguð**, *youth*, **hwīl**, *while*, **lāf**, *remnant*, **lēod**, *people, nation*, **lufu**, *love*, **mīl**, *mile*, **rōd**, *rood, cross*, **sceamu**, *shame*, **sorg**, *sorrow*, **stefn**, *voice*, **tīd**, *time*, **ðearf**, *need*, **ðēod**, *people, nation*, **wēn**, *hope*, **woruld**, *world*, **wyrd**, *fate*, **wyrt**, *wort, herb*, etc.

In this class are comprised, also, the verbal nouns in **-ung**, such as **blēdsung, blētsung**, *blessing*, **earnung**, *merit*, **lēasung**, *lying, vain speech*, which are declined like **costung**, and abstract nouns ending in **-ð**, such as **fǣhð**, *feud, enmity*, **myrgð**, *pastime, mirth*, **ðīefð**, *theft*, etc.

The abstracts in **-u, -o**, such as **strengðu**, *strength*, vary between this class and the fourth (see sec. **12**, *b*).

Special Notes

(a) The general rule relating to vowel syncope applies to dissyllabic nouns of this class also, the unstressed vowel being dropped before inflectional endings when the preceding accented syllable is long (see **7**, *i*).

	Singular		Plural
Nom.	frōfor, *comfort*	Nom.	frōfra, -e
Gen.	frōfre	Gen.	frōfra
Dat.	frōfre	Dat.	frōfrum
Acc.	frōfre	Acc.	frōfra, -e

Like **frōfor** are inflected: **sāwol,** *soul,* **ceaster,** *city, fort.* Sometimes, even when the stressed syllable is short, syncope occurs, as in **feðer,** *feather,* **stigel,** *stile, set of steps.*

(b) The **w**-stems of this class are, like the masculine **w**-stems, sometimes slightly irregular. In the singular nominative the **w** appears as **u** when the stem-vowel is short, but is often dropped altogether when it is long.

Singular

Nom.	beadu, *battle*	stōw, *place*
Gen.	beadwe	stōwe
Dat.	beadwe	stōwe
Acc.	beadwe	stōwe

Plural

Nom.	beadwa, -e	stōwa, -e
Gen.	beadwa	stōwa
Dat.	beadwum	stōwum
Acc.	beadwa, -e	stōwa, -e

Other feminine **w**-stems are: **mǣd,** *mead, meadow,* **trēow,** *faithfulness,* **nearu,** *stress,* **sceadu,** *shadow,* **seonu,** *sinew,* **ǣ(w),** *law.* A parasitic vowel **u, o** or **e** is often found in the **beadu** type of feminine nouns, as in singular genitive **beadowe,** plural nominative **nearewa,** etc.

(*c*) Feminine abstract nouns ending in **-nes** (or **-nis**), and sometimes nouns of this class ending in other single consonants, double the final consonant before inflectional suffixes. In some words this doubling is merely the restoring of a doubled consonant which had been simplified in the singular nominative.

SINGULAR

Nom.	**hālignes,** *holiness*	sib(b), *relationship*
Gen.	**hālignesse**	sibbe
Dat.	**hālignesse**	sibbe
Acc.	**hālignesse**	sibbe

PLURAL

Nom.	**hālignessa, -e**	sibba, -e
Gen.	**hālignessa**	sibba
Dat.	**hālignessum**	sibbum
Acc.	**hālignessa, -e**	sibba, -e

Like these in their inflection are: **byrðen,** *burden,* **heal(l),** *hall,* **syn(n),** *sin, evil,* **ārfæstnes,** *piety,* **æfæstnes,** *religion,* **drēorignes,** *sadness,* **swētnes,** *sweetness,* etc.

3. NEUTERS WITH PLURAL IN -u OR WITHOUT ENDING

11. For the plural nominative of this class, in the case of monosyllabic nouns, the same rule applies as for the singular nominative of the feminine nouns of the preceding class, the ending **-u** being present when the stem is short but absent when long. In the case of dissyllabic nouns of this class, however, the **-u** is retained when the first syllable is long and dropped when it is short, except that neuters ending in **-e** regularly retain the **-u**. Ex.: **hof**, *dwelling*, **gēar**, *year*, **nīeten**, *animal*, **wæter**, *water*, **sife**, *sieve*.

SINGULAR

Nom.	hof	gēar	nīeten	wæter	sife
Gen.	hofes	gēares	nīetenes	wæteres	sifes
Dat.	hofe	gēare	nīetene	wætere	sife
Acc.	hof	gēar	nīeten	wæter	sife

PLURAL

Nom.	hofu	gēar	nīetenu	wæter	sifu
Gen.	hofa	gēara	nīetena	wætera	sifa
Dat.	hofum	gēarum	nīetenum	wæterum	sifum
Acc.	hofu	gēar	nīetenu	wæter	sifu

Other neuters of this class are: **ǣs**, *food, prey*, **bān**, *bone*, **bearn**, *child*, **bord**, *board, shield*, **dēor**, *wild animal*, **fæsten**, *fastness*, also, *fasting*, **feoh**, *property*, **feorh**, *life*, **folc**, *folk*, **fȳr**, *fire*, **gōd**, *goods*, **hūs**, *house*, **land**, *land*, **lēoht**, *light*, **līc**, *corpse*, **līf**, *life*, **lim**, *limb*, **lof**, *praise*, **mægen**, *might, main*, **mōd**, *spirit, mind, heart*, **rīce**, *kingdom*, **riht**, *right*, **sār**, *sore, pain*, **scēap**, *sheep*, **scip**, *ship*, **sinc**, *treasure*, **sōð**, *truth, sooth*, **spell**, *story*, **spere**, *spear*, **sund**, *sea*, **sweord**, *sword*, **ðing**, *thing*, **weorc**, *work*, **werod**, *band*, **wīf**, *woman*, **word**, *word*, **yfel**, *evil*, etc.

To this class belong various nouns with the prefix **ge-**, as, **gebǣre**, *behavior*, **gefylce**, *army, troop*, **gemet**, *measure*, **gemōt**, *meeting, council*, **witenagemōt**, *assembly of wise men*, **geweald**, *power*, **gewrit**, *writing*, etc.

Special Notes

(*a*) In a few neuters of this class the stem-vowel **æ** is changed to **a** when the plural case endings are added (see **7, a**).

SINGULAR		PLURAL	
Nom.	fæt, *vessel*	Nom.	fatu
Gen.	fætes	Gen.	fata
Dat.	fæte	Dat.	fatum
Acc.	fæt	Acc.	fatu

Other neuters of this kind are: **bæc**, *back*, **getæl**, *number*, **stæð**, *shore*, **wæl**, *slaughter*.

(*b*) In dissyllabic neuters of this class syncopation takes place when the first syllable is long (see **7**, *i*).

SINGULAR		PLURAL	
Nom.	hēafod, *head*	Nom.	hēaf(o)du
Gen.	hēafdes	Gen.	hēafda
Dat.	hēafde	Dat.	hēafdum
Acc.	hēafod	Acc.	hēaf(o)du

Like **hēafod** are inflected: **wǣpen**, *weapon*, **bēacen**, *beacon*, **ealdor**, *life*, *age*, **mynster**, *monastery*.

(*c*) A few neuter **w**-stems show a little irregularity in declension in the singular nominative and accusative, and sometimes in the plural nominative and accusative, where the **w** is either changed to **u** (sometimes **o**) or else dropped altogether.

SINGULAR			
Nom.	searu, -o, *device*	cnēo(w), *knee*	
Gen.	searwes	cnēowes	
Dat.	searwe	cnēowe	
Acc.	searu, -o	cnēo(w)	

PLURAL			
Nom.	searu, -o	cnēow(u), cnēo	
Gen.	searwa	cnēowa	
Dat.	searwum	cnēowum	
Acc.	searu, -o	cnēow(u), cnēo	

Similarly irregular are: **hlēo(w)**, *protection*, **bealu**, *evil*, **mealu**, *meal*, **trēo(w)**, *tree*. The parasitic vowel **u**, **o** or **e** is often found in neuters of the **searu** type, as in the singular dative **searuwe**, plural genitive **bealewa**, etc.

(*d*) Neuters of this class which end in doubled consonants tend to lose the final letter in those cases where no inflectonal endings are added, but retain the doubled consonants before endings (see **7**, *l*).

Singular		Plural	
Nom.	**cyn(n)**, *kin*	Nom.	**cyn(n)**
Gen.	**cynnes**	Gen.	**cynna**
Dat.	**cynne**	Dat.	**cynnum**
Acc.	**cyn(n)**	Acc.	**cyn(n)**

Other neuters like **cyn(n)** are **ful(l)**, *cup*, **angin(n)**, *beginning*, **bil(l)**, *sword*, **fen(n)**, *fen*, **gewin(n)**, *struggle, hardship*, **den(n)**, *den*, **flet(t)**, *floor, hall*, **fyrwett**, *curiosity*, **gied(d)**, *song, speech*, etc.

4. Masculines and Feminines With Plural in -e

12. A few nouns form the plural regularly with **-e**, such as the masculine **wine**, *friend*, and the feminine **dǣd**, *deed*, and **scyld**, *guilt*. Also some masculine names of peoples, such as **Engle**, *Angles*, have this plural formation but lack singular forms.

Singular			
Nom.	**wine**	**dǣd**	**scyld**
Gen.	**wines**	**dǣde**	**scylde**
Dat.	**wine**	**dǣde**	**scylde**
Acc.	**wine**	**dǣd(e)**	**scyld**

Plural

Nom.	wine, -as (see 12, a)	Engle	dǣde, -a	scylde, -a
Gen.	wina, -(ig)ea	Engla	dǣda	scylda
Dat.	winum	Englum	dǣdum	scyldum
Acc.	wine, -as	Engle	dǣde, -a	scylde, -a

Other masculines in **-e** are: **Angle**, *Angles,* **Dene**, *Danes,* **Dere**, *Deirans,* **goldwine**, *liberal prince,* **Rōmāne**, *Romans,* **Seaxe**, *Saxons,* plurals compounded with **-ware,** such as **ceasterware**, *city-dwellers,* **Rōmware**, *Romans,* etc.

Other feminines in **-e** are: **benc,** *bench,* **bȳsen,** *example,* **cwēn,** *queen,* **misdǣd,** *misdeed.* These feminines, however, are often inflected like those of the second class with plural nominative in **-a.**

Special Notes

(*a*) Most of the masculines of this class very soon were inflected like the more common ones with plural in **-as,** as is indicated by the variant forms given in the paradigm of **wine.** But occasionally the **e**-plural appears in a small group of masculines, notably **cīele,** *coolness,* **cwide,** *speech,* **ege,** *terror,* **ele,** *oil,* **hege,** *hedge,* **hryre,** *fall,* **lyre,** *loss,* **mete,** *food,* **sele,** *hall,* **slege,** *blow,* **stede,** *place,* **stice,** *stitch,* **wlite,** *countenance,* and the abstracts in **-scipe,** like **frēondscipe,** *friendship.*

(*b*) Feminine abstract nouns ending in **-u,** such as **strengðu,** *strength,* take **-e** or some other vowel in the plural nominative and accusative, and often **-u** or **-o** throughout the singular.

Singular		Plural	
Nom.	strengðu, -o	Nom.	strengðe, -a, -o, -u
Gen.	strengðe, -u, -o	Gen.	strengða
Dat.	strengðe, -u, -o	Dat.	strengðum
Acc.	strengðe, -u, -o	Acc.	strengðe, -a, -o, -u

Other feminine abstracts are: **brǣdu**, *breadth*, **hǣlu**, *salvation*, **ieldu**, *age*, **menigo**, *multitude*, **wlencu**, *pride*.

5. MASCULINES, FEMININES AND NEUTERS WITH PLURAL IN -an

13. This is often called the Weak Declension. It is illustrated by the masculine **guma**, *man*, the feminine **tunge**, *tongue*, and the neuter **ēage**, *eye*.

SINGULAR

	Masculine	*Feminine*	*Neuter*
Nom.	guma	tunge	ēage
Gen.	guman	tungan	ēagan
Dat.	guman	tungan	ēagan
Acc.	guman	tungan	ēage

PLURAL

	Masculine	*Feminine*	*Neuter*
Nom.	guman	tungan	ēagan
Gen.	gumena	tungena	ēagena
Dat.	gumum	tungum	ēagum
Acc.	guman	tungan	ēagan

Like **guma** are inflected the masculines **āglǣca**, *monster*, **ānhaga**, *solitary wanderer*, **bana**, *slayer*, **cempa**, *warrior*, **crabba**, *crab*, **eafora**, *heir*, **frēa**, *lord*, **gefēra**, *companion*, **gerēfa**, *reeve*, **hālga**, *saint*, **hunta**, *hunter*, **lēoma**, *light*, *radiance*, **līchama**, *body*, **mōna**, *moon*, **nama**, *name*, **oxa**, *ox*, **pāpa**, *pope*, **steorra**, *star*, **ðēowa**, *servant*, **wēa**, *misery*, **willa**, *will*, **wita**, *wise man*, and numerous others, largely nouns of agency.

Other weak feminines are: **abbudisse**, *abbess*, **cirice**, *church*, **eorðe**, *earth*, **folde**, *earth*, **hearpe**, *harp*, **heorte**, *heart*, **mæsse**, *mass*, **nǣdre**, *adder*, **sīde**, *side, flank*, **sunne**, *sun*, **wīse**, *manner*, **wydewe**, *widow*, etc.

The only other neuter of this class in common use is **ēare**, *ear*, but the masculines and feminines are numerous.

6. MASCULINES AND FEMININES WITH PLURAL FORMED BY INTERNAL CHANGE (i-MUTATION)

14. A small number of nouns, such as the masculine **mann**, *man* and **fōt**, *foot*, and the feminine **bōc**, *book*, show the effects of **i**-mutation in the plural nominative and accusative and in the singular dative and sometimes in the feminine singular genitive (see **7**, *o*, i). When the stem vowel is so mutated, no inflectional ending is used.

SINGULAR

Nom.	mann	fōt	bōc
Gen.	mannes	fōtes	bēc, bōce
Dat.	menn	fēt	bēc
Acc.	mann	fōt	bōc

PLURAL

Nom.	menn	fēt	bēc
Gen.	manna	fōta	bōca
Dat.	mannum	fōtum	bōcum
Acc.	menn	fēt	bēc

Other masculine nouns of this class are: **tōð**, *tooth*, the compounds such as **wīfman**, *woman*, and in part **hæle** (**hæleð**), *hero*, **mōnað**, *month*.

Other feminine nouns are: **āc**, *oak*, **brōc**, *breech*, **burg**, *town*, **cū**, *cow*, **gāt**, *goat*, **gōs**, *goose*, **lūs**, *louse*, **mūs**, *mouse*, **riht**, *right*. Also **hnutu**, *nut*, and **studu** or **stuðu**, *column*, which take in the plural nominative both internal change and the ending **-e**.

Special Notes

(a) The masculine nouns **frēond,** *friend,* **fēond,** *enemy,* and **gōddōnd,** *benefactor,* are sometimes inflected like other masculines of this class, with internal change in the singular dative and the plural nominative and accusative; at other times, however, internal change does not take place and the plural nominative is identical with the singular nominative (sec. **16**), or else the **-as** plural ending is assumed (sec. **9**).

	Singular		Plural
Nom.	**frēond**	Nom.	**frīend** or **frēond**
Gen.	**frēondes**	Gen.	**frēonda**
Dat.	**frīend** or **frēonde**	Dat.	**frēondum**
Acc.	**frēond**	Acc.	**frīend** or **frēond**

(b) The neuter **scrūd,** *clothing,* ordinarily declined like neuters of the third class, occasionally shows internal change in a singular dative, **scrȳd,** and the irregular **ealu,** *ale,* has the genitive **ealað** (**-oð**) and dative **ealaðe.**

7. Masculines and Feminines With Plural
in -a, -u or -o

15. A few nouns much used in Anglo-Saxon, such as the masculines **sunu,** *son,* and **feld,** *field,* and the feminines **duru,** *door,* and **hand,** *hand,* commonly take **-a** in the plural nominative and accusative and also in the singular genitive and dative. Sometimes this **-a** is replaced by **-u** or even **-o.**

Singular

	Masculine		Feminine	
Nom.	**sunu**	**feld**	**duru**	**hand**
Gen.	**suna**	**felda, -es**	**dura**	**handa**
Dat.	**suna**	**felda, ··e**	**dura, -u**	**handa**
Acc.	**sunu**	**feld**	**duru**	**hand**

PLURAL

Nom.	suna, -u, -o	felda, -as	dura, -u	handa
Gen.	suna	felda	dura	handa
Dat.	sunum	feldum	durum	handum
Acc.	suna, -u, -o	felda, -as	dura, -u	handa

It should be noted that in the singular nominative and accusative the same rule applies as in the feminines of the second class (**10**) and the neuters of the third (**11**), namely, that the **u** is retained after short syllables and lost after long. Most of the masculine nouns of this class show a strong tendency to go over to the first declension with plural in **-as**. A few other masculines have forms in **-a** at times, notably **ford**, *ford*, **sumor**, *summer*, **weald**, *forest*, **winter**, *winter*, and **wudu**, *wood*. Other feminines of this class are: **cweorn**, *mill*, **flōr**, *floor*, **nosu**, *nose*.

8. MASCULINES WITHOUT ENDING IN PLURAL

16. A few nouns, originally present participles, ordinarily take no ending in the plural nominative and accusative.

SINGULAR		PLURAL	
Nom.	hettend, *enemy*	Nom.	hettend, -as, -e (See **16**, *b*)
Gen.	hettendes	Gen.	hettendra
Dat.	hettende	Dat.	hettendum
Acc.	hettend	Acc.	hettend, -as, -e

Other nouns of this class are: **āgend**, *owner*, **dēmend**, *judge*, **fēond**, *enemy*, **frēond**, *friend*, **gōddōnd**, *benefactor*, **hǣlend**, *saviour*, **healdend**, *keeper*, **nergend**, *saviour*, **wīgend**, *warrior*, **scieppend**, *creator*, **wealdend**, *ruler*.

A large proportion of these nouns, such as **Hǣlend**, *Saviour*, are frequently employed as appellations of God or Christ.

Special Notes

(a) Since these nouns of agency are merely participles used as nouns, they keep the plural genitive ending of the adjective in **-ra,** instead of the regular noun ending in **-a.**

(b) These nouns also show a strong tendency to go over to the first declension with plural in **-as,** although a few, as already noted (**14,** a), sometimes have forms showing internal change.

(c) Certain participles, notably **berend,** *bearing,* **būend,** *dwelling,* **līðend,** *traveling,* are frequently used in combinations like **gārberend,** *spear-bearer,* **ceasterbūend,** *city-dweller,* **sǣlīðend,** *seafarer.*

9. Neuters With Plural in **-ru**

17. Four neuters differ from the ordinary neuters of the third class in that they sometimes have an **r** in the plural forms. These are **lamb,** *lamb,* **cealf,** *calf,* **ǣg,** *egg,* **cild,** *child.*

Singular

Nom.	lamb	cealf	ǣg	cild
Gen.	lambes	cealfes	ǣges	cildes
Dat.	lambe	cealfe	ǣge	cilde
Acc.	lamb	cealf	ǣg	cild

Plural

Nom.	lambru, -er	cealfru	ǣgru, -ra	cildru, -ra
Gen.	lambra	cealfra	ǣgra	cildra
Dat.	lambrum	cealfrum	ǣgrum	cildrum
Acc.	lambru, -er	cealfru	ǣgru, -ra	cildru, -ra

The plural nominative and accusative of **lamb** and **cild,** especially, are frequently found without any inflectional ending, and the **r** is often dropped from all the plural forms, thereby making these nouns identical in inflection with those of the third class (**11**). In rare instances a few other nouns show traces of this **r**-declension.

Special Classes

18. Under this head are grouped nouns of relationship, foreign nouns, and defective and redundant nouns.

(i) The five nouns of relationship, masculine **fæder**, *father*, and **brōðor**, *brother*, and feminine **mōdor**, *mother*, **dohtor**, *daughter*, and **sweostor**, *sister*, have such a variety of inflectional forms that it is best to treat them as a separate group.

Singular

Nom.	fæder	brōðor, -ur, -er
Gen.	fæder, -(e)res	brōðor
Dat.	fæder	brēðer
Acc.	fæder	brōðor, -ur, -er

Plural

Nom.	fæd(e)ras	brōðor, -ðru
Gen.	fæd(e)ra	brōðra
Dat.	fæd(e)rum	brōðrum
Acc.	fæd(e)ras	brōðor, -ðru

Singular

Nom.	mōdor, -ur, -er	dohtor, -ur, -er
Gen.	mōdor, mēder	dohtor, dehter
Dat.	mēder	dohtor, dehter
Acc.	mōdor, -ur, -er	dohtor, -ur, -er

Plural

Nom.	mōdru, -ra	dohtor, -tru, -tra
Gen.	mōdra	dohtra
Dat.	mōdrum	dohtrum
Acc.	mōdru, -ra	dohtor, -tru, -tra

SINGULAR		PLURAL	
Nom.	sweostor, -ur, -er	Nom.	sweostor, -tru, -tra
Gen.	sweostor	Gen.	sweostra
Dat.	sweostor	Dat.	sweostrum
Acc.	sweostor, -ur, -er	Acc.	sweostor, -tru, -tra

With these belong also the collective plurals **gebrōðor**, *brethren*, and **gesweostor**, *sisters*.

(ii) The inflectional treatment of foreign nouns varies in Anglo-Saxon. Some Latin nouns, such as **engel**, *angel*, **strǣt**, *street*, **weall**, *wall*, have been so incorporated into the language that they are declined like regular Anglo-Saxon nouns, while others retain the inflectional forms which they possessed in the language from which they were taken. In the sentence, for example, "**He gescēop tyn engla werod, þæt sind englas and hēahenglas, throni, dominationes, principatus, potestates, virtutes, cherubim, seraphim**," (p. 61, l. 16), the first two are declined like the Anglo-Saxon nouns of the first class, the next five follow the three Latin declensions from which they are taken, and the last two are declined as in the Hebrew from which they come.

(iii) A very few Anglo-Saxon nouns such as **fela, feola**, *much*, are indeclinable. Some abstract nouns, like **menigu**, *multitude*, are by their very nature almost altogether restricted to singular forms, while a few tribal names with plural in **-e** seem to have possessed nothing but plural forms (see sec. **12**). The singular forms are also wanting of such nouns as **burgware**, *citizens*, **ceasterware**, *citizens*, **fīras**, *men*, **frætwe**, *ornaments*, **gebrōðor**, *brethren*, **gerēðru**, *rudders*, **orcnēas**, *monsters*. And, finally, in the case of those rare nouns which occur in the extant literature of the Anglo-Saxon period only once or twice, it is difficult to determine just what all the inflectional forms may have been.

On the other hand several Anglo-Saxon nouns had varying declensional forms indicating that they possessed more than one grammatical gender. Examples are **arc,** *ark*, **ǣt,** *food*, **bend,** *bond*, **dīc,** *dike* or *ditch*, **sǣ,** *sea*, which are masculine and feminine, **ǣppel,** *apple*, **geðanc,** *thought*, **wīg,** *war*, which are masculine and neuter, and **wīc,** *dwelling*, which appears to have been declined according to all three genders.

THE DEFINITE ARTICLE

19. The Anglo-Saxon definite article was originally a demonstrative and is still often used as such. It has in the masculine and neuter singular distinct forms for the instrumental case (abbreviated as "Ins." below). This case is used to denote manner, means, instrument and similar uses (see sec. **8**), and can generally be translated by a phrase with *by* or *with*.

SINGULAR

	Masculine	*Feminine*	*Neuter*
Nom.	sē	sēo	ðæt
Gen.	ðæs	ðǣre	ðæs
Dat.	ðǣm, ðām	ðǣre	ðǣm, ðām
Acc.	ðone, ðane	ðā	ðæt
Ins.	ðȳ, ðē, ðon	—	ðȳ, ðē, ðon

PLURAL

All genders

Nom.	ðā
Gen.	ðāra, ðǣra
Dat.	ðǣm, ðām
Acc.	ðā
Ins.	ðǣm, ðām

ADJECTIVES

20. The Anglo-Saxon adjective is inflected not only to show the different degrees of comparison, as in Modern English, but also to agree in gender, number and case with the noun it modifies.

Comparison of Adjectives

21. Most Anglo-Saxon adjectives are compared by the use of the suffixes **-ra** and **-ost** (**-est**).

ceald, *cold*	**cealdra,** *colder*	**cealdost,** *coldest*
rīce, *powerful*	**rīcra,** *more powerful*	**rīcost,** *most powerful*

Like these are compared: **biter,** *bitter*, **cēne,** *keen*, **clǣne,** *clean*, **earm,** *poor*, **hālig,** *holy*, **heard,** *hard*, **hlūd,** *loud*, **lēof,** *dear*, **swīð,** *strong*, **swift,** *swift*.

Like other words the adjectives are subject to certain special changes in spelling and pronunciation (see **7,** *a–r*). The interchange of **æ** and **a** is seen in **glæd,** *glad*, **glædra,** **gladost,** **smæl,** *small*, **smælra,** **smalost;** the final **h** is lost before **-ra** in **nēah,** *nigh, near*, **nēarra** (or **nēahra**), **nīehst** (or **nēahst**); etc.

22. A small number of Anglo-Saxon adjectives, in addition to the comparative and superlative suffixes, also show internal change or **i**-mutation (see **7,** *o*, ii). These have **-est** as the superlative ending instead of the usual **-ost.** The most important of these adjectives are:

brād, *broad*	**brǣdra, brādra**	**brādest**
eald, *old*	**ieldra**	**ieldest**
ēaðe, *easy*	**ieðra**	**iēðest**
feor (adv.), *far*	**fierra**	**fierrest**
geong, *young*	**giengra**	**giengest**

grēat, *great*	grīetra	grīetest
hēah, *high*	hīehra (hīerra)	hīeh(e)st
lang, *long*	lengra	lengest
sceort, *short*	sciertra	sciertest
strang, *strong*	strengra	strengest

Most of these adjectives can also be compared in the more common way, without the i-mutation.

23. A few Anglo-Saxon adjectives, just as in Modern English, are irregular in comparison:

gōd, *good*	{ bet(e)ra { sēlra, sēlla	{ bet(e)st { sēlost, sēlest
yfel, *evil*	wiersa	wierrest, wierst
micel, *great*	māra, mǣrra	mǣst
lȳtel (lȳt), *little*	lǣssa	lǣs(e)st, lǣst

24. A few comparatives and superlatives have no positive forms, but are based upon related adverbs:

(ǣr, *before*)	ǣrra	ǣrest
(feor, *far*)	fierra	fierrest
(fore, *before*)	furðra	fyr(e)st
(nēah, *near*)	nēarra	nīehst

25. A slightly larger group of comparatives and superlatives not only lack the positive form, like the preceding group, but also employ longer suffixes, the comparative ending being frequently **-erra,** and the superlative **-mest** (rarely **-ma**).

(æfter, *after*)	æfterra	æftemest
(ēast, *eastward*)	ēast(er)ra	ēastmest
(fore, *before*)	furðra	fyrmest, forma
(hindan, *behind*)	———	hindema, hindmest
(inne, *within*)	inn(er)ra	innemest

(læt, *late*)	lætra	lætemest, lætest
(mid(d), *mid*)	————	mid(e)mest
(ni(o)ðan, *below*)	niðerra	niðemest
(norð, *northward*)	norð(er)ra	norðmest
(sīð, *late*)	sīðra	sīðemest, sīðest
(sūð, *southward*)	sūð(er)ra / sȳðerra	sūðmest
(ufan, *above*)	uferra, yfer(r)a	ufemest, yf(e)mest
(ūte, *without*)	ūt(er)ra, ȳtra	ūtemest, ȳtemest
(west, *westward*)	westerra	westmest

Declension of Adjectives

26. The Anglo-Saxon adjectives are declined as weak or strong according to their position in the sentence.

(i) The weak declension is used when the adjective is preceded by **sē** or **ðēs,** or a possessive adjective, and usually when it stands alone as a substantive. It is used in direct address. The comparative always takes the forms of the weak declension, and usually the superlative does, also. The ordinals, beginning with **ðridda,** *third,* are inflected as weak adjectives. And, finally, in poetry sometimes weak forms are used as one of the privileges of verse where the strong would ordinarily be employed in prose.

(ii) The strong declension is used in all other instances: when the adjective is not preceded by another modifier, or when it is in the predicate, following the verb, when it is preceded by some modifier other than the definite article, etc.

When the participle, either present or past, is used as an adjective it is declined just as an adjective except that it may be used as a predicate nominative (or predicate adjective) without inflectional endings (see sec. **71**).

Strong Declension of Adjectives

27. In some respects the strong declension of adjectives resembles the first three noun declensions (see **9-11**); the **u** of feminine singular nominative and neuter plural nominative is retained after short syllables and dropped after long, just as in the nouns. This is illustrated by **gōd,** *good,* and **til,** *useful,* as declined below. But for adjectives it is necessary to give the instrumental case endings since in the singular masculine and neuter they differ from the dative. Moreover it should be noted that certain case endings differ markedly from those of the corresponding noun-classes.

SINGULAR

	Masc.	*Fem.*	*Neut.*	*Masc.*	*Fem.*	*Neut.*
N.	gōd	gōd	gōd	til	tilu	til
G.	gōdes	gōdre	gōdes	tiles	tilre	tiles
D.	gōdum	gōdre	gōdum	tilum	tilre	tilum
A.	gōdne	gōde	gōd	tilne	tile	til
I.	gōde	——	gōde	tile	——	tile

PLURAL

	Masc.	*Fem.*	*Neut.*	*Masc.*	*Fem.*	*Neut.*
N.	gōde	gōda, -e	gōd, -e	tile	tila, -e	tilu, -o, -e
G.	gōdra	gōdra	gōdra	tilra	tilra	tilra
D.	gōdum	gōdum	gōdum	tilum	tilum	tilum
A.	gōde	gōda, -e	gōd, -e	tile	tila, -e	tilu, -o, -e
I.	gōdum	gōdum	gōdum	tilum	tilum	tilum

Like **gōd** are declined **blind,** *blind,* **beald,** *bold,* **brūn,** *brown,* **dēop,** *deep,* **eald,** *old,* **geong,** *young,* **lang,** *long,* **riht,** *right,* **sēoc,** *sick,* **wīs,** *wise,* compound adjectives ending in -cund, -feald, -fæst, -full, -lēas, -weard, such as **ānfeald,** *single,* **ārfæst,** *virtuous,* **geornful(l),** *eager,* **frēondlēas,** *friendless,* **andweard,** *present,* etc.

Like **til** are declined **cwic**, *live*, **dol**, *foolish*, **wan**, *wanting*, compound adjectives in **-līc** and **-sum**, such as **godlīc**, *godlike*, **langsum**, *lasting long*, etc.

While it is not possible to formulate very definite rules for the strong declension of dissyllabic adjectives as regards the retention or loss of final **u** in the feminine singular nominative and accusative and the neuter plural nominative and accusative, and also as regards syncopation or retention of the unstressed vowel, it may be said that in general the same rules apply as in the declension of nouns. When the stressed syllable of a dissyllabic adjective is short, as in **manig**, *many*, the **u** is omitted and syncopation does not occur, as a rule, except in adjectives ending in **-el, -ol, -er, -or;** but when the stressed syllable is long, as in **hālig**, *holy*, the **u** is retained and syncopation takes place.

SINGULAR

	Masculine	*Feminine*	*Neuter*
Nom.	manig	manig	manig
Gen.	maniges	manigre	maniges
Dat.	manigum	manigre	manigum
Acc.	manigne	manige	manig
Ins.	manige	——	manige

PLURAL

Nom.	manige	maniga, -e	manig
Gen.	manigra	manigra	manigra
Dat.	manigum	manigum	manigum
Acc.	manige	maniga, -e	manig
Ins.	manigum	manigum	manigum

SINGULAR

Nom.	hālig	hāligu, -o	hālig
Gen.	hālges	hāligre	hālges
Dat.	hālgum	hāligre	hālgum
Acc.	hāligne	hālge	hālig
Ins.	hālge	——	hālge

PLURAL

Nom.	hālge	hālga, -e	hāligu, -o
Gen.	hāligra	hāligra	hāligra
Dat.	hālgum	hālgum	hālgum
Acc.	hālge	hālga, -e	hāligu, -o
Ins.	hālgum	hālgum	hālgum

Like **manig** are declined **bysig**, *busy*, **dysig**, *dizzy*, **fægen**, *glad*, **fæger**, *fair*, **micel**, *great*, **nacod**, *naked*, **yfel**, *evil*, and past participles like **boren**, *borne*, **coren**, *chosen*.

Like **hālig** are declined **ēadig**, *rich, happy*, **lȳtel**, *little*, **ōðer**, *second*, such participles as **bunden**, *bound*, **holpen**, *helped*, etc.

Special Notes

(a) A number of adjectives have stems ending in **-e**. These are declined like **til** except that they have a final **-e** where **til** would take no ending. In this group are included such important adjectives as **blīðe**, *blithe*, **dēore**, *dear*, **drȳge**, *dry*, **grēne**, *green*, **nīwe**, *new*, **swēte**, *sweet*, and present participles, such as **singende**, *singing*, **bodiende**, *proclaiming*, etc.

(b) In adjectives having the stem-vowel **æ** the vowel regularly changes to **a** when the declensional ending consists of or begins with a back vowel **a, o** or **u** (see **7**, *a*). Ex.: **glæd**, *glad*, feminine singular nominative **gladu**, feminine plural nominative **glada**, plural dative **gladum**.

(c) Adjectives with **w**-stems are declined in general like **til** except that **-u** or **-o** appears in those cases where **til** would require no ending. Before the declensional suffixes the stem **w** appears either as **w** or as **o** according as the suffix added begins with a vowel or a consonant. Accordingly the singular forms of **gearu, -o,** *ready,* would be, in the strong declension:

SINGULAR

	Masculine	*Feminine*	*Neuter*
Nom.	gearu, -o	gearu, -o	gearu, -o
Gen.	gearwes	gear(o)re	gearwes
Dat.	gearwum	gear(o)re	gearwum
Acc.	gearone	gearwe	gearu, -o
Ins.	gearwe	———	gearwe

Other adjective **w**-stems are **calu,** *callow,* **cwicu,** *alive* (sometimes), **falu,** *fallow,* **geolu,** *yellow,* **hasu,** *gray,* **nearu,** *narrow,* **salu,** *sallow,* **wlacu,** *tepid.* If instead of a single consonant just preceding the **w** a long vowel or diphthong precedes it, the **w** would be likely to be retained throughout and the declension would be identical with that of **gōd,** as in **glēaw,** *prudent,* **hrēaw,** *raw,* **rēow,** *rough,* **slāw,** *slow,* etc.

(d) Adjectives ending in **h** would ordinarily, like the nouns, lose the **h** before vowel-beginning suffixes (see **7,** *j*). The singular forms of **hēah,** *high,* would be, therefore:

SINGULAR

	Masculine	*Feminine*	*Neuter*
Nom.	hēah	hēah	hēah
Gen.	hēas	hēahre, hēarre	hēas
Dat.	hēaum	hēahre, hēarre	hēa(u)m
Acc.	hēahne, hēanne	hēa	hēah
Ins.	hēa	———	hēa

Other adjectives showing similar irregularity of declension are **fāh,** *hostile,* **hrēoh,** *rough,* **ŏweorh,** *crooked,* **wōh,** *wrong,* etc.

Weak Declension of Adjectives

28. The usual forms of the adjective weak declension are identical with those of the weak declension of nouns (13), except that the strong form of the plural genitive, **-ra,** has very commonly replaced the regular weak form, **-ena.**

SINGULAR

	Masculine	Feminine	Neuter
Nom.	gōda	gōde	gōde
Gen.	gōdan	gōdan	gōdan
Dat.	gōdan	gōdan	gōdan
Acc.	gōdan	gōdan	gōde

PLURAL, ALL GENDERS

Nom.	gōdan
Gen.	gōdra, (-ena)
Dat.	gōdum
Acc.	gōdan

The weak declension of adjectives is much simpler than the strong because so many of the endings are alike, the instrumental, for example, being identical with the dative. It is also true that the special irregularities which have been noted in the strong declension of certain adjectives do not appear in the weak declension of some of those same adjectives (see **27,** *a-d*). In this declension the adjectives with **e**-stems are inflected like **gōda** throughout, the **e** of the stem being superseded by the regular weak endings. Likewise those adjectives with **w**-stems become regular in the weak declension since the **w** would regularly appear before the vowel-beginning suffixes of this declension, as in **gearwa,** *ready,* **gearwe** and **gearwan.**

For the change of **æ** to **a,** as in **glada,** *glad,* the usual rule would hold (see **7,** *a*). Adjectives ending with **h** show less irregularity in this declension, also, because the **h** usually disappears when the weak endings **-a, -e** and **-an** are used, **hēah,** *high,* appearing as **hēa, hēan,** etc.

Pronouns and Pronominal Adjectives

Personal Pronouns

29. The declension of the Anglo-Saxon personal pronoun is more complicated than that of the Modern English pronoun owing to the fact that the Anglo-Saxon pronoun has more inflectional forms: the dative and accusative must be kept distinct, a number of variant forms must be learned for certain cases, and a dual number must be added to the usual singular and plural. The dual forms are used when only two people are referred to, and are applicable only to the first and second personal pronouns.

First Person

Singular	*Dual*	*Plural*
Nom. ic	wit	wē
Gen. mīn	uncer	ūser, ūre
Dat. mē	unc	ūs
Acc. mē, mec	unc, uncit	ūs, ūsic

Second Person

Singular	*Dual*	*Plural*
Nom. ðū	git	gē
Gen. ðīn	incer	ēower, īower
Dat. ðē	inc	ēow, īow
Acc. ðē, ðec	inc, incit	ēow, īow, ēowic

THIRD PERSON

Masculine	*Feminine*	*Neuter*
Nom. **hē**	**hēo, hīe, hī**	**hit**
Gen. **his**	**hiere, hire**	**his**
Dat. **him**	**hiere, hire**	**him**
Acc. **hiene, hine**	**hīe, hī, hēo**	**hit**

PLURAL, ALL GENDERS

Nom.	**hīe, hī, hēo,** etc.
Gen.	**hiera, heora,** etc.
Dat.	**him, heom**
Acc.	**hīe, hī, hēo,** etc.

The primitive accusative forms **mec, ðec, uncit, incit, ūsic** and **ēowic** were replaced early in the Anglo-Saxon period by the dative forms.

Reflexives

30. Anglo-Saxon has no separate reflexive pronoun but uses the simple personal pronoun as a reflexive. The intensive adjective **seolf, self,** *self,* may be used with any inflected form of the personal pronoun, and it is from this combination that the Modern English intensive and reflexive compound *himself, herself,* etc., is derived. When the intensive *self* is thus used in Anglo-Saxon, it is inflected like any other adjective to agree with the pronoun it modifies. Ex.: **Ic swerige þurh mē selfne,** *I swear by myself.*

Possessives

31. The possessives **mīn,** *my* or *mine,* **ðīn,** *thy* or *thine,* **sīn,** *his, her* or *hers, its* and *their* or *theirs,* **ūre,** *our* or *ours,* **ēower,** *your* or *yours,* **uncer,** *of us two,* and **incer,** *of you two,* are declined as adjectives of the strong declension.

The genitives of the pronouns of the third person, **his,**

of him, **hiere,** *of her,* **his,** *of it,* and **hiera,** *of them,* are used more commonly, however, than the possessive adjective **sīn** to indicate possession, and when they are so used they may be translated simply as the possessives *his, her, its* and *their.*

Interrogatives

32. The interrogative masculine **hwā,** *who,* and neuter **hwæt,** *what,* are inflected as follows:

SINGULAR

	Masculine	*Neuter*
Nom.	hwā	hwæt
Gen.	hwæs	hwæs
Dat.	hwǣm, hwām	hwǣm, hwām
Acc.	hwone	hwæt
Ins.	hwī, hwȳ, hwon	hwī, hwȳ, hwon

The interrogative adjectives **hwilc, hwylc,** *which,* and **hwæðer,** *which of two,* are declined like strong adjectives.

Demonstratives

33. The definite article **sē, sēo, ðæt,** as has already been noted (**19**), was originally a demonstrative and could still be used as such. But Anglo-Saxon also had a demonstrative **ðēs,** *this,* which was declined as follows:

SINGULAR

	Masculine	*Feminine*	*Neuter*
Nom.	ðēs	ðēos, ðīos	ðis
Gen.	ðis(s)es	ðisse, ðisre	ðis(s)es
Dat.	ðis(s)um	ðisse, ðisre	ðis(s)um
Acc.	ðisne	ðās	ðis
Ins.	ðȳs, ðīs	——	ðȳs, ðīs

PLURAL, ALL GENDERS

   Nom. ðās
   Gen. ðissa, ðeossa
   Dat. ðis(s)um
   Acc. ðās

Relative Pronoun

34. Anglo-Saxon had no regular inflected relative pronoun. A relative particle **ðe** was used, either alone or in combination with the proper inflected form of the article **sē, sēo, ðæt.** Sometimes the article in its proper inflected form was used alone as a relative. Examples: **Ond þā men cōmon on Ēast Engle þe on þǣm ānum scipe wǣron,** *And those men came among the East Anglians who were on the one ship;* **Ūre ieldran, ðā ðe ðās stōwa ǣr hīoldon,** *Our ancestors, who held these places before;* **Ond Antōnius hæfde eahtatig scipa, on þǣm wǣron farende x legian,** *And Anthony had eighty ships, on which were traveling ten legions.*

Sometimes the personal pronoun is used instead of the article, as in **ðe hē,** *who,* or even with the article and **ðe.**

NUMERALS

Cardinals and Ordinals

35. The cardinal and the ordinal numerals are as follows:

Cardinals	*Ordinals*
ān, *one*	forma, formest(a) fyrmest(a), fyrest(a), ǣrest(a)
twēgen, tū, twā, *two*	ōðer, æfterra
ðrīe, ðrīo, ðrēo, *three*	ðridda
fēower, fīower, *four*	fēowerða, fēorða
fīf, *five*	fīfta
siex, six, *six*	siexta

Cardinals	Ordinals
seofon, siofon, *seven*	seofoðа, seofeðа
eahta, *eight*	eahtoðа
nigon, *nine*	nigoðа
tīen, tȳn, *ten*	tēoðа
en(d)le(o)fan, *eleven*	en(d)le(o)fta
twelf, *twelve*	twelfta
ðrēotīene, *thirteen*	ðrēotēoðа
fēowertīene, *fourteen*	fēowertēoðа
fīftīene, *fifteen*	fīftēoðа
siextīene, *sixteen*	siextēoðа
seofontīene, *seventeen*	seofontēoðа
eahtatīene, *eighteen*	eahtatēoðа
nigontīene, *nineteen*	nigontēoðа
twēntig, *twenty*	twēntigoðа
ān and twēntig, *twenty-one*	ān and twēntigoðа
ðrītig, *thirty*	ðrītigoðа
fēowertig, *forty*	fēowertigoðа
fīftig, *fifty*	fīftigoðа
siextig, *sixty*	siextigoðа
hundseofontig, *seventy*	hundseofontigoðа
hundeahtatig, *eighty*	hundeahtatigoðа
hundnigontig, *ninety*	hundnigontigoðа
hundtēontig, hund, hun- dred, *hundred*	hundtēontigoðа
hundendlefantig, *one hun- dred ten*	hundendleftigoðа
hundtwelftig, *one hundred twenty*	hundtwelftigoðа
twā or tū hund, hundred, *two hundred*	
ðrēo hund, hundred, *three hundred*	
ðūsend, *thousand*	

For the ordinal numerals above twenty, two forms occur, one with **and,** e g., **fēower and twēntigoða,** the other with **ēac** and the dative, e.g., **fēorða ēac fēowertigum.**

36. The first three cardinals are inflected, as follows:

	Masculine	*Feminine*	*Neuter*
Nom.	ān, *one*	ān	ān
Gen.	ānes	ānre	ānes
Dat.	ānum	ānre	ānum
Acc.	ǣnne, ānne	āne	ān
Ins.	ǣne, āne	——	ǣne, āne

	Masculine	*Feminine*	*Neuter*
Nom.	twēgen, *two*	twā	tū, twā
Gen.	twēgra, twēg(e)a	twēgra, twēg(e)a	twēgra, twēg(e)a
Dat.	twǣm, twām	twǣm, twām	twǣm, twām
Acc.	twēgen	twā	tū, twā

The forms of **bēgen,** masculine, **bā,** feminine, **bū,** neuter, meaning '*both*,' are the same as those of **twēgen, twā, tū.**

	Masculine	*Feminine*	*Neuter*
Nom.	ðrīe, ðrī, *three*	ðrēo, ðrīo	ðrēo, ðrīo
Gen.	ðrēora, ðrīora	ðrēora, ðrīora	ðrēora, ðrīora
Dat.	ðrim	ðrim	ðrim
Acc.	ðrīe, ðrī	ðrēo, ðrīo	ðrēo, ðrīo

When **ān** is used as an intensive meaning *only* or *alone,* it is generally declined as a weak adjective, **āna, āne,** etc. The cardinal numerals from 4 to 19 inclusive are not generally inflected when they are used attributively; when they stand alone they are declined like the adjectives ending in **e** (see sec. **27,** *a*).

VERBS

37. Most Anglo-Saxon verbs can be classed as "strong" or "weak" according as they have four principal parts distinguished by internal change, that is to say, by a variation of the radical vowel, or three principal parts distinguished by the addition of the dental suffix **-d** (or **-t**). A few irregular, special, verbs which do not fall into either of these classes must be learned separately.[1]

The four principal parts of the strong verb are best seen in the infinitive, past singular, past plural and past participle, vowel gradation (in German, ablaut) being the means employed to differentiate these four principal parts, as in **rīdan,** *to ride,* **rād, ridon, (ge)riden.** Since the past singular and plural forms of weak verbs use the same suffix, weak verbs are said to have only three principal parts, the infinitive, the past singular and the past participle.

Classification of Strong Verbs

38. The Anglo-Saxon strong verbs, of which, in their simple forms, fewer than four hundred in all have been recorded, fall into seven classes and are to be distinguished by the different series of stem-vowels or diphthongs employed in the four principal parts. These seven classes may be best learned by means of the following comparative table:

[1] The terms "strong" and "weak" as applied to verbs have no more descriptive significance than when they are applied to nouns, but they are retained for want of more satisfactory terminology, and because long usage has gradually defined their meanings.

1. ī	ā	i	i
2. ēo (ū)	ēa	u	o
3. e, i, eo	æ, a, ea	u	u (o)
4. e	æ	ǣ	o (u) *comes in before*
5. e (i)	æ	ǣ	e
6. a	ō	ō	a
7. Various vowels	ē or ēo	ē or ēo	various vowels

39. A few Anglo-Saxon strong verbs show in their principal parts the effects of a primitive consonant change generally known as *grammatical change*, the consonants **h, s** and **ð** of the present and past singular stems becoming respectively **g, r** and **d** in the past plural and past participle stems. These verbs, about thirty-one in number, are illustrated by the following:

ðēon, *to thrive*	ðāh	ðigon	(ge)ðigen
cēosan, *to choose*	cēas	curon	(ge)coren
snīðan, *to cut*	snāð	snidon	(ge)sniden

These verbs will be found scattered through the lists of strong verbs following (see sections **41-47**).

40. About sixteen strong verbs show a contraction in certain forms of the present tense which has resulted from the loss of an **h** (see sec. **7**, *j*). While the infinitive forms, with two exceptions, have long diphthongs as the result of this contraction, and look very much alike (*cf.* **flēan,** *to flay,* **tēon,** *to censure,* **tēon,** *to draw*), as a matter of fact from the point of view of their original forms they belong in various classes and will be found in the proper places in the following lists.

Class I

41. This class contains about sixty-seven [1] simple verbs, mostly regular, conforming to the model:

rīdan, *to ride* **rād** **ridon** (ge)**riden**

The most common are **ǣtwītan**, *to twit, reproach*, **be-swīcan**, *to beguile*, **bewrīhan**, *to conceal* (also contracted to **bewrēon**), **bīdan**, *to wait*, **bītan**, *to bite*, **drīfan**, *to drive*, **forscrīfan**, *to proscribe*, **gerīpan**, *to reap*, **gewītan**, *to depart*, **hrīnan**, *to touch*, **nīpan**, *to grow dark*, **scīnan**, *to shine*, **sīgan**, *to sink*, **slītan**, *to tear, slit*, **stīgan**, *to ascend*, **swīcan**, *to fail*, **wlītan**, *to look*, **wrītan**, *to write*, **blīcan**, *to shine*, **clīfan**, *to cleave*, **glīdan**, *to glide*, **grīpan**, *to grip*, **slīdan**, *to slide*, **strīcan**, *to stroke*, **strīdan**, *to stride*.

The following are irregular owing to contraction (see **40**), grammatical change (see **39**), etc.:

lēon (orig. **līhan*), *to lend*	**lāh**	**ligon**	(ge)**ligen**
līðan, *to travel*	**lāð**	**lidon**	(ge)**liden**
scrīðan, *to go*	**scrāð**	**scridon**	(ge)**scriden**
sēon (orig. **sīhan*), *to strain*	**sāh**	**sigon**	(ge)**sigen**
snīðan, *to cut*	**snāð**	**snidon**	(ge)**sniden**
tēon (orig. **tīhan*), *to censure*	**tāh**	**tigon**	(ge)**tigen**
ðēon (orig. **ðīhan*), *to thrive*	**ðāh**	**ðigon**	(ge)**ðigen**

[1] In compiling the following lists only those verbs have been selected which were fairly common in Anglo-Saxon and those which have left their impress on Modern English, no attention being paid, as a rule, to verbs of which only scattering forms are extant in Anglo-Saxon literature. The estimates of the numbers of verbs comprising the various strong-verb classes are based upon a compilation made from the Sievers-Cook *O. E. Grammar* and a pamphlet by Professor Louise Pound entitled *Strong Verbs and Preterite Present Verbs in Anglo-Saxon* (Chicago, 1898). No account has been taken of the very numerous compounds formed with such prefixes as **bi-** (**be-**), **for-**, **fore-**, **ge-**, **ofer**, **wið**, etc.

wrēon (orig. *wrīhan), *to cover* wrāh wrigon (ge)wrigen
wrīðan, *to writhe*   wrāð wridon (ge)wriden

Class II

42. This class comprises some fifty-five strong verbs, conforming mostly to the model:

bēodan, *to offer, command* **bēad budon (ge)boden**

The most commonly used verbs like **bēodan** are: brēowan, *to brew,* cēowan, *to chew,* clēofan, *to cleave,* drēogan, *to endure,* flēogan, *to fly,* flēotan, *to float,* gehrēodan, *to adorn,* grēotan, *to weep,* Scottish *greet,* hrēowan, *to rue,* lēogan, *to lie, deceive,* nēotan, *to enjoy,* rēocan, *to reek,* scēotan, *to shoot,* ðrēotan, *to weary.*

A few verbs of this class have long **ū** in the present stem in place of the usual **ēo.** The most important of these are brūcan, *to use, enjoy,* būgan, *to bow,* crūdan, *to crowd,* dūfan, *to dive,* lūcan, *to lock,* lūtan, *to bow,* scūfan, *to shove,* sprūtan, *to sprout,* sūcan (or sūgan), *to suck,* sūpan, *to sup,* undersmūgan, *to creep under.*

The following verbs are irregular for the same reasons as those in Class I:

ābrēoðan, *to frustrate*	ābrēað	ābrudon	ābroden
cēosan, *to choose*	cēas	curon	(ge)coren
drēosan, *to fail*	drēas	druron	(ge)droren
flēon (orig. *flēohan), *to flee*	flēah	flugon	(ge)flogen
forlēosan, *to lose*	forlēas	forluron	forloren
frēosan, *to freeze*	frēas	fruron	(ge)froren
hrēosan, *to fall*	hrēas	hruron	(ge)hroren
sēoðan, *to boil*	sēað	sudon	(ge)soden
tēon (orig. *tēohan), *to draw*	tēah	tugon	(ge)togen

Class III

43. The eighty or more verbs of this class fall into three groups according to the stem-consonants.

(*a*) The most numerous group consists of verb-stems ending in a nasal + a consonant and has the vowel-series **i, a** (or **o**), **u, u**:

singan, *to sing*   **sang**   **sungon**   **(ge)sungen**

Other common verbs of this group are: **belimpan,** *to belong*, **bindan,** *to bind*, **blinnan,** *to cease*, **climban,** *to climb*, **clingan,** *to wither*, **cringan,** *to fall in battle*, **drincan,** *to drink*, **findan,** *to find*, **grindan,** *to grind*, **limpan,** *to happen*, **onginnan,** *to begin*, **rinnan,** *to run*, **scrincan,** *to shrink*, **sincan,** *to sink*, **slincan,** *to slink*, **spinnan,** *to spin*, **springan,** *to spring*, **stingan,** *to sting*, **swimman,** *to swim*, **swingan,** *to swing*, **ðindan,** *to swell up*, **windan,** *to wind*, **winnan,** *to struggle, strive*, Modern English *win*, **wringan,** *to wring*.

(*b*) Another group of third-class strong verbs consists of stems ending in **l** + a consonant. This group has the vowel-series **e** (**eo, ie**), **ea, u, o**:

belgan, *to be angry*   **bealg**   **bulgon**   **(ge)bolgen**

Other common verbs of this group are: **delfan,** *to delve*, **gieldan,** *to yield*, **giellan,** *to yell*, **gielpan,** *to boast*, **helpan,** *to help*, **melcan,** *to milk*, **meltan,** *to melt*, **sc(i)ellan,** *to sound*, **swelgan,** *to swallow*, **swellan,** *to swell*, **sweltan,** *to die*.

(*c*) A third group comprises stems in **r** + a consonant with the vowel-series **eo, ea** (**æ**), **u, o**:

weorpan, *to throw*   **wearp**   **wurpon**   **(ge)worpen**

Other verbs of this group are: **beorcan,** *to bark*, **beorgan,** *to protect*, **beornan,** *to burn*, **berstan,** *to burst* (past singular

bærst), **ceorfan**, *to cut*, **hweorfan**, *to turn*, **sceorfan**, *to gnaw*, **sceorpan**, *to scrape*, **smeortan**, *to smart*, **steorfan**, *to die*, **ðerscan**, *to thresh* (past singular **ðærsc**).

The stem-vowel **e**, which is the normal vowel in this third class of strong verbs, in the present tense, appears as **ie** after the palatal consonants (see **7**, *n*, iii), as in the examples given in the second group above. In rare instances it also appears as **eo** in the second group, before l + a consonant; this **eo** appears consistently in the third group, before **r** + a consonant (see **7**, *n*, ii), the only exceptions being **berstan**, *to burst* and **ðerscan**, *to thresh*.

(*d*) A small group of third-class strong verbs are somewhat irregular owing to various causes, notably to contraction, to grammatical change, or, in the case of four of them, to the fact that the stem-consonants are neither nasals nor liquids:

beféolan (orig. **befeolhan), *to apply oneself*			
	befealh	**befulgon**	**befolgen**
bregdan, *to brandish*	**brægd**	**brugdon**	(ge)**brogden**
	or, with the loss of **g**,		
brēdan	**brǣd**	**brūdon**	(ge)**brōden**
feohtan, *to fight*	**feaht**	**fuhton**	(ge)**fohten**
frignan, *to ask*	**frægn**	**frugnon**	(ge)**frugnen**
	or, with the loss of **g**,		
frīnan	**frān**	**frūnon**	(ge)**frūnen**
iernan, *to run*	**ærn**	**urnon**	(ge)**urnen**
murnan, *to mourn*	**mearn**	**murnon**	——
spornan, *to spurn*	**spearn**	**spurnon**	——
stregdan (or **strēdan**), *to strew*	**strǣgd**	**strugdon**	(ge)**strogden**
weorðan, *to become*	**wearð**	**wurdon**	(ge)**worden**

Class IV

44. This class is small, numbering about a baker's dozen in all, of which most conform to the model:

beran, *to bear*   **bær**   **bǣron**   **(ge)boren**

The regular verbs of this class are: **brecan,** *to break*, **cwelan,** *to die*, **dwelan,** *to err*, **helan,** *to cover*, **hwelan,** *to roar*, **sceran,** *to cut*, **stelan,** *to steal*, **swelan,** *to burn*, **teran,** *to tear*, **ðweran,** *to stir*.

Because of the palatalizing influence of initial **sc-** (see **7, n,** iii), the verb **sceran,** *to cut*, often assumes the diphthongal forms **scieran, scear, scēaron.** The other irregular verbs of this class are:

cuman, *to come*	**c(w)ōm**	**c(w)ōmon**	**(ge)cumen, cymen**
niman, *to take*	**nōm**	**nōmon**	**(ge)numen**

Class V

45. Of the thirty-four or more strong verbs of this class, the majority conform to the model:

etan, *to eat*   **æt** (or **ǣt**)   **ǣton**   **(ge)eten**

The most commonly used verbs of this class are: **cnedan,** *to knead*, **drepan,** *to strike*, **fretan,** *to devour*, **lesan,** *to collect*, **metan,** *to measure*, **repan,** *to reap*, **sp(r)ecan,** *to speak*, **swefan,** *to sleep*, **tredan,** *to tread*, **wefan,** *to weave*, **wegan,** *to carry*, **wrecan,** *to drive out*.

Owing to the influence of palatal **g** (see **7, n,** iii), the stem-vowels of **giefan,** *to give*, and **gietan,** *to get*, appear as diphthongs with the vowel-series **ie, ea, ēa, ie.**

A few other verbs of this class are irregular, owing to the loss of **h** and resultant contraction (see **7, j**), to **i**-mutation in the present tense (see **7, o,** iv), or to grammatical change (see **39**):

biddan (orig. *bedjan), *to ask*
    bæd   bǣdon   (ge)beden

cweðan, *to speak*
    cwæð   cwǣdon   (ge)cweden

fricg(e)an (orig. *fregjan), *to inquire*
    fræg   frǣgon   (ge)fregen, -frigen

gefēon (orig. *gefehan), *to rejoice*
    gefeah   gefǣgon   gefegen

licg(e)an (orig. *legjan), *to lie*
    læg   lǣgon   (ge)legen

plēon (orig. *plehan), *to risk*
    pleah   —————   —————

sēon (orig. *seh(w)an), *to see*
    seah   sāwon (sāgon)   (ge)sewen, -segen

sittan (orig. *setjan), *to sit*
    sæt   sǣton   (ge)seten

ðicg(e)an (orig. *ðegjan), *to take*
    ðeah (ðah)   ðǣgon   (ge)ðegen

wesan, *to be*
    wæs   wǣron   —————

Of these irregular verbs **ðicg(e)an** often shows weak forms in the past tense and past participle, and **wesan** is often supplanted in the present tense by forms of **bēon** (see **57**).

Class VI

46. Some thirty strong verbs make up this class, of which a majority are regular according to the model:

    faran, *to go*   **fōr**   **fōron**   (ge)**faren**

Like **faran** are inflected **acan,** *to ache,* **alan,** *to nourish,* **bacan,** *to bake,* **calan,** *to grow cool,* **dragan,** *to draw,* **galan,** *to sing,* **gnagan,** *to gnaw,* **grafan,** *to dig,* **hladan,** *to load,*

sacan, to dispute, **tacan,** to take, **wacan,** to wake, **wadan,** to go, **wascan (wæscan),** to wash.

Owing to the palatalizing influence of initial **sc-** the strong verbs **scacan,** to shake, and **scafan,** to shave, sometimes change the stem-vowels to diphthongs, as in **sceacan, scēoc, scēocon, sceacen,** although they often have only the simple stem-vowel as in **faran.**

The irregular verbs, which owe their irregularities for the most part to the same general causes which affected the verbs of the fifth class, namely, contraction, **i**-mutation and grammatical change, are:

flēan (orig. **flahan*), to flay

| flōh or flōg | flōgon | (ge)flagen |

hebban (orig. **hafjan*), to raise

| hōf | hōfon | (ge)hafen |

hl(i)ehhan (orig. **hlahjan*), to laugh

| hlōh or hlōg | hlōgon | (ge)hle(a)hen |

lēan (orig. **lahan*), to blame

| lōh or lōg | lōgon | (ge)lagen |

sce(a)ððan (orig. **scaðjan*), to harm

| sc(ē)ōd | sc(ē)ōdon | (ge)sceaðen |

sc(i)eppan (orig. **scapjan*), to shape

| sc(ē)ōp | sc(ē)ōpon | (ge)scapen |

slēan (orig. **slahan*), to strike

| slōh or slōg | slōgon | (ge)slagen |

standan, to stand

| stōd | stōdon | (ge)standen |

steppan (orig. **stapjan*), to step

| stōp | stōpon | (ge)stapen |

sweri(ge)an (orig. **swarjan*), to swear

| swōr | swōron | (ge)sworen, -swaren |

ðwēan (orig. **ðwahan*), to wash

| ðwōh or ðwōg | ðwōgon | (ge)ðwagen |

Class VII

47. This class comprises about fifty-eight strong verbs which display in their present stems such a variety of vowels and diphthongs that it is difficult to classify many of them except as their past tense forms are known. They fall into two groups according as they take ē or ēo in the past tense.[1]

(*a*) Approximately one-fourth have the vowel ē in the past tense stems, conforming to the model:

hātan, *to call*   **hēt**   **hēton**   **(ge)hāten**

Other important verbs of this group are: **bannan,** *to summon*, **blandan,** *to mix*, **drǣdan,** *to dread*, **gangan,** *to go*, **lācan,** *to leap*, **lǣtan,** *to let, leave*, **rǣdan,** *to advise*, **sc(ē)adan,** *to separate*, **slǣpan,** *to sleep*, **spannan,** *to fasten*.

Two contract verbs, **fōn** (orig. **fanhan*), *to seize*, and **hōn** (orig. **hanhan*), *to hang*, differ from those above only in the present forms.

(*b*) All other strong verbs of this class have **ēo** in the past singular and plural, according to the model:

feallan, *to fall*   **fēol(l)**   **fēollon**   **(ge)feallen**

The most important verbs of this group are: **bēatan,** *to beat*, **blāwan,** *to blow*, **blōtan,** *to sacrifice*, **blōwan,** *to bloom*,

[1] Several preterits of this class have irregular variant forms, such as heht (from hātan), leolc (from lācan), reord (from rǣdan), which are considered survivals of reduplicated past tense forms in primitive Anglo-Saxon. This reduplication, which can be seen in some Gothic, as well as Latin and Greek, past tense forms, consisted of the prefixing of a syllable made up of the initial consonant and some weaker vowel, usually e, with or without a change of the stem vowel. This seventh class is often called the reduplicating or the reduplicating-ablaut class, although there is no evidence in surviving forms that many of the verbs comprised in it ever had reduplication.

cnāwan, *to know*, crāwan, *to crow*, fealdan, *to fold*, flōwan,
to flow, glōwan, *to glow*, grōwan, *to grow*, healdan, *to hold*,
hēawan, *to hew*, hlēapan, *to leap*, hlōwan, *to low, bellow*,
āhnēapan, *to pluck*, hrōpan, *to shout*, hwōpan, *to threaten*,
māwan, *to mow*, rōwan, *to row*, sāwan, *to sow*, spōwan,
to succeed, swāpan, *to sweep*, swōgan, *to resound*, ŏrāwan,
to throw, wealcan, *to roll*, wealdan, *to wield*, weallan, *to
well up*, weaxan, *to grow*.

Two verbs of this group which show the effects of
i-mutation in the present stem are:

hwēsan (orig. *hwōsjan), *to wheeze*

        hwēos   *hwēoson   *(ge)hwōsen

wēpan (orig. *wōpjan), *to weep*

        wēop   wēopon   (ge)wōpen

These two, with fōn and hōn, are the only verbs of
this seventh class that do not have the same vowels in
the present tense and past participle.

Three verbs of the first group, bannan, *to summon*,
gangan, *to go*, and spannan, *to fasten*, also have past tense
forms with ēo.

Conjugation of Strong Verbs

48. The inflectional system of the Anglo-Saxon verb is
comparatively simple. It has only two tenses, present and
past, the present being employed also as a future whenever
necessary. Besides the indicative and imperative moods,
a subjunctive (sometimes called optative) mood is used
to express uncertainty, possibility, etc., and is essentially
the same as the subjunctive in Latin, German, etc.

Already in Anglo-Saxon the making of periphrastic or
phrasal verbs is resorted to in order to supply certain
deficiencies in the verbal inflectional system. Sometimes
futurity is expressed by the use of sculan, *shall*, with the

infinitive. Occasionally **wesan** or **bēon,** *to be,* is used with
the present active participle in a manner strongly sugges-
tive of the modern progressive construction. The passive
voice is expressed by **weorðan,** *to become,* with the past
participle, the only inflective passive in Anglo-Saxon
being the medial-passive **hātte,** *was* or *is called,* a survival.

The Anglo-Saxon verb has the usual three persons and
two numbers, singular and plural. In the plural the same
form of the verb is always used for all three persons.

49. Most of the more important features of strong-
verb conjugation may be illustrated by the familiar verbs
rīsan, *to rise,* **beran,** *to bear,* and **sēon,** *to see:*

Present

Indicative

Sing.	1	rīse	bere	sēo
	2	rīsest	bir(e)st	siehst
	3	rīseð	bir(e)ð	siehð
Plur. 1–3		rīsað	berað	sēoð

Subjunctive

Sing. 1–3	rīse	bere	sēo
Plur. 1–3	rīsen	beren	sēon

Imperative

Sing.	2	rīs	ber	seoh
Plur.	2	rīsað	berað	sēoð

Infinitive

rīsan	beran	sēon

Gerund

tō rīsanne (-enne)	tō beranne (-enne)	tō sēonne

Present Participle

rīsende	berende	sēonde

Past

Indicative

Sing.	1	rās	bær	seah
	2	rise	bǣre	sāwe
	3	rās	bær	seah
Plur.	1–3	rison	bǣron	sāwon

Subjunctive

Sing.	1–3	rise	bǣre	sāwe
Plur.	1–3	risen	bǣren	sāwen

Past Participle

(ge)risen	(ge)boren	(ge)sewen

Special Notes

(*a*) The past plural stem is always used in the past indicative second singular, and in the past subjunctive singular, as well as in the past plural of both moods.

(*b*) The past participle of Anglo-Saxon verbs is found so often without the prefix **ge-** that the form without the prefix may be considered a regular variant form.

(*c*) A number of strong verbs, like **sēon,** are irregular because of contraction arising from loss of **h** in certain of their inflectional forms (see **7,** *j*). Since these verbs belong to various strong verb classes, they have already been placed in the proper class-lists (see **41-47**).

(*d*) In the second and third person singular of the present indicative of a number of common strong verbs, the stem-vowel is changed by **i**-mutation, **a** becoming **e, e** becoming **i, ea** and **eo** becoming **ie,** etc. (see **7,** *o*, iii). Like **beran** in this respect are **cēosan,** *to choose,* **crēopan,** *to creep,* **cuman,** *to come,* **cweðan,** *to speak,* **feallan,** *to fall,*

healdan, *to hold,* **helpan,** *to help,* **standan,** *to stand,* **weaxan,** *to grow,* **weorpan,** *to throw,* etc. This change of stem-vowel is not consistently maintained in Anglo-Saxon, and in some manuscripts the unchanged stem-vowel appears regularly.

(*e*) In the second and third person singular of the present indicative, the **e** of the personal endings is frequently dropped after stems ending in such consonants as **c, d, g,** and **ð,** and this omission occasionally produces a change in the stem-consonant also. Ex.: **ðū cwiðst,** from **cweðan,** *to speak,* **ðū bitst,** from **biddan,** *to ask,* **ðū sēcst** or **sēhst,** from **sēcan,** *to seek,* **hē lī(e)gð,** from **lēogan,** *to lie, deceive,* etc.

(*f*) When a strong verb stem ends in **d** or **t,** as a result of the syncopation just mentioned, the **ð** of the third singular present indicative is often combined with the **d** or **t,** forming a single final **t,** as in **hē bit** (for **hē biddeð**), from **biddan,** *to ask,* **hēo stant** or **stent,** from **standan,** *to stand,* **hē it(t),** from **etan,** *to eat,* etc.

(*g*) A few strong verbs of the fifth and sixth classes, with one exception all having a doubled consonant in the stem, simplify the consonant in the indicative singular second and third person and in the imperative singular. They also take a final **e** in the imperative singular. These are: **biddan,** *to ask,* **fricg(e)an,** *to inquire,* **hebban,** *to lift,* **hliehhan,** *to laugh,* **licg(e)an,** *to lie,* **sceððan,** *to harm,* **scieppan,** *to shape,* **sittan,** *to sit,* **steppan,** *to step,* **swerian,** *to swear,* **ðicg(e)an,** *to take.*

(*h*) When the pronominal subjects **wē,** *we,* **gē,** *ye,* follow the verb because of inversion, the verb ending is often reduced to **e.** So **wē cōmon,** *we came,* may become **cōme wē, gē healdað,** *ye hold,* **healde gē,** etc.

(*i*) Instead of the usual subjunctive present and past plural **-en** and indicative past plural **-on,** the form **-an** is fairly common and must not be confused with the infinitive ending **-an.**

Classification of Weak Verbs

50. Of the numerous Anglo-Saxon weak verbs, a large proportion are derivatives from strong verbs, from nouns, or from adjectives (see **65**), and since the primitive derivative suffix was probably **-jan,** many of these verbs show the effects of **i**-mutation, either in part or throughout the entire inflectional system. The Anglo-Saxon weak verbs fall into three classes, the first and second distinguishable by the different suffixes employed in forming the past tense, and the third very small class by the intermingling of features of the other two classes.

Class I

51. The weak verbs of this class fall into two main groups. When the stem contains a short vowel or short diphthong followed by a doubled consonant, as **fremman,** *to perform,* the past and past participle take **-ede** and **-ed,** respectively; when it contains a long vowel or syllable (except as above stated, *i.e.,* when a short vowel or diphthong is followed by a doubled consonant), as **dēman,** *to judge,* the past and past participle end in **-de** and **-ed.** It should be emphasized, however, that in the first group the consonant doubling does not appear except in the present forms; hence the second and third principal parts of these verbs are **fremede, (ge)fremed,** and **dēmde, (ge)dēmed.** The infinitive ending of the first class of weak verbs is regularly **-an.**

1. In the first group with **fremman** belong also:

cnyssan, *to beat,* **dynnan,** *to resound,* **hlemman,** *to clash,* **sceðð̄an,** *to scathe,* **trymman,** *to strengthen,* **ðicg(e)an,** *to take, receive.*

2. Other verbs of the second group are: **bærnan,** *to burn,* **būan,** *to dwell,* **dǣlan,** *to divide,* **drǣfan,** *to drive,* **āflīeman,** *to put to flight,* **fylg(e)an,** *to follow,* **fȳsan,** *to hasten,* **gelīefan,** *to believe,* **gyrdan,** *to gird,* **hīeran,** *to hear,* **lǣdan,** *to lead,* **lǣran,** *to teach,* **onǣlan,** *to kindle,* **rǣran,** *to rear,* **rīman,** *to count,* **tēon,** *to create,* **wēnan,** *to hope, expect,* **wyrgan,** *to curse.* The verb **lecgan,** *to lay,* also belongs to this group although it resembles **fremman.**

Special Notes

(*a*) Most short-vowel stems ending in **-r** belong to the first group with past in **-ede,** but differ from other verbs in this group in having the infinitive ending **-ian.** Ex.: **derian,** *to injure,* **erian,** *to plow,* **herian,** *to praise,* **nerian,** *to save,* **werian,** *to defend,* **ferian,** *to carry.*

(*b*) In a small but important group of irregular verbs of this first class, **i**-mutation has affected the present stem but not the past and past participle stems (see **7,** *o,* v). These verbs are:

bepǣc(e)an, *to deceive*	bepǣhte	bepǣht
bringan, } *to bring* **brengan,** }	brōhte	(ge)brōht
bycg(e)an, *to buy*	bohte	(ge)boht
cwecc(e)an, *to shake*	cweahte	(ge)cweaht
cwellan, *to kill*	cwealde	(ge)cweald
drecc(e)an, *to vex*	dreahte	(ge)dreaht
dwellan, *to deceive*	dwealde	(ge)dweald
lǣcc(e)an, *to seize*	lǣhte	(ge)lǣht
lecc(e)an, *to moisten*	leahte	(ge)leaht

P.S. *Post Participle*

rǣc(e)an, *to reach*	rǣhte	(ge)rǣht
recc(e)an, *to expound*	reahte	(ge)reaht
rēc(e)an, *to reck*	rōhte	(ge)rōht
sēc(e)an, *to seek*	sōhte	(ge)sōht
sellan, *to give*	sealde	(ge)seald
stellan, *to place*	stealde	(ge)steald
strecc(e)an, *to stretch*	streahte	(ge)streaht
tǣc(e)an, *to teach*	tǣhte	(ge)tǣht
tellan, *to count*	tealde	(ge)teald
ðecc(e)an, *to cover*	ðeahte	(ge)ðeaht
ðenc(e)an, *to think*	ðōhte	(ge)ðōht
ðync(e)an, *to seem*	ðūhte	(ge)ðūht
wecc(e)an, *to wake*	weahte	(ge)weaht
wyrc(e)an, *to work*	worhte	(ge)worht

Several other irregularities observable in these verbs, other than the difference in vowels due to **i**-mutation, are to be ascribed to causes already noted, or are to be explained as inheritances from primitive Germanic. Very early the consonants **c** and **g** became **h** before the dental **t,** as in **sōhte;** since doubling or gemination of a consonant generally occurred after **i**-mutation had taken place (see 7, *r*), in the past and past participle stems where no mutation occurred no doubling is to be found, as in **sealde;** breaking naturally occurred before **h** or **l** followed by a consonant, as in **weahte** (see 7, *n*, i); and an inorganic **e** was sometimes introduced between a palatal **c, cc,** or **cg** and the following infinitive ending **-an.**

(*c*) Stems with a consonant followed by **l, n,** or **r** usually take **-ede** in the past tense, as in **efnan,** *to level,* **frēfran,** *to comfort,* **nemnan,** *to name,* **siglan,** *to sail,* **timbran,** *to build.* When the **l, n** or **r,** however, is geminated, it is simplified and often the past is formed with **-de,** as in **cennan,** *to beget,* **fyllan,** *to fill,* **spillan,** *to spill, destroy.*

(d) Except as noted below, stems ending in voiceless consonants regularly take in the past tense -te instead of -de, as in clyppan, *to embrace*, cwencan, *to quench*, cyssan, *to kiss*, drencan, *to drench*.

(e) When stems end in d or t preceded by another consonant, the d or t of the stem regularly merges with the d of the past and past participle endings to form simple -de or -te and -d or -t, as in andettan, *to confess*, bendan, *to bend*, byldan, *to embolden*, efstan, *to hasten*, ēhtan, *to persecute*, lǣstan, *to perform*, lettan, *to hinder*, settan, *to set*, spendan, *to spend*, wendan, *to turn, go*. When, however, the dental of the stem is immediately preceded by a vowel, the verb follows the regular verbs of the second group in adding -de or -te (see (d), above) and -ed to form the past and past participle, as in bētan, *to improve*, brǣdan, *to spread out*, fēdan, *to feed*, grētan, *to greet*, mētan, *to measure*, spēdan, *to succeed*.

Class II

52. The weak verbs of the second class are numerous, are mostly derived from nouns, and may be easily recognized because the infinitive regularly ends in -ian and the past and past participle take the suffixes -ode and -od, as in bodian, *to proclaim*, bodode, (ge)bodod. In late West Saxon the o of the suffixes is frequently weakened to e. Some of the more common verbs of this class are: ācsian, *to ask*, andswarian, *to answer*, baðian, *to bathe*, ceallian, *to call*, cleofian, *to cleave*, cunnian, *to prove*, eardian, *to dwell*, fandian, *to tempt*, ferian, *to carry*, folgian, *to follow*, forhtian, *to be frightened*, gædrian, *to gather*, hālgian, *to hallow*, hergian, *to harry*, lōcian, *to look*, lufian, *to love*, rīcsian, *to rule*, sceawian, *to view, show*, ðēowian, *to serve*, ðrōwian, *to suffer*, weorðian, *to honor*, wundrian, *to wonder*,

wunian, *to dwell*. This class comprises derivatives in
-nian and **-sian,** such as **blētsian,** *to bless,* **fæstnian,** *to
fasten,* **hālsian,** *to greet,* **miltsian,** *to pity.*

Class III

53. Weak verbs of the third class are few in number and
somewhat irregular in their inflectional forms. They may
be said to combine certain features of both the first and
second classes, in the present tense having the forms of
the second class and in the past those of the first. Most of
the verbs originally belonging to this class have been
assimilated to the second class of weak verbs, the only
remaining verbs of the third class in common use in Anglo-
Saxon being **habban,** *to have,* **libban,** *to live,* **secg(e)an,**
to say, and sometimes **hycg(e)an,** *to think.* It should be
noted in the conjugation of these verbs that gemination
or consonant-doubling is found in all forms of the present
tense except the indicative singular second and third
person, and the imperative second singular.

Conjugation of Weak Verbs

54. To illustrate the conjugation of the Anglo-Saxon
weak verb, the verbs **fremman,** *to perform,* **hīeran,** *to hear,*
and **bringan,** *to bring,* have been chosen to represent the
first class, **bodian,** *to proclaim,* the second, and **habban**
to have, and **secg(e)an,** *to say,* the third.

Present

Indicative W I

Sing.	1	fremme	hīere	bringe
	2	fremest	hīer(e)st	bring(e)st
	3	fremeð	hīereð	bringeð
Plur. 1–3		fremmað	hīerað	bringað

Subjunctive

Sing.	1–3	fremme	hīere	bringe
Plur.	1–3	fremmen	hīeren	bringen

Imperative

Sing.	2	freme	hīer	bring
Plur.	2	fremmað	hīerað	bringað

Infinitive

fremman	hīeran	bringan

Gerund

tō fremmanne (-enne)	tō hīeranne	tō bringanne

Present Participle

fremmende	hīerende	bringende

PAST

Indicative

Sing.	1	fremede	hīerde	brōhte
	2	fremedest	hīerdest	brōhtest
	3	fremede	hīerde	brōhte
Plur.	1–3	fremedon	hīerdon	brōhton

Subjunctive

Sing.	1–3	fremede	hīerde	brōhte
Plur.	1–3	fremeden	hīerden	brōhten

Past Participle

(ge)fremed	(ge)hīered	(ge)brōht

Present

Indicative

		W2	W3	
Sing.	1	bodie, (-ige)	hæbbe	secge
	2	bodast	hafast, hæfst	sagast, sægst
	3	bodað	hafað, hæfð	sagað, sæg(e)ð
Plur.	1–3	bodiað	habbað	secg(e)að

Subjunctive

Sing.	1–3	bodie, (-ige)	hæbbe	secge
Plur.	1–3	bodien, (-igen)	hæbben	secgen

Imperative

Sing.	2	boda	hafa	saga
Plur.	2	bodiað	habbað	secg(e)að

Infinitive

bodian   habban   secg(e)an

Gerund

tō bodianne (-enne)   tō habbanne   tō secg(e)anne

Present Participle

bodiende   hæbbende   secgende

Past

Indicative

Sing.	1	bodode, -ade	hæfde	sægde, sæde
	2	bododest	hæfdest	sægdest, sædest
	3	bodode, -ade	hæfde	sægde, sæde
Plur.	1–3	bododon	hæfdon	sægdon, sædon

Subjunctive

Sing.	1–3	bodode, -ade	hæfde	sægde, sæde
Plur.	1–3	bododen	hæfden	sægden, sæden

Past Participle

(ge)bodod, -ad   (ge)hæfd   (ge)sægd, -sæd

Special Notes

(*a*) It has already been noted (**51**) that the consonant doubling found in such verbs of the first class as **fremman** does not appear in the past tense; it should be further noted that it is not found in the present tense in the indicative second and third singular and the imperative second singular. Moreover the **r**-stems of the first class and regularly the verbs of the second, all of which have the infinitive ending **-ian,** lack the **i** in the same three present tense endings in which the first-class verbs lack consonant doubling.

(*b*) Loss of **e** from the endings **-est** and **-eð** of the second and third singular of the present indicative is common except where the stem ends in such a consonant as to make syncopation phonetically impossible, or at least difficult. Ex.: **hæfð,** *hath,* but **hāteð,** *commandeth.*

(*c*) Often verbs with stems ending in **d** or **t** are contracted in the present indicative third singular by the merging of the stem ending and the personal suffix **-eð,** as in **fēt,** *feedeth* (for **fēdeð**), **ræt,** *readeth* (for **rædeð**) (see also **49,** *f*).

(*d*) The short-stem weak verbs of the first class retain final **-e** in the imperative singular, but long-stem weak verbs resemble strong verbs in that they do not have this final **-e.** The weak verbs of the second and third classes have the ending **-a** in the imperative singular.

(*e*) As in the case of strong verbs (see **49,** *i*), occasional **-an** variants of subjunctive present and past plurals in **-en** and indicative past plurals in **-on** must be distinguished from the infinitives.

(*f*) Very often in the **r-** stems of the first class and all verbs of the second class, the **i** that normally appears in the infinitive ending **-ian** and in various other inflectional forms becomes **-ig-** or **-ige-** (see **7,** *g*) as in **andswarige,** *answer* (for **andswarie**), **clipigend,** *calling* (for **clipiend**).

(*g*) Weak verbs with stems ending in **lw** and **rw** sometimes lose the **w** in the past and past participle, as in **sierede,** past singular of **sierwan,** *to plot,* **þeodde,** past singular of **þeowan,** *to serve.* These verbs are likely to go over from the first to the second class, as illustrated by **þeowian.**

Preteritive-Present Verbs

55. A small group of irregular verbs, some of which have become the auxiliary verbs of Modern English, are called preteritive-present verbs because their present tense forms in Anglo-Saxon were originally the forms of the past or preterit tense. These verbs were regular strong verbs to begin with, but when their present-tense forms were lost and their past-tense forms shifted to the present, the vacancy created in the past (or preterit) tense was filled by the creation of new forms employing the weak-verb endings. These verbs are as follows:

Infinitive	Pres. Sing.	Pres. Plu.	Past	Participle
āgan, *to own*	**āh, āg**	**āgon**	**āhte**	(**āgen,** *own*)
cunnan, *to know, can*	**can(n)**	**cunnon**	**cūðe**	(ge)**cunnen,** (**cūð,** *known*)
dugan, *to avail*	**deah, deag**	**dugon**	**dohte**	——
durran, *to dare*	**dear(r)**	**durron**	**dorste**	——

magan, *may, to* be able	mæg	magon	meahte	——
mōtan, *may*	mōt	mōton	mōste	——
munan, *to be* mindful of	man	munon	munde	(ge)munen
(be-, ge-)nugan, *to suffice*	-neah	-nugon	-nohte	——
sculan, sceolan, *shall*	sceal	sculon	sc(e)olde	——
ðurfan, *to need*	ðearf	ðurfon	ðorfte	——
unnan, *to grant*	an(n)	unnon	ūðe	(ge)unnen
witan, *to know*	wāt	witon	wiste	(ge)witen

These verbs were originally found in the strong-verb classes as follows:

Class I witan, āgan
Class II dugan
Class III unnan, cunnan, ðurfan, durran
Class IV sculan, munan,
Class V magan, (be-, ge-)nugan
Class VI mōtan

Conjugation of Preteritive-Present Verbs

56. In general the verbs of this group are declined in the present tense like the past tense of strong verbs, and in the past tense they are conjugated like the past tense of weak verbs. But it should be noted that while in the first and third singular of the present indicative these verbs lack endings, just as strong verbs regularly do in the past tense, in the second singular most of them have assumed forms almost like that of the ordinary verb in the present tense, namely, āhst, canst, dearst, meaht, mōst, manst, scealt, ðearft, wāst. The present subjunctive is formed from the stem of the present plural indicative, as might be expected. The only extant forms of the imperative singular are **āge, mun(e)** or **myn(e), unne** and **wite.** Since, however, these verbs are so irregular and lacking in the usual forms, it is necessary to refer for the fuller descriptions of them to the Bosworth-Toller *Anglo-Saxon Dictionary.*

Special Verbs

57. The four commonly used verbs **bēon,** with its equivalent form **wesan,** *to be,* **dōn,** *to do,* **willan,** *to will,* and **gān,** *to go,* comprise such a variety of stems that it is hardly possible to include them in any of the classes discussed heretofore. They are conjugated as follows:

PRESENT

Indicative

Sing.	1	eom, bēom		dō
	2	eart, bist		dēst
	3	is, biðð		dēð
Plur. 1–3		sind, sindon, sint, bēoð, etc.		dōð

Subjunctive

Sing. 1–3	sīe, sȳ, bēo, etc.	dō
Plur. 1–3	sīen, sȳn, bēon, etc.	dōn

Imperative

Sing.	2	bēo, wes	dō
Plur.	2	bēoð, wesað	dōð

Infinitive

bēon, wesan   dōn

Gerund

tō bēonne   tō dōnne

Present Participle

bēonde, wesende   dōnde

Past

Indicative

Sing.	1	wæs	dyde
	2	wǣre	dydest
	3	wæs	dyde
Plur.	1–3	wǣron	dydon

Subjunctive

Sing.	1–3	wǣre	dyde
Plur.	1–3	wǣren	dyden

Past Participle

———	(ge)dōn, (ge)dēn

Present

Indicative

Sing.	1	wille	gā
	2	wilt	gǣst
	3	wille	gǣð
Plur.	1–3	willað	gāð

Subjunctive

Sing.	1–3	wille	gā
Plur.	1–3	willen	gān

Imperative

Sing.	2	———	gā
Plur.	2	[negative nyllað, only]	gāð

Infinitive

willan	gān

Gerund

———	tō gānne

Present Participle

willende	gānde

Past

Indicative

Sing.	1	wolde	ēode
	2	woldest	ēodest
	3	wolde	ēode
Plur.	1–3	woldon	ēodon

Subjunctive

Sing. 1–3	wolde	ēode
Plur. 1–3	wolden	ēoden

Past Participle

————	(ge)gān

V. VOCABULARY

58. While the vocabulary of the Anglo-Saxons before the Norman Conquest was essentially Germanic, a fairly important number of foreign words (mostly common nouns and personal and place names) had already begun to appear, as the result first of direct contacts with the Romans themselves, and later of familiarity with Latin, mainly ecclesiastical, literature. A few of these foreign words were Hebrew or Greek, such as *cherubim, seraphim, basileus, Christus*, but for the most part they had come into the Anglo-Saxon through the more immediate channels of Roman and Latin culture. Inasmuch as the student of Anglo-Saxon will find, after he has learned the relatively simple system of Anglo-Saxon grammar, that his chief task will be to memorize the vocabulary, a few of the outstanding facts relating to the form and composition of the Anglo-Saxon vocabulary will be found helpful.

59. Many Anglo-Saxon words may be identified if it is borne in mind that Anglo-Saxon sounds have tended either to remain the same in later English or else to change according to certain definite regularities.

(i) The regular changes of the sounds of vowels have been in general as follows:

ā became ō, spelled **o, oa,** etc., as in **ār,** *oar,* **lām,** *loam,* **tācen,** *token,* **wrāt,** *wrote.*

ǣ became ī, spelled **ee, ea,** etc., as in **lǣfan,** *to leave,* **rǣcan,** *to reach,* **slǣp,** *sleep.*

ē became ī, spelled **ee, ea,** etc., as in **grēne,** *green,* **sēcan,** *to seek,* **spēd,** *speed.*

ī became **ai,** spelled **i, y,** as in **līf,** *life,* **wrītan,** *to write,* **wīf,** *wife,* **mīn,** *my.*

ō became **ū,** spelled **oo, o,** etc., as in **dōn,** *do,* **hrōf,** *roof,* **sōna,** *soon.*

ū became **au,** spelled **ou, ow,** as in **mūð,** *mouth,* **tūn,** *town,* **ðūsend,** *thousand.*

ȳ usually followed the course of ī, as in **brȳd,** *bride,* **hȳd,** *hide,* **mȳs,** *mice.*

a usually became **æ,** or in open syllables **ē,** spelled **a,** as in **hafoc,** *havoc* (from *hawk*), **habban,** *to have,* **sadol,** *saddle,* **sand,** *sand,* **baðian,** *to bathe,* **scafan,** *to shave,* **wafian,** *to wave.*

æ remained **æ,** but was spelled **a,** as in **blæc,** *black,* **glæd,** *glad,* **stæf,** *staff.*

e remained **e,** spelled **e,** as in **ecg,** *edge,* **fetian,** *fetch,* **nett,** *net.*

i remained **i,** spelled **i,** as in **scilling,** *shilling,* **sittan,** *to sit,* **smið,** *smith,* **cildru,** *children.*

o remained, or became **ō** or the sound in *caught,* but the spelling remained **o,** as in **of,** *of* and *off,* **corn,** *corn,* **hors,** *horse,* **oft,** *oft,* **folc,** *folk,* **ofer,** *over.*

u remained **u** or was lowered as in *sun,* spelled **u, o,** as in **full,** *full,* **pullian,** *to pull,* **lufian,** *to love,* **sunne,** *sun,* **wundor,** *wonder.*

y followed the course of **i,** as in **fyllan,** *to fill,* **pytt,** *pit,* **synn,** *sin.*

(ii) As regards the Anglo-Saxon diphthongs it is not easy to generalize, the changes have been so varied. Since the stress was ordinarily on the first element of the diphthong, the diphthong usually developed in later English as though it were composed only of the first element. But sometimes it developed on the second element.

ēa became ī, e, ō, etc., spelled ea, o, etc., as in bēacen, *beacon*, dēad, *dead*, cēas, *chose*.

ea became ǣ, a, ō, etc., spelled a, o, etc., as in cearu, *care*, earm, *arm*, heard, *hard*, eald, *old*, eall, *all*.

ēo became ī, e, etc., spelled ee, e, ie, etc., as in dēop, *deep*, fēond, *fiend*, fēoll, *fell*.

eo became e, a, etc., spelled e, ea, a, etc., as in seolf, *self*, heofon, *heaven*, feorr, *far*, heorte, *heart*.

īe became ī, ai, etc., spelled ea, ie, i, etc., as in hīeran, *to hear*, gelīefan, *to believe*, līehtan, *to light*.

ie became e, ī, etc., spelled e, ie, etc., as in giellan, *to yell*, ieldra, *elder*, gieldan, *to yield*.

(iii) Most of the Anglo-Saxon consonants have remained unchanged in later English. A few special changes, however, should be noted:

g, guttural, has generally become w, in the middle of a word as in borgian, *to borrow*, boga, *bow*, folgian, *to follow*, and at the end, as in beorg, *barrow*, sorg, *sorrow*.

g, palatal, has generally become y at the beginning of a word, as in gē, *ye*, gēar, *year*, giellan, *to yell*, and at the end, as in bysig, *busy*, dæg, *day*, hālig, *holy*, weg, *way*, but medially it is so swallowed up in the vowel accompanying it that it may be entirely lost, as in īgland, *island*, ðegn, *thane*, or merely suggested by an i which survives in the spelling, as in fæger, *fair*, hægl, *hail*, regn, *rain*.

c, palatal, regularly appears as **ch** or **tch** in Modern English, as in **cild,** *child,* **dīc,** *ditch,* **rīce,** *rich,* **tǽcean,** *to teach.* It should be noted that this change was taking place during the latter part of the Anglo-Saxon period, and in some of the late literature in this reader, this palatal **c** might well be pronounced as **ch,** although for purposes of uniformity the earlier **k** pronunciation has been accepted as standard (see sec. **2**).

60. A knowledge of the derivative prefixes and suffixes found in Anglo-Saxon is necessary to a complete understanding of the vocabulary. The most important prefixes are: **be-,** as in **berīdan,** *to overtake,* **bebēodan,** *to command,* **betǽcan,** *to commit;* **ge-,** very common and often adding little, if anything, to the meaning of the word, as in **gecȳðan,** *to make manifest,* **geweorc,** *work,* **gewītan,** *to depart;* **for-,** as in **forhogdnis,** *contempt,* **forgiefan,** *to grant, forgive,* **forsēon,** *to despise;* **mis-,** as in **misdǽd,** *misdeed,* **misfaran,** *to go astray;* **n-,** a negative prefix, as in **nān,** *not one,* **nǽnig,** *not any,* **næs,** *was not,* **nic,** *not I,* **nolde,** *would not;* **of-,** as in **ofslēan,** *to slay,* **ofstician,** *to stab;* **ofer-,** as in **oferfyll,** *excess,* **ofermōd,** *confidence, arrogance,* **oferhergian,** *to ravage;* **on-,** as in **onsīen,** *appearance,* **onginnan,** *to begin,* **ongietan,** *to perceive;* **tō-,** as in **tōcyme,** *arrival,* **tōdǽlan,** *to separate,* **tōmiddes,** *amidst;* **un-,** as in **uncūð,** *unknown,* **unēaðe,** *with difficulty,* **unwīs,** *unwise.*

61. Besides those simpler Anglo-Saxon nouns which differ from the verb-stems only because of an earlier working of gradation or **i**-mutation, such as **bǽr,** *bier* (cf. **beran,** *to bear*), **boga,** *a bow* (cf. **būgan,** *to bend*), **dǽl,** *portion* (cf. **dǽlan,** *to separate*), **sand,** *a mission* (cf. **sendan,** *to send*), **sang,** *song* (cf. **singan,** *to sing*), **scōp,** *poet* (cf. **scippan,** *to create*), a great many were created by means of common

derivative suffixes. Nouns of agency have the endings
-a, as in hunta, *a hunter*, -end, as in dēmend, *judge* (see
sec. 16), -ere, as in bōcere, *scholar;* abstract nouns end
in -dōm, as in swīcdōm, *deceit*, -hād, as in munuchād,
monkhood, -nes, as in swētnes, *sweetness* (see also sec. 10,
c), -scipe, as in frēondscipe, *friendship*, -t, as in flyht,
flight, meaht, miht, *might*, -ung, as in blētsung, *blessing*,
and the variant forms -ð, -að, -oð, -uð, as in dēað, *death*,
ðīefð, *theft*, fiscað, *fishing*, huntoð, *hunting*, geoguð, *youth*.
The patronymic -ing is used occasionally to form common
nouns, as cyning, *king*, but more often with personal
names to indicate 'the son of,' as in Æðelwulfing, *son of
Ethelwulf*, or a tribe, as in Helmingas, *descendants of Helm*.

62. The commoner adjective suffixes of the Anglo-Saxon
will be recognized in Modern English, for the most part.
They are: -en, as in gylden, *golden*, -ig, as in grǣdig,
greedy, -isc, as in Bryttisc, *British*, -fæst, as in stedefæst,
steadfast, -full, as in synfull, *sinful*, -lēas, as in recelēas,
reckless, -līc, as in gōdlīc, *goodly*, -sum, as in wynsum,
winsome, -wīs, as in rihtwīs, *righteous*.

63. The principle of composition was very active in the
building of the Anglo-Saxon vocabulary and compounds
of all sorts are numerous.[1] Often nouns are made merely
by putting together two simple nouns in an entirely
obvious manner to express a single idea, as in brim-fugol,
ocean-bird, dæg-weorc, *day's work*, byrn-wiga, *mailed war-
rior*, būr-ðēn, *chamberlain*, literally, *bower-thane*, bān-
cofa, *the body*, literally, *bone-chamber*. Often the first part
of the compound is a genitive or an adjective modifier of
the second, as in Cantwaraburg, *Canterbury*, ealdormann,
chief, *alderman*, Englaland, *England*, middangeard, *earth*,
Oxnaford, *Oxford*. Numerous compound adjectives occur

---

[1] Of the *Beowulf*, for example, Klaeber says in his edition, p. lxv,
"Fully one third of the entire vocabulary are compounds."

in Anglo-Saxon, such as **blīðe-mōd**, *blithe of mood*, **brim-ceald**, *ice-cold*, **mylen-scearp**, *ground sharp*. Moreover various compounds of a more sophisticated or artificial kind sound as though they had been evoked by a need for new terms to translate into the simple language of the Anglo-Saxons that more elaborate culture introduced into England by Roman missionaries, such terms as **godspell-ere**, *evangelist*, **leorning-cniht**, *disciple*, or **dǣl-neomende**, which translates Bede's 'participem.' And, finally, Old English poetry abounds in metaphorical compounds or 'kennings' which may be regarded as essentially artificial and poetical coinings, such as **bān-hūs**, *body*, **gold-wine**, *gold-friend* or *benefactor*, **hron-rād**, *whale-path*, *ocean*, **wæl-wulf**, *warrior*.

64. The proper names in Anglo-Saxon literature are of various origins, and it is not easy to determine which are characteristically native Anglo-Saxon. Aside from a few Germanic monosyllabic names, most Anglo-Saxon proper nouns exemplify certain common methods of derivation or composition. Of the names of tribes or peoples, some have the plural masculine suffix **-as**, as in **Crēcas**, *Greeks*, **Scottas**, *Scots*, a few belong to the declension with plural in **-e**, as in **Angle**, *Anglians*, **Dere**, *Deirans*, some are formed with **-cynn**, such as **Angelcynn**, the suffix **-ware**, *dwellers*, is employed to form still others, as in **Cantware**, *Kentish men*, **Lǣdenware**, *Latin people*, and some are pat-ronymics in **-ing**, as in **Scyldingas**, the *Danes* or *Scildings*.

The native names of places are made with such com-bining elements as **-burg**, *fort, town*, as in **Lundenburh**, *London* (also **Lunden**), **Rōmeburg**, *Rome* (also **Rōm**, **Rōme**), **-ceaster**, *camp, town*, as in **Cirenceaster**, *Ciren-cester, Cicester*, **-feld**, *field*, as in **Englafeld**, *Englefield*, **-hām**, *home*, as in **Fullanhām**, *Fulham*, **-land**, *land*, as in **Swēoland**, *Sweden*, **-scīr**, *shire*, as in **Defenascīr**, *Devon-*

shire, **-tūn,** *town,* as in **Middeltūn,** *Milton,* **Buttingtūn,**
Buttington.

Since most of the extant personal names belong to kings
and nobles, men of the higher ranks of society, they may
not be typical of Anglo-Saxon personal names in general.
But at any rate most of those in the extant literature are
compounds made from common words supposed to in-
dicate outstanding virtues, as in **Æthelbald,** *noble* + *bold,*
Æthelberht, *noble* + *bright,* **Æthelstān,** *noble* + *stone,*
Æthelwulf, *noble* + *wolf,* **Cūðwine,** *well-known* + *friend,*
Wulfstān, *wolf* + *stone.* But Hrothgar's queen in *Beowulf*
is named **Wealhðēow,** literally *Welsh* or *Celtic Slave.*

The treatment of foreign names, particularly Latin and
Greek, is not at all consistent. Often the original singular
nominative form is used without inflection in Anglo-Saxon,
as in **wið Brūtus,** *against Brutus,* **Octāuiānus,** *Octavian,*
Gregorius, *Gregory.* Sometimes the translator has at-
tempted to keep the proper case forms intact as he found
them in his original, as in Alfred's translation of Orosius's
story of Anthony and Cleopatra, where the forms **Cleopā-**
tra and **Cleopātran (-on)** are consistently used. But not
infrequently Anglo-Saxon inflectional endings are applied
to foreign nominative forms, giving such awkward phrases
as **Octāuiānuses swostor,** *Octavian's sister,* **tō Octāuiānuse,**
to Octavian, **Iuliuses slege,** *the slaying of Julius,* **sunu**
Lameches, *son of Lamech.*

65. Attention has already been called to the fact that
most of the Anglo-Saxon weak verbs are derivatives of
strong verbs or of nouns and adjectives (see sec. **50).** Or
perhaps it would be safer to say that they are all deriva-
tives of common primitive stems. At any rate there are
numerous pairs of verbs of which the one is strong and
usually intransitive, the other weak and transitive. Such
are:

bītan, *to bite*	bǣtan, *to bit, bridle*
būgan, *to bend*	bīegan, *to cause to bend*
cunnan, *to know*	cunnian, *to explore*
cwelan, *to die*	cwellan, *to kill*
drincan, *to drink*	drencan, *to drench*
etan, *to eat*	ettan, *to pasture*
feallan, *to fall*	fellan, *to fell*
faran, *to go*	ferian, *to carry, lead*
findan, *to find*	fandian, *to search out*
hōn, *to hang*	hangian, *to hang*
licgan, *to lie*	lecgan, *to lay*
rīsan, *to rise*	rǣran, *to rear*
sincan, *to sink*	sencan, *to cause to sink*
singan, *to sing*	sengan, *to singe*
sittan, *to sit*	settan, *to set*
swefan, *to sleep*	swebban, *to put to sleep*
windan, *to wind*	wendan, *to turn round*

Often the weak verb can be associated with some noun or adjective as in the following:

blǣcan, *to bleach*	blǣc, *bleak*
brǣdan, *to spread*	brād, *broad*
cȳðan, *to announce*	cūð, *known*
dagian, *to dawn*	dæg, *day*
dǣlan, *to deal out*	dǣl, *portion*
dēman, *to judge*	dōm, *judgment*
fēdan, *to feed*	fōda, *food*
fȳsan, *to hasten*	fūs, *ready*
fyllan, *to fill*	full, *full*
hergian, *to harry*	here, *army (hostile)*
lǣran, *to teach*	lār, *lore*
lufian, *to love*	lufu, *love*
lystan, *to desire*	lust, *desire*
openian, *to open*	open, *open*

rȳman, *to enlarge*	**rūm,** *roomy*
scrȳdan, *to clothe*	**scrūd,** *clothing*
sorgian, *to sorrow*	**sorg, sorh,** *sorrow*
ðegnian, *to serve*	**ðegen, ðēn,** *thane*

66. The Anglo-Saxon adverb is regularly formed by the addition of **-e** to an adjective, as in **georne,** *eagerly*, **glædlīce,** *gladly*, **hlūde,** *loudly*, **longe,** *long*. Those adjectives that normally end in **-e,** such as **grēne,** *green*, **blīðe,** *blithe*, **clǣne,** *clean*, cannot be distinguished from their adverbial forms, but the context must determine whether they are adjectives or adverbs.

A few adverbs are formed with the suffix **-unga** or **-inga,** as in **eallunga,** *altogether*, **grundlunga,** *completely*, **dearnunga,** *secretly*. Others employ certain case-forms of nouns and adjectives, particularly the singular genitive, as in **ānes,** *once*, **dæges and nihtes,** *day and night*, **nealles,** *not at all*, **ðæs,** *from that time;* the singular accusative, as in **ealne weg,** *all the way*, **hām,** *home*, **genōg,** *enough;* and the plural dative, as in **hwīlum,** *at times*, **sticcemǣlum,** *piecemeal*, **miclum,** *very much*.

There are, in Anglo-Saxon, numerous adverbs of place and some of them have different forms to show 'place at which,' 'place to which' (with **-er**), and 'place from which' (with **-an**), such as:

hēr, *here*	**hider,** *hither*	**heonan,** *hence*
hwǣr, *where*	**hwider,** *whither*	**hwonan,** *whence*
ðǣr, *there*	**ðider,** *thither*	**ðonan,** *thence*
inne, innan, *within*	**in(n)**	**innan**
ūte, ūtan, *without*	**ūt**	**ūtan**

The ending **-an** is frequently added to other words, as in **hindan,** *from behind*, **sūðan,** *from the south*, **ufan,** *from above*, etc.

VI. SYNTAX

67. In general the syntax of the Anglo-Saxon sentence resembles that of Modern English. But a comprehension of certain important changes that have gradually taken place in English is necessary to a complete understanding of the syntax of Anglo-Saxon. The order of words is less rigid in Anglo-Saxon because the greater variety of declensional forms makes it possible to determine the relation of a word to the rest of the sentence without so much regard for its position in the sentence. The parts of a phrasal verb are often separated more widely, and less regularly, sometimes few and sometimes many words intervening between the auxiliary and the infinitive or participle that belongs with it. The connectives are not so concise and definite; the relative pronouns and relative adverbs are likely to prove troublesome because the same word is employed for two meanings, being either a demonstrative or a relative, as in the case of **sē,** *that one* or *who,* **ðā,** *then* or *when,* **ðǣr,** *there* or *where,* **ðonne,** *then* or *when,* etc. The paucity of conjugational forms of the verb makes it necessary to interpret a single form in various ways, as, for example, the present as future, the past as progressive or perfect, etc. But already in Anglo-Saxon verbal combinations will be found strongly suggestive of such Modern English syntactical combinations as the future with *will* and *shall,* the progressive with *be,* the perfect tenses with *have,* etc.

68. Besides the familiar uses of the nominative as subject of the verb, as predicate nominative, as an appositive and as a vocative in direct address, of the genitive as a modifier showing possession, of the dative as indirect object and the accusative as direct object of transitive

verbs, certain uses of the cases should be noted which are
not so common in Modern English.

Numerous verbs govern two objects at one time, as, for
example, genitive and dative, as in **þā Deniscan him ne
mehton þæs rīpes forwiernan,** *the Danes might not keep
them from the reaping;* genitive and accusative as in
Cynewulf benam Sigebryht his rīces, *Cynewulf deprived
Sigebryht of his kingdom;* dative and accusative, as in **gif
mon men ēage ofāslā,** *if a person strike out an eye for a man;*
or two accusative nouns, as in **hīe hine ne dorston ǣnig
þing āscian,** *they durst not ask him anything.* Occasionally
a verb governs different cases at different times, as in **þis
folc his nele gelȳfan,** *this folk will not believe him,* and **ðū
mīnum wordum ne gelȳfdest,** *thou didst not believe my
words.*

The genitive of limitation or possession usually pre-
cedes the noun that it limits, as in **in ðeosse abbudissan
mynstre,** *in the monastery of this abbess.* Certain verbs,
such as **biddan,** *to ask,* **onfōn,** *to receive,* **brūcan,** *to possess,*
rēc(c)an, *to reck, care,* may take the genitive form as ob-
ject, as in **fēores hī ne rōhton,** *they did not care for their
lives,* **for hwon he ðæs bæde,** *why he asked for that.* The
genitive is governed by certain nouns of a verbal character,
such as **ðearf,** *need,* **slege,** *slaying,* as in **tō Crīstes slege,**
to the slaying of Christ. A partitive genitive is very com-
mon in Anglo-Saxon, particularly with numerals and
indefinite pronouns, as in **nāwiht mægenes ne nytnesse,**
naught of strength or use; **hē syxa sum,** *he, one of six;*
twēntig scēapa, *twenty sheep;* **nǣnig þīnra þegna,** *not any
of thy thanes.* The adverbial genitive is also used com-
monly, as in **ond fōron ānstreces dæges ond nihtes,** *and
went continuously day and night,* **Godes þonces,** *by God's
mercy.* With some adjectives and participles the genitive
is regularly used, as in **cearena full,** *full of cares,* **wīges**

georne, *desirous of war,* **māðma ond bōca gefylda,** *filled with treasures and books.*

The Anglo-Saxon dative serves two general purposes, namely, to show the indirect or dative object, which can often be translated into Modern English with *to* or *for,* and as an instrumental, translated by *with* or *by,* showing instrument, means, manner, etc. The latter use originally had an older separate instrumental case, but since few of these distinctive instrumental forms have survived in Anglo-Saxon, no special effort has been made in this book to distinguish between dative and instrumental. Besides the familiar use of the dative as indirect object, as in **sing mē hwæthwugu,** *sing me something,* **Ōhthere sæde his hlāforde,** *Ohthere said to his lord,* certain verbs regularly govern a dative object, as in **Gode hērsumedon,** *they served God,* **Drihtne folgode,** *followed God.*

Closely related to the dative of indirect object are several dative constructions which have been variously named dative of reference, dative of possession and ethical dative, as in **Burgenda land wæs ūs on bæcbord,** *the land of the Burgundians was on our larboard;* **gā þē hēr tō mē,** *come here to me;* **him fēollon tēaras of ðǣm ēagum,** *tears fell from his eyes.* The dative may be used adverbially to show time, as in **sumre tīde,** *at a certain time,* and also, as noted above, it may be used as an adverbial modifier showing instrument, means, manner, etc., as in **cleopode micelre stefne,** *he cried out with a loud voice,* **þā fōron hīe ... hlōþum ond flocrādum,** *then they went by troops and bands.* Certain adjectives regularly govern the dative case, as in **his Scyppende gelīc,** *like his Creator,* **þū wǣre gehȳrsum þīnes wīfes wordum,** *thou wert obedient to the words of thy wife.* And, finally, the dative may be used as dative absolute in a phrase composed of noun and participle, to be translated by a Modern English abverbial clause of cause, time, etc., as in **him sprecendum, hig cōmon,** *while he was speaking, they came,* **āfūliendum līchaman,** *after the body putrified;* or it may even be used alone after a comparative, as in **strengre eallum þām ǣrgedōnum,** *severer than all those done before.*

The accusative case is used in Anglo-Saxon very much as in Modern English. It is the direct object of a verb; it is the subject of an infinitive, as in **lēt . . . sweartne flēogan hrefn,** *let the swart raven fly;* it is adverbial, as in **ealle tīd,** *all the time,* **ealne weg,** *all the way.*

The instrumental case is used to show time, as in **ðȳ endleftan gēare his rīces,** *in the eleventh year of his reign,* **þȳ ilcan gēre,** *that same year,* to show means, as in **gylpwordum sprǣc,** *he spoke with boasting words,* and in other similar ways not readily distinguishable from dative constructions.

69. The Anglo-Saxon prepositions vary so much in respect to the cases which they govern that it is only possible to make some generalizations and refer for the finer distinctions to the Anglo-Saxon dictionary or glossary. As a rule the dative is governed by **æfter,** *after,* **æt,** *at,* **be, bī,** *by,* **betweoh, betwux, betwēonan,** *between,* **būtan,** *except, without,* **for,** *for,* **from,** *from,* **mid,** *with,* **of,** *off, from,* **tō,** *to.* Almost always the accusative follows **geond,** *throughout,* **oð,** *up to, until,* **þurh,** *through,* and **ymb(e),** *about, around.* The prepositions **ofer,** *over,* **in,** *in* or *into,* **on,** *on* or *onto,* **under,** *under,* and **wið,** *against,* generally take the dative to indicate location, as in **in ðǣm men,** *in that man,* **under bedde,** *under the bed,* and the accusative to show direction, as in **in ðæt mynster,** *into that monastery,* **gif hē hine under bæc besāwe,** *if he should look behind him.*

Certain phrases such as **be norðan,** *north of,* **tō ēacan,** *in addition to,* **tō emnes,** *along,* **on emnlange,** *along,* should be regarded as prepositions. Most of them govern the dative case.

The preposition normally precedes its object, but when its object is the relative pronoun that introduces a subordinate clause the preposition is put near, often just before, the verb which is transposed to the end of the clause, as in **sē here þe wē gefyrn ymbe spræcon,** *the army that we spoke about before.* Sometimes this deferred preposition may be regarded as a separate adverb or as a separable part of a compound verb, as in **beraðð mē hūsl tō,** *bring housel to me;* **āc wē him ne cunnon æfter spyrigean,** *but we cannot follow after them;* **and him þǣr wiþ gefeaht,** *and fought against them there.*

70. Since the Anglo-Saxon verb has so few inflectional forms, it is necessary, in order to express the various ideas of tense, mode, voice, completion, progression, etc., either to use one form in several ways or else to employ auxiliaries. To express futurity the simple present is ordinarily used, as already noted, some adverb being employed to show the time, as in **wit eft cumað,** *we two will come again.* The simple past is often used where in Modern English a present perfect would be employed, but completion is also indicated by the use of some form of **habban,** *to have,* with the past participle, as in **siðððan ic hīe ðā geliornod hæfde,** *after I had learned it.* When, however, the main verb expresses motion or passage from place to place, instead of **habban** some form of **bēon,** *to be,* is used, as in **swǣ clǣne hīo wæs oðfeallenu,** *so completely it had fallen away,* **wæs sēo tīd cumen,** *the time had come.*

Among the more important uses of the Anglo-Saxon subjunctive (sometimes called the optative) are its use in object clauses, as in **hwæt þǣr foregange oððe hwæt þǣr æfterfylige, wē ne cunnun,** *what goes before or what follows after, we do not know;* in indirect discourse, as in **hē sǣde** ðæt Norðmanna land wǣre swȳþe lang, *he said that the land of the Norwegians was very long;* in indirect questions, as in hē frægn hū nēah þǣre tīde wǣre, *he asked how near to the time it was;* and in the expression of a desire or a mild command, as in þonne wite hē, *then let him understand,* geweorþe lēoht, *let there be light,* lǣre mon siððan furðer on lǣdengeðēode, *let them teach then further in Latin.*

In the use of the imperative in commands, the pronominal subject is used more frequently than in Modern English, as in folga þū mē, *follow me,* ne hrepa þū þæs trēowes wǣstm, *do not touch the fruit of the tree;* it is not uncommon, however, to find it omitted, as in far nū þider, *fare now thither,* warniað, *beware.* Sometimes both practices occur in a single sentence, as in gang nū and æfter þissere tīde ne stala þū nā mā, *go now and hereafter steal no more.* The hortatory construction in Anglo-Saxon necessitates the use of a special form wuton (or uton) with an infinitive, as in wuton wē wel ðǣre tīde bīdan, *let us await the time,* uton faran agēn, *let us go to the other side.*

The passive voice is expressed by the use of some form of weorðan, *to become,* with the past participle, as in siððan wearþ mancyn þurh dēofol beswicen, *after mankind was deceived by the devil,* ond þǣr wurdon geflīemde, *and there were put to flight.* Often, however, the verb bēon (wesan) is used as in Modern English. Probably the adjectival value of the participle is slightly more marked when it is used with bēon, as in hē wæs oft gewundad, *he was often wounded,* ac hē wæs godcundlīce gefultumod, *but he was divinely assisted.* Because of the early substitution of bēon for weorðan in this passive construction, it is impossible to draw a line between the two usages in Anglo-Saxon.

An occasional use of some form of bēon with the present participle may be regarded as initiating the progressive verb in English, as in **and ūt wæs gongende,** *and was going out,* **Adam þā wæs wunigende on þisum līfe mid geswince,** *Adam was dwelling in this life with toil.*

Anglo-Saxon possesses a number of impersonal verbs, such as **ðyncan,** as in **him ðūhte,** *it seemed to him,* **spōwan,** as in **hū him ðā spēow,** *how he succeeded,* **lystan,** as in **læsse þænne hine lyste,** *less than it pleased him,* etc.

In expressing negation the Anglo-Saxon places the negative particle **ne** just before the main verb, sometimes even prefixes it to the verb (see sec. **60**). In addition to this, other negative forms may be used, as in **ac hē ne sealde nānum nytene ne nānum fisce nāne sawle,** *but he did not give a soul to any animal or to any fish,* **and hiera nænig hit geþicgean nolde,** *and no one of them would take it.*

71. The three verbals are used in Anglo-Saxon for the most part as in Modern English. The simple infinitive, however, is governed by more verbs and in certain constructions can be used without subject accusative when it could not be so used in Modern English, as in **þā hēt sē cyng swā dōn,** *then the king bade (them) do so.* Also it is used after verbs of movement or going when in Modern English a present participle would be used, as in **gewāt flēogan eft,** *went flying afterward,* **sēo eft ne cōm tō līde flēogan,** *this one did not come flying back to the ship.*

The gerund with **tō** is used after certain verbs as the object, as in **sē cyning elde þā gȳt tō gelȳfanne,** *the king still hesitated to believe,* **and begunnon þā tō wyrcenne,** *and began then to work;* after other verbs to express purpose, as in **ic arās, drihten, þē tō andettenne,** *I arose, Lord, to confess to thee;* and is also attached to an occasional adjective, as in **swā wynsumu tō gehȳranne,** *so pleasant to hear.*

When a participle is used as the direct modifier of a noun it is inflected as an adjective; but when it is used

with some form of **habban, bēon,** or **weorðan,** it is some-
times inflected, as in **oð þæt hīe hine ofslægenne hæfdon,**
until they had slain him, **ēowre gefēran þe . . . ofslægene
wǣrun,** *your companions who were slain,* and at other times
it takes no inflectional ending, as in **þæt sē cyning of-
slægen wæs,** *that the king was slain,* **sēo wæs Maria
gehaten,** *who was called Mary.*

72. While in general the word-order of Anglo-Saxon
prose does not differ greatly from that of Modern English,
in two respects it is notably different. It resembles
Modern German in having more inversion and transposi-
tion, and where a translation has been made from the
Latin, it is likely to show certain awkward features, such
as postpositive modification, which appear to be due to
Latin origin. Inversion, or the placing of verb before sub-
ject, generally occurs when an adverbial modifier or com-
plement is given a place of emphasis at the beginning of
the sentence, as in **þā ondswarede hē,** *then answered he,*
hine sē Godes monn ūp hōf, *him the man of God raised up.*
Transposition, or the placing of the verb at the end of a
subordinate clause, takes place commonly, as in **for þon ic
nāht singan ne cūðe,** *because I could sing naught,* **siðþan
hē gecrīstnad wæs,** *after he was christened.* Sometimes the
verb is placed first in a sentence for no other reason, ap-
parently, than to facilitate the narration, as in **Cwæð hē
eft,** *quoth he again,* **ond wæs sē micla here æt hām,** *and the
great army was at home.* Moreover the infinitive is fre-
quently placed farther from the verb that governs it than
in Modern English, as in **ne meahton þonne word forð-
bringan,** *nor might then utter a word.*

The placing of a modifier after the noun it modifies is
fairly common, especially in the case of possessives, and
often seems to be due to a slavish following of a Latin
original. Ælfric's *Quomodo exerces artem tuam,* for ex-

ample, is translated **hū begǣst þū cræft þīnne,** *how dost thou pursue thy craft?* In direct address the vocative is often followed by the definite article and an adjective, as in **men þā lēofostan,** *men most beloved.*

VII. VERSIFICATION

73. The extant Anglo-Saxon verse is with very slight exceptions all of one general kind, namely, the unrimed alliterative line. Each line is broken into two parts by a caesural pause about midway, and, in the most common types of verse, each half-line has two main accents. Sometimes a lighter or secondary accent, represented by the grave accent mark (`), is also present. Normally, three out of the four accented syllables are alliterative, that is to say, they begin with the same consonant or else with vowels or diphthongs. Usually two of the alliterative syllables fall in the first half-line and only one in the second. In most instances the alliterative and stressed syllables are those which need emphasis for the sake of bringing out the thought, so that the thought and the metrical form move along together. The characteristic features are illustrated in the following lines from several different poems[1]:

Wódon þā wǽlwùlfas, | for wǽtere ne múrnon   Mald. 96
Léoma léohtàde | léoda mǽgþum   Christ 234
lēóman tō lēóhte | lándbúendum   Beow. 95
ǽgþer hyra óðrum | ýfeles hógode   Mald. 133

In a single line only one consonant is used for allitera-

---

[1] All reference numbers in this chapter on versification are according to the line-numbering of the complete poems and not the page and line numbering of the extracts in this book.

tion, but all vowels and diphthongs alliterate together, as illustrated in the last example given above. That is to say, a consonant alliterates only with the same consonant, but any vowel or diphthong alliterates with any other vowel or diphthong.

While the line with three of the four stressed syllables alliterated may be regarded as normal, in the poetical passages in this book the number of such lines varies from about forty-two per cent to sixty-five per cent, the average being less than sixty per cent. In some texts, such as *The Christ* and *Deor*, the number of so-called normal lines is relatively small while in the *Wanderer* and parts of *Beowulf* it is much greater. Most of the remaining lines which do not conform to this standard have only two alliterative syllables. Characteristic lines of this type are:

> Gewāt ðā néosìan, | syþðan níht becóm   Beow. 115
> þæt þǽr fǽge mén | feállan sceóldon   Mald. 105
> Ríncas míne, | réstað íncit hér   Gen. 2880

Sometimes the alliterative scheme is reversed and the two alliterative syllables appear in the second half-line, as in

> Mē séndon tō þé, | sǽmen snelle   Mald. 29

Occasionally a line will show twofold alliteration, as in

> ofer scír wæter, | scýldas wǽgon   Mald. 98

74. There is no rime regularly employed in Anglo-Saxon poetry with the exception of the so-called *Rime Song*, which is so packed with rimes and alliterations as to be quite exceptional for almost any period of English metrical history. This lack of rime accounts for the almost com-

plete lack of any sort of stanzaic verse. Only the one
poem, *Deor*, shows an attempt at stanzaic arrangement,
and even in that poem the irregular stanzas result largely
from the repetition of the single-line refrain.

75. How definitely Anglo-Saxon poets had in mind a
regular pattern for the arrangement of stressed and un-
stressed syllables in the line cannot be determined except
by inferences drawn from the poems they wrote. On the
basis of this evidence one infers that in spite of consider-
able freedom, especially with reference to the number of
unstressed syllables, Anglo-Saxon poets in their scansions
on the whole were governed by definite metrical principles.
Some of these established principles may be stated as fol-
lows:

(1) Metrical stress must fall on logically important
words, and any alliterations which do not come in metri-
cally stressed syllables are to be regarded as accidental
and as not counting in the metrical scheme.

(2) The metrical structure of each half-line in the long
line is independent, the two halves of the line being held
together only by the alliteration.

(3) The first logically important word of the second
half-line is almost invariably metrically stressed, and if
it is so stressed, it always alliterates. It may be regarded
as the alliterative keyword of the line.

(4) Metrical stress usually falls on a long syllable (see
sec. **4**), but sometimes two short syllables, the first
stressed, the second unstressed, take the place of one long
stressed syllable. When stress is thus spread over two
short syllables, it is usually known as *resolved stress*. In
certain types of Anglo-Saxon verse in which two metrical
stresses come together, the second of these two stressed
syllables may be short (see sec. **76**, types C–E). The
question of length is of no importance with respect

to unstressed syllables, for they may be long or short indifferently.

(5) In the treatment of unstressed syllables, the poet allows himself greater freedom at the beginning of the half-line than at the end, and greater freedom in the first half-line than in the second half of the whole line.

(6) At the end of a half-line, whether the first or the second half of a whole line, regularly not more than one unstressed syllable is allowed, an exception being when the first of two is part of a resolved stress.

(7) The Anglo-Saxon metrical scheme utilized both fully stressed syllables, as in **hlúdne in héalle,** and also secondarily stressed syllables which received a slightly lighter stress. These syllables with secondary stress may occupy main positions in the metrical structure of the line, as in **þā wæs Hróðgáre,** or they may be additional to the two main stresses of the line, as in **héal-ærna mǽst.** The conventions of Anglo-Saxon poetry permit the use of certain syllables as metrically stressed or (more commonly) as secondarily stressed syllables which in prose would be unstressed, as in **lánd-búendum.** Stressed syllables like these are usually present participle endings, the stem endings of weak verbs of the second class, like **fándode,** or endings like **-ing, -ig,** the equivalents of which in Modern English verse may still take the place of a metrically stressed syllable.

(8) In the metrical scheme, diphthongs count as single sounds and therefore do not make dissyllables, as in

lēoman to lēohte Beow. 95 $\stackrel{\prime}{-} \times \times \mid \stackrel{\prime}{-} \times$[1]

---

[1] In indicating scansions, $\times$ stands for unstressed syllables, or secondarily stressed syllables, $-$ for syllables long and stressed, and $\cup$ for syllables short and stressed.

(9) Anacrusis, or the use of one or more unaccented syllables at the beginning of a half-line, is fairly common in Anglo-Saxon verse. Examples are:

for | téah and for | týhte Christ 270   × | ⏑́ × × | ⏑́ ×
ne for | sǽt hē þȳ | sī́ðe Gen. 2859   × × | ⏝ × × | ⏑́ ×

(10) Extra unstressed syllables are so common in Anglo-Saxon verse as to render it not altogether easy to agree upon any special type of line or half-line as normal and characteristic. In the following section, however, an attempt will be made to classify the variations of Anglo-Saxon verse into some degree of orderliness in accordance with the theories of Anglo-Saxon versification now generally held.

76. It is customary to distinguish five main types of half-line in the scansion of Anglo-Saxon verse on the basis of the position of the relatively fixed syllables to the relatively free and variable unstressed syllables. Whether or not Anglo-Saxon poets held these five types of verse consciously in mind as models, and it seems they must have done so, since they employed them with remarkable consistency, they are undoubtedly useful to the modern student for classifying and emphasizing the rhythmic character of Anglo-Saxon verse. He should not suppose, however, that these five types are equally common in Anglo-Saxon poetry. As a matter of fact, Anglo-Saxon verse is predominantly trochaic according to the model shown in Type A, and the other four classes have been made to provide for the more important variations from the norm. They are likely to be found most often in certain poems or parts of poems where the poets chose to depart from the usual form for emotional emphasis or to give vividness to description.

The types may be described briefly as follows, and for a

fuller statement the student is referred to Sievers, *Alt-germanische Metrik* (Halle, 1893).

Type A.   Trochaic. $-\times \mid -\times$

In its simplest form this type is as follows:

húsa | sélest   Beow. 146 $-\times \mid -\times$

With resolved stress, two short syllables take the place of one long one, as in

> **wéras on | wǽgþel**   Gen. 1358 $\smile\times\times \mid -\times$
>
> **Wúldor | cýninges**   Gen. 1384 $-\times \mid \smile\times\times$
>
> **bítere | fúndon**   Mald. 85 $\smile\times\times \mid -\times$

Lines of this type also may have anacrusis, or two unstressed syllables following the first stressed, as in

þe | éft æt | þéarfe   Mald. 201 $\times \mid -\times \mid -\times$

ond ūsic | þonne ge|séce   Christ 254 $\times\times\times \mid -\times\times \mid -\times$

Type B.   Iambic. $\times - \mid \times -$

In its simplest form this type is as follows:

> **on fǽ|ge fólc**   Gen. 1382 $\times - \mid \times -$
>
> **hwā cé|ne sȳ**   Mald. 215 $\times - \mid \times -$

But frequently the unstressed portion of the foot, especially of the first foot of a half-line, is composed of two or more syllables:

> **under hróf | gefór**   Gen. 1360 $\times\times - \mid \times -$
>
> **þā his mód | āhlóg**   Beow. 730 $\times\times - \mid \times -$
>
> **þæs þe hē Á|bel slóg**   Beow. 108 $\times\times\times - \mid \times -$
>
> **siððan hē hire fól|mum hrán**   Beow. 722
>
> $\times\times\times\times\times - \mid \times -$
>
> **þā hē hǽf|de þæt folc**   Mald. 22 $\times\times - \mid \times\times -$

Type C. Iambic-Trochaic.   × ⊥ | ⊥ ×

Occasionally the rhythm is interrupted by the juxta-
position of the two types in a single half-line, as in

   on búrh | rídan   Mald. 291   × ⊥ | ⊥ ×

Unstressed syllables may be increased at the beginning of
the first foot in this metrical scheme, as in the two pre-
ceding, but obviously not at the beginning of the second,
as in

   wið his béah- | gífan   Mald. 290   × × ⊥ | ⏑ ×
   sē wæs gío | cyning   Ulysses 35   × × ⊥ | ⏑ ×
   þæt him sē líc- | hóma   Beow. 812   × × × ⊥ | ⏑ ×

Type D. Monosyllabic-Dactylic.   ⊥ | ⊥ ⏑̀ ×

Sometimes the first foot comprises only one metrical
beat, either a single stressed syllable, or a resolved stress,
and the second foot, in compensation for the shortness
of the first, is made up of a stressed syllable and two others,
one with secondary stress and the other unstressed.

   gód | gúð-cýning   Beow. 2563   ⊥ | ⊥ ⏑̀ ×

Variations of this may be found with resolved stress or
the insertion of extra unstressed syllables, as in

   súna | Ōhtères   Beow. 2612   ⏑̀× | ⊥ ⏑̀ ×
   wræccan | wíne-lèasum   Beow. 2613   ⊥ × | ⏑̀× ⏑̀ ×
   hófu | hergòde   Gen. 1380   ⏑̀× | ⊥ ⏑̀ ×
   clúfon | céllod bòrd   Mald. 283   ⏑̀× | ⊥ × ⏑̀

Type E. Dactylic-Monosyllabic.   ⊥ ⏑̀ × | ⊥

Other half-lines occasionally show the two feet in re-
verse order to that of the preceding type, that is to say,
with the three syllables in the first foot and a single
stressed one, or a resolved stress, in the second, as in

   únòrne | céorl Mald. 256   ⏑ × × | ⏑͞

   fȳrbèndum | fǽst Beow. 722   ⏑͞ × × | ⏑͞

   Wúlfstànes | béarn Mald. 155 ⏑͞ × × | ⏑͞

As in the preceding type, slight variations may be
found with resolved stress or the insertion of an extra
unstressed syllable, as in

   brécaðbràde ge|scéaft Christ 991 ⏑‿× ⏑͞ × × | ⏑͞

   Brímmànna | bóda Mald. 49   ⏑͞ × × | ⏑‿×

   ongan | céallian | þā Mald. 91 × × | ⏑͞ × × | ⏑͞

The examples given above illustrate only the main
variations from type that may be produced in Anglo-
Saxon verse by the insertion of unstressed syllables. Be-
sides the many long lines, moreover, that can be classified
according to one or the other of the five general types,
even longer lines will be found occasionally which do not
fit into any one of these classes. Such hypermetrical lines
may be seen at the end of the *Wanderer* and must be
scanned independently of the five types, but usually
merely by adding one extra foot.

77. In addition to the rhythm which Anglo-Saxon verse
owes to the more or less regular recurrence of stressed,
often alliterative, syllables, and in addition to the special
effects that the Anglo-Saxon poet is able to produce by
the use of many or few light syllables, the poetical style
of this period depends not a little on a liberal interspersing
of epithets and some figurative expressions generally
known as *kennings*. In the *Hymn* of Cædmon, for
example (see p. 35), eight terms are used for God in
the nine lines as printed, being placed, apparently, in
accordance with metrical requirements rather than gram-
matical. In *Genesis* 1362–7 God is called **weroda drihten,**
lord of hosts, **heofonríces weard,** *guardian of the heavenly
kingdom,* **sigora waldend,** *ruler of victories,* and **nergend**

ūsser, *our saviour*. *Beowulf* is rich in such expressions as **bānhūs,** *the body* or *bone house,* **hǣðstapa,** *stag* or *heath-stepper,* **homera lāf,** *sword* or *the leaving of hammers,* **hronrād,** *ocean* or *whale-road,* **lyftfloga,** *dragon* or *air-flier,* **rodores candel,** *sun* or *candle of heaven,* **ȳða gewealc,** *ocean* or *the rolling of waves.*

In reading Anglo-Saxon poetry, then, the student must be prepared to have the progress of the verse delayed by an elaborate accumulation of epithets, and he must also expect that in the expression of certain familiar ideas, such as those of the sea, the sword, a warrior, battle, etc., the poet will endeavor to avoid exact repetition of a word by using each time a different synonym or a figurative expression.

78. As further illustrations of the variabilities of Anglo-Saxon versification, the scansion of a connected passage from *Beowulf*, p. 152, ll. 20–28 (2550–58), is here given:

Lēt ðā of brēostum,	ðā hē gebolgen wæs,
Weder-Gēata lēod	word ūt faran;
stearc-heort styrmde;	stefn in becōm
heaðo-torht hlynnan	under hārne stān.
Hete wās onhrēred;	hord-weard oncnīow
mannes reorde;	næs ðǣr māra fyrst
frēode tō friclan.	From ǣrest cwōm
oruð āglǣcean	ūt of stāne,
hāt hilde-swāt;	hrūse dynede.

A	´ × × | ´ ×	× × × ´ | × ´	B
E	⌣⌣ × ⳣ × | ´	´ | ´ ⳣ ×	D
A	´ × | ´ ×	´ | ´ × ´	D
A	⌣⌣ × × | ´ ×	× × ´ | × ´	B
A	⌣⌣ × × × | ´ ×	´ ⳣ × | ´	E
A	´ × | ´ ×	× × ´ | × ´	B
A	´ × × | ´ ×	´ ⳣ × | ´	E
D	⌣⌣ × | ´ ⳣ ×	´ × | ´ ×	A
D	´ | ´ × ⳣ	´ × | ⌣⌣ × ×	A

Sometimes lines will be found in Anglo-Saxon, as in Modern English verse, which may be scanned in two ways, and in such instances, individual choice must decide which is to be preferred. Thus the half-line **From ǣrest cwōm,** scanned as an E-type above, might also be regarded as a D-type, $\acute{-} \mid \acute{-} \times \grave{\times}$. For the treatment of **āglǣcean** as a trisyllabic word in the scansion $\smile\!\!\smile \times \mid \acute{-} \grave{\times} \times$, see the discussion of similar words in sec. **2** of the Grammar.

ANGLO–SAXON READER

TEXTS

I

THE ANGLO–SAXON CHRONICLE

The *Anglo-Saxon Chronicle* is extant in a number of different versions which all sprang from an original prepared in the reign of King Alfred (871–901) and probably under Alfred's direction. The Laud version of the *Chronicle* is the longest and extends to the year 1154. The Parker version, from which the extracts here given are taken, closes at the year 1070, with a short continuation in Latin. It stands nearest of all the versions to the parent version, no copy of which has been preserved. The text of the passages here presented has been derived from Plummer's edition, *Two of the Saxon Chronicles Parallel*, Vol. I, Oxford, 1892; Vol. II, Oxford, 1899. Several short insertions in the manuscript by a late reviser have been omitted.

The entries in the *Chronicle* begin with the expedition of Julius Caesar to Britain, but for the earlier years they are brief and colorless, consisting mainly of bald references to battles, deaths of kings and bishops, and of other general statements. As the narrative becomes more nearly contemporary, it grows more detailed. It is most significant for the reign of King Alfred, when it becomes a first-hand record of national events, and the entries for this reign are printed here complete.

Ær Cristes geflæscnesse ·lx· wintra. Gaius Iulius, se casere, ærest Romana, Bretenlond gesohte, ond Brettas mid gefeohte cnysede, ond hie oferswiþde, ond swaþeah ne meahte þær rice gewinnan.

Anno 1. Octauianus ricsode ·lvi· wintra, ond on 5 þam ·xlii· geare his rices, Crist wæs acenned.

2. Þa tungelwitgan of eastdæle cuomon to þon þæt hie Crist weorþedon; ond þa cild on Bethlem ofslægene wærun for Cristes ehtnesse from Herode.

3

3. Her swealt Herodus from him selfum ofsticod, ond Archilaus, his sunu, feng to rice.

6. From frymþe middangeardes oþ þis gear wæron agan ·v· þusendu wintra ond ·cc· wintra.

* * * * * * *

5 167. Her Eleutherius on Rome onfeng biscepdom, ond þone wuldorfæstlice ·xv· winter geheold; to þam Lucius, Bretene kyning, sende stafas, bæd þæt he wære Cristen gedon, ond he þurhteah þæt he bæd.

189. Her Seuerus onfeng rice, ond ricsode ·xvii·
10 winter. Se Bretenlond mid dice begyrdde from sæ oþ sæ.

* * * * * * *

381. Her Maximinianus, se casere, feng to rice. He wæs on Bretenlonde geboren.

409. Her Gotan abræcon Romeburg, ond næfre siþan
15 Romane ne ricsodon on Bretene.

* * * * * * *

449. Her Mauricius ond Ualentines onfengon rice ond ricsodon ·vii· wintra. Ond on hiera dagum, Hengest ond Horsa, from Wyrtgeorne geleaþade, Bretta kyninge, gesohton Bretene on þam staþe þe is genemned
20 Ypwinesfleot, ærest Brettum to fultume, ac hie eft on hie fuhton.

* * * * * * *

477. Her cuom Ælle on Bretenlond ond his ·iii· suna, Cymen ond Wlencing ond Cissa, mid ·iii· scipum, on þa stowe þe is nemned Cymenesora, ond þær ofslogon
25 monige Wealas, ond sume on fleame bedrifon on þone wudu þe is genemned Andredesleage.

* * * * * * *

514. Her cuomon West Seaxe in Bretene mid ·iii· scipum in þa stowe þe is gecueden Cerdicesora, Stuf

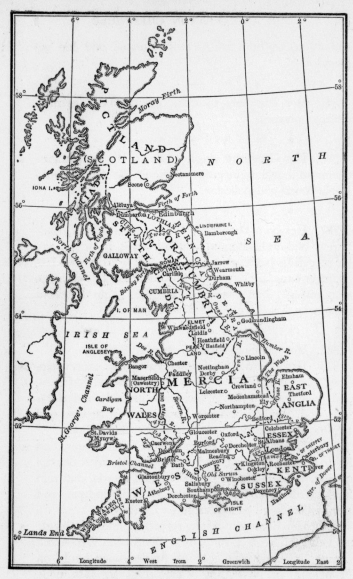

ANGLO-SAXON ENGLAND

ond Wihtgar, ond fuhtun wiþ Brettas ond hie ge-
fliemdon.

* * * * * * *

547. Her Ida feng to rice, þonon Norþanhymbra
cynecyn onwoc.

* * * * * * *

595. Her Gregorius papa sende to Brytene Augus- 5
tinum mid wel manegum munecum þe Godes word
Engla ðeoda godspelledon.

* * * * * * *

787. Her nom Beorhtric cyning Offan dohtor, Ead-
burge; ond on his dagum, cuomon ærest ·iii· scipu, ond
þa se gerefa þærto rad, ond hie wolde drifan to þæs 10
cyninges tune, þy he nyste hwæt hie wæron; ond hiene
mon ofslog. Þæt wæron þa ærestan scipu Deniscra
monna þe Angelcynnes lond gesohton.

* * * * * * *

832. Her hæþne men oferhergeadon Sceapige.
833. Her gefeaht Ecgbryht cyning wiþ ·xxxv· scip- 15
hlæsta æt Carrum; ond þær wearþ micel wæl geslægen,
ond þa Denescan ahton wælstowe gewald; ond Here-
ferþ ond Wigþen, tuegen biscepas, forþferdon, ond
Dudda ond Osmod, tuegen aldormen, forþferdon.
835. Her cuom micel sciphere on West Walas, ond 20
hie to anum gecierdon, ond wiþ Ecgbryht, West Seaxna
cyning, winnende wæron. Þa he þæt hierde, ond mid
fierde ferde, ond him wiþfeaht æt Hengestdune, ond
þær gefliemde ge þa Walas ge þa Deniscan.
836. Her Ecgbryht cyning forþferde, ond hine hæfde 25
ær Offa, Miercna cyning, ond Beorhtric, Wesseaxna
cyning, afliemed ·iii· gear of Angelcynnes lande on
Fronclond ær he cyning wære; ond þy fultumode

Beorhtric Offan þy he hæfde his dohtor him to cuene;
ond se Ecgbryht ricsode ·xxxvii· wintra ond ·vii· monaþ.
Ond feng Eþelwulf Ecgbrehting to Wesseaxna rice, ond
he salde his suna Æþelstane Cantwararice ond East
5 Seaxna ond Suþrigea ond Suþ Seaxna.

837. Her Wulfheard aldorman gefeaht æt Hamtune
wiþ ·xxxiii· sciphlæsta, ond þær micel wæl geslog, ond
sige nom; ond þy geare forþferde Wulfheard; ond þy
ilcan geare gefeaht Æþelhelm dux wiþ Deniscne here
10 on Port mid Dornsætum, ond gode hwile þone here
gefliemde, ond þa Deniscan ahton wælstowe gewald,
ond þone aldormon ofslogon.

838. Her Herebryht aldormon wæs ofslægen from
hæþnum monnum, ond monige mid him on Mersc-
15 warum, ond þy ilcan geare eft on Lindesse, ond on
East Englum, ond on Cantwarum wurdon monige men
ofslægene from þam herige.

839. Her wæs micel wælsliht on Lundenne, ond on
Cwantawic, ond on Hrofesceastre.

20 840. Her Æþelwulf cyning gefeaht æt Carrum wiþ
·xxxv· sciphlæsta, ond þa Deniscan ahton wælstowe
gewald.

845. Her Eanulf aldorman gefeaht mid Sumur-
sætum, ond Ealchstan biscep ond Osric aldorman mid
25 Dornsætum gefuhton æt Pedridanmuþan wiþ Deniscne
here, ond þær micel wæl geslogon ond sige namon.

851. Her Ceorl aldormon gefeaht wiþ hæþene men
mid Defenascire æt Wicganbeorge, ond þær micel wæl
geslogon, ond sige namon; ond þy ilcan geare Æþelstan
30 cyning, ond Ealchere dux micelne here ofslogon æt
Sondwic on Cent, ond ·ix· scipu gefengun, ond þa oþre
gefliemdon; ond hæþne men ærest ofer winter sæton;
ond þy ilcan geare cuom feorðe healf hund scipa on
Temesemuþan, ond bræcon Contwaraburg, ond Lunden-

burg, ond gefliemdon Beorhtwulf, Miercna cyning, mid
his fierde, ond foron þa suþ ofer Temese on Suþrige;
ond him gefeaht wiþ Æþelwulf cyning ond Æþelbald
his sunu æt Aclea mid West Seaxna fierde, ond þær þæt
mæste wæl geslogon on hæþnum herige þe we secgan 5
hierdon oþ þisne ondweardan dæg, ond þær sige namon.

853. Her bæd Burgred, Miercna cyning, ond his
wiotan Æþelwulf cyning þæt he him gefultumade þæt
him Norþ Walas gehiersumade. He þa swa dyde, ond
mid fierde for ofer Mierce on Norþ Walas, ond hie him 10
alle gehiersume dydon; ond þy ilcan geare sende
Æþelwulf cyning Ælfred his sunu to Rome. Þa was
domne Leo papa on Rome, ond he hine to cyninge ge-
halgode, ond hiene him to biscepsuna nam. Þa þy
ilcan geare Ealhere mid Cantwarum, ond Huda mid 15
Suþrigium gefuhton on Tenet wiþ hæþnum herige, ond
ærest sige namon, ond þær wearþ monig mon ofslægen
ond adruncen on gehwæþere hond. Ond þæs ofer
Eastron geaf Æþelwulf cyning his dohtor Burgrede
cyninge of Wesseaxum on Merce. 20

855. Her hæþne men ærest on Sceapige ofer winter
sætun; ond þy ilcan geare gebocude Æþelwulf cyning
teoþan dæl his londes ofer al his rice Gode to lofe, ond
him selfum to ecere hælo; ond þy ilcan geare ferde to
Rome mid micelre weorþnesse, ond þær was ·xii· monaþ 25
wuniende, ond þa him hamweard for; ond him þa Carl,
Francna cyning, his dohtor geaf him to cuene, ond æfter
þam to his leodum cuom, ond hie þæs gefægene wærun.
Ond ymb ·ii· gear þæs ðe he on Francum com he gefor;
ond his lic liþ æt Wintanceastre, ond he ricsode nigon- 30
teoþe healf gear. Ond se Æþelwulf wæs Ecgbrehting,
Ecgbryht Ealhmunding, Ealhmund Eafing, Eafa Eop-
ping, Eoppa Ingilding; Ingild wæs Ines broþur, West
Seaxna cyninges, þæs þe eft ferde to Sancte Petre ond

þær eft his feorh gesealde; ond hie wæron Cenredes
suna, Cenred wæs Ceolwalding, Ceolwald Cuþaing,
Cuþa Cuþwining, Cuþwine Ceaulining, Ceawlin Cynric-
ing, Cynric Cerdicing, Cerdic Elesing, Elesa Esling, Esla
5 Giwising, Giwis Wiging, Wig Freawining, Freawine
Friþogaring, Friþogar Bronding, Brond Bældæging,
Bældæg Wodening, Woden Friþowalding, Friþuwald
Freawining, Frealaf Friþuwulfing, Friþuwulf Finning,
Fin Godwulfing, Godwulf Geating, Geat Tætwaing,
10 Tætwa Beawing, Beaw Sceldwaing, Sceldwea Here-
moding, Heremod Itermoning, Itermon Hraþraing, se
wæs geboren in þære earce; Noe, Lamach, Matusalem,
Enoh, Iaered, Maleel, Camon, Enos, Sed, Adam.
Primus homo et pater noster est Christus, Amen.
15   Ond þa fengon Æþelwulfes suna twegen to rice, Æþel-
bald to Wesseaxna rice, ond Æþelbryht to Cantwara
rice, ond to East Seaxna rice, ond to Suþrigea, ond to
Suþ Seaxna rice; ond þa ricsode Æþelbald ·v· gear.

860. Her Æþelbald cyng forþferde, ond his lic liþ æt
20 Sciraburnan, ond feng Æþelbryht to allum þam rice
his broþur, ond he hit heold on godre geþuærnesse ond
on micelre sibsumnesse; ond on his dæge cuom micel
sciphere up ond abræcon Wintanceastre. Ond wiþ þone
here gefuhton Osric aldorman mid Hamtunscire, ond
25 Æþelwulf aldormon mid Bearrucscire, ond þone here
gefliemdon, ond wælstowe gewald ahton; ond se Æþel-
bryht ricsode ·v· gear, ond his lic liþ æt Scireburnan.

865. Her sæt hæþen here on Tenet, ond genamon
friþ wiþ Cantwarum, ond Cantware him feoh geheton
30 wiþ þam friþe, ond under þam friþe ond þam feohge-
hate se here hiene on niht up bestæl, ond oferhergeade
alle Cent eastewearde.

866. Her feng Æþered, Æþelbryhtes broþur, to Wes-
seaxna rice; ond þy ilcan geare cuom micel here on

Angelcynnes lond, ond wintersetl namon on East
Englum, ond þær gehorsude wurdon, ond hie him friþ
wiþ namon.

867. Her for se here of East Englum ofer Humbre-
muþan to Eoforwicceastre on Norþhymbre, ond þær 5
wæs micel ungeþuærnes þære þeode betweox him
selfum, ond hie hæfdun hiera cyning aworpenne Os-
bryht, ond ungecyndne cyning underfengon Ællan; ond
hie late on geare to þam gecirdon þæt hie wiþ þone here
winnende wærun, ond hie þeah micle fierd gegadrodon, 10
ond þone here sohton æt Eoforwicceastre, ond on þa
ceastre bræcon, ond hie sume inne wurdon; ond þær
was ungemetlic wæl geslægen Norþanhymbra, sume
binnan, sume butan; ond þa cyningas begen ofslægene,
ond sio laf wiþ þone here friþ nam; ond þy ilcan geare 15
gefor Ealchstan biscep, ond he hæfde þæt bisceprice ·l·
wintra æt Scireburnan, ond his lic liþ þær on tune.

868. Her for se ilca here innan Mierce to Snotenga-
ham, ond þær wintersetl namon; ond Burgræd, Miercna
cyning, ond his wiotan, bædon Æþered, West Seaxna 20
cyning, ond Ælfred his broþur, þæt hie him gefultuma-
don, þæt hie wiþ þone here gefuhton; ond þa ferdon
hie mid Wesseaxna fierde innan Mierce oþ Snotenga-
ham, ond þone here þær metton on þam geweorce, ond
þær nan hefelic gefeoht ne wearþ, ond Mierce friþ 25
namon wiþ þone here.

869. Her for se here eft to Eoforwicceastre, ond þær
sæt ·i· gear.

870. Her rad se here ofer Mierce innan East Engle
ond wintersetl namon æt Þeodforda, ond þy wintre 30
Eadmund cyning him wiþ feaht, ond þa Deniscan sige
namon, ond þone cyning ofslogon, ond þæt lond all ge-
eodon; ond þy geare gefor Ceolnoþ ærcebiscep.

871. Her cuom se here to Readingum on West Seaxe,

ond þæs ymb ·iii· niht ridon ·ii· eorlas up. Þa gemette
hie Æþelwulf aldorman on Englafelda, ond him þær
wiþ gefeaht ond sige nam. Þæs ymb ·iiii· niht Æþered
cyning ond Ælfred, his broþur, þær micle fierd to Read-
5 ingum gelæddon, ond wiþ þone here gefuhton, ond þær
wæs micel wæl geslægen on gehwæþre hond, ond Æþel-
wulf aldormon wearþ ofslægen, ond þa Deniscan ahton
wælstowe gewald; ond þæs ymb ·iiii· niht gefeaht
Æþered cyning ond Ælfred his broþur wiþ alne þone
10 here on Æscesdune, ond hie wærun on twæm gefylcum;
on oþrum wæs Bachsecg ond Halfdene, þa hæþnan
cyningas, ond on oþrum wæron þa eorlas; ond þa
gefeaht se cyning Æþered wiþ þara cyninga getruman,
ond þær wearþ se cyning Bagsecg ofslægen; ond Ælfred,
15 his broþur, wiþ þara eorla getruman, ond þær wearþ
Sidroc eorl ofslægen, se alda, ond Sidroc eorl, se gioncga,
ond Osbearn eorl, ond Fræna eorl, ond Hareld eorl;
ond þa hergas begen gefliemde, ond fela þusenda ofslæ-
genra, ond onfeohtende wæron oþ niht. Ond þæs ymb
20 ·xiiii· niht gefeaht Æþered cyning ond Ælfred, his
broður, wiþ þone here æt Basengum, ond þær þa
Deniscan sige namon; ond þæs ymb ·ii· monaþ gefeaht
Æþered cyning ond Ælfred, his broþur, wiþ þone here
æt Meretune, ond hie wærun on tuæm gefylcium, ond
25 hie butu gefliemdon, ond longe on dæg sige ahton; ond
þær wearþ micel wælsliht on gehwæþere hond, ond þa
Deniscan ahton wælstowe gewald; ond þær wearþ
Heahmund biscep ofslægen, ond fela godra monna;
ond æfter þissum gefeohte cuom micel sumorlida; ond
30 þæs ofer Eastron gefor Æþered cyning, ond he ricsode
·v· gear, ond his lic liþ æt Winburnan.

Þa feng Ælfred Æþelwulfing, his broþur, to Wes-
seaxna rice; ond þæs ymb anne monaþ gefeaht Ælfred
cyning wiþ alne þone here lytle werede æt Wiltune, ond

hine longe on dæg gefliemde, ond þa Deniscan ahton
wælstowe gewald; ond þæs geares wurdon ·viiii· folc-
gefeoht gefohten wiþ þone here on þy cynerice be suþan
Temese, butan þam þe him Ælfred, þæs cyninges
broþur, ond anlipig aldormon ond cyninges þegnas oft 5
rade onridon þe mon na ne rimde; ond þæs geares
wærun ofslægene ·viiii· eorlas ond an cyning; ond þy
geare namon West Seaxe friþ wiþ þone here.

872. Her for se here to Lundenbyrig from Read-
ingum, ond þær wintersetl nam; ond þa namon Mierce 10
friþ wiþ þone here.

873. Her for se here on Norþhymbre, ond he nam
wintersetl on Lindesse æt Turecesiege, ond þa namon
Mierce friþ wiþ þone here.

874. Her for se here from Lindesse to Hreopedune, 15
ond þær wintersetl nam, ond þone cyning Burgræd ofer
sæ adræfdon ymb ·xxii· wintra þæs þe he rice hæfde,
ond þæt lond all geeodon; ond he for to Rome ond þær
gesæt, ond his lic liþ on Sancta Marian ciricean on
Angelcynnes scole; ond þy ilcan geare hie sealdon anum 20
unwisum cyninges þegne Miercna rice to haldanne; ond
he him aþas swor ond gislas salde, þæt he him gearo
wære swa hwelce dæge swa hie hit habban wolden, ond
he gearo wære mid him selfum, ond on allum þam þe
him læstan woldon, to þæs heres þearfe. 25

875. Her for se here from Hreopedune, ond Healf-
dene for mid sumum þam here on Norþhymbre; ond
nam wintersetl be Tinan þære ea, ond se here þæt lond
geeode, ond oft hergade on Peohtas, ond on Stræcled
Walas; ond for Godrum ond Oscytel ond Anwynd, þa 30
·iii· cyningas, of Hreopedune to Grantebrycge mid micle
here, ond sæton þær an gear; ond þy sumera for Ælfred
cyning ut on sæ mid sciphere, ond gefeaht wiþ ·vii·
sciphlæstas, ond hiera an gefeng ond þa oþru gefliemde.

876. Her hiene bestæl se here into Werham Wes-
seaxna fierde, ond wiþ þone here se cyning friþ nam, ond
him þa aþas sworon on þam halgan beage, þe hie ær
nanre þeode noldon, þæt hie hrædlice of his rice foren;
5 ond hie þa under þam hie nihtes bestælon þære fierde,
se gehorsoda here, into Escanceaster; ond þy geare
Healfdene Norþanhymbra lond gedælde, ond ergende
wæron ond hiera tilgende.

877. Her cuom se here into Escanceastre from
10 Werham, ond se sciphere sigelede west ymbutan, ond þa
mette hie micel yst on sæ, ond þær forwearþ ·cxx· scipa
æt Swanawic; ond se cyning Ælfred æfter þam ge-
horsudan here mid fierde rad oþ Exanceaster, ond hie
hindan ofridan ne meahte ær hie on þam fæstene wæron,
15 þær him mon to ne meahte; ond hie him þær foregislas
saldon, swa fela swa he habban wolde, ond micle aþas
sworon, ond þa godne friþ heoldon; ond þa on hær-
fæste gefor se here on Miercna lond, ond hit gedældon
sum, ond sum Ceolwulfe saldon.

20 878. Her hiene bestæl se here on midne winter ofer
tuelftan niht to Cippanhamme, ond geridon Wesseaxna
lond ond gesæton micel þæs folces ond ofer sæ adræfdon,
ond þæs oþres þone mæstan dæl hie geridon, ond him to
gecirdon —, buton þam cyninge Ælfrede. Ond he lytle
25 werede unieþelice æfter wudum for, ond on mor-
fæstenum; ond þæs ilcan wintra wæs Inwæres broþur
ond Healfdenes on West Seaxum on Defenascire mid
·xxiii· scipum, ond hiene mon þær ofslog, ond ·dccc·
monna mid him ond ·xl· monna his heres; ond þæs on
30 Eastron worhte Ælfred cyning lytle werede geweorc æt
Æþelingaeigge, ond of þam geweorce was winnende wiþ
þone here, ond Sumursætna, se dæl se þær niehst wæs.
Þa on þære seofoðan wiecan ofer Eastron he gerad to
Ecgbryhtesstane be eastan Sealwyda, ond him to com-

on[1] þær ongen Sumorsæte alle, ond Wilsætan, ond Hamtunscir, se dæl se hiere behinon sæ was, ond his gefægene wærun; ond he for ymb ane niht of þam wicum to Iglea, ond þæs ymb ane to Eþandune, ond þær gefeaht wiþ alne þone here, ond hiene gefliemde, ond him 5 æfter rad oþ þæt geweorc, ond þær sæt ·xiiii· niht; ond þa salde se here him foregislas ond micle aþas, þæt hie of his rice uuoldon, ond him eac geheton þæt hiera kyning fulwihte onfon wolde, ond hie þæt gelæston swa; ond þæs ymb ·iii· wiecan com se cyning to him Godrum 10 þritiga sum þara monna þe in þam here weorþuste wæron æt Alre, ond þæt is wiþ Æþelinggaeige; ond his se cyning þær onfeng æt fulwihte, ond his crismlising was æt Weþmor, ond he was ·xii· niht mid þam cyninge, ond he hine miclum ond his geferan mid feo 15 weorðude.

879. Her for se here to Cirenceastre of Cippanhamme, ond sæt þær an gear; ond þy geare gegadrode on hloþ wicenga, ond gesæt æt Fullanhamme be Temese; ond þy ilcan geare aþiestrode sio sunne ane tid dæges. 20

880. Her for se here of Cirenceastre on East Engle, ond gesæt þæt lond, ond gedælde. Ond þy ilcan geare for se here ofer sæ þe ær on Fullanhomme sæt on Fronclond to Gend, ond sæt þær an gear.

881. Her for se here ufor on Fronclond, ond þa 25 Francan him wiþ gefuhton, ond þær þa wearþ se here gehorsod æfter þam gefeohte.

882. Her for se here up onlong Mæse feor on Fronclond, ond þær sæt an gear. Ond þy ilcan geare for Ælfred cyning mid scipum ut on sæ, ond gefeaht wiþ 30 feower sciphlæstas Deniscra monna, ond þara scipa tu genam, ond þa men ofslægene wæron þe ðær on wæron; ond tuegen sciphlæstas him on hond eodon, ond þa

[1] *MS.* com, *with an interlinear correction to* common.

wæron miclum forslægene ond forwundode ær hie on
hond eodon.

883. Her for se here up on Scald to Cundoþ, ond
þær sæt an gear.

884. Her for se here up on Sunnan to Embenum,
ond þær sæt an gear.

885. Her todælde se foresprecena here on tu, oþer
dæl east, oþer dæl to Hrofesceastre, ond ymbsæton ða
ceastre, ond worhton oþer fæsten ymb hie selfe. Ond
hie þeah þa ceastre aweredon oþþæt Ælfred com utan
mid fierde; þa eode se here to hiera scipum, ond forlet
þæt geweorc; ond hie wurdon þær behorsude, ond sona
þy ilcan sumere ofer sæ gewiton. Ond þy ilcan geare
sende Ælfred cyning sciphere on East Engle; sona swa
hie comon on Stufemuþan, þa metton hie ·xvi· scipu
wicenga, ond wiþ ða gefuhton, ond þa scipo alle ge-
ræhton, ond þa men ofslogon. Þa hie þa hamweard
wendon mid þære herehyþe, þa metton hie micelne
sciphere wicenga, ond þa wiþ þa gefuhton þy ilcan dæge,
ond þa Deniscan ahton sige. Þy ilcan geare ær middum
wintra forþferde Carl, Francna cyning, ond hiene ofslog
an efor; ond ane geare ær his broður forþferde, se
hæfde eac þæt westrice, ond hie wæron begen Hloþwiges
suna; se hæfde eac þæt westrice, ond forþferde þy
geare þe sio sunne aþiestrode; se wæs Karles sunu þe
Æþelwulf, West Seaxna cyning, his dohtor hæfde him
to cuene. Ond þy ilcan geare gegadrode micel sciphere
on Ald Seaxum, ond þær wearþ micel gefeoht, tua on
geare, ond þa Seaxan hæfdun sige; ond þær wæron
Frisan mid. Þy ilcan geare feng Carl to þam westrice,
ond to allum þam westrice behienan Wendelsæ ond be-
geondan þisse sæ, swa hit his þridda fæder hæfde, butan
Lidwiccium; se Carl was Hloþwiges sunu, se Hloþwig
was Carles broþur, se wæs Iuþyttan fæder þe Æþelwulf

cyning hæfde, ond hie wæron Hloþwiges suna; se Hloþ-
wig was þæs aldan Carles sunu, se Carl was Pippenes
sunu. Ond þy ilcan geare forþferde se goda papa
Marinus, se gefreode Ongelcynnes scole be Ælfredes
bene, West Seaxna cyninges; ond he sende him micla 5
gifa, ond þære rode dæl þe Crist on þrowude. Ond þy
ilcan geare se here on East Englum bræc friþ wiþ
Ælfred cyning.

886. Her for se here eft west þe ær east gelende, ond
þa up on Sigene, ond þær wintersetl namon. Þy ilcan 10
geare gesette Ælfred cyning Lundenburg, ond him all
Angelcyn to cirde þæt buton Deniscra monna hæftniede
was, ond hie þa befæste, þa burg, Æþerede aldormen
to haldonne.

887. Her for se here up þurh þa brycge æt Paris, ond 15
þa up andlang Sigene oþ Mæterne, oþ Cariei; ond þa
sæton þara ond innan Ionan tu winter on þam twam
stedum; ond þy ilcan geare forþferde Karl, Francna
cyning, ond Earnulf, his broþur sunu hine ·vi· wicum
ær he forþferde berædde æt þam rice, ond þa wearþ þæt 20
rice todæled on ·v· ond ·v· kyningas to gehalgode. Þæt
wæs þeah mid Earnulfes geþafunge, ond hi cuædon þæt
hie þæt to his honda healdan sceoldon, forþæm hira
nan næs on fædrenhealfe to geboren, buton him anum.
Earnulf þa wunode on þæm londe be eastan Rin, ond 25
Roþulf þa feng to þæm middelrice, ond Oda to þæm
westdæle, ond Beorngar ond Wiþa to Longbeardna
londe, ond to þæm londum on þa healfe muntes; ond
þæt heoldun mid micelre unsibbe, ond tu folcgefeoht
gefuhton, ond þæt lond oft ond gelome forhergodon, 30
ond æghwæþer oþerne oftrædlice ut dræfde. Ond þy
ilcan geare þe se here for forþ up ofer þa brycge æt
Paris, Æþelhelm aldormon lædde Wesseaxna ælmessan
ond Ælfredes cyninges to Rome.

888. Her lædde Beocca aldormon Wesseaxna æl-
messan ond Ælfredes cyninges to Rome. Ond Æþel-
swiþ cuen, sio wæs Ælfredes sweostor cyninges,
forþferde, ond hire lic liþ æt Pafian; ond þy ilcan geare
5 Æþelred ercebiscep ond Æþelwold aldormon forþferdon
on anum monþe.

889. On þissum geare næs nan færeld to Rome,
buton tuegen hleaperas Ælfred cyning sende mid ge-
writum.

10 890. Her lædde Beornhelm abbat West Seaxna æl-
messan to Rome ond Ælfredes cyninges; ond Godrum,
se norþerna cyning, forþferde, þæs fulluhtnama wæs
Æþelstan; se wæs Ælfredes cyninges godsunu, ond he
bude on East Englum, ond þæt lond ærest gesæt. Ond
15 þy ilcan geare for se here of Sigene to Sant Laudan,
þæt is butueoh Brettum ond Francum, ond Brettas
him wiþ gefuhton, ond hæfdon sige, ond hie bedrifon
ut on ane ea, ond monige adrencton.

891. Her for se here east ond Earnulf cyning gefeaht
20 wið ðæm rædehere ær þa scipu cuomon, mid East
Francum ond Seaxum ond Bægerum, ond hine ge-
fliemde. Ond þrie Scottas comon to Ælfrede cyninge,
on anum bate butan ælcum gereþrum of Hibernia,
þonon hi hi bestælon forþon þe hi woldon for Godes
25 lufan on elþiodignesse beon, hi ne rohton hwær. Se
bat wæs geworht of þriddan healfre hyde þe hi on
foron, ond hi namon mid him þæt hi hæfdun to seofon
nihtum mete; ond þa comon hie ymb ·vii· niht to
londe on Cornwalum, ond foron þa sona to Ælfrede
30 cyninge; þus hie wæron genemnde, Dubslane ond
Maccbethu ond Maelinmun. Ond Swifneh, se betsta
lareow þe on Scottum wæs, gefor.

892. Ond þy ilcan geare ofer Eastron, ymbe gangdag-
as oþþe ær, æteowde se steorra þe mon on boclæden

hæt cometa, same men cweþaþ on Englisc þæt hit sie
feaxede steorra, forþæm þær stent lang leoma of, hwilum
on ane healfe, hwilum on ælce healfe.

893. Her on þysum geare for se micla here, þe we
gefyrn ymbe spræcon, eft of þæm eastrice westweard to 5
Bunnan, ond þær wurdon gescipode, swa þæt hie
asettan him on anne siþ ofer, mid horsum mid ealle,
ond þa comon up on Limenemuþan mid ·ccl· hunde
scipa. Se muþa is on easteweardre Cent, æt þæs miclan
wuda eastende þe we Andred hatað; se wudu is east- 10
lang ond westlang hundtwelftiges mila lang oþþe
lengra, ond þritiges mila brad; seo ea þe we ær ymbe
spræcon lið ut of þæm wealda; on þa ea hi tugon up
hiora scipu oþ þone weald ·iiii· mila fram þæm muþan
uteweardum, ond þær abræcon an geweorc; inne on 15
þæm fæstenne[1] sæton feawa cirlisce men on, ond wæs
samworht.

Þa sona æfter þæm com Hæsten mid ·lxxx· scipa up
on Temesemuðan, ond worhte him geweorc æt Middel-
tune, ond se oþer here æt Apuldre. 20

894. On þys geare, þæt wæs ymb twelf monað þæs þe
hie on þæm eastrice geweorc geworht hæfdon, Norþ-
hymbre ond East Engle hæfdon Ælfrede cyninge aþas
geseald, ond East Engle foregisla ·vi·; ond þeh ofer þa
treowa, swa oft swa þa oþre hergas mid ealle herige 25
utforon, þonne foron hie, oþþe mid, oþþe on heora
healfe on. Þa gegaderade Ælfred cyning his fierd, ond
for þæt he gewicode betwuh þæm twam hergum, þær
þær he niehst rymet hæfde for wudufæstenne ond for
wæterfæstenne, swa þæt he mehte ægþerne geræcan gif 30
hie ænigne feld secan wolden. Þa foron hie siþþan
æfter þæm wealda, hloþum ond flocradum, bi swa
hwaþerre efes swa hit þonne fierdleas wæs; ond him
[1] MS. fenne.

mon eac mid oþrum floccum sohte mæstra daga ælce,
oþþe on dæg[1] oþþe on niht, ge of þære fierde, ge eac of
þæm burgum; hæfde se cyning his fierd on tu tonumen,
swa þæt hie wæron simle healfe æt ham, healfe ute,
5 butan þæm monnum þe þa burga healdan scolden. Ne
com se here oftor eall ute of þæm setum þonne tuwwa,
oþre siþe þa hie ærest to londe comon, ær sio fierd ge-
samnod wære, oþre siþe þa hie of þæm setum faran
woldon. Þa hie gefengon micle herehyð, ond þa woldon
10 ferian norþweardes ofer Temese in on East Seaxe ongean
þa scipu. Þa forrad sio fierd hie foran ond him wið
gefeaht æt Fearnhamme, ond þone here gefliemde ond
þa herehyþa ahreddon; ond hie flugon ofer Temese
buton ælcum forda, þa up be Colne on anne iggað. Þa
15 besæt sio fierd hie þær utan þa hwile þe hie þær lengest
mete hæfdon. Ac hie hæfdon þa heora stemn ge-
setenne, ond hiora mete genotudne; ond wæs se cyng
þa þiderweardes on fære, mid þære scire þe mid him
fierdedon. Þa he þa wæs þiderweardes, ond sio oþeru
20 fierd wæs hamweardes; ond ða Deniscan sæton þær
behindan, for þæm hiora cyning wæs gewundod on
þæm gefeohte, þæt hi hine ne mehton ferian.

Þa gegaderedon þa þe in Norþhymbrum bugeað, ond
on East Englum, sum hund scipa, ond foron suð ymb-
25 utan, ond sum feowertig scipa norþ ymbutan, ond ymb-
sæton an geweorc on Defnascire be þære norþsæ; ond
þa þe suð ymbutan foron, ymbsæton Exancester. Þa
se cyng þæt hierde, þa wende he hine west wið Exan-
ceastres mid ealre þære fierde, buton swiþe gewaldenum
30 dæle easteweardes þæs folces. Þa foron forð oþþe hie
comon to Lundenbyrg, ond þa mid þæm burgwarum
ond þæm fultume þe him westan com, foron east to
Beamfleote; wæs Hæsten þa þær cumen mid his herge,

[1] oþþe on dæg *omitted in Parker, supplied from other versions.*

þe ær æt Middeltune sæt, ond eac se micla here wæs þa
þær to cumen, þe ær on Limenemuþan sæt æt Apuldre;
hæfde Hæsten ær geworht þæt geweorc æt Beamfleote,
ond wæs þa ut afaren on hergaþ; ond wæs se micla
here æt ham. Þa foron hie to ond gefliemdon þone   5
here, ond þæt geweorc abræcon, ond genamon eal þæt
þær binnan wæs, ge on feo, ge on wifum, ge eac on
bearnum, ond brohton eall in to Lundenbyrig; ond þa
scipu eall oðþe tobræcon, oþþe forbærndon, oþþe to
Lundenbyrig brohton oþþe to Hrofesceastre. Ond   10
Hæstenes wif ond his suna twegen mon brohte to þæm
cyninge, ond he hi him eft ageaf, for þæm þe hiora wæs
oþer his godsunu, oþer Æðeredes ealdormonnes; hæfdon
hi hiora onfangen ær Hæsten to Beamfleote come, ond
he him hæfde geseald gislas ond aðas, ond se cyng him 15
eac wel feoh sealde; ond eac swa þa he þone cniht agef
ond þæt wif. Ac sona swa hie to Beamfleote¹ comon,
ond þæt geweorc geworct² wæs, swa hergode he on his
rice, þone ilcan ende þe Æþered his cumpæder healdan
sceolde; ond eft oþre siþe he wæs on hergað gelend on 20
þæt ilce rice, þa þa mon his geweorc abræc.

Þa se cyning hine þa west wende mid þære fierde
wið Exancestres, swa ic ær sæde, ond se here þa burg
beseten hæfde, þa he þær to gefaren wæs, þa eodon hie
to hiora scipum.   25

Þa he þa wið þone here þær west³ abisgod wæs, ond
þa hergas wæron þa gegaderode begen to Sceobyrig on
East Seaxum, ond þær geweorc worhtun,⁴ foron begen
ætgædere up be Temese; ond him com micel eaca to
ægþer ge of Eastenglum ge of Norþhymbrum. Foron   30
þa up be Temese oþ þæt hie gedydon æt Sæferne, þa
up be Sæferne. Þa gegaderode Æþered ealdormon, ond

¹ *MS.* Bleamfleote.   ² *MS.* geworc.   ³ *MS.* wæst.
⁴ *MS.* worhtum.

Æþelm ealdorman, ond Æþelnoþ ealdorman, ond þa
cinges þegnas þe þa æt ham æt þæm geweorcum wæron,
of ælcre byrig be eastan Pedredan, ge be westan Seal-
wuda ge be eastan, ge eac be norþan Temese, ond be
5 westan Sæfern, ge eac sum dæl þæs Norðwealcynnes.
Þa hie þa ealle gegaderode wæron, þa offoron hie þone
here hindan æt Buttingtune on Sæferne staþe, ond hine
þær utan besæton on ælce healfe, on anum fæstenne.
Þa hie ða fela wucena sæton on twa healfe þære[1] e,
10 ond se cyng wæs west on Defnum wiþ þone sciphere, þa
wæron hie mid metelieste gewægde, ond hæfdon miclne
dæl þara horsa freten, ond þa oþre wæron hungre
acwolen. Þa eodon hie ut to ðæm monnum þe on
easthealfe þære e wicodon, ond him wiþ gefuhton, ond
15 þa Cristnan hæfdon sige. Ond þær wearð Ordheh,
cyninges þegn, ofslægen, ond eac monige oþre cyninges
þegnas, ond þara Deniscra þær wearð swiþe mycel
wæl geslegen; ond se dæl þe þær aweg com wurdon on
fleame generede.

20 Þa hie on East Seaxe comon to hiora geweorce ond to
hiora scipum, þa gegaderade sio laf eft of East Englum
ond of Norðhymbrum, micelne here onforan winter,
ond befæston hira wif ond hira scipu ond hira feoh on
East Englum, ond foron anstreces dæges ond nihtes,
25 þæt hie gedydon on anre westre ceastre on Wirhealum,
seo is Legaceaster gehaten. Þa ne mehte seo fird hie
na hindan offaran, ær hie wæron inne on þæm ge-
weorce; besæton þeah þæt geweorc utan sume twegen
dagas, ond genamon ceapes eall þæt þær buton wæs,
30 ond þa men ofslogon þe hie foran forridan mehton bu-
tan geweorce, ond þæt corn eall forbærndon, ond mid
hira horsum fretton on ælcre efenehðe. Ond þæt wæs
ymb twelf monað þæs þe hie ær hider ofer sæ comon.

[1] *MS.* þær.

895. Ond þa sona æfter þæm on ðys gere for se here
of Wirheale in on Norð Wealas, for þæm hie ðær sittan
ne mehton; þæt wæs for ðy þe hie wæron benumene
ægðer ge þæs ceapes, ge þæs cornes, ðe hie gehergod
hæfdon. Þa hie ða eft ut of Norð Wealum wendon mid 5
þære herehyðe þe hie ðær genumen hæfdon, þa foron
hie ofer Norðhymbra lond ond East Engla, swa swa sio
fird hie geræcan ne mehte, oþþæt hie comon on East
Seaxna lond easteweard, on an igland þæt is ute on
þære sæ, þæt is Meresig haten. Ond þa se here eft 10
hamweard wende, þe Exanceaster beseten hæfde, þa
hergodon hie up on Suð Seaxum neah Cisseceastre, ond
þa burgware hie gefliemdon, ond hira monig hund
ofslogon, ond hira scipu sumu genamon.

Ða þy ylcan gere onforan winter þa Deniscan þe on 15
Meresige sæton tugon hira scipu up on Temese, ond þa
up on Lygan. Þæt wæs ymb twa ger þæs þe hie hider
ofer sæ comon.

896. On þy ylcan gere worhte se foresprecena here
geweorc be Lygan ·xx· mila bufan Lundenbyrig. Þa 20
þæs on sumera foron micel dæl þara burgwara, ond eac
swa oþres folces, þæt hie gedydon æt þara Deniscana
geweorce, ond þær wurdon gefliemde, ond sume feower
cyninges þegnas ofslægene. Þa þæs on hærfæste þa
wicode se cyng on neaweste þare byrig, þa hwile þe hie 25
hira corn gerypon, þæt þa Deniscan him ne mehton
þæs ripes forwiernan. Þa sume dæge rad se cyng up
be þære eæ, ond gehawade hwær mon mehte þa ea for-
wyrcan, þæt hie ne mehton þa scipu ut brengan. Ond
hie ða swa dydon; worhton ða tu geweorc on twa healfe 30
þære eas. Þa hie ða þæt geweorc furþum ongunnen
hæfdon, ond þær to gewicod hæfdon, þa onget se here
þæt hie ne mehton þa scypu ut brengan. Þa forleton
hie hie, ond eodon ofer land þæt hie gedydon æt Cwat-

brycge be Sæfern, ond þær gewerc worhton. Þa rad
seo fird west æfter þæm herige, ond þa men of Lunden-
byrig gefetedon þa scipu; ond þa ealle þe hie alædan
ne mehton tobræcon, ond þa þe þær stælwyrðe wæron
5 binnan Lundenbyrig gebrohton; ond þa Deniscan
hæfdon hira wif befæst innan East Engle ær hie ut of
þæm geweorce foron. Þa sæton hie þone winter æt
Cwatbrycge. Þæt wæs ymb þreo ger þæs þe hie on
Limenemuðan comon hider ofer sæ.

10   897. Ða þæs on sumera on ðysum gere tofor se here,
sum on East Engle, sum on Norðhymbre, ond þa þe
feohlease wæron him þær scipu begeton, ond suð ofer
sæ foron to Sigene.

Næfde se here, Godes þonces, Angelcyn ealles for-
15 swiðe gebrocod; ac hie wæron micle swiþor gebrocede
on þæm þrim gearum mid ceapes cwilde ond monna,
ealles swiþost mid þæm þæt manige þara selestena
cynges þena þe þær on londe wæron forðferdon on þæm
þrym gearum. Þara wæs sum Swiðulf biscop on Hrofes-
20 ccastre, ond Ceolmund ealdormon on Cent, ond
Beorhtulf ealdormon on Eastseaxum, ond Wulfred
ealdormon on Hamtunscire, ond Ealhheard biscop æt
Dorceceastre, ond Eadulf cynges þegn on Suðseaxum,
ond Beornulf wicgefera on Winteceastre, ond Ecgulf
25 cynges horsþegn, ond manige eac him, þeh ic ða ge-
ðungnestan nemde.

Þy ilcan geare drehton þa hergas on Eastenglum ond
on Norðhymbrum Westseaxna lond swiðe be þæm suð-
stæðe mid stælhergum, ealra swiþust mid ðæm æscum
30 þe hie fela geara ær timbredon. Þa het Ælfred cyng
timbran lang scipu ongen ða æscas; þa wæron ful neah
tu swa lange[1] swa þa oðru; sume hæfdon ·lx· ara,
sume ma; þa wæron ægðer ge swiftran, ge unwealtran,
[1] *MS.* lang.

ge eac hieran þonne þa oðru; næron nawðer ne on
Fresisc gescæpene ne on Denisc, bute swa him selfum
ðuhte þæt hie nytwyrðoste beon meahten. Þa æt
sumum cirre þæs ilcan geares comon þær sex scipu to
Wiht, ond þær mycel yfel gedydon, ægðer ge on De- 5
fenum ge wel hwær be ðæm særiman. Þa het se cyng
faran mid nigonum to þara niwena scipa; ond forforon
him þone muðan foran on utermere. Þa foron hie mid
þrim scipum ut ongen hie, ond þreo stodon æt ufe-
weardum þæm muðan on drygum; wæron þa men uppe 10
on londe of agane. Þa gefengon hie þara þreora scipa
tu æt ðæm muðan uteweardum, ond þa men ofslogon,
ond þæt an oðwand; on þæm wæron eac þa men of-
slægene buton fifum. Þa comon forðy onweg ðe ðara
oþerra scipu asæton; þa wurdon eac swiðe uneðelice 15
aseten; þreo asæton on ða healfe þæs deopes ðe ða
Deniscan scipu aseten wæron, ond þa oðru ealle[1] on
oþre healfe, þæt hira ne mehte nan to oðrum. Ac ða
þæt wæter wæs ahebbad fela furlanga from þæm scipum,
þa eodan ða Deniscan from þæm þrim scipum to þæm 20
oðrum þrim þe on hira healfe beebbade wæron, ond hie
þa þær gefuhton. Þær wearð ofslægen Lucumon, cynges
gerefa, ond Wulfheard Friesa, ond Æbbe Friesa, ond
Æðelhere Friesa, ond Æðelferð, cynges geneat, ond
ealra monna, Fresiscra ond Engliscra, ·lxii·, ond þara 25
Deniscena, ·cxx·. Þa com þæm Deniscum scipum þeh
ær flod to, ær þa Cristnan mehten hira ut ascufan, ond
hie for ðy ut oðreowon; þa wæron hie to þæm gesargode
þæt hie ne mehton Suð Seaxnalond utan berowan, ac
hira þær tu sæ on lond wearp; ond þa men mon lædde 30
to Winteceastre to þæm cynge, ond he hie ðær ahon het.
Ond þa men comon on East Engle þe on þæm anum
scipe wæron, swiðe forwundode. Þy ilcan sumera

[1] MS. eall.

forwearð nolæs þonne ·xx· scipa mid monnum mid ealle
be þam suðriman. Þy ilcan gere forðferde Wulfric,
cynges horsðegn; se wæs eac Wealhgefera.

898. Her on þysum gere gefor Æðelm, Wiltunscire
5 ealdormon, nigon nihtum ær middum sumere, ond her
forðferde Heahstan, se wæs on Lundenne biscop.

901. Her gefor Ælfred Aþulfing, syx nihtum ær
ealra haligra mæssan. Se wæs cyning ofer eall Ongelcyn
butan ðæm dæle þe under Dena onwalde wæs, ond he
10 heold þæt rice oðrum healfum læs þe ·xxx· wintra. Ond
þa feng Eadweard, his sunu, to rice.

DEATH OF HAROLD

Ða com Wyllelm eorl of Normandige into Pefnesea
on Sancte Michaeles mæsseæfen, and sona þæs hi fere
wæron, worhton castel æt Hæstingaport. Þis wearð þa
15 Harolde cynge gecydd, and he gaderade þa mycelne
here, and com him togenes æt þære haran apuldran.
And Wyllelm him com ongean on unwær ær his folc
gefylced wære. Ac se kyng þeah him swiðe heardlice
wið feaht mid þam mannum þe him gelæstan woldon.
20 And þær wearð micel wæl geslægen on ægðre healfe.
Ðær wearð ofslægen Harold kyng, and Leofwine eorl
his broðor, and Gyrð eorl, his broðor, and fela godra
manna. And þa Frencyscan ahton wælstowe geweald,
eall swa heom God uðe for folces synnon.

From the Cotton *MS.*, Tiberius B. IV. of the *Chronicle*,
1066, Plummer, *Two Saxon Chronicles*, I, 199.

II

BEDE'S ECCLESIASTICAL HISTORY OF THE ENGLISH PEOPLE

Bede's *Historia Ecclesiastica Gentis Anglorum* covers the period from the first Roman invasions to the year 731. The basis of the narrative is church history, but the narrative is inclusive, and the church, as the most highly organized institution of the time, is merely the center from which other interests are viewed. Bede himself, traditionally known as the Venerable Bede, lived from about 673 to 735. He was the most distinguished scholar and writer of the Anglo-Saxon period, and he followed the usual learned custom of writing in Latin. A translation of his *Historia* into English was made in the latter half of the ninth century, probably under the direction of King Alfred, though not by him. The original manuscript of this translation has not survived, but various copies of it are still extant. All the passages here printed are from *MS.* 279, at Corpus Christi College, Oxford, except the first, which is from *MS.* K. k. 3. 18, in the Cambridge University Library. The Cambridge manuscript is a copy of the Oxford manuscript, but the Oxford manuscript has lost a few leaves both at the beginning and end. The Oxford copy was made at the end of the tenth or early in the eleventh century, and in language it shows certain characteristics of Late West Saxon which are evidently due to the copyist. The text of the passages here given has been derived from Schipper's edition, in the *Bibliothek der Angelsächsischen Prosa*, Vol. IV, Leipzig, 1899, where a Latin text of the *Historia* will also be found. The standard edition of the Latin original is that by Charles Plummer, Oxford, 1896.

The first extract tells the story of the fate of the Romanized Britains after the departure of the Roman legions from Britain. The second passage narrates the familiar story of Pope Gregory and the fair-haired English boys in Rome. The third passage recounts the manner of the conversion of the Northumbrians to Christianity, during the reign of Edwin (585?–633), who is the king referred to at the opening of the passage. The words which were under deliberation at this parliament were spoken by Paulinus, chaplain to Edwin's queen, Æthelburh, who was a Christian. The passage gives a valuable account of the way in which public action was taken in the Anglo-Saxon community.

The concluding passage is partly legendary and partly historical. The monastery at which Cædmon lived was called Streoneshealh, and it was situated on the coast in Yorkshire. The modern name of this place is Whitby, a word of Danish origin which was substituted for the earlier Anglo-Saxon name after the Danish occupation of Northumbria. The monastery was a double monastery, that is, it made provision for both men and women, who lived separately but under the same rule. The first abbess of the monastery was Hild, who is referred to in the opening line of the passage. Though the story of Cædmon's gift of song cannot be literally true, it is undoubtedly essentially true. Cædmon was probably still living when Bede was born, and as Bede himself dwelt in the nearby monastery of Wearmouth and Jarrow, he must have had abundant opportunity to secure direct information concerning both Cædmon and Hild.

I. The Departure of the Romans from Britain

Book I, Chapter XI

Ða wæs ymb feower hund wintra ond seofone æfter Drihtnes menniscnysse, feng to rice Honorius casere, se wæs feorða eac feowertigum fram Agusto þam casere, twam gearum ær Romaburh abrocen ond forhergad
5 wære. Seo hergung wæs þurh Alaricum, Gotena cyning, geworden. Wæs Romaburh abrocen fram Gotum ymb þusend wintra ond hundteontig ond feower ond syxtig ðæs þe heo geworht wæs. Of þære tide Romane blunnon ricsian on Breotene. Hæfdon hi Breotona rice feower
10 hund wintra ond þæs fiftan hundseofontig, ðæs þe Gaius, oðre naman Julius, se casere, þæt ylce ealond gesohte; ond ceastre ond torras ond stræta ond brycge

on heora rice geworhte wæron, þa we to dæg sceawian
magon. Eardædon Bryttas binnan þam dice to suð-
dæle, þe we gemynegodon þæt Severus se casere het
þwyrs ofer þæt ealond gedician.

Book I, Chapter XII

Þa ongunnan twa ðeoda, Pyhtas norðan ond Scottas 5
westan, hi onwinnan ond heora æhta niman ond her-
gian; ond hi fela geara yrmdon ond hyndon. Ða on
þære unstilnysse, onsendon hi ærendwrecan to Rome
mid gewritum ond wependre bene; him fultumes
bædon, ond him geheton eaðmode hyrnysse ond singale 10
underþeodnysse, gif hi him gefultumadon þæt hi
mihton heora fynd oferwinnan. Ða onsendan hi him
mycelne here to fultume; ond sona þæs ðe hi on þis
ealond comon, þa compedon hi wið heora feondum, ond
him mycel wæl ongeslogan, ond of heora gemærum 15
adrifon ond aflymdon; ond lærdon þæt hi fæsten
worhtan him to gebeorge wið heora feondum; ond swa
mid mycele sige ham foran.

Ða þæt ða ongeaton þa ærran gewinnan þæt se
Romanisca here wæs onweg gewiten, ða coman hi sona 20
mid sciphere on heora landgemæro, ond slogan eall ond
cwealdan þæt hi gemetton; ond swa swa ripe yrð
fortreddon ond fornamon, ond hi ealle foryrmdon. And
hi ða eft sendon ærendracan to Rome, ond wæpendre
stefne, him fultumes bædon þæt þæt earme eðel mid 25
ealle ne fordiligad ne wære, ne se nama ðære Roman-
iscan ðeode, se ðe mid him swa lange scean ond bryhte,
fram fremdra ðeode ungeþwærnesse fornumen ond
fordilgad beon sceolde. Þa wæs eft here hider sended,
se wæs cumende ungewenedre tide on herfeste; ond hi 30
sona wið heora feondum gefuhtan ond sige hæfdan, ond
ealle ða ðe þone deað beswician myhtan, ofer ðone sæ

norð aflymde, þa ðe ær ælce geare ofer ðone sæ hloðedon
ond hergedon. Ða gesægdon Romane on an Bryttum
þæt hi no ma ne mihton for heora gescyldnysse swa
gewinnfullicum fyrdum swencte beon; ac hi manedon
5 ond lærdon þæt hi him wæpno worhton ond modes
strengðo naman, þæt hi compedon ond wiðstodan heora
feondum. Ond hi him ða eac to ræde ond to frofre
fundon, þæt hi gemænelice fæsten geworhten him to
gescyldnesse, stænene weal rihtre stige fram eastsæ oð
10 westsæ, þær Severus se casere iu het dician ond eorð-
wall gewyrcan, þone man nu to dæg sceawian mæg
eahta fota bradne ond twelf fota heanne. Swylce eac
on þæs sæs waroðe to suðdæle, þanon ðe hi sciphere on
becom, torras timbredon to gebeorghe þæs sæs. Ða
15 sona þæs ðe þis fæsten geworht wæs, ða sealdon hi him
bysne monige, hu hi him wæpen wyrcean sceoldan, ond
heora feondum wiðstondan; ond hi ða grettan ond him
cyddan þæt hi næfre ma hi secan woldan, ond hi sige-
fæste ofer sæ ferdon. Ða þæt þa Pehtas ond Scottas
20 geacsedon, þæt hi ham gewitene wæron, ond eac þæt
hi hider no eft ma hi secan ne woldan, þa wæron hi ðe
baldran gewordene, ond sona ealne norðdæl þysses
ealondes oð ðone weall genoman ond gesetton. Wið
þyssum stod on þam fæstene ufanweardum se earga
25 feða Brytta, ond þær, forhtigendre heortan, wunode
dæges ond nihtes. Þa sohtan heora gewinnan him
sarwe ond worhtan him hocas, ond mid þam tugan hi
earmlice adun of þam wealle; ond hi wæron sona deade,
swa hi eorðan gesohtan. Hig þa forlættan þone wall
30 ond heora burh, ond flugan onwæg, ond heora ge-
winnan hi ehtan ond slogan ond on wæll fyldon. Wæs
þis gefeoht wælgrimre ond strengre eallum þam ærge-
donum. Forðon swa swa sceap from wulfum ond wil-
deorum beoð fornumene, swa þa earman ceasterwaran

toslitene ond fornumene wæron fram heora feondum, ond heora æhtum benemde ond to hungre gesette.

II. Gregory and the English Slave Boys

Book II, Chapter I

Nis us ðonne se hlisa to forswigianne, þe be ðam eadegan Gregorie ðurh ealdra manna sage to us becom, for hwylcum intingan he manad wære, þæt he swa 5 geornlice wæs gymende ymbe þa hæle ure þeode. Secgað hi, þætte sume dæge þider niwan come cypemen of Brytene ond monig cepeþing on ceapstowe brohte, ond eac monige coman to bicgeanne þa þing. Þa gelamp hit þæt Gregorius betwyh oþre eac þyðer com, ond þa 10 geseah betwih oþer þing cepecnihtas þær gesette wæron hwites lichaman ond fægeres andwlitan men ond æþelice gefeaxe. Þa he þa hi geseah ond beheold, þa frægn he, of hwilcum lande oððe of hwilcre þeode hi brohte wæron. Sæde him mon, þæt hi of Breotone 15 ealande brohte wæron, ond þæs ealandes bigengan swylcre ansyne men wæron. Eft he frægn, hwæþer þa ylcan landleode cristene wæron, þe hi þa gen on hæþennesse gedwolum lifdan. Cwæþ him mon to ond sæde, þæt hi hæþene wæron; ond he þa of inneweardre 20 heortan swiðe sworette ond þus cwæð: Wala wa! þæt is sarlic, þæt swa fæger feorh ond swa leohtes andwlitan men sceolan agan ond besittan þystra ealdor. Eft he frægn, hwæt seo þeod nemned wære, þe hi of coman. Þa ondswarode him mon, þæt hie Engle nemde wæron. 25 Cwæð he: Wel þæt swa mæg, forþon hi englelice ansyne habbað, ond eac swylce gedafenað, þæt hi engla efenyrfeweardas on heofonum sin. Þa gyt he furþur frægn ond cwæþ: Hwæt hatte seo mægð, þe þas cnihtas hider of gelædde wæron? Þa ondswarode him mon ond 30

cwæð, þæt hi Dere nemde wæron. Cwæð he: Wel þæt
is cweden Dere, *de ira eruti;* hi sculan beon of Godes
yrre abrodene, ond to Cristes mildheortnesse gecygde.
Þa gen he acsade hwæt hiora cyning haten wære; ond
5 him mon ondswarode ond cwæð, þæt he Ælle haten
wære. Ond þa pleogode he mid his wordum to þam
naman ond cwæð: Alleluia, þæt gedafonað þætte
Godes lof, ures Scyppendes, on þam dælum sungen si.
Ond he þa sona eode to þam bisceope ond to þam
10 papan þæs apostolican setles, forþan he sylfa þa gyt
ne wæs bisceop geworden; bæd hine, þæt he Angel-
þeode on Breotone onsende hwylcehugu lareowas, þæt
þurh ða hi to Criste gecyrde wæron; ond cwæð þæt
he sylfa gearo wære mid Godes fultume þæt weorc to
15 gefremmanne, gif þam apostolican papan þæt licade,
ond þæt his willa ond his lefnes wære. Þa ne wolde
se papa þæt þafigean, ne þa burhware þon ma, þæt swa
æþele wer ond swa geþungen ond swa gelæred, swa feor
fram him gewite. Ac he sona hraþe, þæs þe he bisceop
20 wæs, þæt he gefremede þæt weorc þæt he lange wilnade,
ond þa halgan lareowas hider onsende, þe we ær be-
foran sædon. Ond he, Sanctus Gregorius, mid his
trymenessum ond mid his gebedum wæs gefultumiende,
þæt hiora lar wære wæstmberende to Godes willan ond
25 to ræde Angelcynne.

III. An Anglo-Saxon Parliament

Book II, Chapter XIII

Þa se cyning þa þas word gehyrde, þa ondswarede he
him ond cwæð, þæt he æghwæþer ge wolde ge sceolde
þæm geleafan onfon þe he lærde. Cwæð hwæþere, þæt
he wolde mid his freondum ond mid his ealdormonnum
30 ond mid his wytum gesprec ond geþeaht habban, þæt

gif hi mid hine þæt geþafian woldan, þæt hi ealle
ætsomne on lifes willan Criste gehalgade wæran. Þa
dyde se cyning swa swa he cwæð, ond se bisceop þæt
geþafade. Ða hæfde he gesprec ond geþeaht mid his
witum, ond syndriglice wæs fram him eallum frignende,
hwylc him þuhte ond gesawen wære þeos niwe lar ond
þære godcundnesse bigong þe þær læred wæs.

Him þa ondswarode his ealdorbisceop, Cefi wæs
haten: Geseoh þu, cyning, hwelc þeos lar sie, þe us nu
bodad is. Ic þe soðlice andette, þæt ic cuðlice ge-
leornad hæbbe, þæt eallinga nawiht mægenes ne nytt-
nesse hafað sio æfæstnes þe we oð ðis hæfdon ond
beeodon. Forðon nænig þinra þegna neodlicor ne ge-
lustfullicor hine sylfne underþeodde to ura goda
bigange þonne ic; ond noht þon læs monige syndon þa
þe maran gefe ond fremsumnesse æt þe onfengon þonne
ic, ond on eallum þingum maran gesynto hæfdon.
Hwæt ic wat, gif ure godo ænige mihte hæfdon, þonne
woldon hie me ma fultumian, forþon ic him geornlicor
þeodde ond hyrde. Forþon me þynceð wislic, gif þu
geseo þa þing beteran ond strangran, ðe us niwan bodad
syndon, þæt we þam onfon.

Þæs wordum oþer ðæs cyninges wita ond ealdormann
geþafunge sealde, ond to þære spræce feng ond þus
cwæð: Þyslic me is gesewen, þu cyning, ðis andwearde
lif manna on eorðan to wiðmetenesse þære tide þe us
uncuð is, swa lic swa ðu æt swæsendum sitte mid þinum
ealdormannum ond þegnum on wintertide, ond sie fyr
onæled ond þin heall gewyrmed, ond hit rine ond sniwe
ond styrme ute; cume þonne an spearwa ond hrædlice
þæt hus ðurhfleo, ond cume þurh oþre duru in, þurh
oþre ut gewite. Hwæt he on þa tid þe he inne bið, ne
bið hrinen[1] mid þy storme ðæs wintres; ac þæt bið

[1] *MS.* hrined.

an eagan bryhtm ond þæt læste fæc, ac he sona of
wintra on þone winter eft cymeð. Swa þonne þis
monna lif to medmiclum fæce ætyweð; hwæt þær
foregange, oððe hwæt þær eftfylge, we ne cunnun. For-
5 þon gif þeos niwe lar owiht cuðlicre ond gerisenlicre
brenge, heo ðæs wyrþe is þæt we þære fylgen. Ðeossum
wordum gelicum oðre aldormen ond ðæs cyninges ge-
þeahteras spræcan.

Þa gen toætyhte Cæfi, ond cwæþ, þæt he wolde
10 Paulinus ðone bisceop geornlicor gehyran be þam Gode
sprecende þam þe he bodade. Þa het se cyning swa
don. Þa he þa his word gehyrde, þa clypode he ond
þus cwæð: Geare ic þæt ongeat þæt ðæt nowiht wæs
þæt we beeodan; forþon swa micle swa ic geornlicor
15 on þam bigange þæt sylfe soð sohte, swa ic hit læs
mette. Nu þonne ic openlice ondette, þæt on þysse
lare þæt sylfe soð scineð þæt us mæg þa gyfe syllan
ecre eadignesse ond eces lifes hælo. Forþon ic þonne
nu lære, cyning, þæt þæt templ ond þa wigbede, þa þe
20 we butan wæstmum ænigre nyttnesse halgedon, þæt
we þa hraþe forleosen ond fyre forbærnen. Ono hwæt,
he ða, se cyning, openlice andette þam bysceope ond
him eallum, þæt he wolde fæstlice þam deofulgyldum
wiðsacan ond Cristes geleafan onfon.

25 Mid ðy þe he þa, se cyning, fram þæm foresprecenan
bisceope sohte ond acsode hiora halignesse þe hi ær
beeodan, hwa þa wigbed ond þa heargas þara deofol-
gylda mid hiora hegum þe hie ymbsette wæron, hi
ærest aidlian ond toweorpan sceolde, þa ondswarade he,
30 se bisceop: Efne ic. Hwa mæg þa nu eaðe, þe ic lange
mid dysinesse beeode, to bysene oþra manna gerisen-
licor toweorpan, þonne ic sylfa, þurh þa snyttro þe ic
fram þam soþan Gode onfeng? Ond he þa sona fram
him awearp þa idlan dysinesse, þe he ær beeode, ond

þone cyning bæd þæt he him wæpen sealde ond stod-
hors, þæt he mihte on cuman ond þæt deofolgyld
toweorpan. Forþon þam bisceope hiora halignesse ne
wæs alyfed þæt he moste wæpen wegan ne ælcor butan
on myran ridan. Þa sealde se cyning him sweord, þæt   5
he hine mid begyrde, ond nom him spere on hond ond
hleop on þæs cyninges stedan, ond to þæm deofol-
gyldum ferde. Þa þæt folc hine þa geseah swa ge-
scyrpedne, þa wendon hi þæt he tela ne wiste, ac þæt he
wedde. Sona þæs þe he gelyhte to þam hearge, þa   10
sceat he mid his spere þæt hit sticode fæste on þam
hearge, ond wæs swiþe gefeonde þære ongytenesse þæs
soþan Godes biganges. Ond he þa het his geferan
toweorpan[1] ealne þone hearh ond þa getimbro, ond for-
bærnan. Is seo stow gyt ætywed giu ðara deofolgylda   15
noht feor east fram Eoferwicceastre begeondan Deor-
wentan þære ea, ond gen to dæge is nemned God-
mundingaham, þær se bisceop þurh þæs soþan Godes
onbryrdnesse towearp ond fordyde þa wigbed þe he
sylf ær gehalgode.   20

IV. CÆDMON'S GIFT OF SONG

Book IV, Chapter XXIV

In þysse abbudissan mynstre wæs sum broðor synder-
lice mid godcundre gife gemæred ond geweorðad, forþon
he gewunade gerisenlice leoð wyrcean, þa þe to æfest-
nesse ond to arfæstnesse belumpon; swa ðætte swa
hwæt swa he of godcundum stafum þurh boceras ge-   25
leornade, þæt he æfter medmiclum fæce in scopgereorde
mid þa mæstan swetnesse ond inbrydnisse geglencde,
ond in Engliscgereorde wel geworht[2] forð brohte. Ond
for his leoðsongum monigra monna mod oft to worolde

[1] *MS.* toworpan.   [2] *MS.* gehwær.

forhohnesse ond to geþeodnesse þæs heofonlican lifes
onbærnde wæron. Ond eac swylce monige oðre æfter
him in Ongolþeode ongunnon æfeste leoð wyrcan, ac
nænig hwæþere him þæt gelice don ne meahte. Forþon
5 he nalæs from monnum ne þurh mon gelæred wæs þæt
he þone leoðcræft geleornade, ac he wæs godcundlice
gefultumod, ond þurh Godes gyfe þone songcræft
onfeng. Ond he forþon næfre noht leasunge, ne idles
leoþes wyrcan ne meahte, ac efne þa an þa þe to æfæst-
10 nesse belumpon, ond his þa æfestan tungan gedafenode
singan.

Wæs he, se mon, in weoruldhade geseted oð ða tide
þe he wæs gelyfedre yldo, ond he næfre ænig leoð ge-
leornade. Ond he forþon oft in gebeorscipe, þonne þær
15 wæs blisse intinga gedemed, þæt hi ealle sceolden þurh
endebyrdnesse be hearpan singan, ðonne he geseah þa
hearpan him nealæcan, þonne aras he for scome from
þæm symble, ond ham eode to his huse. Þa he þæt þa
sumre tide dyde, þæt he forlet þæt[1] hus þæs gebeorscipes,
20 ond ut wæs gongende to neata scypene, þara heord him
wæs þære nihte beboden; ða he þa þær in gelimplice
tide his limo on reste gesette ond onslæpte, þa stod him
sum mon æt þurh swefn, ond hine halette ond grette,
ond hine be his naman nemde: Cedmon, sing me
25 hwæthwegu. Ða ondswarode he, ond cwæð: Ne con
ic noht singan, ond ic forþon of þyssum gebeorscipe ut
eode ond hider gewat, forþon ic noht cuðe. Eft he
cwæð se ðe mid him sprecende wæs: Hwæðere þu
meaht me singan. Cwæð he: Hwæt sceal ic singan?
30 Cwæð he: Sing me frumsceaft. Þa he þa þas andsware
onfeng, ða ongan he sona singan, in herenesse Godes
Scyppendes, þa fers ond þa word þe he næfre ne ge-
hyrde, þara endebyrdnes ðis is:

[1] MS. Þa.

Nu we sculan herian   heofonrices Weard,
Metodes mihte   ond his modgeþonc,
weorc Wuldorfæder,   swa he wundra gehwæs,
ece Drihten   ord[1] onstealde.
He ærest gesceop   eorðan bearnum   5
heofon to hrofe,   halig Scyppend;
ða middongeard   moncynnes Weard,
ece Dryhten,   æfter teode
firum foldan,   Frea ælmihtig.

Ða aras he from þæm slæpe, ond eall þa þe he   10
slæpende song, fæste in gemynde hæfde; ond þæm
wordum sona monig word in þæt ylce gemet Gode
wyrþes songes togeþeodde.   Þa com he on morgene to
þam tungerefan, se þe his ealdormon wæs, sæde him
hwylce gyfe he onfeng, ond he hine sona to þære ab-   15
budyssan gelædde, ond hire þæt cyðde ond sægde.   Ða
het heo gesomnian ealle þa gelærdestan men ond þa
leorneras, ond him ondweardum, het secgan þæt swefn
ond þæt leoð singan, þætte ealra heora dome gecoren
wære, hwæt oððe hwonan þæt cumen wære.   Ða wæs   20
him eallum gesegen, swa swa hit wæs, þæt him wære
from Dryhtne sylfum heofonlic gyfo forgyfen.   Ða
rehton hie him ond sægdon sum halig spel ond god-
cundre lare word; bebudon him þa, gif he mihte, þæt
he in swinsunge leoðsonges þæt gehwyrfde.   Ða he þa   25
hæfde þa wisan onfangene, þa eode he ham to his huse,
ond com eft on morgen, ond þy betstan leoðe geglenged,
him asong ond ageaf þæt him beboden wæs.

Ða ongan seo abbudysse clyppan ond lufian þa
Godes gyfe in þæm men, ond heo hine þa monade ond   30
lærde þæt he weoroldhad forlete ond munuchade on-
fenge. Ond he þæt wel þafode. Ond heo hine in þæt

[1] *MS.* oord.

mynster onfeng mid his godum, ond hine geþeodde to
gesomnunge þara Godes þeowa, ond het hine læran þæt
getæl þæs halgan stæres ond spelles. Ond he eall þa þe[1]
he in gehernesse geleornian mihte, mid hine gemyngade,
5 ond swa swa clæne neten eodorcende, in þæt sweteste
leoð gehwyrfde. Ond his song ond his leoð wæron swa
wynsum to gehyrenne, ðæt ða sylfan his lareowas æt
his muðe writon ond leornodan. Song he ærest be
middangeardes gesceape, ond be fruman moncynnes,
10 ond eal þæt stær Genesis, þæt is seo æreste Moises boc;
ond eft be utgonge Israela folces of Ægypta londe, ond
be ingonge þæs gehatlondes, ond be oðrum monigum
spellum þæs halgan gewrites canones boca; ond be
Cristes menniscnesse, ond be his ðrowunge, ond be his
15 upastignesse in heofonas; ond big þæs Halgan Gastes
cyme, ond þara apostola lare; ond eft bi þam ege þæs
toweardan domes, ond be fyrhto þæs tintreglican wites,
ond be swetnesse þæs heofonlican rices, he monig leoþ
geweorhte; ond swylce eac oþer monig be þam godcun-
20 dum fremsumnessum ond domum he geworhte. On
eallum þam he geornlice gymde þæt he men atuge fram
synna lufan ond mandæda, ond to lufan ond to georn-
fullnesse awehte godra dæda. Forþon he wæs, se mon,
swiðe æfæst ond regollicum þeodscypum eaðmodlice un-
25 derþeoded; ond wið ðam þa ðe in oþre wisan don
woldon, he wæs mid wylme micelre ellenwodnesse on-
bærned. Ond he forþon fægere ende his lif betynde ond
geendade.

Forþon þa þære tide nealecte his gewitenesse ond
30 forðfore, þa wæs he feowertyne dagum ær, þæt he wæs
licumlicre untrymnesse þrycced ond hefigad, hwæþere
to ðon gemetlice þæt he ealle þa tid mihte ge sprecan ge
gangan. Wæs þær on neaweste untrumra manna hus,

[1] Þe *not in the MS.*

on þam hyra þeaw wæs þæt hi þa untruman ond þa
þe æt forþfore wæron, in lædan sceoldan, ond him þær
ætsomne þenian. Þa bæd he his þeng on æfenne þære
nihte þe he of worulde gangende wæs þæt he him on þam
huse stowe gegearwade, þæt he restan mihte. Þa wun- 5
drade se þeng for hwon he þæs bæde, forþon him þuhte
þæt his forðfore swa neh ne wære; dyde hwæþere swa
swa he cwæð ond bebead. Ond mid þy he þa þær on
reste eode, ond he gefeonde mode sumu þing ætgædere
mid him sprecende ond gleowiende wæs þe þær ær inne 10
wæron, þa wæs ofer middeniht þæt he frægn, hwæþer
hi ænig husl þær inne hæfdon. Þa ondswarodon hio ond
cwædon: Hwilc þearf is þe husles? Ne þinre forðfore
swa neh is, nu þu þus rotlice ond þus glædlice to us
sprecende eart. Cwæð he eft: Berað me hwæþere husl 15
to. Þa he hit þa on handa hæfde, þa fræng he, hwæþer
hi ealle smylte mod ond butan eallum incan bliðe to
him hæfdon. Þa ondswarodon hi ealle ond cwædon
þæt hi nænigne incan to him wistan, ac hi ealle him
swiðe bliðemode wæron; ond hi wrixendlice hine bædon 20
þæt he him eallum bliðe wære. Þa ondswarode he ond
cwæð: Mine broðro, þa leofan, ic eom swiðe bliðmod to
eow ond to eallum Godes monnum. Ond he swa wæs
hine getrymmende mid þy heofonlican[1] wegneste, ond
him oþres lifes ingang gegearwade. Ða gyt he frægn, 25
hu neh þære tide wære þætte þa broðor arisan sceoldon
ond Godes lof ræran ond heora uhtsang singan. Ond-
swaredon hi: Nis hit feor to þon. Cwæð he: Tela,
utan we wel þære tide bidan; ond þa him gebæd, ond
hine gesenade mid Cristes rodetacne, ond his heafod 30
onhylde to þam bolstre, ond medmycel fæc onslæpte,
ond swa mid stilnesse his lif geendade. Ond swa wæs
geworden þætte swa swa he hlutre mode ond bylewite

---

[1] *MS.* heofonlicam.

ond smyltre willsumnesse Dryhtne þeowde, þæt he eac
swylce swa smylte deaðe middangeard wæs forlætende,
ond to his gesyhðe becom. Ond seo tunge þe swa monig
halwende word on þæs Scyppendes lof gesette, he þa
5 swylce eac þa ytemestan word on his herenesse, hine
sylfne seniende ond his gast in his honda bebeodende,
betynde. Eac swylce þæt is gesewen[1] þæt he wære
gewis his sylfes forðfore of þæm þe we nu secgan hyrdon.

BEDE'S DEATH SONG

Fore there neidfaerae   naenig uuiurthit
10 thoncsnotturra   than him tharf sie,
to ymbhycgannae,   aer his hiniongae,
huaet his gastae,   godaes aeththa yflaes,
aefter deothdaege   doemid uueorthae.

> In Northumbrian, from the continental manuscript, St.
> Gall 254, of the ninth century, in Sweet, *Oldest English
> Texts*, p. 149.

For ðære niedfære   nænig weorðeð
15 ðoncsnottora   ðon him ðearf sie,
to ymbhycganne,   ær his hingonge,
hwæt his gaste,   godes oððe yfles,
æfter deaðdæge   demed weorðe.

> West Saxon version by the editors.

Ante necessarium exitum prudentior quam opus
20 fuerit nemo existit, ad cogitandum videlicet, antequam
hinc profiscatur anima, quid boni vel mali egerit,
qualiter post exitum judicanda fuerit.

> Translation into Latin by St. Cuthbert, Cook, *First Book*,
> p. 254.

[1] *MS.* gesægd.

III

KING ALFRED'S *OROSIUS*

Paulus Orosius was born in Spain towards the close of the fourth century. He was a contemporary and disciple of St. Augustine, and his best known work, a kind of outline history of the world, was undertaken at the suggestion of St. Augustine and was dedicated to him. The purpose of the history was to refute the charges of the pagans that the miseries of the world had increased since the introduction of Christianity. In consequence it is largely a catalogue of horrors from the fall of man down to the early fifth century. The work is not very accurate, not very learned, and it is not very interestingly written. Its usefulness lay mainly in the fact that it supplied lists of historical names and dates in some kind of narrative sequence, and as it was the first attempt to write the history of mankind as revealing the hand of God in human affairs, it became widely popular. It was translated into Anglo-Saxon by King Alfred, somewhat freely and often incorrectly, and with some abridgments of the Latin original. On the other hand, Alfred made several additions of his own, the most important being the account of the voyages of Ohthere and of Wulfstan, the full text of which follows. A complete edition of the work was published by Sweet, *King Alfred's Orosius, Part I, Old English Text and Latin Original*, Early English Text Society, Vol. 79, London, 1883. Sweet's edition is based on two manuscripts of the Anglo-Saxon version, the Lauderdale MS., now preserved in the library of Helmingham Hall, Suffolk, and the Cotton MS., Tiberius B. I., in the British Museum. The Lauderdale MS., which is the older of the two, is defective for part of the account of Ohthere and Wulfstan, and the omissions, as indicated in the text, have been supplied from the Cotton MS. The story of Antony and Cleopatra is Alfred's translation of Book V, Chapters XVIII and XIX, of the original. The original

Latin of the history is available in the Teubner texts, edited by
Zangemeister, *Pauli Orosii Historiarum adversum paganos libri
VII*, Leipzig, 1889.

I. Ohthere's Voyages

Ohthere sæde his hlaforde, Ælfrede cyninge, þæt he
ealra Norðmonna norþmest bude. He cwæð þæt he
bude on þæm lande norþweardum wiþ þa Westsæ. He
sæde þeah þæt[1] þæt land sie swiþe lang norþ þonan; ac
5 hit is eal weste, buton on feawum stowum styccemælum
wiciað Finnas, on huntoðe on wintra, ond on sumera on
fiscaþe be þære sæ.

He sæde þæt he æt sumum cirre wolde fandian hu
longe þæt land norþryhte læge, oþþe hwæðer ænig mon
10 be norðan þæm westenne bude. Þa for he norþryhte
be þæm lande: let him ealne weg þæt weste land on
ðæt steorbord, ond þa widsæ on ðæt bæcbord þrie dagas.
Þa wæs he swa feor norþ swa þa hwælhuntan firrest
faraþ. Þa for he þa giet norþryhte swa feor swa he
15 meahte on þæm oþrum þrim dagum gesiglan. Þa beag
þæt land þær eastryhte, oþþe seo sæ in on ðæt lond, he
nysse hwæðer, buton he wisse ðæt he ðær bad westan-
windes ond hwon norþan, ond siglde ða east be lande
swa swa he meahte on feower dagum gesiglan. Þa
20 sceolde he ðær bidan ryhtnorþanwindes, for ðæm þæt
land beag þær suþryhte, oþþe seo sæ in on ðæt land, he
nysse hwæþer. Þa siglde he þonan suðryhte be lande
swa swa he mehte on fif dagum gesiglan. Ða læg þær
an micel ea up in on þæt land. Þa cirdon hie up in on
25 ða ea, for þæm hie ne dorston forþ bi þære ea siglan for
unfriþe; for þæm ðæt land wæs eall gebun on oþre
healfe þære eas. Ne mette he ær nan gebun land, siþþan
he from his agnum ham for. Ac him wæs ealne weg

_____
[1] *The Lauderdale MS. has only one* þæt, *but the Cotton MS. has two.*

weste land on þæt steorbord, butan fiscerum ond fuge-
lerum ond huntum, ond þæt wæron eall Finnas; ond
him wæs a widsæ on ðæt bæcbord. Þa Beormas hæfdon
swiþe wel gebud hira land; ac hie ne dorston þær on
cuman. Ac þara Terfinna land wæs eal weste, buton 5
ðær huntan gewicodon, oþþe fisceras, oþþe fugeleras.

Fela spella him sædon þa Beormas ægþer ge of hiera
agnum lande ge of þæm landum þe ymb hie utan wæron;
ac he nyste hwæt þæs soþes wæs, for þæm he hit self ne
geseah. Þa Finnas, him þuhte, ond þa Beormas spræ- 10
con neah an geþeode. Swiþost he for ðider, toeacan
þæs landes sceawunge, for þæm horshwælum,[1] for ðæm
hie habbað swiþe æþele ban on hiora toþum — þa teð
hie brohton sume þæm cyninge — ond hiora hyd[2] bið
swiðe god to sciprapum. Se hwæl bið micle læssa þonne 15
oðre hwalas; ne bið he lengra ðonne syfan elna lang.
Ac on his agnum lande is se betsta hwælhuntað; þa
beoð eahta ond feowertiges elna lange, ond þa mæstan
fiftiges elna lange. Þara he sæde þæt he syxa sum
ofsloge syxtig on twam dagum. 20

He wæs swyðe spedig man on þæm æhtum þe heora
speda on beoð, þæt is, on wildrum. He hæfde þa gyt, ða
he þone cyningc sohte, tamra deora unbebohtra syx
hund. Þa deor hi hatað 'hranas'; þara wæron syx
stælhranas; ða beoð swyðe dyre mid Finnum, for ðæm 25
hy foð þa wildan hranas mid. He wæs mid þæm fyrstum
mannum on þæm lande; næfde he þeah ma ðonne
twentig hryðera, ond twentig sceapa, ond twentig
swyna; and þæt lytle þæt he erede, he erede mid horsan.
Ac hyra ar is mæst on þæm gafole þe ða Finnas him 30
gyldað. Þæt gafol bið on deora fellum, ond on fugela
feðerum, ond hwales bane, ond on þæm sciprapum, þe

---

[1] *Cotton MS.; Lauderdale MS.*, horschwælum.
[2] *Lauderdale MS. ends here, and the Cotton MS. begins with* bið.

beoð of hwæles hyde geworht ond of seoles. Æghwilc
gylt be hys gebyrdum. Se byrdesta sceall gyldan
fiftyne mearðes fell, ond fif hranes, ond an beren[1] fel,
ond tyn ambra feðra, ond berenne kyrtel oððe yterenne,
5 ond twegen sciprapas; ægþer sy syxtig elna lang, oþer
sy of hwæles hyde geworht, oþer of sioles.

He sæde ðæt Norðmanna land wære swyþe lang ond
swyðe smæl. Eal þæt his man aðer oððe ettan oððe
erian mæg, þæt lið wið ða sæ; ond þæt is þeah on
10 sumum stowum swyðe cludig; ond licgað wilde moras
wið eastan ond wið upp on emnlange þæm bynum lande.
On þæm morum eardiað Finnas. Ond þæt byne land
is easteweard bradost, ond symle swa norðor swa
smælre. Eastewerd hit mæg bion syxtig mila brad,
15 oþþe hwene brædre; ond middeweard þritig oððe
bradre; ond norðeweard he cwæð, þær hit smalost
wære, þæt hit mihte beon þreora mila brad to þæm
more; ond se mor syðþan, on sumum stowum, swa
brad swa man mæg on twam wucum oferferan; ond
20 on sumum stowum swa brad swa man mæg on syx
dagum oferferan.

Ðonne is to emnes þæm lande suðeweardum, on
oðre healfe þæs mores, Sweoland, oþ þæt land norðe-
weard; ond toemnes þæm lande norðeweardum, Cwena
25 land. Þa Cwenas hergiað hwilum on ða Norðmen ofer
ðone mor, hwilum þa Norðmen on hy. Ond þær sint
swiðe micle meras fersce geond þa moras; ond berað
þa Cwenas hyra scypu ofer land on ða meras, ond þanon
hergiað on ða Norðmen; hy habbað swyðe lytle scypa
30 ond swyðe leohte.

Ohthere sæde þæt sio scir hatte Halgoland þe he on
bude. He cwæð þæt nan man ne bude be norðan him.
Þonne is an port on suðeweardum þæm lande, þone[2]

---

[1] *MS.* beran.   [2] *MS.* þonne.

man hæt Sciringesheal. Þyder he cwæð þæt man ne
mihte geseglian on anum monðe, gyf man on niht
wicode, ond ælce dæge hæfde ambyrne wind; ond ealle
ða hwile he sceal seglian be lande. Ond on þæt steor-
bord him bið ærest Iraland, ond þonne ða igland þe   5
synd betux Iralande ond þissum lande. Þonne is þis
land, oð he cymð to Scirincgesheale, ond ealne weg on
þæt bæcbord Norðweg. Wið suðan þone Sciringesheal
fylð swyðe mycel sæ up in on ðæt land; seo is bradre
þonne ænig man ofer seon mæge. Ond is Gotland on   10
oðre healfe ongean, ond siððan[1] Sillende. Seo sæ lið
mænig hund mila up in on þæt land.

Ond of Sciringesheale he cwæð ðæt he seglode on fif
dagan to þæm porte þe mon hæt æt Hæþum; se stent
betuh Winedum, ond Seaxum, ond Angle, ond hyrð in   15
on Dene. Ða he þiderweard seglode fram Sciringes-
heale, þa wæs him on þæt bæcbord Denamearc, ond on
þæt steorbord widsæ þry dagas; ond þa, twegen dagas
ær he to Hæþum come, him wæs on þæt steorbord
Gotland, ond Sillende, ond iglanda fela. On þæm   20
landum eardodon Engle, ær hi hider on land coman.
Ond hym wæs ða twegen dagas on ðæt bæcbord þa
igland þe in on[2] Denemearce hyrað.

II. WULFSTAN'S VOYAGE

Wulfstan sæde þæt he gefore of Hæðum, þæt he wære
on Truso on syfan dagum ond nihtum, þæt þæt scip wæs 25
ealne weg yrnende under segle. Weonoðland him wæs
on steorbord, ond on bæcbord him wæs Langaland, ond
Læland, ond Falster, ond Sconeg; ond þas land eall
hyrað to Denemearcan. Ond þonne Burgenda land
wæs us on bæcbord, ond þa habbað him sylfe[3] cyning. 30
Þonne æfter Burgenda lande wæron us þas land, þa

---

[1] *MS.* siðða.   [2] on *not in the MS.*   [3] *MS.* sylf.

synd hatene ærest Blecinga-eg, ond Meore, ond Eow-
land, ond Gotland on bæcbord; ond þas land hyrað to
Sweom.[1] Ond Weonodland wæs us ealne weg on steor-
bord oð Wislemuðan. Seo Wisle is swyðe mycel ea,
5 ond hio tolið Witland ond Weonodland; ond þæt
Witland belimpeð to Estum; ond seo Wisle lið ut of
Weonodlande, ond lið in Estmere; ond se Estmere is
huru fiftene mila brad. Þonne cymeð Ilfing eastan in
Estmere of ðæm mere ðe Truso standeð in staðe; ond
10 cumað ut samod in Estmere, Ilfing eastan of Estlande,[2]
ond Wisle suðan of Winodlande. Ond þonne benimð
Wisle Ilfing hire naman, ond ligeð of þæm mere west
ond norð on sæ; for ðy hit man hæt Wislemuða.

Þæt Estland[3] is swyðe mycel, ond þær bið swyðe
15 manig burh, ond on ælcere byrig bið cyningc. Ond þær
bið swyðe mycel hunig, ond fiscnað; ond se cyning ond
þa ricostan men drincað myran meolc, ond þa un-
spedigan ond þa þeowan drincað medo. Þær bið swyðe
mycel gewinn betweonan him. Ond ne bið ðær nænig
20 ealo gebrowen mid Estum, ac þær bið medo genoh.
Ond þær is mid Estum ðeaw, þonne þær bið man dead,
þæt he lið inne unforbærned mid his magum ond
freondum monað, ge hwilum twegen; ond þa kyningas,
ond þa oðre heahðungene men, swa micle lencg swa hi
25 maran speda habbað, hwilum healf gear þæt hi beoð
unforbærned, ond licgað bufan eorðan on hyra husum.
Ond ealle þa hwile þe þæt lic bið inne, þær sceal beon
gedrync ond plega, oð ðone dæg þe hi hine forbærnað.
Þonne þy ylcan dæge þe[4] hi hine to þæm ade beran
30 wyllað, þonne todælað hi his feoh, þæt þær to lafe bið
æfter þæm gedrynce ond þæm plegan, on fif oððe syx,
hwylum on ma, swa swa þæs feos andefn bið. Alecgað

---

[1] *MS.* Sweon. [2] *MS.* Eastlande. [3] *MS.* Eastland.
[4] þe *not in the MS.*

hit ðonne forhwæga on anre mile þone mæstan dæl
fram þæm tune, þonne oðerne, ðonne þæne þriddan,
oþ þe hyt eall aled bið on þære anre mile; ond sceall
beon se læsta dæl nyhst þæm tune ðe se deada man on
lið. Ðonne sceolon beon gesamnode ealle ða menn ðe 5
swyftoste hors habbað on þæm lande, forhwæga on fif
milum oððe on syx milum fram þæm feo. Þonne ærnað
hy ealle toweard þæm feo: ðonne cymeð se man se þæt
swiftoste[1] hors hafað to þæm ærestan dæle ond to
þæm mæstan, ond swa ælc æfter oðrum, oþ hit bið eall 10
genumen; ond se nimð þone læstan dæl se nyhst þæm
tune þæt feoh geærneð. Ond þonne rideð ælc hys weges
mid ðan feo, ond hyt motan habban eall; ond for ðy
þær beoð þa swiftan hors ungefoge dyre. Ond þonne
his gestreon beoð þus eall aspended, þonne byrð man 15
hine ut, ond forbærneð mid his wæpnum ond hrægle.
Ond swiðost ealle hys speda hy forspendað mid þan
langan legere þæs deadan mannes inne, ond þæs þe hy
be þæm wegum alecgað, þe ða fremdan to ærnað, ond
nimað. Ond þæt is mid Estum þeaw þæt þær sceal 20
ælces geðeodes man beon forbærned; ond gyf þar man
an ban findeð unforbærned, hi hit sceolan miclum ge-
betan. Ond þær is mid Estum[2] an mægð þæt hi magon
cyle gewyrcan; ond þy þær licgað þa deadan men swa
lange, ond ne fuliað, þæt hy wyrcað þone cyle him[3] on. 25
Ond þeah man asette twegen fætels full ealað oððe
wæteres, hy gedoð þæt ægþer[4] bið oferfroren, sam hit
sy sumor sam winter.

III. Antony and Cleopatra

Æftcr þæm þe Romeburg getimbred wæs vii hunde
wintra ond x, feng Octauianus to Romana onwealde, 30
hiora unþonces, æfter Iuliuses slege, his mæges, forþon

[1] *MS*. swifte.   [2] *MS*. Eastum.   [3] *MS*. hine.   [4] *MS*. oþer.

þe hiene hæfde Iulius him ær mid gewritum gefæstnod
þæt he æfter him to eallum his gestreonum fenge, for-
þon þe he hiene for mægrædenne gelærde ond getyde.
Ond he siþþan v gefeoht ungeferlice þurhteah, swa
5 Iulius dyde ær: an wiþ Pompeius; oðer wæs wið
Antonius þone consul; þridde wið Cassus ond wið
Brutus; feorðe wið Lepidus, þeh þe he raþe þæs his
freond wurde. Ond he eac gedyde þæt Antonius his
freond wearð, ond þæt he his dohtor sealde Octauiane[1]
10 to wife, ond eac þæt Octauianus sealde his swostor
Antoniuse.

Siþþan him geteah Antonius to gewealdon ealle
Asiam. Æfter þæm he forlet Octauianuses swostor,
ond him selfum onbead gewin ond openne feondscipe.
15 Ond he him het to wife gefeccan Cleopatron, þa cwene,
þa hæfde Iulius ær, ond hiere for þæm hæfde geseald
ealle Egypti. Raðe þæs Octauianus gelædde fird wiþ
Antonius, ond hiene raðe gefliemde þæs þe hie togædere
comon. Þæs ymb iii niht hie gefuhton ut[2] on sæ.
20 Octauianus hæfde xxx scipa ond cc þara miclena þrie-
reðrena, on þæm wæron farende eahta legian. Ond
Antonius hæfde eahtatig scipa, on þæm wæron farende
x legian, forþon swa micle swa he læs hæfde, swa micle
hie wæron beteran ond maran, forþon hie wæron swa
25 geworht þæt hie mon ne mehte mid monnum oferhlæ-
stan þæt hie næren x fota hea bufan wætere. Þæt ge-
feoht wearð swiþe mære, þeh þe Octauianus sige hæfde.
Þær wæs Antoniuses[3] folces ofslagen xii millia; ond
Cleopatra his cwen wearð gefliemed, swa hie togædere
30 coman, mid hiere here. Æfter þæm Octauianus ge-

---

[1] *Lauderdale MS.*, Iuliuse, *but Cotton, as above.*

[2] *From the Cotton MS.*

[3] *Both MSS. read* Octauianuses, *but the context and the source
both require* Antoniuses.

feaht wið Antonius ond wið Cleopatron, ond hie
gefliemde. Þæt wæs[1] on þære tide calendas Agustus,
ond on þæm dæge þe we hatað 'hlafmæsse.' Siþþan
wæs Octauianus Agustus haten, forþon þe he on þære
tide sige hæfde.   5

Æfter þæm Antonius ond Cleopatro hæfdon ge-
gaderod sciphere on þæm Readan Sae. Ac þa him mon
sæde þæt Octauianus þiderweard wæs, þa gecierde eall
þæt folc to Octauianuse, ond hie selfe oþflugon to anum
tune lytle werode. Hio þa Cleopatra het adelfan hiere 10
byrgenne, ond þæron innan eode. Þa heo þæron gelegen
wæs, þa het hio niman ipnalis þa nædran ond don to
hiere earme, þæt hio hic abite; forþon þe hiere þuhte
þæt hit on þæm lime unsarast wære, forþon þe þære
nædran gecynd is þæt ælc uht þæs þe hio abitt, scel 15
his lif on slæpe geendian. Ond hio þæt for þæm dyde
þe hio nolde þæt hie mon drife beforan þæm triumphan
wiþ Rome weard. Þa Antonius geseah þæt hio hie to
deaþe gerede, þa ofsticade he hiene selfne, ond bebead
þæt hiene mon on þa ilcan byrgenne to hiere swa 20
somcucre alegde. Þa Octauianus þider com, þa het he
niman oþres cynnes nædran, uissillus is haten, sio mæg
ateon ælces cynnes ator ut of men, gif hio mon tidlice
to bringð. Ac hio wæs gefaren ær he þider com. Siþþan
Octauianus begeat Alexandriam, Egypta heafedburg, 25
ond mid hiere gestreone he gewelgade Romeburg swa
swiþe þæt mon ælcne ceap mehte be twiefealdon bet
geceapian þonne mon ær mehte.

[1] *Lacking in Lauderdale, supplied from Cotton.*

IV

THE PASTORAL OF POPE GREGORY

This book, King Alfred remarks, is called Pastoralis in Latin, Hierdeboc (i.e. Shepherd's Book) in English. The name which its original composer, Pope Gregory, known as Gregory the Great (b. about 540, d. 604), gave to the work was *Liber Regulae Pastoralis*, though it is also frequently known by another title, *De Cura Pastorali*. The book was designed by Gregory as a body of counsel to aid the bishops of the church in the performance of the duties of their office. It was deservedly held in high esteem for its wisdom and spiritual insight, and copies of it were widely distributed throughout the medieval church. Alfred says that Augustine brought a copy with him when he came on his mission to England. The book was translated into English by King Alfred, and it is generally supposed that this was the first of the works translated by Alfred in the realization of his plan to supply his people with a library of helpful books. Copies of the translation were sent to the bishops of the English church, and an original prefatory letter, which accompanied the copies of the translation, gives an account of Alfred's own activities and of the state of learning in England in his day. Alfred also adds a short general preface to the work, cast in a semi-metrical form, which will be found at the end of Alfred's letter given below. Note that the book itself is supposed to be speaking here. Alfred's version has been published by Sweet, for the Early English Text Society, Vols. 45 and 50 (1871, 1872), and a convenient edition of the Latin is that by H. R. Bramley, *S. Gregorii Magni Regulae Pastoralis Liber*, with an English translation, Oxford and London, 1874. Sweet has printed Alfred's version from two contemporary manuscripts, one now preserved at Oxford, in the Bodleian Library, and designated as Hatton 20, and the other a British Museum manuscript, Cotton Tiberius B xi. The text of our extracts is derived from the Hatton manuscript, which was the copy of the translation sent by Alfred to the bishop of Worcester.

ALFRED'S PREFACE

Ðeos boc sceal to Wiogora ceastre.

Ælfred kyning hateð gretan Wærferð biscep his
wordum luflice ond freondlice; ond ðe cyðan hate ðæt
me com swiðe oft on gemynd, hwelce wiotan iu wæron
giond Angelcynn, ægðer ge godcundra hada ge woruld-
cundra; ond hu gesæliglica tida ða wæron giond 5
Angelcynn; ond hu ða kyningas ðe ðone onwald hæfdon
ðæs folces on ðam dagum Gode ond his ærendwrecum
hersumedon; ond hu[1] hie ægðer ge hiora sibbe ge hiora
siodo ge hiora onweald innanbordes gehioldon, ond eac
ut hiora eðel gerymdon; ond hu him ða speow ægðer 10
ge mid wige ge mid wisdome; ond eac ða godcundan
hadas hu giorne hie wæron ægðer ge ymb lare ge ymb
liornunga, ge ymb ealle ða ðiowotdomas ðe hie Gode
don scoldon; ond hu man utanbordes wisdom ond lare
hieder on lond sohte, ond hu we hie nu sceoldon ute 15
begietan, gif we hie habban sceoldon. Swæ clæne hio
wæs oðfeallenu on Angelcynne ðæt swiðe feawa wæron
behionan Humbre ðe hiora ðeninga cuðen understondan
on Englisc, oððe furðum an ærendgewrit of Lædene on
Englisc areccean; ond ic wene ðætte noht monige be- 20
giondan Humbre næren. Swæ feawa hiora wæron ðæt
ic furðum anne anlepne ne mæg geðencean be suðan
Temese, ða ða ic to rice feng. Gode ælmihtegum sie
ðonc ðætte we nu ænigne onstal habbað lareowa. Ond
forðon ic ðe bebiode ðæt ðu do swæ ic geliefe ðæt ðu 25
wille, ðæt ðu ðe ðissa woruldðinga to ðæm geæmetige,
swæ ðu oftost mæge, ðæt ðu ðone wisdom ðe ðe God
sealde ðær ðær ðu hiene befæstan mæge, befæste. Ge-
ðenc hwelc witu us ða becomon for ðisse worulde, ða

---

[1] *Lacking in Hatton, supplied from Cotton.*

ða we hit nohwæðer ne selfe ne lufodon, ne eac oðrum
monnum ne lefdon: ðone naman anne we lufodon
ðætte we Cristne wæren, ond swiðe feawe ða ðeawas.
Ða ic ða ðis eall gemunde, ða gemunde ic eac hu ic
5 geseah, ær ðæm ðe hit eall forhergod wære ond for-
bærned, hu ða ciricean giond eall Angelcynn stodon
maðma ond boca gefyldæ, ond eac micel menigeo Godes
ðiowa. Ond ða swiðe lytle fiorme ðara boca wiston, for
ðæm ðe hie hiora nanwuht ongiotan ne meahton, for
10 ðæm ðe hie næron on hiora agen geðiode awritene.
Swelce hie cwæden: Ure ieldran, ða ðe ðas stowa ær
hioldon, hie lufodon wisdom, ond ðurh ðone hie be-
geaton welan, ond us læfdon. Her mon mæg giet
gesion hiora swæð, ac we him ne cunnon æfter spyrigean,
15 ond for ðæm we habbað nu ægðer forlæten ge ðone
welan ge ðone wisdom, for ðæm ðe we noldon to ðæm
spore mid ure mode onlutan.

Ða ic ða ðis eall gemunde, ða wundrade ic swiðe
swiðe ðara godena wiotona ðe giu wæron giond Angel-
20 cynn, ond ða bec eallæ be fullan geliornod hæfdon, ðæt
hie hiora ða nænne dæl noldon on hiora agen geðiode
wendan. Ac ic ða sona eft me selfum andwyrde, ond
cwæð: Hie ne wendon þætte æfre menn sceolden swæ
reccelease weorðan, ond sio lar swæ oðfeallan; for ðære
25 wilnunga hie hit forleton, ond woldon ðæt her ðy mara
wisdom on londe wære ðy we ma geðeoda cuðon.

Ða gemunde ic hu sio æ wæs ærest on Ebreisc-
geðiode funden, ond eft, ða hie Creacas geliornodon, ða
wendon hie hie on hiora agen geðiode ealle, ond eac ealle
30 oðre bec. Ond eft Lædenware swæ same, siððan hie
hie geliornodon, hie hie wendon ealla ðurh wise wealh-
stodas on hiora agen geðiode. Ond eac ealla oðræ
Cristenæ ðioda sumne dæl hiora on hiora agen geðiode
wendon. For ðy me ðyncð betre, gif iow swæ ðyncð,

ðæt we eac sumæ bec, ða ðe niedbeðearfosta sien eallum
monnum to wiotonne, ðæt we ða on ðæt geðiode wenden
ðe we ealle gecnawan mægen, ond gedon, swæ we swiðe
eaðe magon mid Godes fultume, gif we ða stilnesse
habbað, ðætte eall sio gioguð ðe nu is on Angelcynne   5
friora monna, ðara ðe ða speda hæbben ðæt hie ðæm
befeolan mægen, sien to liornunga oðfæste, ða hwile ðe
hie to nanre oðerre note ne mægen, oð ðone first ðe hie
wel cunnen Englisc gewrit arædan. Lære mon siððan
furður on Lædengeðiode ða ðe mon furðor læran wille,   10
ond to hieran hade don wille.

Ða ic ða gemunde hu sio lar Lædengeðiodes ær
ðissum afeallen wæs giond Angelcynn, ond ðeah monige
cuðon Englisc gewrit arædan, ða ongan ic ongemang
oðrum mislicum ond manigfealdum bisgum ðisses   15
kynerices ða boc wendan on Englisc ðe is genemned on
Læden, Pastoralis, ond on Englisc, Hierdeboc, hwilum
word be worde, hwilum andgit of andgiete, swæ swæ ic
hie geliornode æt Plegmunde minum ærcebiscepe, ond
æt Assere minum biscepe, ond æt Grimbolde minum   20
mæsseprioste, ond æt Iohanne minum mæssepreoste.
Siððan ic hie ða geliornod hæfde, swæ swæ ic hie forstod,
ond swæ ic hie andgitfullicost areccean meahte, ic hie
on Englisc awende; ond to ælcum biscepstole on
minum rice wille ane onsendan; ond on ælcre bið an   25
æstel, se bið on fiftegum mancessa. Ond ic bebiode on
Godes naman ðæt nan mon ðone æstel from ðære bec
ne do, ne ða boc from ðæm mynstre; uncuð hu longe
ðær swæ gelærede biscepas sien, swæ swæ nu, Gode
ðonc, wel hwær siendon. For ðy ic wolde ðætte hie   30
ealneg æt ðære stowe wæren, buton se biscep hie mid
him habban wille, oððe hio hwær to læne sie, oððe hwa
oðre bi write.

_____

Þis ærendgewrit   Agustinus
ofer sealtne sæ   suðan brohte
iegbuendum,   swa hit ær fore
adihtode   dryhtnes cempa,
5 Rome papa.   Ryhtspell monig
Gregorius   gleawmod gindwod
ðurh sefan snyttro,   searoðonca hord.
For ðæm he monncynnes   mæst gestriende
rodra wearde,   Romwara betest,
10 monna modwelegost,   mærðum gefrægost.
Siððan min on Englisc   Ælfred kyning
awende worda gehwelc,   ond me his writerum sende,
suð ond norð;   heht him swelcra ma
brengan bi ðære bisene,   ðæt he his biscepum
15 sendan mcahte,   ſor ðæm hi his sume ðorfton,
ða ðe Lædensprǣce   lǣste cuðon.

MATTHEW, VI, 9–13

Eornustlice gebiddað eow ðus: Fæder ure þu þe eart
on heofonum, Si þin nama gehalgod.

Tobecume þin rice.   Gewurþe ðin willa on eorðan
20 swa swa on heofonum.

Urne gedæghwamlican hlaf syle us to dæg.

And forgyf us urne gyltas, swa swa we forgyfað urum
gyltendum.

And ne gelæd þu us on costnunge, ac alys us of yfele.
25 Soþlice.

From *MS*. CXL, in the Library of Corpus Christi College,
Cambridge, ed. Bright, p. 22.

V

KING ALFRED'S *BOETHIUS*

Boethius, a distinguished Roman scholar and public official, was born in the last quarter of the fifth century and was put to death in 524, on a political charge. While he lay in prison he wrote his *De Consolatione Philosophiae*, a work cast in dialogue form and mainly in prose, though interspersed with versified passages, known as *carmina* or *metra*. King Alfred translated the work into Anglo-Saxon, the *metra* also being rendered in prose. On the basis of this prose translation, an Anglo-Saxon versified rendering of the metrical passages of the original was made (see p. 123), but whether or not these versified passages were the work of King Alfred remains doubtful. The Anglo-Saxon translation of the *De Consolatione Philosophiae* is extant in two manuscripts, Cotton Otho A. vi, in the British Museum, and a Bodleian manuscript at Oxford, numbered 180. The Cotton manuscript was written by a copyist at about the end of the tenth century, and the Bodleian manuscript is a transcript made several centuries later from a copy not exactly the same as the one used by the scribe of the Cotton manuscript. A small fragment of a third manuscript is also extant. The passages from the Anglo-Saxon *Boethius* here printed are derived from Sedgefield's *King Alfred's Old English Version of Boethius De Consolatione Philosophiae*, Oxford, 1899. The first is the prose version of the story of Ulysses and Circe, pp. 115–116 in Sedgefield's edition, the metrical rendering of which is given below, pp. 123–127. The original Latin text of this passage has been considerably expanded by Alfred in his translation. The second passage will be found in Sedgefield's edition, pp. 141 ff. and the third, Alfred's comment on his work, on p. 1. The Latin original has been frequently printed, the most accessible edition being that of R. Peiper, in the Teubner texts.

I. Ulysses and Circe

Hit gebyrede gio on Troiana gewinne þæt þær wæs
an cyning þæs nama Aulixes; se hæfde twa þioda under
þam kasere. Þa ðioda wæron hatene Iþacige and Retie,
and þæs kaseres nama wæs Agamenon. Ða se Aulixes
5 mid þam kasere to þam gefiohte for, þa hæfde he sume
hundred scipa; þa wæron hi sume ten gear on þam
gewinne. Þa se cyning eft ham cerde from þam kasere,
and hi þæt land hæfdon gewunnen, þa næfde he na ma
scipa þonne an; þæt wæs þeah þrereðre. Ða gestod
10 hine heah weder and stormsæ. Wearð ða fordrifen on
an igland ut on ðære Wendelsæ. Þa wæs þær Apollines
dohtor Iobes suna; se Iob wæs hiora cyning, and licette
þæt he sceolde bion se hehsta god; and þæt dysige folc
him gelyfde, forþamðe he wæs cynecynnes; and hi
15 nyston nænne oðerne god on þæne timan, buton hiora
cyningas hi weorþodon for godas. Þa sceolde þæs
Iobes fæder bion eac god; þæs nama wæs Saturnus;
and his suna swa ilce ælcne hi hæfdon for god. Þa was
hiora an se Apollinus þe we ær ymb spræcon. Þæs
20 Apollines dohtor sceolde bion gydene, þære nama wæs
Kirke. Sio hi sædon sceolde bion swiðe drycræftigu,
and sio wunode on þam iglande þe se cyning on for-
drifen wearð, þc we ær ymb spræcon. Hio hæfde þær
swiðe micle werode hire ðegna, and eac oðerra mædena.
25 Sona swa hio geseah þone fordrifenan cyning ðe we ær
ymb spræcon, þæs nama wæs Aulixes, þa ongan hio hine
lufian, and hiora ægþer oðerne swiðe ungemetlice, swa
þætte he for hire lufan forlet his rice eall and his cyn-
ren, and wunode mid hire oð ðone first þæt his ðegnas
30 him ne mihton leng mid gewunian, ac for hiora eardes
lufan and for þære wræce tihodon hine to forlætenne.
Ða ungunnon lease men wyrcan spell, and sædon þæt

hio sceolde mid hire drycræft þa men forbredan, and
weorpan hi an wildedeora lic, and siððan slean on þa
racentan and on cospas. Sume hi sædon þæt hi sceolde
forsceoppan to leon, and þonne seo sceolde sprecan,
þonne ryde hio. Sume sceoldon bion eforas, and þonne 5
hi sceoldon hiora sar siofian, þonne grymetodan hi.
Sume wurdon to wulfan; þa ðuton, þonne hi sprecan
sceoldon. Sume wurdon to þam deorcynne þe mon hat
tigris. Swa wearð eall se geferscipe forhwerfed to
mistlicum deorcynnum, ælc to sumum diore, buton 10
þam cyninge anum. Ælcne mete hi onscunedon þe men
etað, and wilnodon þara þe deor etaþ. Næfdon hi nane
anlicnesse manna ne on lichomon ne on stemne, and
ælc wisste þeah his gewit swa swa he ær wisste. Þæt
gewit wæs swiðe sorgiende for þam ermðum ðe hi dro- 15
gan. Hwæt, þa menn þe ðisum leasungum gelefdon,
þeah wisston þæt hio mid þam drycræfte ne mihte þara
monna mod onwendan, þeah hio þa lichoman onwende.
Eala þæt hit is micel cræft þæs modes for þone lichoman.
Be swylcum and be swylcum þu miht ongitan þæt se 20
cræft þæs lichoman bið on þam mode, and þætte
ælcum men ma deriað his modes unþeawas. Ðæs
modes unþeawas tioð eallne þone lichoman to hi, ond
þæs lichoman mettrumnes ne mæg þæt mod eallunga
to him getion. 25

II. On Free Will

Ða se Wisdom þa þis leoð asungen hæfde, ða ge-
swugode he ane lytle hwile.

Ða cwæð ic: Sum tweo me hæfð swiðe gedrefed.

Ða cwæð he: Hwæt is se?

Ða cwæð ic: Hit is þæt þæt ðu sægst þæt God selle 30
ælcum men freodom swa good to donne swa yfel,
swæðer he wille; and þu sægst eac þæt God wite ælc

þing ær hit geweorðe; and þu sægst eac þæt nan þing
ne geweorðe bute hit God wille oððe geðafie; and þu
sægst þæt hit scyle eall faran swa he getiohhod hæbbe.
Nu wundrie ic þæs, hwy he geþafige þæt þa yflan men
5 hæbben þone freodom þæt hi mægen don swa god swa
yfel, swæðer swa hi willan, þonne he ær wat þæt hi yfel
don willað.

Ða cwæð he: Ic þe mæg swiðe eaðe geandwyrdan
þæs spelles. Hu wolde þe nu lician gif hwilc swiðe
10 rice cyning wære and næfde nænne freone mon on
eallum his rice, ac wæren ealle þiowe?

Ða cwæð ic: Ne þuhte me hit no rihtlic, ne eac
nauht gerisenlic, gif him sceolden þiowe men þenian.

Ða cwæð he: Þæt wære uncynlicre, gif God næfde
15 on eallum his rice nanc frige gesceaft under his an-
wolde. Forðæm he gesceop twa gesceadwisa gesceafta
freo, englas and men; þæm he geaf micle gife freodomes,
þæt hi mosten don swa god swa yfel, swæðer swa hi
wolden. He sealde swiðe fæste gife and swiðe fæste æ
20 mid ðære gife ælcum men oð his ende; ðæt is se freo-
dom ðæt se mon mot don þæt he wile, and þæt is sio
æ þæt he gilt ælcum be his gewyrhtum, ægðer ge on
þisse worulde ge on þære toweardan, swa good swa yfel,
swæðer he deð. And men magon begitan þurh þone
25 freodom swa hwæt swa hi willað, buton deað hi ne
magon forcerran; æc hi hine magon mid goodum
weorcum gelettan, þæt he þe lator cymð; ge furþum
oð oreldo hi hine hwilum gelettað. Gif men to goodum
weorce ne onhagie, hæbbe goodne willan; þæt is emn-
30 good.

Ða cwæð ic: Wel ðu me hæfst aretne on þam tweon,
and on þære gedrefednesse þe ic ær on wæs be ðæm
freodome. Ac ic eom nu giet on micle maran gedre-
fednesse geunrotsod, fulneah oð ormodnesse.

Ða cwæð he: Hwæt is sio micle unrotnes?

Ða cwæð ic: Hit is ym ða Godes foretiohhunge;
forðæm we geherað hwilum secgan þæt hit scyle eall
swa geweorðan swa swa God æt fruman getiohhad
hæfde, þæt hit ne mæge nan mon onwendan. Nu 5
ðincð me þæt he do woh, þonne he arað þa goodan, and
eac þonne he witnað þa yflan, gif þæt soð is þæt hit
him swa gesceapen wæs þæt hi ne mosten elles don.
Unnytlice we swincað þonne we us gebiddað, and ðonne
we fæstað, oððe ælmessan sellað, gif we his nabbað ðy 10
maran þanc þe þa þe on eallum þingum wadað on
hiora agenne willan, and æfter hiora lichoman luste
irnað.

Ða cwæð he: Þis is sio ealde siofung þe þu longe
siofodes, and monige eac ær ðe; þara wæs sum Marcus, 15
oðre naman Tullius, þriddan naman he was gehaten
Cicero; se wæs Romana heretoga; se wæs uðwita. Se
wæs swiðe abisgod mid þære ilcan spræce, ac he hi ne
meahte bringan to nanum ende. Forðy he ne meahte,
ne nan mon on þone timan, þa spræce to nanum ende 20
bringan, forðy hiora mod wæs abisgod on ðisse weorulde
wilnunga. Ac ic þe secge, gif þæt soð is þæt ge secgað,
þæt hit wæs unnet gebod on godcundum bocum þæt
God bebead þæt mon sceolde forlætan yfel ond don
good; and eft se cwide þe he cwæð: swa mon ma swincð, 25
swa mon maran mede onfehð. And ic wundrige hwy
þu hæbbe forgiten eall þæt þæt wit ær spræcon.

Ða cwæð ic: Hwæt hæbbe ic forgiten þæs þe wit ær
spræcon?

Ða cwæð he: Wit sædon ær þæt sio godcunde fore- 30
tiohhung ælc god worhte and nan yfel, ne nan ne tioh-
hode to wyrcanne, ne næfre ne worhte. Ge furðum þæt
wit gereahton to goodum þæt folciscum monnum yfel
þuhte; þæt wæs þæt mon wræce and witnode hwone

for his yfle. Hu ne sædon wit eac ær on þisse ilcan bec
þæt God hæfde getiohhod freodom to sellanne monnum,
and swa dyde; and gif hi þone freodom tela geheal-
don, þæt he hi wolde swiðe weorðian mid ece life;
5 and gif hi ðone freodom forheolden, þæt he hi þonne
wolde witnian mid deaðe. He tiohhode, gif hi hwæt
gesyngoden an ðæm freodome, þæt hi hit eft on ðæm
freodome mid hreowsunga gebeten; and gif hiora
hwylc swa heardheort wære þæt he nane hreowsunge
10 ne dyde, þæt he þonne hæfde rihtlic wite. Eallo ge-
sceafta he hæfde getiohhod þeowu, buton englum and
monnum. Forðyþe þa oðra gesceafta þeowe sint, hi
healdað hiora þegnunga oð domes dæg; ac þa men and
þa englas, þe freo sint, forlætað hiora þegnunga. Hwæt
15 magon men cweðan þæt sio godcunde foretiohhung ge-
tiohhod hæfde þæs ðe hio ne þurhtuge? oððe hu magon
hi hi aladian þæt hi ne mægen good don, nu hit awriten
is þæt God gelde ælcum men be his gewyrhtum? Hwy
sceall þonne ænig mon bion idel, ðæt he ne wyrce?

20 Ða cwæð ic: Genoh þu me hæfst gefreolsod þære
tweounge mines modes be þære ascunga þe ic þe
ahsade. Ac ic þe wolde giet acsian sumre spræce ðe
me ymbe tweoð.

Ða cwæð he: Hwæt is þæt?

25 Ða cwæð ic: Genog cuð me is þæt God hit wat eall
beforan, ge good ge yfel, ær hit geweorðe; ac ic nat
hwæðer hit eall geweorðan sceal unanwendendlice þæt
he wat and getiohhod hæfð.

Ða cwæð he: Ne ðearf hit no eall geweorðan un-
30 anwendendlice; ac sum hit sceal geweorðan unan-
wendendlice; þæt bið þætte ure nedþearf bið, and his
willa bið. Ac hit is sum swa gerad þæt his nis nan
nedþearf, and þeah ne dereð no þeah hit geweorðe; ne
nan hearm ne bið, þeah hit no ne geweorðe. Geþenc

nu be ðe selfum hwæðer þu ænig þing swa fæst getioh-
hod hæbbe þæt þe þince þæt hit næfre þinum willum
onwend ne weorðe, ne þu butan bion ne mæge; oððe
hwæðer þu eft on ængum geþeahte swa twioræde sie
þæt þe helpe hwæðer hit geweorðe, ðe hit no ne ge- 5
weorðe. Fela is þara þinga þe God ær wat ær hit ge-
weorðe, and wat eac þæt hit dereð his gesceaftum gif
hit gewyrð. Nat he hit no forðyþe he wille þæt hit
geweorðe, ac forðyþe he wile forwernan þæt hit ne
geweorðe, swa swa good scipstiora ongit micelne wind 10
on hreore sæ ær ær hit geweorðe, and hæt fealdan þæt
segl and eac hwilum lecgan þone mæst, and lætan þa
bætinge; gif he ær þweores windes bætte, warenað he
hine wið ðæt weder.

III. Alfred's Preface

Ælfred Kuning wæs wealhstod ðisse bec, and hie of 15
boclædene on englisc wende, swa hio nu is gedon.
Hwilum he sette word be worde, hwilum andgit of
andgite, swa swa he hit þa sweotolost and andgitfulli-
cast gereccan mihte for þam mistlicum and manigfeal-
dum weoruldbisgum þe hine oft ægðer on mode ge on 20
lichoman bisgodan. Ða bisgu us sint swiþe earfoþrime
þe on his dagum on þa ricu becoman þe he underfangen
hæfde, and þeah ða þas boc hæfde geleornode and of
lædene to engliscum spelle gewende, and geworhte hi
eft to leoðe, swa swa heo nu gedon is; and bit and for 25
Godes naman he halsað ælcne þara þe þas boc rædan
lyste, þæt he for hine gebidde, and him ne wite gif he
hit rihtlicor ongite þonne he mihte; forþamþe ælc mon
sceal be his andgites mæðe and be his æmettan sprecan
þæt he sprecð, and don þæt þæt he deþ.   30

VI

ÆLFRIC

Ælfric was born about the middle of the tenth century and died towards the end of the first quarter of the eleventh century. He was a voluminous writer both in English and Latin. The homily printed below is an attempt to summarize for popular audiences the main facts in the explanation of the existence of the world as they were understood in Ælfric's day. It stands first in a collection of homilies which Ælfric composed for the various feast days of the calendar, but as the Latin superscription indicates, this homily was not intended for any particular day, but was to be delivered *quando volueris*, whenever it seemed advisable. Ælfric's homilies have been published by Thorpe, *The Homilies of the Anglo-Saxon Church, The First Part, containing the Sermones Catholici, or Homilies of Ælfric*, Vol. I, London, 1844, Vol. II, London, 1846, from the manuscript of them preserved in the Cambridge Public Library. Eight of the homilies have also been printed, from the same manuscript, by Sweet, *Selected Homilies of Ælfric*, Oxford, 1901, and from Sweet the text printed below has been derived. It will be noted that Sweet has consistently changed ð to þ in the transcription, but no other normalizations have been made.

I. The Order of the World

SERMO DE INITIO CREATURAE, AD POPULUM, QUANDO VOLUERIS

An angin is ealra þinga, þæt is God ælmihtig. He is
ordfruma and ende: he is ordfruma, for þi þe he wæs
æfre; he is ende butan ælcere geendunge, forþan þe he
biþ æfre ungeendod. He is ealra cyninga cyning, and
5 ealra hlaforda hlaford. He hylt mid his mihte heofonas

60

and eorþan, and ealle gesceafta butan geswince, and he
besceawaþ þa niwelnyssa þe under þyssere eorþan sind.
He awecþ ealle duna mid anre handa, and ne mæg nan
þing his willan wiþstandan. Ne mæg nan gesceaft
fulfremedlice smeagan ne understandan ymbe God. 5
Maran cyþþe habbaþ englas to Gode þonne men, and
þeahhweþere hi ne magon fulfremedlice understandan
ymbe God. He gesceop gesceafta þa þa he wolde;
þurh his wisdom he geworhte ealle þing, and þurh his
willan he hi ealle geliffæste. Þeos þrynnys is an God: 10
þæt is, se Fæder, and his wisdom of him sylfum æfre
acenned; and heora begra willa, þæt is, se Halga Gast;
he nis na acenned, ac he gæþ of þam Fæder and of þam
Suna gelice. Þas þry hadas sindon an ælmihtig God,
se geworhte heofenas and eorþan, and ealle gesceafta. 15
He gesceop tyn engla werod, þæt sind englas and
heahenglas, throni, dominationes, principatus, po-
testates, virtutes, cherubim, seraphim. Her sindon
nigon engla werod: hi nabbaþ nænne lichaman, ac hi
sindon ealle gastas swiþe strange, and mihtige, and 20
wlitige, on micelre fægernysse gesceapene, to lofe and
to wurþmynte heora Scyppende. Þæt teoþe werod
abreaþ, and awende on yfel. God hi gesceop ealle gode,
and let hi habban agenne cyre, swa hi heora Scyppend
lufedon and filigdon, swa hi hine forleton. Þa wæs þæs 25
teoþan werodes ealdor swiþe fæger and wlitig ge-
sceapen, swa þæt he wæs gehaten 'Leohtberend.' Þa
begann he to modigenne for þære fægernysse þe he
hæfde, and cwæþ on his heortan þæt he wolde and eaþe
mihte beon his Scyppende gelic, and sittan on þam 30
norþdæle heofenan rices, and habban andweald and rice
ongean God ælmihtigne.[1] Þa gefæstnode he þisne ræd
wiþ þæt werod þe he bewiste, and hi ealle to þam ræde

[1] *MS.* ælmihtne.

gebugon. Þa þa hi ealle hæfdon þysne ræd betwux him
gefæstnod, þa becom Godes grama ofer hi ealle, and
hi ealle wurdon awende of þam fægeran hiwe þe hi on
gesceapene wæron to laþlicum deoflum. And swiþe
5 rihtlice him swa getimode, þa þa he wolde mid mo-
dignysse beon betera þonne he gesceapen wæs, and
cwæþ þæt he mihte beon þam ælmihtigan Gode gelic.
Þa wearþ he and ealle his geferan forcuþran and wyrsan
þonne ænig oþer gesceaft; and þa hwile þe he smeade
10 hu he mihte dælan rice wiþ God, þa hwile gearcode se
ælmihtiga Scyppend him and his geferum helle wite,
and hi ealle adræfde of heofenan rices myrhþc, and let
befeallan on þæt ece fyr, þe him gegearcod wæs for
heora ofermettum. Þa sona þa nigon werod, þe þær
15 to lafe wæron, bugon to heora Scyppende mid ealre
eaþmodnesse, and betæhton heora ræd to his willan.
Þa getrymde se ælmihtiga God þa nigon engla werod,
and gestaþelfæste, swa þæt hi næfre ne mihton ne
noldon syþþan fram his willan gebugan; ne hi ne
20 magon nu, ne hi nellaþ, nane synne gewyrcan, ac hi
æfre beoþ ymbe þæt an, hu hi magon Gode gehyrsu-
mian, and him gecweman. Swa mihton eac þa oþre
þe þær feollon don, gif hi woldon; for þi þe God hi
geworhte to wlitegum engla gecynde, and let hi habban
25 agenne cyre, and hi næfre ne gebigde ne ne nydde mid
nanum þingum to þam yfelan ræde; ne næfre se yfela
ræd ne com of Godes geþance, ac com of þæs deofles,
swa swa we ær cwædon.

Nu þencþ menig man and smeaþ hwanon deofol
30 come; þonne wite he þæt God gesceop to mærum engle
þone þe nu is deofol: ac God ne gesceop hine na to
deofle; ac þa þa he wæs mid ealle fordon and forscyld-
god þurh þa micclan upahefednysse and wiþerweard-
nysse, þa wearþ he to deofle awend, se þe ær wæs mære

engel geworht. Þa wolde God gefyllan and geinnian
þone lyre þe forloren wæs of þam heofenlicum werode,
and cwæþ þæt he wolde wyrcan mannan of eorþan,
þæt se eorþlica man sceolde geþeon, and geearnian mid
eadmodnysse þa wununga on heofenan rice þe se deofol 5
forwyrhte mid modignysse. And God þa geworhte
ænne mannan of lame, and him on ableow gast, and
hine gelifæste, and he wearþ þa mann gesceapen on
sawle and on lichaman; and God him sette naman
Adam, and he wæs þa sume hwile anstandende. God 10
þa hine gebrohte on neorxnawange, and hine þær ge-
logode, and him to cwæþ, 'Ealra þæra þinga þe on
neorxnawange sindon þu most brucan, and hi ealle
beoþ þe betæhte, buton anum treowe þe stent on
middan neorxnawange: ne hrepa þu þæs treowes 15
wæstm, forþan þe þu bist deadlic, gif þu þæs treowes
waestm geetst.' Hwi wolde God swa lytles þinges him
forwyrnan, þe him swa miccle oþre þing betæhte?
Gyse, hu mihte Adam tocnawan hwæt he wære, buton
he wære gehyrsum on sumum þinge[1] his Hlaforde? 20
Swylce God cwæde to him, 'Nast þu na þæt ic eom þin
hlaford and þæt þu eart min þeowa, buton þu do þæt
ic þe hate, and forgang þæt ic þe forbeode. Hwæt
mæg hit þonne beon þæt þu forgan sceole: ic þe secge,
forgang þu anes treowes wæstm, and mid þære eaþelican 25
gehyrsumnysse þu geearnast heofenan rices myrhþe and
þone stede þe se deofol of afeoll þurh ungehyrsumnesse.
Gif þu þonne þis lytle bebod tobrecst, þu scealt deaþe
sweltan.'

And þa wæs Adam swa wis þæt God gelædde to him 30
nytenu, and deorcynn, and fugelcynn, þa þa he hi
gesceapene hæfde; and Adam him eallum naman
gesceop; and swa swa he hi þa genamode, swa hi sindon

[1] MS. þince.

gyt gehatene. Þa cwæþ God, 'Nis na gedafenlic þæt
þes man ana beo, and næbbe nænne fultum; ac uton
gewyrcan him gemacan, him to fultume and to frofre.'
And God þa geswefode þone Adam, and þa þa he slep,
5 þa genam he an rib of his sidan, and geworhte of þam
ribbe ænne wifman, and axode Adam hu heo hatan
sceolde. Þa cwæþ Adam, 'Heo is ban of minum banum,
and flæsc of minum flæsce; beo hire nama Virago, þæt
is fæmne; forþan þe heo is of hire were genumen.' Þa
10 sette Adam eft hire oþerne naman, Aeva, þæt is 'lif';
forþan þe heo is ealra lybbendra modor.

Ealle gesceafta, heofonas and englas, sunnan and
monan, steorran and eorþan, ealle nytenu and fugelas,
sæ and ealle fixas, and ealle gesceafta God gesceop and
15 geworhte on six dagum; and on þam seofoþan dæge
he geendode his weorc, and geswac þa, and gehalgode
þone seofoþan dæg, forþan þe he on þam dæge his
weorc geendode. And he beheold þa ealle his weorc þe
he geworhte, and hi wæron ealle swiþe gode. Ealle
20 þing he geworhte buton ælcum antimbre. He cwæþ,
'Geweorþe leoht,' and þærrihte wæs leoht geworden.
He cwæþ eft, 'Geweorþe heofen,' and þærrihte wæs
heofen geworht, swa swa he mid his wisdome and mid
his willan hit gedihte. He cwæþ eft, and het þa eorþan
25 þæt heo sceolde forþlædan cuce nytenu; and he þa
gesceop of þære eorþan eall nytencynn, and deorcynn,
ealle þa þe on feower fotum gaþ; ealswa eft of wætere
he gesceop fixas and fugelas, and sealde þam fixum sund,
and þam fugelum fliht; ac he ne sealde nanum nytene
30 ne nanum fisce nane sawle; ac heora blod is heora lif,
and swa hraþe swa hi beoþ deade, swa beoþ hi mid ealle
geendode. Þa þa he worhte þone mann Adam, he ne
cwæþ na, 'Geweorþe man geworht,' ac he cwæþ, 'Uton
gewyrcan mannan to ure anlicnysse,' and he worhte þa

þone man mid his handum, and him on ableow sawle;
for þi is se man betera, gif he gode geþihþ, þonne ealle
þa nytenu sindon; forþan þe hi ealle gewurþaþ to
nahte, and se man is ece on anum dæle, þæt is on þære
sawle: heo ne geendaþ næfre. Se lichama is deadlic 5
þurh Adames gylt, ac þeahhwæþere God arærþ eft þone
lichaman to ecum þingum on domes dæg. Nu cwædon
gedwolmen þæt deofol gesceope sume gesceafta, ac hi
leogaþ; ne mæg he nane gesceafta gescyppan, forþan
þe he nis na Scyppend, ac is atelic sceocca, and mid 10
leasunge he wile beswican and fordon þone unwaran;
ac he ne mæg nænne man to nanum leahtre geneadian,
buton se mon his agenes willes to his lare gebuge. Swa
hwæt swa is on gesceaftum wiþerweardlic geþuht and
mannum derige, þæt is eall for urum synnum and 15
yfelum geearnungum.

Þa ongeat se deofol þæt Adam and Eve wæron to þy
gesceapene þæt hi sceoldon mid eadmodnysse and mid
gehyrsumnysse geearnian þa wununge on heofenan rice
þe he of feoll for his upahefednysse, þa nam he micelne 20
graman and andan to þam mannum, and smeade hu
he hi fordon mihte. He com þa on næddran hiwe to
þam twam mannum, ærest to þam wife, and hire to
cwæþ, 'Hwi forbead God eow þæs treowes wæstm, þe
stent on middan neorxnawange?' Þa cwæþ þæt wif, 25
'God us forbead þæs treowes wæstm, and cwæþ þæt
we sceoldon deaþe sweltan, gif we his onbyrigdon.'
Þa cwæþ se deofol, 'Nis hit na swa þu segst, ac God wat
genoh geare, gif ge of þam treowe geetaþ, þonne beoþ
eowere eagan geopenode, and ge magon geseon and 30
tocnawan ægþer ge god ge yfel, and ge beoþ englum
gelice.' Næron hi blinde gesceapene, ac God hi gesceop
swa bilewite þæt hi ne cuþon nan þing yfeles, naþor
ne on gesihþe, ne on spræce, ne on weorce. Wearþ þeah

þæt wif þa forspanen þurh þæs deofles lare, and genam
of þæs treowes wæstme, and geæt, and sealde hire were,
and he geæt. Þa wæron hi butu deadlice, and cuþon
ægþer ge god ge yfel; and hi wæron þa nacode, and
5 him þæs sceamode. Þa com God, and axode hwi he his
bebod tobræce? and adræfde hi butu of neorxnawange,
and cwæþ, 'Forþan þe þu wære gehyrsum þines wifes
wordum, and min bebod forsawe, þu scealt mid ear-
foþnyssum þe metes tilian, and seo eorþe þe is awyriged
10 on þinum weorce: sylþ þe þornas and bremblas. Þu
eart of[1] eorþan genumen, and þu awenst to eorþan.
Þu eart dust, and þu awentst to duste.' God him
worhte þa reaf of fellum, and hi wæron mid þam fellum
gescrydde.

15 Þa deadan fell getacnodon þæt hi wæron þa deadlice
þe mihton beon undeadlice, gif hi heoldon þæt eaþelice
Godes bebod. Ne þorfte Adam ne eal mancynn þe him
siþþan of acom næfre deaþes onbyrian, gif þæt treow
moste standan ungehrepod, and his nan man ne on-
20 byrigde; ac sceolde Adam and his ofspring tyman on
asettum tyman, swa swa nu doþ clæne nytenu, and
siþþan ealle buton deaþe faran to þan ecan life. Næs
him gesceapen fram Gode, ne he næs genedd þæt he
sceolde Godes bebod tobrecan; ac God hine let frigne,
25 and sealde him agenne cyre, swa he wære gehyrsum,
swa he wære ungehyrsum. He wearþ þa deofle ge-
hyrsum, and Gode ungehyrsum, and wearþ betæht, he
and eal mancynn, æfter þisum life, into helle wite, mid
þam deofle þe hine forlærde.

30 Þa wiste God hwæþere þæt he wæs forlæred, and
smeade hu he mihte his and ealles mancynnes eft
gemiltsian. On twam þingum hæfde God þæs mannes
sawle gegodod; þæt is mid undeadlicnysse, and mid

[1] Sweet af, Thorpe of.

gesælþe. Þa þurh deofles swicdom and Adames gylt
we forluron þa gesælþe ure sawle, ac we ne forluron na
þa undeadlicnyssæ; heo is ece, and næfre ne geendaþ,
þeah se lichama geendige, þe sceal eft þurh Godes
mihte arisan to ecere wununge. Adam þa wæs wuni- 5
gende on þisum life mid geswince, and he and his wif
þa bearn gestryndon, ægþer ge suna ge dohtra; and he
leofode nigon hund geara and þrittig geara, and siþþan
swealt, swa swa him ær behaten wæs, for þan gylte;
and his sawul gewende to helle.   10

Nu smeagiaþ sume men, hwanon him come sawul?
hwæþer þe of þam fæder, þe of þære meder? We
cweþaþ, of heora naþrum; ac se ylca God þe gesceop
Adam mid his handum, he gescypþ ælces mannes licha-
man on his modor innoþe; and se ylca se þe ableow on 15
Adames lichaman, and him forgeaf sawle, se ylca for-
gyfþ cildum sawle and lif on heora moder innoþe, þonne
hi gesceapene beoþ; and he lætt hi habban agenne
cyre, þonne hi geweaxene beoþ, swa swa Adam hæfde.

Þa wearþ þa hrædlice micel mennisc geweaxen, and 20
wæron swiþe manega on yfel awende, and gegremodon
God mid mislicum leahtrum, and swiþost mid forligere.
Þa wearþ God to þan swiþe gegremod þurh manna
mandæda þæt he cwæþ þæt him ofþuhte þæt he æfre
mancynn gesceop. Þa wæs hwæþere an man rihtwis 25
ætforan Gode, se wæs Noe gehaten. Þa cwæþ God to
him, 'Ic wylle fordon eal mancynn mid wætere, for
heora synnum, ac ic wylle gehealdan þe ænne, and þin
wif, and þine þry suna, Sem, and Cham, and Iafeth,
and heora þreo wif; forþan þe þu eart rihtwis, and me 30
gecweme. Wyrc þe nu ænne arc, þreo hund fæþma
lang, and fiftig fæþma wid, and þritig fæþma heah:
gehref hit eall, and geclæm ealle þa seamas mid tyrwan,
and ga inn syþþan mid þinum hiwum. Ic gegaderige

in to þe of deorcynne and of fugelcynne symble ge-
macan, þæt hi eft to fostre beon. Ic wille sendan flod
ofer ealne middangeard.'

He dyde þa swa him God bebead; and God beleac
5 hi binnon þam arce, and asende ren of heofonum
feowertig daga togædere, and geopenode þær togeanes
ealle wyllspringas and wæterþeotan of þære micclan
niwelnysse. Þæt flod weox þa, and abær up þone arc,
and hit oferstah ealle duna. Wearþ þa[1] ælc þing cuces
10 adrenct, buton þam þe binnon þam arce wæron; of
þam wearþ eft geedstaþelod eall middangeard. Þa
behet God þæt he nolde næfre eft eal mancynn mid
wætere acwellan, and cwæþ to Noe and to his sunum,
'Ic wylle settan min wedd betwux me and eow to þisum
15 behate: þæt is, þonne ic oferteo heofenas mid wolcnum,
þonne biþ æteowod min renboga betwux þam wolcnum,
þonne beo ic gemyndig mines weddes, þæt ic nelle
heononforþ mancynn mid wætere adrencan.' Noe
leofode on eallum his life, ær þam flode and æfter þam
20 flode, nigon hund geara and fiftig geara, and he þa
forþferde.

Þa wæs þa sume hwile Godes ege on mancynne æfter
þam flode, and wæs an gereord on him eallum. Þa
cwædon hi betwux him þæt hi woldon wyrcan ane burh,
25 and ænne stypel binnon þære byrig, swa heahne þæt
his hrof astige up to heofenum: and begunnon þa to
wyrcenne. Þa com God þærto, þa þa hi swiþost worh-
ton, and sealde ælcum men þe þær wæs synderlice
spræce. Þa wæron þær swa fela gereord swa þær
30 manna wæron; and heora nan nyste hwæt oþer cwæþ.
And hi þa geswicon þære getimbrunge, and toferdon
geond ealne middangeard.

Þa siþþan wearþ mancynn þurh deofol beswicen, and

[1] *Sweet* þe, *Thorpe* þa.

gebiged fram Godes geleafan, swa þæt hi worhton him
anlicnyssa, sume of golde, sume of seolfre, sume eac of
stanum, sume of treowe, and sceopon him naman,
þæra manna naman þe wæron entas and yfeldæde.
Eft þonne hi deade wæron, þonne cwædon þa cucan 5
þæt hi wæron godas, and wurþodon hi, and him lac
offrodon; and comon þa deoflu to heora anlicnyssum,
and þæron wunodon, and to mannum spræcon swilce
hi godas wæron; and þæt beswicene mennisc feoll on
cneowum to þam anlicnyssum, and cwædon, 'Ge sind 10
ure godas, and we besettaþ urne geleafan and urne hiht
on eow.' Þa asprang þis gedwyld geond ealne middan-
geard, and wæs se soþa Scyppend, se þe ana is God,
forsewen and geunwurþod. Þa wæs hwæþere an mægþ
þe næfre ne abeah to nanum deofolgylde, ac æfre 15
wurþode þone soþan God. Seo mægþ asprang of Noes
eltstan suna, se wæs gehaten Sem: he leofode six hund
geara, and his sunu hatte Arfaxaþ, se leofode þreo hund
geara and þreo and þrittig, and his sunu hatte Sale, se
leofode feower hund geara and xxxiii; þa gestrynde he 20
sunu, se wæs gehaten Eber, of þam asprang þæt Ebreisce
folc, þe God lufode; and of þam cynne comon ealle
heahfæderas and witegan, þa þe cyþdon Cristes tocyme
to þisum life, þæt he wolde man beon, fornean on ende
þyssere worulde, for ure alysednesse, se þe æfre wæs 25
God mid þam healican Fæder. And þyssere mægþe
God sealde and gesette æ, and he hi lædde ofer sæ mid
drium fotum, and he hi afedde feowertig wintra mid
heofenlicum hlafe, and fela wundra on þam folce ge-
worhte; forþan þe he wolde of þyssere mægþe him 30
modor geceosan.

Þa æt nexstan, þa se tima com þe God foresceawode,
þa asende he his engel Gabrihel to anum mædene of
þam cynne, seo wæs Maria gehaten. Þa com se engel

to hire, and hi gegrette mid Godes wordum, and cydde
hire þæt Godes Sunu sceolde beon acenned of hire,
buton weres gemanan. And heo þa gelyfde his wordum,
and wearþ mid cilde. Þa þa hire tima com heo acende,
5 and þurhwunode mæden. Þæt cild is tuwa acenned:
he is acenned of þam Fæder on heofonum, buton ælcere
meder, and eft þa þa he man gewearþ, þa wæs he acenned
of þam clænan mædene Marian, buton ælcum eorþlicum
fæder. God Fæder geworhte mancynn and ealle ges-
10 ceafta þurh þone Sunu, and eft, þa þa we forwyrhte wæ-
ron, þa asende he þone ylcan Sunu to ure alysednesse.
Seo halige moder Maria þa afedde þæt cild mid micelre
arwurþnesse, and hit weox swa swa oþre cild doþ, buton
synne anum.

15 He wæs buton synnum acenned, and his lif wæs eal
buton synnum. Ne worhte he þeah nane wundra
openlice ær þan þe he wæs þritigwintre on þære men-
niscnysse; þa siþþan geceas he him leorningcnihtas;
ærest twelf, þa we hataþ 'apostolas,' þæt sind 'ærend-
20 racan.' Siþþan he geceas twa and hundseofontig, þa
sind genemnede 'discipuli,' þæt sind 'leorningcnihtas.'
Þa worhte he fela wundra, þæt men mihton gelyfan
þæt he wæs Godes bearn. He awende wæter to wine,
and eode ofer sæ mid drium fotum, and he gestilde
25 windas mid his hæse, and he forgeaf blindum mannum
gesihþe, and healtum and lamum rihtne gang, and
hreoflium smeþnysse, and hælu heora lichaman; dum-
bum he forgeaf getingnysse, and deafum heorcnunge;
deofolseocum and wodum he sealde gewitt, and þa
30 deoflu todræfde, and ælce untrumnysse he gehælde;
deade men he arærde of heora byrgenum to life; and
lærde þæt folc þe he to com mid micclum wisdome; and
cwæþ þæt nan man ne mæg beon gehealden, buton he
rihtlice on God gelyfe, and he beo gefullod, and his

geleafan mid godum weorcum geglenge; he onscunode
ælc unriht and ealle leasunga, and tæhte rihtwisnysse
and soþfæstnysse.

Þa nam þæt Iudeisce folc micelne andan ongean his
lare, and smeadon hu hi mihton hine to deaþe gedon. 5
Þa wearþ an þæra twelfa Cristes geferena, se wæs Iudas
gehaten, þurh deofles tihtinge beswicen, and he eode
to þam Iudeiscum folce, and smeade wiþ hi hu he Crist
him belæwan mihte. Þeah þe eal mennisc wære ge-
gaderod, ne mihton hi ealle hine acwellan, gif he sylf 10
nolde; for þi he com to us þæt he wolde for us deaþ
þrowian, and swa eal mancynn þa þe gelyfaþ mid his
agenum deaþe alysan fram helle wite. He nolde
geniman us neadunge of deofles anwealde, buton he hit
forwyrhte; þa he hit forwyrhte genoh swiþe, þa þa he 15
gehwette and tihte þæra Iudeiscra manna heortan to
Cristes slege. Crist þa geþafode þæt þa wælhreowan
hine genamon and gebundon, and on rodehengene
acwealdon. Hwæt þa twegen gelyfede men hine arwurþ-
lice bebyrigdon, and Crist on þære hwile to helle 20
gewende, and þone deoful gewylde, and him of anam
Adam and Evan, and heora ofspring, þone dæl þe him
ær gecwemde, and gelædde hi to heora lichaman, and
aras of deaþe mid þam micclum werede on þam þriddan
dæge his þrowunge. Com þa to his apostolum, and hi 25
gefrefrode, and geond feowertigra daga fyrst him mid
wunode; and þa ylcan lare þe he him ær tæhte eft
geedlæhte, and het hi faran geond ealne middangeard,
bodigende fulluht and soþne geleafan. Drihten þa on
þam feowerteogoþan dæge his æristes astah to heofenum, 30
ætforan heora ealra gesihþe, mid þam ylcan lichaman
þe he on þrowode, and sitt on þa swiþran his Fæder,
and ealra gesceafta gewylt. He hæfþ gerymed rihtwi-
sum mannum infær to his rice, and þa þe his beboda

eallunga forseoþ beoþ on helle besencte. Witodlice he
cymþ on ende þyssere worulde mid micclum mægen-
þrymme on wolcnum, and ealle þa þe æfre sawle
underfengon arisaþ of deaþe him togeanes; and he
5 þonne þa manfullan deofle betæcþ into þam ecan fyre
helle susle; þa rihtwisan he læt mid him into heofenan
rice, on þam hi rixiaþ a on ecnysse.

Men þa leofostan, smeagaþ þysne cwyde, and mid
micelre gymene forbugaþ unrihtwysnysse, and ge-
10 earniaþ mid godum weorcum þæt ece lif mid Gode, se
þe ana on ecnysse rixaþ. Amen.

II. ÆLFRIC'S COLLOQUY

This colloquy or dialogue was compiled by Ælfric (see p. 60)
as an exercise for boys learning to speak Latin. Ælfric wrote
only the Latin version of the colloquy, and the Anglo-Saxon is
an interlinear translation of the Latin text, made by some un-
known person, probably in the early eleventh century. The
Anglo-Saxon is here printed as an independent text, but the
Latin is added for purposes of comparison. The passages are
from the beginning and end of the colloquy, the remainder
consisting of further conversations between a teacher, Magister,
and his pupil, Discipulus, or perhaps several pupils, one taking
the part of a hunter, Venator, another of a fisherman, Piscator,
etc. Through these conversations the pupils become familiar
with many words connected with the several trades and oc-
cupations. The text is from MS. Cotton Tiberius A. III, in the
British Museum, as contained in Thomas Wright's *Anglo-Saxon
and Old English Vocabularies*, second edition by R. P. Wülcker,
Vol. I, pp. 89–103, London, 1884.

Discipulus. We cildra biddaþ þe, eala lareow, þæt
þu tæce us sprecan rihte, for þam ungelærede we syndon
and gewæmmodlice we sprecaþ.

---

15 *Discipulus.* Nos pueri rogamus te, magister, ut
doceas nos loqui Latialiter recte, quia idiote sumus, et
corrupte loquimur.

Magister. Hwæt wille ge sprecan?

Discipulus. Hwæt rece we hwæt we sprecan, buton hit riht spræc sy and behefe, næs idel oþþe fracod.

Magister. Wille ge beon beswungen on leornunge?

Discipulus. Leofre ys us beon beswungen for lare 5 þænne hit ne cunnan; ac we witan þe bilewitne wesan and nellan onbelæden swincgla us buton þu bi to- genydd fram us.

Magister. Ic axie þe, hwæt sprycst þu? Hwæt hæfst þu weorkes? 10

Discipulus. Ic eom geanwyrde monuc, and ic sincge ælce dæg seofon tida mid gebroþrum, and ic eom bysgod on rædinga and on sange; ac þeah hwæþere ic wolde betwenan leornian sprecan on Leden-gereorde.

Magister. Hwæt cunnon þas þine geferan? 15

Discipulus. Sume synt yrþlincgas, sume scephyrdas, sume oxanhyrdas, sume eac swylce huntan, sume

---

Magister. Quid uultis loqui?

Discipulus. Quid curamus quid loquamur, nisi recta locutio sit, et utilis, non anilis, aut turpis? 20

Magister. Uultis flagellari in discendo?

Discipulus. Carius est nobis flagellari pro doctrina, quam nescire; sed scimus te mansuetum esse, et nolle inferre plagas nobis, nisi cogaris a nobis.

Magister. Interrogo te quid mihi loqueris. Quid 25 habes operis?

Discipulus. Professus sum monachum, et psallam omni die septem sinaxes cum fratribus, et occupatus sum lectionibus et cantu; sed tamen uellem interim discere sermocinari Latina lingua. 30

Magister. Quid sciunt isti tui socii?

Discipulus. Alii sunt aratores, alii opiliones, quidam bubulci, quidam etiam uenatores, alii piscatores, alii

fisceras, sume fugleras, sume cypmenn, sume scewyrh-
tan, sealteras, bæceras.

* * * * * * *

Magister. Þu, cnapa, hwæt dydest to dæg?

Discipulus. Manega þingc ic dyde. On þisse niht,
5 þa þa cnyll ic gehyrde, ic aras on minon bedde and
eode to cyrcean and sang uhtsang mid gebroþrum;
æfter þa we sungon be eallum halgum and dægredlice
laudes; æfter þysum prim and seofon seolmas mid
letanian and capitol mæssan; syþþan undertide and
10 dydon mæssa be dæge; æfter þisum we sungan middæg
and æton and druncon and slepon, and eft we arison
and sungon non, and nu we synd her ætforan þe
gearuwe gehyran hwæt þu us secge.

Magister. Hwænne wylle ge syngan æfen oþþe
15 nihtsangc?

---

aucupes, quidam mercatores, quidam sutores, quidam
salinatores, quidam pistores loci.

* * * * * * *

Magister. Tu, puer, quid fecisti hodie?

Discipulus. Multas res feci. Hac nocte, quando
20 signum audiui, surrexi de lectulo et exiui ad ecclesiam,
et cantaui nocturnam cum fratribus; deinde cantaui-
mus de omnibus sanctis et matutinales laudes; post
hæc, primam, et vii. psalmos, cum letaniis, et primam
missam; deinde tertiam, et fecimus missam de die;
25 post hæc cantauimus sextam, et manducauimus, et
bibimus, et dormiuimus, et iterum surreximus, et can-
tauimus nonam, et modo sumus hic coram te, parati
audire quid nobis dixeris.

Magister. Quando uultis cantare uesperum aut
30 completorium?

Discipulus. Þonne hyt tima byþ.

Magister. Wære þu to dæg beswuncgen?

Discipulus. Ic næs, forþam wærlice ic me heold.

Magister. And hu þine geferan?

Discipulus. Hwæt me ahsast be þam? Ic ne deor 5
yppan þe digla ure. Anra gehwylc wat gif he be-
swuncgen wæs oþþe na.

Magister. Hwæt ytst þu on dæg?

Discipulus. Gyt flæscmettum ic bruce, forðam cild
ic eom under gyrda drohtniende. 10

Magister. Hwæt mare ytst þu?

Discipulus. Wyrta and ægra, fisc and cyse, buteran
and beana, and ealle clæne þingc ic ete mid micelre
þancunge.

Magister. Swyþe waxgeorn eart þu, þonne þu ealle 15
þingc etst þe þe toforan gesette synd.

Discipulus. Quando tempus erit.

Magister. Fuisti hodie uerberatus?

Discipulus. Non fui, quia caute me tenui.

Magister. Et quomodo tui socii? 20

Discipulus. Quid me interrogas de hoc? Non audeo
pandere tibi secreta nostra. Unusquisque scit si
flagellatus erat an non.

Magister. Quid manducas in die?

Discipulus. Adhuc carnibus uescor, quia puer sum 25
sub uirga degens.

Magister. Quid plus manducas?

Discipulus. Holera et oua, pisces et caseum, buti-
rum et fabas, et omnia munda manduco, cum gratiarum
actione. 30

Magister. Ualde edax es, cum omnia manducas que
tibi apponuntur.

Discipulus. Ic ne eom swa micel swelgere þæt ic ealle cynn metta on anre gereordinge etan mæge.

Magister. Ac hu?

Discipulus. Ic bruce hwilon þisum mettum [and
5 hwilon]¹ oþrum mid syfernysse, swa swa dafnað munuce, næs mid oferhropse, forþam ic eom nan gluto.

Magister. And hwæt drincst þu?

Discipulus. Eala, gif ic hæbbe, oþþe wæter gif ic næbbe ealu.

10 *Magister.* Ne drincst þu win?

Discipulus. Ic ne eom swa spedig þæt ic mæge bicgean me win; and win nys drenc cilda ne dysgra, ac ealdra and wisra.

Magister. Hwær slæpst?

15 *Discipulus.* On slæpern mid gebroþrum.

Magister. Hwa awecþ þe to uhtsancge?

Discipulus. Non sum tam uorax ut omnia genera ciborum in una refectione edere possum.

Magister. Sed quomodo?

20 *Discipulus.* Uescor aliquando his cibis, et aliquando aliis, cum sobrietate, sicut decet monachum, non cum uoracitate, quia non sum gluto.

Magister. Et quid bibis?

Discipulus. Ceruisam, si habeo, uel aquam, si non
25 habeo ceruisam.

Magister. Nonne bibis uinum?

Discipulus. Non sum tam diues ut possim emere mihi uinum; et uinum non est potus puerorum siue stultorum, sed senum et sapientum.

30 *Magister.* Ubi dormis?

Discipulus. In dormitorio cum fratribus.

Magister. Quis excitat te ad nocturnos?

¹ *Not in the MS., but the Latin requires it.*

Discipulus. Hwilon ic gehyre cnyll and ic erise;
hwilon lareow min awecþ me stiþlice mid gyrde.

Magister. Eala ge gode cildra and wynsume leor-
neras, eow manaþ eower lareow þæt ge hyrsumian
godcundum larum, and þæt ge healdan eow sylfe ænlice 5
on ælcere stowe. Gaþ þeawlice þonne ge gehyran
cyricean bellan, and gaþ into cyrcean and abugaþ
eadmodlice to halgum wefodum, and standaþ þeawlice
and singað anmodlice and gebiddaþ for eowrum syn-
num, and gaþ ut butan hygeleaste to claustre oþþe to 10
leorninge.

Discipulus. Aliquando audio signum, et surgo; ali-
quando magister meus excitat me duriter cum uirga.

Magister. O probi pueri et uenusti mathites, uos
hortatur uester eruditor ut pareatis diuinis disciplinis, 15
et obseruetis uosmet eleganter ubique locorum. Ince-
ditis morigerate, cum auscultaueritis ecclesie campanas,
et ingredimini in orationem, et inclinate suppliciter ad
almas aras, et state disciplinabiliter, et concinite
unanimiter, et interuenite pro uestris erratibus, et 20
egredimini sine scirilitatem in claustrum uel in gim-
nasium.

VII

THE BENEDICTINE RULE

Towards the end of the tenth century a vigorous effort was made in England to restore monastic discipline and learning, both of which had suffered greatly from the Danish invasions. The leader in this movement was St. Dunstan (924–988), with whose name must be united that of Æthelwold (908?–984), abbot of Abingdon and later bishop of Winchester. For the governance of the monks in the restored monasteries, Æthelwold drew up a version of the *regula* or rule of St. Benedict in Latin, and later, at the request of King Edgar, who succeeded to the throne in 959, he made an English translation of the book. Various manuscripts of this Anglo-Saxon version have survived and have been edited by Schröer, *Die angelsächsischen Prosabearbeitungen der Benedictinerregel*, Kassel, 1888. The passages from the Rule printed below are derived from Schröer's edition of the Cambridge MS., Corpus Christi College, 178, which was written at the end of the tenth or early in the eleventh century. The original Latin is most conveniently accessible in *Benedicti Regula Monachorum*, ed. Woelfflin, Leipzig, 1895, in the Teubner texts.

CHAPTER XVI

Hu Ða Godcundan Weorc on Dæge Sceolon Beon Gedonne

Uton don swa se witega cwæþ: Seofonsiðum on dæg ic þe, drihten, herede ond þin lof sæde. Ðæt seofon-fealde getæl bið þus þurh us gefylled, gif dægredsang, primsang, undernsang, middægsang, nonsang, æfen-
5 sang, nihtsang bið gefylled þurh ures þeowdomes þenunge; be þam tidum cwæð se witega: Seofon-siþum on dæg ic, drihten, þe herede. Soþes se yleca witega be þam uhtwæccum þus cwæþ: To middre

78

nihte ic aras, drihten, þe to andettenne. Eornostlice
on þysum tidum we herien urne scyppend be þam
domum his rihtwisnesse, þæt is on dægred, on prim, on
undern, on middæg, on non, on æfen, on nihtsange;
and on niht arisan ond drihtne geandettan.   5

CHAPTER XXII

Be Muneca Reste

Ænlypige munecas geond ænlypige bed restan. Hy
bedreaf onfon æfter heora drohtnunge gemete and
æfter heora abbodes dyhte. Gif hit beon mæge, hy
ealle on anum huse restan; gif seo menigo to þam micel
sy, þæt hy ne mægen, tynum and twentigum on anum   10
inne ætgædere restan mid heora ealdrum þe embe hy
carien. Leoht on ðæm selfum inne singallice ofer ealle
niht byrne oð leohtne mergen. Hy gewædode and
begyrde resten, and nane sex be heora sidan næbben,
þe læs þe hy on slæpe gewundade weorþan; ac þæt hy 15
symle gearowe syn, and geworhtum beacne, hy butan
elcunge arisende caflice gehwylc oþerne forestæppe and
to ðam Godes weorce efste; þæt þonne sy mid mycelre
gestaþðignesse and gemetfæstnesse. Seo geogoð na
getanglice ne licge, ac sio yld þa geogoðe tolicge. To 20
þam Godes weorce arisende, heora ælc oþerne myngige,
þæt þa slapule nane lade næbben.

CHAPTER XXXV

Be Wicðenum

Gebroðru gemænelice heom betwyh þenien, and
nænig sy beladod fram þære kycenan þenunge, buton
hwa mid untrumnesse oðþe mid bysegum ofset sy, þæt 25

he hit don ne mæge; þurh þa gemænan þenunge þysse
hyrsumnesse byð seo mæste lufu Godes and manna
gestryned. Sy fultum geseald þam wacmodum and
þam unstrangum, þæt hi mid unrotnesse þa hyrsum-
5 nesse ne don, ac habban ealle fultum and frofer[1] be þære
geferædene mycelnesse and be þære stowe staðole and
getæsnesse. Gif seo geferræden micel við, sy se hordere
aspeled æt þære þenunge and eac swa þa þe mid miclum
bysegum ofsette syn; elles þa oþre ealle heom ge-
10 mænelice betwyh on þisse þenunge þeowian.

Ðære kycenan wicþenas on ðone Sætresdæg ægðer
ge fata þwean ge wæter-claðas wacsan þe hy heora
handa and fet mid wipedan. Þwean on þam sylfan
dæge ealra gebroðra fet, ægðer ge þære wucan wicþenas
15 ge þære toweardan. Heora þeningfata clæne and hale
þam hordere betæcen; se hordere eft þære toweardan
wucan wicþenum þa ylcan þeningfata betæce, and wite
ægðer ge hwæt he underfo ge hwæt he betæce. Ða
wicþenas anre tide ær gemænum gereorde gan to hlafe
20 and sume ænlypige siþe drincan; and þæt sy toforan
gesetre bigleofene,[2] þæt hy þe glædlicor butan gedeorfe
and miclum geswince heora gebroðrum on ætes timan
þenien; ðehhweþere freolstidum beon butan þam hlaf-
gange and drynce oðþæt hi mæssan hæbben. Sun-
25 nandagum þa wicþenas, ge þære ærran wucan ge þære
toweardan, sona æfter dægredsange innan cyrican
betyrnan hy wið ealra geferena cneowa, swa biddende
þæt heom foregebeden sy. Se þe þa ærran wicþenunga
geendod hæbbe, þonne he ut of þære wicþenunge fære,
30 cweþe þis fers þus þanciende: Gebledsod þu eart,
drihten ælmihtig, þe me on þysse ðenunge gefultumadest
and gefrefrodest. And þis fers sy þriwa gecweden, and
swa mid bledsunge of þære wicþenunge fare. Æfter-

[1] MS. frouer.   [2] MS. leouene.

fylige þære toweardan wucan wicþen and þus cweþe: Begim þu, God, me to fylste, efst þu, drihten, me to fultume. And þæt sylfe[1] fers sy geedlæht þriwa fram ealre geferrædenne, and swa mid bletsunge his wic-þenunge beginne.   5

CHAPTER XXXVIII

BE ÐÆRE WUCAN RÆDERE

Gebroðra gereorde æt hyra mysum ne sceal beon butan haligre rædinge. Ne nan ne gedyrstlæce þæt he færlice boc gelæcce and þær butan foresceawunge onginne to ræddenne; ac þære wucan rædere on ðone Sunnandæg mid bletsunge hit beginne. Se þonne, 10 æfter mæssan and huslgonge, wilnige þæt him fram eallum foregebeden sy, þæt God ælmihtig upahefednesse gast fram him ado; and sy þis fers, him beginnendum, þriwa gecweden fram eallum: Drihten, geopena þu mine weleras, and min muð bodige þin lof. And þus 15 mid bletsunge beginne þære rædinge þenunge.

Sy þænne healic swige æt þæm gereorde, þæt nanes mannes stefn oðþe reonung þærinne gehyred ne sy, butan þæs ræderes anes. Gif hy etende oðþe drincende hwylcera þinga behofien, þæt sy mid sumere ge- 20 tacnunge gebeden and na mid menniscre stefne; ne furþon hyra nan ne gedyrstlæce þæt he be þære sylfan rædinge þærinne ænig ðing ahsige, oðþe be ænigum oðþrum þingum, þe læs þe ænig incca geseald sy, butan hit þæt sy, þæt se ealder hwæt scortlice of þære rædinge 25 to hyra gastlican getimbrunge gereccan wille.

Ðære wucan rædere gange to hlafe[2] and drince ær ðam þe he beginne to rædenne, for ðæs halgan husles

---

[1] *MS.* sylue.   [2] *MS.* hlaue.

þigene and þæt him to langsum his fæsten ne þince;
ete him eft æfter his rædinge mid þeningmannum.

Ne ræden gebroðru, ne ne singen, be nanre endebyrd-
nesse, ac ða syn gecorene to ðære note, þe hit don
5 cunnon and oþre getimbrien mægen.

CHAPTER XXXIX

Be Ætes Gemete

We gelyfað þæt genoh sy to dæghwamlicum gereorde
twa gesodene sufel for missenlicra manna untrumnesse;
gif hwa for hwylcre cisnesse þæs anes brucan ne mæge,
bruce huru þæs oðres. Gif mon æppla hæbbe oðþe
10 hwylces oþres cynnes eorðwæstmas, sy þæt to þriddum
sufle. Sy anes pundes gewihte hlaf to eallum dæge.
Gif hwa on twa mæl etað, sy gehealden þæs pundmætan
hlafes se þridda dæl to þam æfengifle. Gif hi mid
weorces geswince to ðam swiðe ofsette beoð, þæt hi
15 hwilces eacan behofien, stande se eaca on ðæs abbodes
dome, þæt þonne swa sy foresceawod, swa þær næfre
oferfyl ne filige; forþi nis cristenum monnum nan ðing
swa wiðerweardlic and hefigtyme swa swa oferfyl. Be
ðam se Hælend sylf þus clypað: Warniað, þæt eowere
20 heortan ne syn ofersymede mid oferfylle.

Geongum cnapum ne sy bileofa geseald be ðam
ilicum gemete, ac læsse þonne þæm marum, þæt for-
hæfednes ægðer ge on ylde ge on geogoðe simble ge-
healden sy.

25 Ealle endemes fram flæscæte eallum gemete hi
forhæbben, butan þam wanhalum anum and þam
legerfæstum.

CHAPTER XL

Be Drinces Gemete

Anra gehwylc hæfð syndrige gyfe fram Gode, sume furðor þonne sume; and forðy þænne ic mid tweoningum oðrum monnum bileofan gesette. We þeah, manna untrumnesse and tydernesse besceawiende, gelyfað þæt genoh sy ænlypigum munuce to dæges drence þæs wines gemet þe is emina gehaten. Witan þeah þa þe mid geðylde fram wine forhabbað, þæt hy æt Gode mycele and agene mede habbað. Gif þonne þære stowe neod oþþe gedeorf oðþe sumerhæte hwylces eacan behofige, sy þæt on ðæs abbodes dome; and þone eacan swa forsceawige, swa hy næfre mid oferfylle undersmogene and beswicene ne weorðan.

We þeah rædað þæt munecum eallunga to windrince naht ne belimpe; ac forðy þe þæt munecum on urum timan gelæred beon ne mæg, we þa geðafunga þæs d'lrynces on þa wisan doð, þæt þær næfre seo fyl be fullum ne weorðe; ac sy a on þære þigene forhefednes, þæt he him læsse nime þænne hine lyste, forðy win gedeð þæt furðon witan oft misfoþ and fram rihtum geleafan bugan. Ðær wana þurh þære stowe hæfenleaste sy, þæt man þæt fulle wines gemet habban ne mæge, ac mycele læsse, oðþe eallunga næne dæl, bletsien þa heora drihten, þe ðær wunian, and hy na forðy ne ceorien, ne mid mode ne besargien. Toforan eallum þingum we ðæs mynegunge doð, þæt hy butan ceorunge syn.

CHAPTER LXVI

Be Ðæs Mynstres Geatwearde

To þæs mynstres geate sy geatweard geset, eald and wis, þe mid gesceade cunne andswara syllan and ærenda underfon. Seo ripung his gestæþþignesse sy swelc þæt hine ne worian ne scriðan ne lyste. Se sylfa
5 geatweard sceal cytan habban wið þæt geat, þæt þa cuman, þe mynster geseceað, simle gearone hæbben and andwyrde þæra ærenda underfo. Swa se cuma cnocige, oþþe se þearfa clypige, he sona cweþe 'Gode þanc,' and hine georne bletsige and geþwærlice mid
10 Godes ege mid ofeste andswarige mid þam wylme þære soðan lufe. Se sylfa geatweard, gif he fultumes behofige, sy him gingra broðor betæht, þe him mid wicnige.

Gif hit beon mæg, swa sceal mynster beon gestaþelod þæt ealle neadbehefe þing þær binnan wunien, þæt is
15 wæterscype, mylen, wyrtun and gehwylce misenlice cræftas, þe synd gode to beganne, þæt nan neod ne sy munecum utan to farenne, forþy þe seo utfaru nan þing ne framað hira saulum. Þæs regul ic wille þæt gesinlice sie geræd on geferrædenne, þæt hyra nan þurh
20 nytennesse hine beladian ne mæge.

VIII

GREGORY'S *DIALOGUES*

The *Dialogues* of Gregory the Great is a compilation mainly
of tales and legends from the lives of the Italian church fathers,
connected with each other by passages of dialogue between
Gregory and his deacon, Peter, in which the morals of the tales
are expounded. The book was translated into Anglo-Saxon by
Wærferth, the bishop of Worcester to whom Alfred sent a copy
of his translation of Gregory's *Pastoral*. The extracts printed
below are from the Cambridge manuscript, Corpus Christi
College, 322, which dates from the second quarter of the eleventh
century. The text is that of Hecht's edition, *Bischofs Wærferth
von Worcester Übersetzung der Dialoge Gregors des Grossen über
das Leben und die Wunderthaten Italienischer Väter und über die
Unsterblichkeit der Seelen. Aus dem Nachlasse von Julius Zupitza.*
Leipzig, 1900, pp. 23-25, and pp. 205-207.

I. Be Þam Wyrtwearde, hu he Bebead Þære Næddran Þa Wyrta to Healdenne

Felix wæs haten sum broður, se wæs ær genemned
Curuus, þone þu þe sylf ful geare cuþest, se nu niwan
wearð prafost þæs ylcan mynstres. Se me fela wunder-
licra þinga sægde be þam gebroðrum þæs ylcan myn-
stres. Of ðam wundrum hwelchugu word, þa ðe me   5
to gemynde coman, ic wille gereccean, forþon ic efste
to oðrum spellum. And swa þeh ne wene ic no, þæt
me sy an ðæra spella to forlætanne þe me fram þam
ylcan breþer gesægd is. Sum munuc wæs in ðam ylcan
mynstre, se wæs swiðe godes lifes man ond mycelre   10
geearnunge, ond he wæs þæs mynstres wyrtweard. Þa
gewunode an ðeof þæt he ofer þone geard stah ond

85

deogollice stæll þa wyrta. Swa se wyrtweard his wyrte
geornor sette ond plantode, swa he hira læs funde þonne
he eft to com; ond he geseah þæt þa wyrta sume wæron
mid mannes fotum fortredene ond sume wæron mid ealle
5 genumene. Ond he þa ymbeode utan ealne þone wyrt-
tun. Þa æt nexstan funde he hwær se þeof gewunode
þæt he ofer þone geard stah. Ond he þa eft geondeode
þurh þone wyrtun. Þa funde he ane næddran, þære
he wæs bebeodende ond þus to hire cwæð: Folga þu me!
10 Ond hi þa becomon to ðære stigole þær se þeof oferstah
in ðone wyrttun. Þa bebead se wyrtweard þære næd-
dran, þus cweðende: Ic þe bebeode on drihtnes naman
hælendes Cristes, þæt þu ða stigole behealde, ond þu
ne læte þone þeof her ingangan. Seo næddre heo sylfe
15 hraðe oncyrde ond be þære stigole hi astrehte. Ond þa
þa ealle men ymb midne dæg gestildon ond gereston,
þa com se þeof, swa him ær gewunelic þeaw wæs, ond
stah upp on þone geard. Ond þa þa he his fota oðerne
ofdune asette, he þa færinga geseah þæt seo astrehte
20 nædre his weg beleac. Þa wearð he swiþe afyrhted in
him sylfum ond afeoll ofduneweard, ond his oðer fot
wearð fæst on anum sagle þæs geardes. Ond swa he
hangode adune onwændum heafde, oþ þæt se wyrtweard
eft þider com. Ða com se wyrtweard on gewunelicre
25 tide, ond he þone þeof þær hangiende funde. Þa cwæð
he to þære næddran: Gode ic þanc secge þæs þu ge-
fyldest þæt ic bebead; far nu þider þe þu wille. Heo
þa seo nædre hraðe þanon gewat. Þa cwæð he to þam
þeofe: Broðer, hwæt is þis? Forþon þe þu þis dydest,
30 God þe me on geweald sealde. For hwon gedyrstigodest
þu þæt þu þus oft in þisra muneca wyrtune stalodest?
Ond he æfter þisum wordum þæs þeofes fot onlysde of
þam gærde, þe he ær fæste on clyfode, ond hine unge-
deredne ofdune asette ond cwæð to him: Gang mid

me! Þa gelædde he hine to þæs wyrtgeardes gate, ond
gehwylce wyrte, þe he ær mid stale gewilnode, he him
þæt mid mycelre wynsumnysse sealde, þus cweþende:
Gang nu, ond æfter þissere tide ne stala þu her na ma,
ac þonne þe þearf sy, ga þe her to me, ond þæt þu ær   5
mid unrihte on urum geswince begeate, ic þe þæt mid
estfulnesse sylle.

II. Be Haligra Manna Wundrum ond Þeawum[1]

Þis ic eac ne forswigie, þæt þæt ic gecneow of þam
ylcan lande þurh þa sægenc þæs arwyrðan weres ond
mæssepreostes, þam wæs nama Sanctulus. Be þæs 10
wordum þu naht ne tweost, forðon þe þu geare canst
his lif ond geleafan. Eac swylce in ða ylcan tid ear-
dodon ·ii· weras on ðam dælum Nursige þære mægðe,
in life ond in hade haliges drohtoðes; þara wæs oþer
gehaten Euticius, oþer wæs genemned Florentius. Ac 15
se ylca Euticius aweox ond gestrangode in gastlicum
elne ond in þam wylme godcundra mægna, ond ageornde
þæt he manigra manna sawla þurh þa trymnesse god-
cundre lare gelædde to drihtne. Soðlice Florentius he
heold þæt lif in bilwitnesse ond in halgum gebedum. 20
Witodlice þær wæs mynster unfeorr fram heora huse
þæt wæs forlæten ond hyrdeleas for heora hlafordes
deaðe ond forþfore of þam mynstre. Þa woldon þa
munecas habban heom to hlaforde þone ylcan Euticium.
He wæs sona geþafiende heora bene ond hi underfeng 25
ond manega gær heold þæt mynster ond wel beeode
ond geteah þara muneca mod in þa geornesse haliges
lifes ond drohtoðes, ond let wunian þone arwyrðan wer,
Florentium, in þam gebedhuse, þe he ær in eardode, þy

---

[1] *This legend has no separate title in the manuscript; the above
title is taken from the general heading of the fourth book of the Dia-
logues, the legend being the fifteenth in the book.*

læs hit æmtig stode. In þam þa Florentius ana eardode.
Sume dæge he astrehte hine sylfne in gebed, ond bæd
fram þam ælmihtigan drihtne, þæt he wære gemedemod
him forgyfan ond sellan hwylcehugu frofre þær to
5 eardianne. Ond sona swa he þæt gebed gefylde, he
eode ut of þam gebedhuse ond gemette ænne beran
standan beforan þam durum. He ofdune onhylde his
heafod to þære eorðan, and nawiht eowode his reðnesse
on his gebærum, þæt hit openlice wæs ongyten þæt he
10 þyder com to þegnunge þæs Godes weres. Þæt þa se
drihtnes wer sona oncneow, forþon þær to lafe wunedon
feower scep oððe ·v· æt his cytan, ond þa nyste he, hwa
hi heolde. He þa bebead þam ylcan beran ond cwæð:
Gang ond drif þa sceap in heora læse ond cum eft to
15 middes dæges ham. Þa witodlice ongan þis unablin-
nendlice beon gedon, þæt is þonne seo heordelice
gyming, seo ðe to þam beran wæs geþungen. Ond hyt
þa, þæt wilde deor, swa fæstende fedde ond heold þa
sceap þe hit ær gewunode etan. Ond þonne se drihtnes
20 wer to nones wolde fæstan, þonne bebead he þam beran
þæt he ham hwurfe mid þam sceapum to þære nontide,
ond þonne he fæstan nolde, þæt he þonne come to
middes dæges. Ond swa ða in eallum þam wisum se
bere hyrde þam bebode þæs Godes weres, þæt he no to
25 middes dæges ham com þonne him wæs beboden þæt
he to nones sceolde, ne he hit no ne ylde æt non, þonne
he to middes dæges sceolde ham cuman.

Ond þa þa þis wæs lange swa gedon, þa ongan in
þære ylcan stowe se hlisa swa myccles mægenes feor
30 ond wide beon gemærsad. Ac forþon þe se ealda feond
þonne getihð to wite ond to yfle þa forhwyrfdan mæn
þurh andan ond æfæste þonne þe he sceawaþ þa godan
fremian ond weaxan to Godes wuldre, þa ongunnon
feower of þam þegnum þæs arwyrðan Euticius swiðlice

æfæstigan þæt heora hlaford nænig wunder ne worhte,
ond þes, se þe ana wæs forlæten, fore swa mycclum
wundre wearð widmære. Ond þa sætiende hi ofslogon
þone ylcan beran. Ond þa þa he ham ne com in ða
tid þe him beboden wæs, se Godes wer Florentius þa 5
wende his hamcymes, ond his abad oþ æfentid. Þa
ongan he beon sarig, forþon þe se bera ham ne com,
þone he gewunode for bilwitnesse broðor cigan. He
þa sona oðre dæge ferde ut geond þæt land samod
secende þone beran ond þa sceap. Ond þa funde he 10
þone beran ofslægene, ond geornlice ongan acsian ond
eac hraðe geacsode, fram hwam he ofslagen wæs, ond
sealde hine sylfne in wop ond in cwiðnesse, ond ma
weop þara broðra nið þonne þæs beran deað. Þone þa
se arwyrða wer Euticius to him gelaðode ond hine 15
ongan frefrian; ac se ylca drihtnes wer, Florentius,
beforan þam oþrum mid þære uneþnysse swa myccles
sares onæled, biddende cwæð: Ic gehyhte on þone
ælmihtigan God, þæt hi in þysum life beforan eallra
manna eagum heora niðes sume wrace onfon, forþon 20
þe hy minne beran ofslogon unscyldigne, se þe heom
nane dere ne dyde. Ond sona seo godcunde wracu wæs
fylgende his muðes stefne. Witodlice þa ·iiii· munecas,
þe þone ylcan beran ofslogon, sona wurdon þurhslægene
mid þære adle þæs mycclan lices, swa þæt, afuliendum 25
lichaman, hi mid ealle forwurdon. Þa dæde se Godes
wer Florentius swyðlice forhtode ond him ondred,
forþon þe he þa broðra swa swiðe wyrgde; ond þa
forþon weop þa hwile þe he lifde, forþon þe he swa
hraþe gehyred wæs in ðære bene, ond sæde þæt he 30
heora deaðes myrðra wære. We gelyfað þæt se æl-
mihtiga God þæt forþon dyde, þy læs se halga wer swa
wundorlicre bilwitnesse geþristlæhte ofer þæt ænigne
man wyrgan, þeh þe he mid hwylcum sare gegremed
ond abolgen wære.   35

IX

WULFSTAN

Wulfstan was archbishop of York from 1002 to 1023. He was
a vigorous preacher who felt keenly the misfortunes and the
social and political degeneration of the English people towards
the end of the Anglo-Saxon period. The *Sermo ad Anglos*,
printed below, gives a vivid picture of national decay and dis-
grace in the reign of Æthelred, the Unready (978–1016). The
text is from the Oxford manuscript in the Bodleian Library,
Junius 99, as it is presented, with variants from other manu-
scripts, in Napier's *Wulfstan*, Berlin, 1883, pp. 156–167. The
Latin superscription to the sermon gives the name of Wulfstan
in the Latinized form of the first element of the compound. The
English title is supplied by the editors.

God's Wrath upon England

SERMO LUPI AD ANGLOS, QUANDO DANI MAXIME PERSE-
CUTI SUNT EOS, QUOD FUIT ANNO MILLESIMO XIIII
AB INCARNATIONE DOMINI NOSTRI JESU CRISTI

Leofan men, gecnawað þæt soð is: ðeos woruld is
on ofste, and hit nealæcð þam ende; and ðy hit is on
worulde a swa leng swa wyrse, and swa hit sceal nyde
ær Antecristes tocyme yfelian swyðe. Understandað
5 eac georne þæt deofol þas þeode nu fela geara dwelode
to swiðe, and þæt lytle getrywða wæron mid mannum,
þeah hi wel spæcan, and unrihte to fela ricsode on
lande. And næs a fela manna þe hogade ymbe þa bote
swa georne swa man scolde, ac dæghwamlice man ihte
10 yfel æfter oðrum and unriht rærde and unlaga manege
90

ealles to wide gynd ealle þas ðeode. And we eac for
ðam habbað fela byrsta and bysmara gebiden, and gif
we ænige bote gebidan sculan, þonne mote we þæs to
Gode earnian bet þonne we ær ðison dydon. For ðam
mid miclan earnungan we geearnodon þa yrmða þe us 5
onsittað, and mid swyðe miclan earnungan we þa bote
motan æt Gode geræcan, gyf hit sceal heonanforð
godiende wurðan. La hwæt, we witan ful georne þæt
to myclan bryce sceal micel bot nyde, and to miclum
bryne wæter unlytel, gif man þæt fyr sceal to ahte 10
acwæncan. And mycel is nydþearf manna gehwylcum,
þæt he Godes lage gyme heonanforð georne, and Godes
gerihta mid rihte gelæste. On hæþenum þeodum ne
dear man forhealdan lytel ne mycel þæs þe gelagod is
to gedwolgoda weorðunge; and we forhealdað æghwær 15
Godes gerihta ealles to gelome. And ne dear man ge-
wanian on hæðenum þeodum, inne ne ute, ænig þæra
þinga þe gedwolgodan gebroht bið and to lacum be-
tæht bið; and we habbað Godes hus, inne and ute,
clæne berypte. And Godes þeowas syndan mæþe and 20
munde gewelhwar bedælde; and gedwolgoda þenan ne
dear man misbeodan on ænige wisan mid hæþenum
leodum, swa swa man Godes þeowum nu deð to wide,
þær Cristene scoldan Godes lage healdan and Godes
þeowas griðian. 25

Ac soð is þæt ic secge, þearf is þære bote, for ðam
Godes gerihta wanedan nu lange innan þysse þeode on
æghwylcum ende, and folclaga wyrsedan ealles to
swyðe, and halignessa syndon to griðlease wide, and
Godes hus syndon to clæne berypte ealdra gerihta and 30
innan bestrypte ælcra gerysena, and godcunde hadas
wæron nu lange swiðe forsawene, and wydewan for-
nydde on unriht to ceorle, and to mænige foryrmde,
and earme men beswicene and hreowlice besyrwde and

ut of ðisan earde wide gesealde swyðe unforworhte
fremdum to gewealde, and cradolcild geþeowode þurh
wælhreowe unlaga for lytelre þyfðe, and freoriht for-
numene and ðrælriht generwde and ælmesriht ge-
5 wanode, and hrædest is to cweþenne, Godes laga laðe,
and lara forsewene. And ðæs we habbað ealle þurh
Godes yrre bysmor gelome, gecnawe, se ðe cunne; and
se byrst wyrð gemæne, þeah man swa ne wene, ealre
þisse þeode, butan God beorge.

10 For ðam hit is on us eallum swutol and gesyne, þæt
we ær þysan oftor bræcan þonne we bettan, and ðy is
þisse þeode fela onsæge. Ne dohte hit nu lange inne
ne ute, ac wæs here and hunger, bryne and blodgyte
on gewelhwylcon ende oft and gelome; and us stalu
15 and cwalu, stric and steorfa, orfcwealm and uncoðu,
hol and hete and rypera reaflac derede swyðe þearle,
and us ungylda swyðe gedrehton, and us unwedera for
oft weoldan unwæstma; for ðam on þisan earde wæs,
swa hit þincan mæg, nu fela geara unrihta fela and
20 tealte getrywða æghwær mid mannum. Ne bearh nu
for oft gesib gesibban þe ma þe fremdan, ne fæder his
bearne, ne hwilum bearn his agenum fæder, ne broðor
oðrum; ne ure ænig his lif ne fadode swa swa he scolde,
ne gehadode regollice, ne læwede lahlice; ne ænig wið
25 oþerne getrywlice ne þohte swa rihte swa he scolde, ac
mæst ælc swicode and oðrum derede wordes and dæde.
And huru unrihtlice mæst ælc oþerne æftan heaweð
mid scandlican onscytan: do mare, gyf he mæge. For
ðam her syn on lande ungetrywða micle for Gode and
30 for worulde, and eac her syn on earde on mistlice wisan
hlafordswican manege. And ealra mæst hlafordswice
se bið on worulde, þæt man his hlafordes saule beswice;
and ful mycel hlafordswice eac bið on worulde, þæt
man his hlaford of life forræde, oððon of lande lifiendne

drife; and ægðer is geworden on þisan earde. Eadwerd
man forræde and syððan acwealde and æfter þam
forbærnde, and Æþelred man dræfde ut of his earde.
And godsibbas and godbearn to fela man forspilde wide
gynd þas þeode; and ealles to manege halige stowa 5
wide forwurdan þurh þæt þe man sume men ær þam
gelogode, swa man na ne scolde, gif man on Godes
griðc mæðe witan wolde; and Cristenes folces to fela
man gesealde ut of þysan earde nu ealle hwile; and
eal þæt is Gode lað, gelyfe se ðe wille.   10

Eac we witan ful georne, hwær seo yrmð gewearð,
þæt fæder gesealde bearn wið weorðe, and bearn his
modor and broðor oþerne fremdum to gewealde; and
eal þæt syndon micle and egeslice dæda, understande,
se ðe wille. And gyt hit is mare and eac mænigfealdre, 15
þæt dereð þysse þeode. Mænige syndan forsworene
and swyðe forlogene, and wed synd tobrocene oft and
gelome; and þæt is gesyne on þisse þeode, þæt Godes
yrre hetelice onsit, gecnawe, se ðe cunne.

And la, hu mæg mare scamu þurh Godes yrre man- 20
num gelimpan þonne us deð gelome for agenum ge-
wyrhtum? Ðeah þræla hwylc hlaforde æthleape and
of cristendome to wicinge weorðe, and hit æfter þam
eft geweorðe þæt wæpngewrixl weorðe gemæne þegene
and þræle, gyf þræl þæne þcgen fullice afylle, licge 25
ægylde ealre his mægðe; and gyf se þegen þæne þræl,
þe he ær ahte, fullice afylle, gylde þegengylde. Ful
earhlice laga and scandlice nydgyld þurh Godes yrre
us syn gemæne, understande, se ðe cunne. And fela
ungelimpa gelimpð þysse þeode oft and gelome. Ne 30
dohte hit nu lange inne ne ute, ac wæs here and hete
on gewelhwilcum ende oft and gelome, and Engle nu
lange eal sigelease and to swyðe geyrgde þurh Godes
yrre, and flotmen swa strange þurh Godes þafunge,

þæt oft on gefeohte an feseð tyne, and hwilum læs,
hwilum ma, eal for urum synnum. And oft tyne oððe
twelfe ælc æfter oðrum scendað and tawiað to bysmore
þæs þegnes cwenan and hwilum his dohtor oððe
5 nydmagan, þær he on locað, þe læt hine sylfne rancne
and ricne and genoh godne ær þæt gewurde. And oft
þræl þæne þegen, þe ær wæs his hlaford, cnyt swyðe
fæste and wyrcð him to þræle þurh Godes yrre. Wala
þære yrmðe and wala þære woruldscame þe nu habbað
10 Engle eal þurh Godes yrre. Oft twegen sæmen oððe
þry hwilum drifað þa drafe Cristenra manna fram sæ
to sæ ut ðurh þas þeode gewylede togædere us eallum
to woruldscame, gyf we on eornost ænige cuðan oððon
we woldan ariht understandan. Ac ealne þæne bysmor
15 þe we oft þoliað, we gyldað mid weorðscype þam þe us
scendað. We him gyldað singallice, and hy us hynað
dæghwamlice; hy hergiað and heawað, bændað and
bismriað, rypað and reafiað and to scipe lædað; and
la, hwæt is ænig oðer on eallum þam gelimpum butan
20 Godes yrre ofer þas þeode swytol and gesyne?

Nis eac nan wundor þeah us mislimpe, for ðam we
witan ful georne þæt nu fela geara men na ne rohton
for oft hwæt hy worhtan wordes oððe dæde, ac wearð
þes þeodscype, swa hit þincan mæg, swyðe forsyngod
25 þurh mænigfealde synna and ðurh fela misdæda: ðurh
morðdæda and ðurh mandæda, þurh gitsunga and ðurh
gifernessa, þurh stala and þurh strudunga, þurh man-
sylena and ðurh hæþene unsida, þurh swicdomas and
ðurh searacræftas, þurh lahbrycas and ðurh æswicas,
30 þurh mægræsas and ðurh manslihtas, þurh hadbrycas
and ðurh æwbrycas, þurh sibblegeru and ðurh mistlice
forligru. And eac syndan wide, swa we ær cwædan,
þurh aðbrycas and ðurh wedbrycas and ðurh mistlice
leasunga forloren and forlogen ma þonne scolde, and

freolsbricas and fæstenbricas wide geworhte oft and
gelome. And eac her syn on earde Godes wiðersacan
and cyrichatan hetole, and leodhatan grimme ealles to
manege, and oferhogan wide godcundra rihtlaga and
Cristenra þeawa and hocorwyrde dysige æghwær on 5
þeode oftost on þa þing þe swiðost to Godes lage ge-
byriað mid rihte. And þy is nu geworden wide and
side to ful yfelan gewunan, þæt menn scamað for godan
dædan swyðor þonne for misdædan; for ðam to oft
man mid hocere gode dæda hyrweð and godfyrhte 10
lehtreð ealles to swyðe; and swyðost man tæleð and
mid olle gegreteð ealles to gelome þa ðe riht lufiað and
Godes ege habbað be ænigum dæle. And ðurh þæt þe
man swa deð, þæt man eal hyrweð þæt man scolde
herian, and to forð laþet þæt man scolde lufian, þurh 15
þæt man gebringeð ealles to manege on yfelan geðance
and on undæde, swa þæt hy ne scamað na, þeah hy
syngian swyðe and wið God sylfne forwyrcan hi mid
ealle; ac for idelan onscytan hy scamað, þæt hy betan
heora misdæda, swa swa bec tæcan, gelice þam dwæsan 20
þe for heora prytan lewe nellað beorgan ær hy na ne
magan, þeah hy eall willan.

Ac la, on Godes naman utan don, swa us neod is,
beorgan us sylfum, swa we geornost magan, þe læs we
ætgædere ealle forweorðan. And utan don, swa us þearf 25
is, gebugan to rihte and be suman dæle unriht forlætan
and betan swyðe georne þæt we ær bræcan. And utan
God lufian and Godes lagum fyligean, and gelæstan
swyðe georne þæt þæt we behetan þa we fulluht under-
fengan, oððon þa ðe æt fulluhte ure forespecan wæron. 30
And utan word and weorc rihtlice fadian, and ure
ingeðanc clænsian georne, and að and wedd wærlice
healdan, and sume getrywða habban us betweonan
butan uncræftan. And utan gelome understandan þone

miclan dom þe we ealle to sculan, and beorghan us
georne wið þone weallendan bryne hellewites, and ge-
earnian us þa mærða and ða myrhða þe God hæfð
gegearwod þam ðe his willan on worulde gewyrcað.
5 God ure helpe. Amen.

APHORISMS FROM *BOETHIUS*

Ne meaht þu win wringan on midewinter, þeah ðe
wel lyste wearmes mustes.

King Alfred's Boethius, ed. Sedgefield, p. 12.

Hwa wæs æfre on þis andweardan life, oððe hwa
wyrð get æfter us on þisse worulde, þæt him nanwuht
10 wið his willan ne sie, ne lytles ne miceles?

Ibid., p. 23.

Se þe wille fullice anweald agan, he sceal tiligan ærest
þæt he hæbbe anweald his agenes modes.

Ibid., p. 67.

Ac se mann ana gæþ uprihte; þæt tacnað þæt he
sceal ma þencan up þon nyðer, þi læs þæt mod sie
15 nioðoror þon ðe lichoma.

Ibid., p. 147.

X

THE LAWS OF ALFRED

Anglo-Saxon laws were formulated and codified before Alfred's time, but Alfred made a new digest, adding some new laws to the older material. Even the longest codes are not very extensive, though some subjects, for example penalties for personal injury, are minutely worked out. The authoritative collection of Anglo-Saxon laws is that by Liebermann, *Die Gesetze der Angel-Sachsen*, 3 vols., Halle, 1903 ff. The passages given below will be found in Vol. I of Liebermann's edition, pp. 52, 56, 70, 78–80, 90, 92, 94, 98, 104, 106, 108, 118.

VII

Gif hwa on cirican hwæt geðeofige, forgylde þæt angylde, ond ðæt wite swa to ðam angylde belimpan wille, ond slea mon þa hond of ðe he hit mid gedyde.

Gif he ða hand lesan wille, ond him mon ðæt geðafian wille, gelde swa to his were belimpe.   5

XIII

Gif mon oðres wudu bærneð oððe heaweð, unalie-fedne, forgielde ælc great treow mid v scillinga, ond siððan æghwylc, sie swa fela swa hiora sie, mid v pæningum; ond xxx scillinga to wite.

Gif mon oðerne æt gemænan weorce offelle unge-   10
wealdes, agife mon þam mægum þæt treow, ond hi hit hæbben ær xxx nihta of þam lande, oððe him fo se to se ðe ðone wudu age.

XXXV

Gif mon beforan cyninges ealdormen on gemote ge-
feohte, bete wer ond wite, swa hit ryht sie, ond beforan
þam, cxx scillinga ðam ealdormen to wite.

Gif he folcgemot mid wæpnes bryde arǽre, ðam
5 ealdormen hundtwelftig scillinga to wite.

Gif ðises hwæt beforan cyninges ealdormonnes gin-
gran gelimpe, oððe cyninges preoste, xxx scillinga to
wite.

XXXVIIII

Eallum frioum monnum ðas dagas sien forgifene,
10 butan þeowum monnum ond esnewyrhtan: xii dagas on
gehhol, ond ðone dæg þe Crist ðone deofol oferswiðde,
ond Sanctus Gregorius gemynddæg, ond vii dagas to
eastron ond vii ofer, ond an dæg æt Sancte Petres tide
ond Sancte Paules, ond on hærfeste ða fullan wican ǽr
15 Sancta Marian mæssan, ond æt Eallra haligra weor-
ðunge anne dæg; ond iiii Wodnesdagas on iiii ymbren-
wicum ðeowum monnum eallum sien forgifen, þam þe
him leofost sie to sellanne æghwæt ðæs ðe him ænig
mon for Godes noman geselle oððe hie on ænegum hiora
20 hwilsticcum geearnian mægen.

XL

Heafodwunde to bote, gif ða ban beoð butu ðyrel,
xxx scillinga geselle him mon.

Gif ðæt uterre ban bið þyrel, geselle xv scillinga to
bote.

XLI

Gif in feaxe bið wund inces lang, geselle anne scilling to bote.

Gif beforan feaxe bið wund inces lang, twegen scillinga to bote.

XLII

Gif him mon aslea oþer eare of, geselle xxx scillinga 5 to bote.

Gif se hlyst oðstande þæt he ne mæge gehieran, geselle lx scillinga to bote.

XLVI

Cild binnan ðritegum nihta sie gefulwad; gif hit swa ne sie, xxx scillinga gebete. 10

Gif hit ðonne sie dead butan fulwihte, gebete he hit mid eallum ðam ðe he age.

XLVII

Gif ðeowmon wyrce on Sunnandæg be his hlafordes hæse, sie he frioh, ond se hlaford geselle xxx scillinga to wite. 15

Gif þonne se ðeowa butan his gewitnesse wyrce, þolie his hyde.

Gif ðonne se frigea ðy dæge wyrce butan his hlafordes hæse, ðolie his freotes.

LI

Gif hwa stalie, swa his wif nyte ond his bearn, geselle 20 lx scillinga to wite.

Gif he ðonne stalie on gewitnesse ealles his hiredes, gongen hie ealle on ðeowot.

X wintre cniht mæg bion ðiefðe gewita.

LVI

Gif ðeof sie gefongen, swelte he deaðe, oððe his lif
be his were man aliese.

LVII

Gif hwa beforan biscepe his gewitnesse ond his wed
aleoge, gebete mid cxx scillinga.

5 Ðeofas we hata ð oð vii men; from vii hloð oð xxxv;
siððan bið here.

LXIIII

Gif feorcund mon oððe fremde butan wege geond
wudu gonge, ond ne hrieme ne horn blawe, for ðeof he
bið to profianne: oððe to sleanne oððe to aliesanne.

LXXXII

10 Gyf ceorl ond his wif bearn hæbben gemæne, ond fere
se ceorl forð, hæbbe sio modor hire bearn ond fede:
agife hire mon vi scillinga to fostre, cu on sumera,
oxan on wintra; healden þa mægas þone frumstol, oð
ðæt hit gewintred sie.

LXXXIII

15 Gif hwa fare unaliefed fram his hlaforde oððe on
oðre scire hine bestele, ond hine mon geahsige, fare þær
he ær wæs ond geselle his hlaforde lx scillinga.

LXXXVII

Ðonne mon beam on wuda forbærne, ond weorðe
yppe on þone ðe hit dyde, gielde he fulwite: geselle lx
20 scillinga; forþam þe fyr bið þeof.

Gif mon afelle on wuda wel monega treowa, ond wyrð
eft undierne, forgielde iii treowu ælc mid xxx scillinga;
ne ðearf he hiora ma geldan, wære hiora swa fela swa
hiora wære: forþon sio æsc bið melda, nalles ðeof.

CXII

Gif mon gesiðcundne monnan adrife, fordrife þy 5
botle, næs þære setene.

CXIII

Sceap sceal gongan mid his fliese oð midne sumor;
oððe gilde þæt flies mid twam pæningum.

MATTHEW V, 43–45

Ge gehyrdon þæt gecweden wæs, Lufa þinne nextan,
and hata þinne feond.   10
Soþlice ic secge eow, Lufiað eowre fynd, and doþ wel
þam ðe eow yfel doð, and gebiddað for eowre ehteras
and tælendum eow:
þæt ge sin eowres Fæder bearn þe on heofonum ys,
se þe deð þæt hys sunne up aspringð ofer þa godan and 15
ofer þa yfelan; and he læt rinan ofer þa rihtwisan and
ofer þa unrihtwisan.

The Gospel of Saint Matthew in West-Saxon,
ed. Bright, p. 20.

XI

GENESIS

The Anglo-Saxon *Genesis* is a metrical version of the first twenty-two chapters of the Old Testament, ending with the story of the sacrifice of Isaac. It was formerly attributed to Cædmon, but there is no evidence to prove that the extant poem had any direct connections with Cædmon's own compositions. It is more likely to have been the work of some one of a school of poets who further developed a style of Christian narrative poetry which Cædmon may have inaugurated. The story of the fall of the angels is told twice in the poem, and it has been conclusively shown that the second version, ll. 235–851, known as Genesis B, is an interpolation, being an Anglo-Saxon translation of an Old Saxon original. This translation cannot have been made earlier than the latter part of the ninth century, but there is very little evidence for fixing the date of composition of the main body of the poem, i.e., Genesis A. The date usually assumed is about the beginning of the eighth century. The poem is preserved in a single manuscript, Junius XI, in the Bodleian Library at Oxford, which dates from the first half of the eleventh century. The complete text, altogether 2935 lines, is edited in Grein-Wülker, *Bibliothek der angelsächsischen Poesie*, Vol. II, pp. 318–444. The passage given below, from the story of the flood, corresponds to ll. 1356–1482. Genesis B, together with the Old Saxon original, is edited by Klaeber, *The Later Genesis*, Heidelberg, 1913, and Genesis A, by Holthausen, *Die ältere Genesis*, Heidelberg, 1914. A complete photographic reproduction of the manuscript is contained in *The Cædmon Manuscript of Anglo-Saxon Biblical Poetry, With an Introduction by Sir Israel Gollancz*, Oxford University Press, 1927.

The manuscript contains many illustrative drawings of great archaeological interest, and it is the most elaborately prepared of all Anglo-Saxon poetical manuscripts.

The Flood

Him þa Noe gewat,   swa hine Nergend het,
under earce bord   eaforan lædan,
weras on wæg-þel   and heora wif somed;
and eall þæt to fæsle   Frea ælmihtig
habban wolde,   under hrof gefor   5
to heora æt-gifan,   swa him ælmihtig
weroda Drihten   þurh his word abead.
Him on hoh beleac   heofon-rices Weard
mere-huses muð   mundum sinum,
sigora Waldend,   and segnade   10
earce innan   agenum spedum,
Nergend usser.   Noe hæfde,
sunu Lameches,   syxhund wintra,
þa he mid bearnum   under bord gestah,
gleaw mid geogoðe   be Godes hæse,   15
dugeðum dyrum.   Drihten sende
regn from roderum,   and eac rume let
wille-burnan   on woruld þringan
of ædra gehwære,   egor-streamas
swearte swogan;   sæs up stigon   20
ofer stæð-weallas.   Strang wæs and reðe,
se ðe wætrum weold,   wreah and þeahte
man-fæhðu bearn   middan-geardes
wonnan wæge,   wera eðel-land,
hofu[1] hergode;   hyge-teonan wræc   25
Metod on monnum.   Mere swiðe grap
on fæge folc   feowertig daga,
nihta oðer swilc;   nið wæs reðe,
wæll-grim werum.   Wuldor-cyninges
yða wræcon   ar-leasra feorh   30
of flæsc-homan.   Flod ealle wreah,

[1] *MS.* hof, *Holthausen* hofu.

hreoh under heofonum, hea beorgas
geond sidne grund, and on sund ahof
earce from eorðan, and þa æðelo mid,
þa segnade selfa Drihten,
5 Scyppend usser, þa he þæt scip beleac.
   Siððan wide rad wolcnum under
ofer holmes hrincg hof seleste,
for mid fearme; fære ne moston
wæg-liðendum wætres brogan
10 hæste hrinon, ac hie halig God
ferede and nerede. Fiftena stod
deop ofer dunum se[1] drence-flod
monnes elna: þæt is mæro wyrd!
Þa[2] æt niehstan wæs nan to gedale
15 nymþe heo wæs ahafen on þa hean lyft,
þa se egor-here eorðan tuddor
eall acwealde, buton þæt earce bord
heold heofona Frea, þa hine halig God
ece upp forlet, ead-modne flod,[3]
20 streamum stigan, stið-ferhð Cyning.
   Þa gemunde God mere-liðende,
sigora Waldend, sunu Lameches,
and ealle þa wocre þe he wið wætre beleac,
lifes Leoht-fruma, on lides bosme.
25 Gelædde þa wigend weroda Drihten
worde ofer wid-land. Will-flod ongan
lytligan eft; lago ebbade
sweart under swegle; hæfde soð Metod
eaforum eg-stream eft gecyrred,
30 torhtne[4] ryne, regn gestilled.
   For famig scip l. and c.
nihta under roderum, siððan nægled bord,

---

[1] *MS.* sæ.   [2] *MS.* þam.
[3] *MS. has only* ed monne *for this half-line.*   [4] *MS.* torht.

XII.

A cemunde god . mihte liðhde . ꝼiᵹona palð
ðꝼ . ꞃunu lamecheꝼ . ⁊ ꝼalle þa pocne . þe he
pið þætne belucæ . liꝼeſ leoht ꝼꞃuma . on
lyꝼt boꞃne . ᵹelædde þa ꝼiᵹhð . pꞃhoða ðꝛuhⁿꝛ
ponðe ofꞃ pið land . pill ꝼloð onᵹan . lytliᵹan
eꝼⁿ . laᵹo ebbaðe . ꝼꝛlanⁿ unðꝛ ꝼpeᵹle . haꝛðe
ꞃoð meoð . ꝼuꝛoꞃum eᵹ ꝛꞃ.ꝛum . ꝼⁿ ᵹecyꞃꞃeð .
tohte ꞃyne . niꝼn ᵹꝼtilleð . ꝼoꞃ ꝼamiᵹ ꝼciꝼ . l . ⁊c .
nihta unðꝛ poðeꞃum . ꞃiððan næᵹleð bonð . þæꞃ
ꝛelꞃꝼⁿ . ꝼloð up a hoꝼ . oð þꞃum ᵹeⁿⁿl . ꞃeðꞃe ꝼꞃa
ᵹe ðaᵹ ꝼoꞃð ᵹeꝼaꞃ . ða on ðuꞃium ᵹeꝼaꞃ . heahmiⁿ
hlæꝼce . holm eꝼnna mæꝛc . ðanc noꝼ . þeaꞃꞃmeꝛaⁿ
haꝛðe . ꞃynðon . þæꞃ ꞃe halᵹa bað . ꞃunu lamecheꝼ .
ꞃoðꞃa ᵹehata . lanᵹe þꞃaᵹe . hponne lum liꝼⁿ ꝼꞃunð
ꝼꞃha ælmihtiᵹ . ꝼꝼchꞃꞃna þꞃða niꝼce aᵹꞃaꝼe . þæꝛe he
ꝛuine ðꝛhꞃ .h. þa hine onꝼunðe . ᵹænð ꝼiðne ᵹꞃunð .
ponne yða piðe bæꞃon . holm paꞃ hⁿⁿnon ꝼⁿꞃpa . hæ
lⁿⁿ lanᵹoðe . þaᵹ liðhðe . ꝼpilce piꝼ hⁿⁿpa . hponne
he oꝼ nⁿⁿpe . oꝼꞃ næᵹleð bonð . oꝼꞃ ꝛꞃ.ꝛum ꝼꞃa
ðe . ꝼcæppan moꝛꞃh . ⁊oꝼ ꝼnᵹe uⁿ . æhca læðan . þa
ꝼunðoðe ꝼoꞃð ꝼꞃanð ꝼciꝼ . hꝛæððhꞃ ꝼmcꝼhðe . ꝼa
ꝼloð þaᵹyⁿ . þæꞃe unðꞃ polcnum . lⁿⁿ þa ymbþoꞃn
ðaᵹu þaⁿ þe hⁿⁿh hliⁿⁿo . honꝼe onꝼꞃhᵹon . ⁊aðⁿlꝓ
ⁿc . ꝼonðan cuðꝛꞃ . ꞃunu lamecheꝼ . ꝼꝼlanⁿe ꝼlⁿⁿ
ᵹan . hꝛꞃꝼn oꝼꞃ hⁿⁿh ꝼloð . oꝼ huꝛe uⁿ . Noe ꞃꞃhlꝓ .

(See p. 104, l. 21 — p. 105, l. 25)

fær seleste, flod up ahof,
oð þæt rim-getæl reðre þrage
daga forð gewat. Ða on dunum gesæt
heah mid hlæste holm-ærna mæst,
earc Noees,[1] þe Armenia 5
hatene syndon. Þær se halga bad,
sunu Lameches, soðra gehata
lange þrage, hwonne him lifes Weard,
Frea ælmihtig frecenra siða
reste ageafe, þæra[2] he rume dreah, 10
þa hine on sunde geond sidne grund
wonne yða wide bæron.
Holm wæs heononweard; hæleð langode,
wæg-liðende swilce wif heora,
hwonne hie of nearwe ofer nægled bord 15
ofer stream-staðe stæppan mosten,
and of enge ut æhta lædan.

  Þa fandode forðweard scipes,
hwæðer sincende sæ-flod þa gyt
wære under wolcnum; let þa ymb worn daga, 20
þæs þe heah hlioðo horde onfengon
and æðelum eac eorðan tudres,
sunu Lameches sweartne fleogan
hrefn ofer heah-flod of huse ut.
Noe tealde þæt he on neod hine, 25
gif he on þære lade land ne funde,
ofer sid wæter secan wolde
on wæg-þele eft. Him seo wen geleah;
ac se feonde[3] gespearn fleotende hreaw;
salwig-feðera secan nolde. 30
He þa ymb seofon niht sweartum hrefne
of earce forlet æfter fleogan
ofer heah wæter haswe culufran

---

[1] *MS.* Noes.   [2] *MS.* þær.   [3] *MS.* feond.

on fandunga, hwæðer famig sæ
deop þa gyta dæl ænigne
grenre eorðan ofgifen hæfde.
Heo wide hire willan sohte,
5 and rume fleah; nohweðere reste fand,
þæt heo for flode fotum ne meahte
land gespornan, ne on leaf treowes
steppan for streamum; ac wæron steap hleoðo
bewrigen mid wætrum. Gewat se wilda fugel
10 on æfenne earce secan
ofer wonne wæg, werig sigan,
hungri to handa halgum rince.
  Ða wæs culufre eft of cofan sended
ymb wucan; wilde seo wide fleah,
15 oð þæt heo rum-gal reste stowe
fægere funde, and þa fotum stop
on beam hyre; gefeah bliðe-mod,
þæs þe heo gesittan[1] swiðe werig
on treowes telgum torhtum moste;
20 heo feðera onsceoc, gewat fleogan eft
mid lacum hire, liðend brohte
ele-beames twig an to handa,
grene blædæ. Þa ongeat hraðe
flot-monna frea þæt wæs frofor cumen,
25 earfoð-siða bot. Þa gyt se eadega wer
ymb wucan þriddan wilde culufran
ane sende; seo eft ne com
to lide fleogan, ac heo land begeat,
grene bearwas; nolde gladu æfre
30 under salwed bord syððan ætywan
on þell-fæstenne þa hire þearf ne wæs.

[1] *MS*. gesette.

THE CHRIST

Cynewulf's poem, *The Christ*, is a loosely organized set of lyric amplifications of themes connected with the birth and resurrection of Christ and the day of judgment. It is one of the four poems to which Cynewulf affixed his signature in runic letters, the other three being *Elene*, *Juliana*, and the *Fates of the Apostles*. *The Christ* is preserved in a single manuscript, the Exeter Book, which is a collection of Anglo-Saxon poetry written in a hand of the early eleventh century. The manuscript was presented by Leofric, first bishop of Exeter (1050–1071), to Exeter Cathedral, where it still remains. Parts of the manuscript, including *The Christ*, have been edited by Gollancz, *The Exeter Book*, London, 1895 (Early English Text Society, Original Series 104), and an exhaustive separate edition of *The Christ* has been published by Cook, *The Christ of Cynewulf*, Boston, 1900. The first passage given below corresponds to ll. 214–274, the second to ll. 941–1006, in Cook's edition.

I. The Light of the World

Eala þu soða ond þu sibsuma
ealra cyninga cyning, Crist ælmihtig,
hu þu ær wære eallum geworden
worulde þrymmum mid þinne wuldor-fæder
cild acenned þurh his cræft ond meaht!　　　　　5
Nis ænig nu eorl under lyfte,
secg searo-þoncol, to þæs swiðe gleaw
þe þæt asecgan mæge sund-buendum,
areccan mid ryhte, hu þe rodera weard
æt frymðe genom him to freo-bearne.　　　　　10
Þæt wæs, þara þinga þe her þeoda cynn

gefrugnen mid folcum,   æt fruman ærest
geworden under wolcnum,   þæt witig God,
lifes ord-fruma,   leoht ond þystro
gedælde dryhtlice,   ond him wæs domes geweald,
5 ond þa wisan abead   weoroda ealdor:
'Nu sie geworden, forþ   a to widan feore,
leoht lixende, gefea   lifgendra gehwam
þe in cneorissum   cende weorðen.'
   Ond þa sona gelomp,   þa hit swa sceolde;
10 leoma leohtade   leoda mægþum,
torht mid tunglum,   æfter þon tida bigong;
sylfa sette   þæt þu sunu wære
efen-eardigende   mid þinne engan frean
ær þon oht þisses   æfre gewurde.

15 Þu eart seo snyttro   þe þas sidan gesceaft,
mid þi waldende,   worhtes ealle.
Forþon nis ænig þæs horsc,   ne þæs hyge-cræftig,
þe þin from-cyn mæge   fira bearnum
sweotule geseþan.   Cum nu, sigores weard,
20 meotod mon-cynnes,   ond þine miltse[1] her
ar-fæst ywe;   us is eallum neod
þæt we þin medren-cynn   motan cunnan,
ryht-geryno,   nu we areccan ne mægon
þæt fædren-cynn   fier owihte.

25 Þu þisne middan-geard   milde geblissa
þurh ðinne her-cyme,   hælende Crist,
ond þa gyldnan geatu,   þe in gear-dagum
ful longe ær   bilocen stodan,
heofona heah-frea,   hat ontynan;
30 ond usic þonne gesece,   þurh þin sylfes gong
eaðmod to eorþan.   Us is þinra arna þearf.
Hafað se awyrgda   wulf tostenced,
deorc deað-scua,[2]   dryhten, þin eowde,

---

[1] *MS.* milstse.   [2] *MS.* dædscua.

wide towrecene;   þæt ðu, waldend, ær
blode gebohtes,   þæt se bealo-fulla
hyneð heard-lice,   ond him on hæft nimeð
ofer ussa[1] nioda lust.   Forþon we, nergend, þe
biddað geornlice   breost-gehygdum   5
þæt þu hrædlice   helpe gefremme
wergum wreccan,   þæt se wites bona
in helle grund   hean gedreose,
ond þin hond-geweorc,   hæleþa scyppend,
mote arisan,   ond on ryht cuman   10
to þam upcundan   æþelan rice,
þonan us ær þurh syn-lust   se swearta gæst
forteah ond fortyhte,[2]   þæt we, tires wone,
a butan ende   sculon ermþu dreogan,
butan þu usic þon ofostlicor,   ece dryhten,   15
æt þam leod-sceaþan,   lifgende God,
helm alwihta,   hreddan wille.

II. DOOMSDAY

Wile Ælmihtig   mid his engla gedryht,
mægen-cyninga Meotod,   on gemot cuman,
þrym-fæst Þeoden.   Bið þær his þegna eac   20
hreþ-eadig heap.   Halge sawle
mid hyra Frean farað,   þonne folca Weard
þurh egsan þrea   eorðan mægðe
sylfa geseceð.   Weorþeð geond sidne grund
hlud gehyred   heofon-byman stefn;   25
ond on seofon healfa   swogað windas,
blawað brecende   bearhtma mæste,
weccað ond woniað   woruld mid storme,
fyllað mid fere[3]   foldan gesceafte.
Ðonne heard gebrec,   hlud, unmæte,   30

---

[1] *MS.* usse.   [2] *MS.* fortylde.   [3] *MS.* feore.

swar ond swiðlic,   sweg-dynna mæst,
ældum egeslic,   eawed weorþeð.

Þær mægen werge   monna cynnes
wornum hweorfað   on widne leg,
5 þa þær cwice meteð   cwelmende fyr,
sume up, sume niþer,   ældes fulle.
Þonne bið untweo[1]   þæt þær Adames
cyn, cearena full,   cwiþeð gesargad,[2]
nales fore lytlum,   leode geomre,
10 ac fore þam mæstan   mægen-earfeþum,
ðonne eall þreo   on efen nimeð
won fyres wælm   wide tosomne,
se swearta lig: sæs mid hyra fiscum,
eorþan mid hire beorgum,   ond upheofon
15 torhtne mid his tunglum.   Teon-leg somod
þryþum bærneð   þreo eal on an
grimme togædre.   Grornað gesargad
eal middangeard   on þa mæran tid.

Swa se gifra gæst   grundas geondseceð,
20 hiþende leg   heah-getimbro;
fylleð on fold-wong   fyres egsan,
wid-mære blæst,   woruld mid ealle,
hat, heoro-gifre.   Hreosað geneahhe
tobrocene burg-weallas.   Beorgas gemeltað
25 ond heah-cleofu,   þa wið holme ær
fæste wið flodum   foldan sceldun[3]
stið ond stæðfæst,   staþelas wið wæge,
wætre windendum.   Þonne wihta gehwylce
deora ond fugla   deað-leg nimeð;
30 færeð æfter foldan   fyr-swearta leg,
weallende wiga.   Swa ær wæter fleowan,
flodas afysde,   þonne on fyr-baðe
swelað sæ-fiscas   sundes getwæfde;

[1] *MS.* untreo.   [2] *MS.* gesargað.   [3] *MS.* scehdun.

wæg-deora gehwylc   werig swelteð;
byrneþ wæter swa weax.   Þær bið wundra ma
þonne hit ænig on mode   mæge aþencan,
hu þæt gestun, ond se storm,   ond seo stronge lyft,
brecað brade gesceaft.   Beornas gretað,   5
wepað wanende   wergum stefnum,
heane hyge-geomre   hreowum gedreahte.
Seoþeð swearta leg   synne on fordonum,
ond gold-frætwe   gleda forswelgað,
eall ær-gestreon   eþel-cyninga.   10
Ðær bið cirm ond cearu   ond cwicra gewin,
gehreow ond hlud wop,   bi heofon-woman,
earmlic ælda gedreag.   Þonan ænig ne mæg
firen-dædum fah   frið gewinnan,
leg-bryne losian   londes ower;   15
ac þæt fyr nimeð   þurh foldan gehwæt,
græfeð grimlice,   georne aseceð
innan ond utan   eorðan sceatas
oþþæt eall hafað   ældes leoma
woruld-widles wom   wælme forbærned.   20

XIII

THE BATTLE OF MALDON

The single manuscript in which this poem was preserved, Cotton Otho A xii, was destroyed by fire in 1731. A copy of it had been published in 1726 by Thomas Hearne, and Hearne's text is therefore the primary source for all the many later editions. The event upon which the poem was based took place in 991, and the date of composition was probably very soon after. The poem is defective both at the beginning and end, but it is not likely that much has been lost. The narrative is artistically developed to its point of highest interest, and the poem throughout breathes the spirit of Anglo-Saxon valor and loyalty. A separate edition of the poem with critical apparatus has been published by Sedgefield, *The Battle of Maldon and Short Poems from the Saxon Chronicle*, Boston (U. S.), and London, 1904. Sedgefield's report of Hearne's edition has been taken as the basis for the present text. Most of the corrections of Hearne are called for by obvious misreading of the manuscript.

   . . . brocen wurde;
het þa hyssa hwæne   hors forlætan,
feorr afysan,   and forð gangan,
hicgan to handum,   and to hige[1] godum.
5 Þa[2] þæt Offan mæg   ærest onfunde,
þæt se eorl nolde   yrhðo geþolian;
he let him þa of handon   leofne[3] fleogan
hafoc wið þæs holtes,   and to þære hilde stop;
be þam man mihte oncnawan   þæt se cniht nolde
10 wacian æt þam wige,[4]   þa he to wæpnum feng.

[1] *Hearne* thige.   [2] *Hearne* þ.
[3] *Hearne* leofre.   [4] *Hearne* w . . . ge.

Eac him wolde Eadric   his ealdre gelæstan,
frean to gefeohte;   ongan þa forð beran
gar to guþe;   he hæfde god geþanc,
þa hwile þe he mid handum   healdan mihte
bord and brad swurd;   beot he gelæste,   5
þa he ætforan his frean   feohtan sceolde.

   Þa þær Byrhtnoð ongan   beornas trymian,
rad and rædde,   rincum tæhte
hu hi sceoldon standan,   and þone stede healdan,
and bæd þæt hyra randas[1]   rihte heoldon   10
fæste mid folman,   and ne forhtedon na.

   Þa he hæfde þæt folc   fægere getrymmed,
he lihte þa mid leodon   þær him leofost wæs,
þær he his heorð-werod   holdost wiste.
Þa stod on stæðe,   stiðlice clypode   15
wicinga ar,   wordum mælde,
se on beot abead   brim-liþendra
ærænde to þam eorle,   þær he on ofre stod:
'Me sendon to þe   sæ-men snelle;
heton ðe secgan,   þæt þu most sendan raðe   20
beagas wið gebeorge;   and eow betere is
þæt ge þisne gar-ræs   mid gafole forgyldon,
þonne[2] we swa hearde   hilde[3] dælon.
Ne þurfe we us spillan;   gif ge spedaþ to þam,
we willað wið þam golde   grið fæstnian.   25
Gyf þu þat gerædest,   þe her ricost eart,
þæt þu þine leoda   lysan wille,
syllan sæ-mannum   on hyra sylfra dom
feoh wið freode,   and niman frið æt us,
we willaþ mid þam sceattum   us to scype gangan, 30
on flot feran,   and eow friþes healdan.'

   Byrhtnoð maþelode,   bord hafenode,
wand wacne æsc,   wordum mælde,

----
[1] *Hearne* randan.   [2] *Hearne* þon.   [3] *Hearne* . . ulde.

yrre and anræd,   ageaf him andsware:
'Gehyrst þu, sæ-lida,   hwæt þis folc segeð?
Hi willað eow to gafole   garas syllan,
ættrynne ord   and ealde swurd,
5 þa here-geatu   þe eow æt hilde ne deah.
Brim-manna boda,   abeod eft ongean,
sege þinum leodum   miccle laþre spell,
þæt her stynt unforcuð   eorl mid his werode,
þe wile geealgean   eþel þysne,
10 Æþelredes eard,   ealdres mines,
folc and foldan;   feallan sceolon
hæþene æt hilde.   To heanlic me þinceð
þæt ge mid urum sceattum   to scype gangon
unbefohtene,   nu ge þus feor hider
15 on urne eard   in becomon;
ne sceole ge swa softe   sinc gegangan;
us sceal ord and ecg   ær geseman,
grimm guð-plega,   ær we[1] gafol syllon.'
   Het þa bord beran,   beornas gangan,
20 þæt hi on þam easteðe   ealle stodon.
Ne mihte þær for wætere   werod to þam oðrum;
þær com flowende   flod æfter ebban,
lucon lagu-streamas;   to lang hit him þuhte,
hwænne hi togædere   garas beron.
25 Hi þær Pantan stream   mid prasse bestodon,
Eastseaxena ord   and se æsc-here;
ne mihte hyra ænig   oþrum derian,
buton hwa þurh flanes flyht   fyl gename.
Se flod ut gewat;   þa flotan stodon gearowe,
30 wicinga fela,   wiges georne.
   Het þa hæleða hleo   healdan þa bricge
wigan wig-heardne,   se wæs haten Wulfstan,
cafne mid his cynne,   þæt wæs Ceolan sunu,

[1] *Hearne* þe gofol.

þe ðone forman man   mid his francan ofsceat,
þe þær baldlicost   on þa bricge stop.
Þær stodon mid Wulfstane   wigan unforhte,
Ælfere and Maccus,   modige twegen;
þa noldon æt þam forda   fleam gewyrcan,   5
ac hi fæstlice   wið ða fynd weredon,
þa hwile þe hi wæpna   wealdan moston.

    Þa hi þæt ongeaton,   and georne gesawon
þæt hi þær bricg-weardas   bitere fundon,
ongunnon lytegian þa   laðe[1] gystas;   10
bædon þæt hi upgang[2]   agan moston,
ofer þone ford faran,   feþan lædan.
Ða se eorl ongan   for his ofermode
alyfan landes to fela   laþere ðeodc;
ongan ceallian þa   ofer cald wæter   15
Byrhtelmes bearn   (beornas gehlyston):
'Nu eow is gerymed,   gað ricene to us,
guman to guþe;   God ana wat
hwa þære wæl-stowe   wealdan mote.'
Wodon þa wæl-wulfas,   for wætere ne murnon,   20
wicinga werod,   west[3] ofer Pantan,
ofer scir wæter   scyldas wegon,
lid-men to lande   linde bæron.
Þær ongean gramum   gearowe stodon
Byrhtnoð mid beornum;   he mid bordum het   25
wyrcan þone wi-hagan,   and þæt werod healdan
fæste wið feondum.   Þa wæs feohte[4] neh,
tir æt getohte;   wæs seo tid cumen
þæt þær fæge men   feallan sceoldon.
Þær wearð hream ahafen,   hremmas[5] wundon,   30
earn æses georn;   wæs on eorþan cyrm.
Hi leton þa of folman   feol-hearde speru,

---

[1] *Hearne* luðe.   [2] *Hearne* upgangan.   [3] *Hearne* pest.
[4] *Hearne* fohte.   [5] *Hearne* bremmas.

gegrundene   garas fleogan;
bogan wæron bysige,   bord ord onfeng,
biter wæs se beadu-ræs,   beornas feollon
on gehwæðere hand,   hyssas lagon.
5 Wund wearð[1] Wulfmær,   wæl-ræste geceas,
Byrhtnoðes mæg;   he mid billum wearð,
his swuster sunu,   swiðe forheawen.
Þær wearð[2] wicingum   wiþer-lean agyfen;
gehyrde ic þæt Eadweard   anne sloge
10 swiðe mid his swurde,   swenges ne wyrnde,
þæt him æt fotum feoll   fæge cempa;
þæs him his ðeoden   þanc gesæde,
þam bur-þene,   þa he byre hæfde.
Swa stemnetton   stið-hicgende[3]
15 hyssas[4] æt hilde;   hogodon georne
hwa þær mid orde   ærost mihte
on fægean men   feorh gewinnan,
wigan mid wæpnum;   wæl feol on eorðan.
Stodon stædefæste,   stihte hi Byrhtnoð,
20 bæd þæt hyssa gehwylc   hogode to wige,
þe on Denon wolde   dom gefeohtan.
Wod þa wiges heard,   wæpen up ahof,
bord to gebeorge,   and wið þæs beornes stop;
eode swa an-ræd   eorl to þam ceorle:
25 ægþer hyra oðrum   yfeles hogode.
Sende ða se sæ-rinc   suþerne gar,
þæt gewundod wearð   wigena hlaford;
he sceaf þa mid ðam scylde,   þæt se sceaft tobærst,
and þæt spere sprengde,   þæt hit sprang ongean.
30 Gegremod wearð se guð-rinc;   he mid gare stang
wlancne wicing,   þe him þa wunde forgeaf.
Frod wæs se fyrd-rinc,   he let his francan wadan

---

[1] *Hearne* weard.   [2] *Hearne* wærd.
[3] *Hearne* stiðhugende.   [4] *Hearne* hysas.

þurh ðæs hysses hals;   hand wisode
þæt he on þam fær-sceaðan   feorh geræhte.
Ða he oþerne   ofstlice sceat,
þæt seo byrne tobærst;   he wæs on breostum wund
þurh ða hring-locan,   him æt heortan stod   5
ætterne ord.   Se eorl wæs þe bliþra,
hloh þa modi man,   sæde Metode þanc
ðæs dæg-weorces   þe him Drihten forgeaf.
Forlet þa drenga sum   daroð of handa,
fleogan of folman,   þæt se to forð gewat   10
þurh ðone æþelan   Æþelredes þegen.
Him be healfe stod   hyse unweaxen,
cniht on gecampe,   se full caflice
bræd of þam beorne   blodigne gar,
Wulfstanes bearn,   Wulfmær se geonga;   15
forlet forheardne   faran eft ongean;
ord in gewod,   þæt se on eorþan læg,
þe his þeoden ær   þearle geræhte.
Eode þa gesyrwed   secg to þam eorle;
he wolde þæs beornes   beagas gefecgan,   20
reaf and hringas,   and gerenod swurd.
Ða Byrhtnoð bræd   bill of sceðe,
brad and brun-ecg,[1]   and on þa byrnan sloh ·
to raþe hine gelette   lid-manna sum,
þa he þæs eorles   earm amyrde;   25
feoll þa to foldan   fealo-hilte swurd,
ne mihte he gehealdan   heardne mece,
wæpnes wealdan.   Þa gyt þæt word gecwæð
har hilde-rinc,   hyssas bylde,
bæd gangan forð   gode geferan;   30
ne mihte þa on fotum leng   fæste gestandan[2];
he to heofenum wlat . . .[3]

---

[1] *Hearne* bruneccg.   [2] *Hearne* gestundan.   [3] *No gap in Hearne,
but the lack of alliteration shows that a half-line is missing.*

'Ic[1] geþancie þe   ðeoda Waldend,
ealra þæra wynna   þe ic on worulde gebad.
Nu ic ah, milde Metod,   mæste þearfe,
þæt þu minum gaste   godes geunne,
5 þæt min sawul to ðe   siðian mote,
on þin geweald,   Þeoden engla,
mid friþe ferian;   ic eom frymdi to þe,
þæt hi hel-sceaðan   hynan ne moton.'
Ða hine heowon   hæðene scealcas,
10 and begen þa beornas   þe him big stodon,
Ælfnoð and Wulmær   begen lagon,
ða onemn hyra frean   feorh gesealdon.

   Hi bugon þa fram beaduwe   þe þær beon noldon;
þær wurdon Oddan bearn   ærest on fleame,
15 Godric fram guþe,   and þone godan forlet,
þe him mænigne oft   mear gesealde;
he gehleop þone eoh,   þe ahte his hlaford,
on þam gerædum   þe hit riht ne wæs,
and his broðru mid him,   begen ærndon[2],
20 Godwine[3] and Godwig,   guþe ne gymdon,
ac wendon fram þam wige,   and þone wudu sohton,
flugon on þæt fæsten,   and hyra feore burgon,
and manna ma   þonne hit ænig mæð wære,
gyf hi þa geearnunga   ealle gemundon
25 þe he him to duguþe   gedon hæfde.
Swa him Offa on dæg   ær asæde,
on þam meþelstede,   þa he gemot hæfde,
þæt þær modelice   manega spræcon,
þe eft æt þearfe[4]   þolian noldon.

30   Ða wearð afeallen   þæs folces ealdor,
Æþelredes eorl;   ealle gesawon
heorð-geneatas   þæt hyra heorra læg.

---

[1] *Hearne* ge þance.   [2] *Hearne* ærdon.
[3] *Hearne* Godrine.   [4] *Hearne* þære.

Þa ðær wendon forð wlance þegenas,
unearge men efston georne;
hi woldon þa ealle oðer twega,
lif forlætan[1] oððe leofne gewrecan.
Swa hi bylde forð bearn Ælfrices, 5
wiga wintrum geong, wordum mælde,
Ælfwine þa cwæð, he on ellen spræc:
'Gemunað[2] þa mæla, þe we oft æt meodo spræcon,
þonne we on bence beot ahofon,
hæleð on healle, ymbe heard gewinn; 10
nu mæg cunnian hwa cene sy.
Ic wylle mine æþelo eallum gecyþan,
þæt ic wæs on Myrcon miccles cynnes;
wæs min ealda fæder Ealhelm haten,
wis ealdorman, woruld-gesælig. 15
Ne sceolon me on þære þeode þegenas ætwitan,
þæt ic of ðisse fyrde feran wille,
eard gesecan, nu min ealdor ligeð
forheawen æt hilde; me is þæt hearma mæst;
he wæs ægðer[3] min mæg and min hlaford.' 20
  Þa he forð eode, fæhðe gemunde,
þæt he mid orde anne geræhte
flotan on þam folce, þæt se on foldan læg
forwegen mid his wæpne. Ongan þa winas manian,
frynd and geferan, þæt hi forð eodon. 25
Offa gemælde, æsc-holt asceoc:
'Hwæt þu, Ælfwine, hafast ealle gemanode,
þegenas to þearfe; nu ure þeoden lið,
eorl on eorðan, us is eallum þearf
þæt ure æghwylc oþerne bylde 30
wigan to wige, þa hwile þe he wæpen mæge
habban and healdan, heardne mece,
gar and god swurd. Us Godric hæfð,

---

[1] *Hearne* forlætun.　　[2] *Hearne* gemunu.　　[3] *Hearne* ægder.

earh Oddan bearn, ealle beswicene;
wende þæs for moni man, þa he on meare rad,
on wlancan þam wicge, þæt wære hit ure hlaford;
forþan wearð her on felda folc totwæmed,
5 scyld-burh tobrocen. Abreoðe his angin,
þæt he her swa manigne man aflymde!'

  Leofsunu gemælde, and his linde ahof,
bord to gebeorge; he þam beorne oncwæð:
'Ic þæt gehate, þæt ic heonon nelle
10 fleon fotes trym, ac wille furðor gan,
wrecan on gewinne minne wine-drihten.
Ne þurfon me embe Sturmere stedefæste hælæð
wordum ætwitan, nu min wine gecranc,
þæt ic hlafordleas ham siðie,
15 wende fram wige; ac me sceal wæpen niman,
ord and iren.' He ful yrre wod,
feaht fæstlice, fleam he forhogode.

  Dunnere þa cwæð, daroð acwehte,
unorne ceorl, ofer eall clypode, ·
20 bæd þæt beorna gehwylc Byrhtnoð wræce:
'Ne mæg na wandian se þe wrecan þenceð
frean on folce, ne for feore murnan.'
Þa hi forð eodon, feores hi ne rohton;
ongunnon þa hiredmen heardlice feohtan,
25 grame gar-berend, and God bædon
þæt hi moston gewrecan hyra wine-drihten,
and on hyra feondum fyl gewyrcan.
Him se gysel ongan geornlice fylstan;
he wæs on Norðhymbron heardes cynnes,
30 Ecglafes bearn, him wæs Æscferð nama;
he ne wandode na æt þam wig-plegan,
ac he fysde forð flan genehe;
hwilon he on bord sceat, hwilon beorn tæsde;
æfre embe stunde he sealde sume wunde

þa hwile ðe he wæpna   wealdan moste.
Þa gyt on orde stod   Eadweard se langa,
gearo[1] and geornful;   gylp-wordum spræc,
þæt he nolde fleogan   fotmæl landes,
ofer bæc bugan,   þa his betera læg[2];   5
he bræc þone bord-weall,   and wið ða beornas feaht,
oð þæt he his sinc-gyfan   on þam sæ-mannum
wurðlice wræc,[3]   ær he on wæle læge.
Swa dyde Æþeric,   æþele gefera,
fus and forðgeorn,   feaht eornoste,   10
Sibyrhtes broðor   and swiðe mænig oþer,
clufon cellod bord,   cene hi weredon;
bærst bordes lærig,   and seo byrne sang
gryre-leoða sum.   Þa æt guðe sloh
Offa þone sæ-lidan,   þæt he on eorðan feoll,   15
and ðær Gaddes mæg   grund gesohte;
raðe wearð æt hilde   Offa forheawen;
he hæfde ðeah geforþod   þæt he his frean gehet,
swa he beotode ær   wið his beah-gifan,
þæt hi sceoldon begen   on burh ridan,   20
hale to hame,   oððe on here cringan,[4]
on wæl-stowe   wundum sweltan;
he læg ðegenlice   ðeodne gehende.

    Ða wearð borda gebræc;   brim-men wodon,
guðe gegremode;   gar oft þurhwod   25
fæges feorh-hus.   Forð þa[5] eode Wistan,
Þurstanes sunu,[6]   wið þas secgas feaht;
he wæs on geþrange[7]   hyra þreora bana,
ær him Wigelines bearn   on þam wæle læge.
Þær wæs stið gemot;   stodon fæste   30
wigan on gewinne,   wigend cruncon,

---

[1] *Hearne* gearc.   [2] *Hearne* leg.   [3] *Hearne* wrec.
[4] *Hearne* crintgan.   [5] *Hearne* forða.   [6] *Hearne* suna.
[7] *Hearne* geþrang.

wundum werige;   wæl feol on eorþan.
Oswold and Ealdwold   ealle hwile,
begen þa gebroþru,   beornas trymedon,
hyra wine-magas   wordon bædon
5 þæt hi þær æt ðearfe   þolian sceoldon,
unwaclice   wæpna neotan.
Byrhtwold maþelode,   bord hafenode,
se wæs eald geneat,   æsc acwehte,
he ful baldlice   beornas lærde:
10 'Hige sceal þe heardra,   heorte þe cenre,
mod sceal þe mare,   þe ure mægen lytlað.
Her lið ure ealdor   eall forheawen,
god on greote;   a mæg gnornian
se ðe nu fram þis wig-plegan   wendan þenceð.
15 Ic eom frod feores;   fram ic ne wille,
ac ic me be healfe   minum hlaforde,
be swa leofan men,   licgan þence.'
Swa hi Æþelgares bearn   ealle bylde,
Godric to guþe;   oft he gar forlet,
20 wæl-spere windan   on þa wicingas,
swa he on þam folce   fyrmest eode;
heow and hynde,   oð¹ þæt he on hilde gecranc.
Næs þæt na se Godric   þe ða guðe² forbeah

*   *   *   *   *   *   *

¹ *Hearne* od.   ² *Hearne* gude.

XIV

ULYSSES AND CIRCE

The following version of the story of Ulysses and Circe is from the Cotton manuscript of the Anglo-Saxon translation of Boethius. The corresponding passage in the prose translation, from the Bodleian manuscript, will be found above among the selections from Anglo-Saxon prose. The text is based on Sedge-field's edition, pp. 193–197. The manuscript readings cited in the textual notes all refer to the Cotton manuscript.

Ic[1] þe mæg eaðe   ealdum ond leasum
spellum ondreccan   spræce gelice
efne ðisse ilcan   þe wit ymb sprecað.
Hit gesælde gio   on sume tide
þæt Aulixes   under hæfde   5
þæm casere   cyne-ricu twa:
he wæs Þracia   ðioda aldor
ond Retie   rices hirde.
Wæs his frea-drihtnes   folc-cuð nama
Agamemnon,   se ealles weold   10
Creca rices.   Cuð wæs wide
þæt on þa tide   Troia[2] gewin
wearð under wolcnum;   for wiges heard,
Creca drihten   camp-stede[3] secan;
Aulixes mid   an hund scipa   15
lædde ofer lagu-stream;   sæt longe ðær
tyn winter full.   Ða[4] sio tid gelomp

---

[1] *MS.* c, *with space for* I.   [2] *MS.* trioia.
[3] *MS.* campsted.   [4] *MS.* ðe.

þæt hi ðæt rice   geræht hæfdon;
diore gecepte   drihten Creca
Troia burg   tilum gesiþum.
Ða ða¹ Aulixes   leafe hæfde,
5 Ðracia cining,   þæt he þonan moste,
he let him behindan   hyrnde ciolas
nigon ond hundnigontig;   nænigne þonan
mere-hengesta   ma þonne ænne
ferede on fifel-stream,   famig-bordon,
10 ðrie-reðre ceol: þæt bið ðæt mæste
Creciscra scipa.   Þa wearð ceald weder,
stearc storma gelac;   stunede sio brune
yð wið oðre,   ut feor adraf
on Wendelsæ   wigendra scola,
15 up on þæt igland   þær Apolines
dohtor wunode   dæg-rimes worn.
Wæs se Apollinus   æðeles cynnes,
Iobes eafora;   se wæs gio cyning,
se licette   litlum ond miclum
20 gumena gehwylcum   þæt he god² wære,
hehst ond halgost.   Swa se hlaford þa
þæt dysige folc   on gedwolan lædde,
oððæt him gelyfde   leoda unrim,
for ðæm he wæs mid rihte   rices hirde
25 hiora cyne-cynnes.   Cuð is wide
þæt on ða tide   þeoda æghwilc
hæfdon heora hlaford   for þone hehstan god,
ond weorðodon   swa swa wuldres cining,
gif he to ðæm rice   wæs on rihte boren.
30 Wæs þæs Iobes fæder   god eac swa he;
Saturnus ðone   sund-buende
heton, hæleþa bearn.   Hæfdon ða mægða
ælcne æfter oðrum   for ecne god.

¹ *MS.* ðu.   ² *MS.* good.

Sceolde eac wesan   Apollines
dohtor dior-boren   dysiges folces
gum-rinca gyden;   cuðe galdra fela
drifan dry-cræftas.   Hio gedwolan fylgde
manna swiðost   manegra þioda,   5
cyninges dohtor,   sio Circe wæs
haten for herigum.   Hio ricsode
on ðæm iglonde   þe Aulixes
cining Þracia   com ane to
ceole liðan.   Cuð wæs sona   10
eallre þære mænige   þe hire mid wunode
æþelinges sið.   Hio mid ungemete
lissum lufode   lið-monna frean[1];
ond he eac swa same   ealle mægne
efne swa swiðe hi   on sefan lufode,   15
þæt he to his earde   ænige nyste
modes mynlan   ofer mægð giunge;
ac he mid þæm wife   wunode siððan,
oððæt him ne meahte   monna ænig
þegna[2] sinra   þær mid wesan;   20
ac hi for ðæm yrmðum   eardes lyste,
mynton forlætan   leofne hlaford.

    Ða ongunnon wercan   wer-ðeoda spell;
sædon þæt hio sceolde   mid hire scin-lace
beornas forbredan,   ond mid balo-cræftum   25
wraþum weorpan   on wildra lic
cyninges þegnas,   cyspan siððan
ond mid racentan eac   ræpan mænigne.
Sume hi to wulfum wurdon,   ne meahton þonne
        word forðbringan,   30
ac hio þrag-mælum   ðioton ongunnon.
Sume wæron eaforas;   a grymetedon
ðonne hi sares hwæt   siofian scioldon.

[1] *MS.* frea.   [2] *MS.* þegnra.

Þa ðe leon wæron ongunnon laðlice
yrrenga ryn a þonne hi sceoldon
clipian for corþre. Cnihtas wurdon,
ealde ge giunge, ealle forhwerfde
5 to sumum diore swelcum he æror
on his lif-dagum gelicost wæs,
butan þam cyninge þe sio cwen lufode.
Nolde þara oþra ænig onbitan
mennisces metes, ac hi ma lufedon
10 diora drohtað, swa hit gedefe ne wæs.
Næfdon hi mare monnum gelices
eorð-buendum ðonne ingeþonc;
hæfde anra gehwylc his agen mod;
þæt wæs þeah swiðe sorgum gebunden
15 for ðæm earfoðum þe him on sæton.
 Hwæt, ða dysegan men þe ðysum dry-cræftum
long gelyfdon, leasum spellum,
wisson hwæðre þæt, þæt gewit ne mæg
mod onwendan monna ænig
20 mid dry-cræftum, þeah hio gedon meahte
þæt ða lic-homan lange þrage
onwend wurdon. Is þæt wundorlic
mægen-cræft micel moda gehwilces
ofer lic-homan lænne ond sænne.
25 Swylcum ond swylcum þu meaht sweotole ongitan
þæt ðæs lic-homan listas ond cræftas
of ðæm mode cumað monna gehwylcum,
ænlepra ælc. Þu meaht eaðe ongitan
þætte ma dereð monna gehwelcum
30 modes unþeaw þonne mettrymnes
lænes lic-homan. Ne þearf leoda nan
wenan þære wyrde, þæt þæt werige flæsc
þæt mod-gemynd[1] monna æniges

[1] *MS. only* mod; *Grein* modgemynd.

eallunga to him   æfre mæg[1] onwendan;
ac þa unðeawas   ælces modes
ond þæt ingeþonc   ælces monnes
þone lic-homan   lit þider hit wile.

THE TRUE SUN

Omerus wæs   east mid Crecum   5
on ðæm leodscipe   leoða cræftgast,
Firgilies   freond and lareow,
þæm mæran sceope   magistra betst.
Hwæt, se Omerus   oft and gelome
þære sunnan wlite   swiðe herede,   10
æðelo cræftas   oft and gelome
leoðum and spellum   leodum reahte.
Ne mæg hio þeah gescinan,   þeah hio sie scir and beorht,
ahwærgen neah   ealla gesceafta;
ne furðum þa gesceafta   ðe hio gescinan mæg, 15
endemes ne mæg   ealla geondlihtan
innan and utan.   Ac se ælmihtega
waldend and wyrhta   weorulde gesceafta
his agen weorc   eall geondwliteð,
endemes þurhsyhð   ealla gesceafta.   20
Ðæt is sio soðe   sunne mid rihte,
be ðæm we magon singan   swylc butan lease.

Carmen XXX, *King Alfred's Boethius*,
ed. Sedgefield, pp. 203–204.

[1] *Not in MS., supplied by Junius and later editors.*

XV

DEOR

The text of this poem is preserved in a single copy on fol. 100 of the Exeter Book. The date of composition of the poem is undoubtedly much earlier than the date of the writing of the Exeter Book, and it is indeed usually counted among the earliest survivals of Anglo-Saxon literature. The unity of the poem is interrupted by ll. 15–21, p. 129, and these are regarded by most critics as a late Christian addition. Apart from these lines, the theme of the poem is that hardships overcome make it easier to overcome further hardships. The poem is often given the title *Deor's Lament*. Leaving out ll. 15–21, the poem consists of six stanzas of unequal length, each stanza ending with a refrain. No other Anglo-Saxon poem is constructed thus definitely in a stanzaic form. The text of the poem has been frequently printed, and it has been edited with a group of similar poems by Bruce Dickins, *Runic and Heroic Poems of the Old Teutonic Peoples*, Cambridge [Eng.], 1915.

Weland himbe wurman   wræces cunnade,
anhydig eorl   earfoþa dreag,
hæfde him to gesiþþe   sorge ond longaþ,
winter-cealde wræce;   wean oft onfond,
5 siþþan hine Niðhad on   nede legde,
swoncre seono-bende   on syllan monn.
    Þæs ofereode,   þisses swa mæg!

Beadohilde ne wæs   hyre broþra deaþ
on sefan swa sar   swa hyre sylfre þing,
10 þæt heo gearolice   ongieten hæfde
þæt heo eacen wæs;   æfre ne meahte
þriste geþencan,   hu ymb þæt sceolde.
    Þæs ofereode,   þisses swa mæg!

We þæt Mæðhilde[1]   monge gefrugnon
wurdon grund-lease   Geates frige,
þæt him[2] seo sorg-lufu   slæp ealle binom.
    Þæs ofereode,   þisses swa mæg!

Ðeodric ahte   þritig wintra   5
Mæringa burg;   þæt wæs monigum cuþ.
    Þæs ofereode,   þisses swa mæg!

We geascodon   Eormanrices
wylfenne geþoht;   ahte wide folc
Gotena rices;   þæt wæs grim cyning.   10
Sæt secg monig   sorgum gebunden,
wean on wenan,   wyscte geneahhe
þæt þæs cyne-rices   ofercumen wære.
    Þæs ofereode,   þisses swa mæg!

Siteð sorg-cearig,   sælum bedæled   15
on sefan sweorceð;   sylfum þinceð
þæt sy endeleas   earfoða[3] dæl.
Mæg þonne geþencan,   þæt geond þas woruld
witig dryhten   wendeþ geneahhe,
eorle monegum   are gesceawað,   20
wislicne blæd,   sumum weana dæl.

Þæt ic bi me sylfum   secgan wille,
þæt ic hwile wæs   Heodeninga scop,
dryhtne dyre;   me wæs Deor noma.
Ahte ic fela wintra   folgað tilne,   25
holdne hlaford,   oð þæt Heorrenda nu,
leoð-cræftig monn,   lond-ryht geþah,
þæt me eorla hleo   ær gesealde.
    Þæs ofereode,   þisses swa mæg!

[1] *MS*. mæð hilde.   [2] *MS*. hi.   [3] *MS*. earfoda.

XVI

THE WANDERER

The authorship of *The Wanderer* is unknown, and the date of composition of the poem can be only approximately determined. It seems probable that it belongs to the period in which Cynewulf flourished, but there are no grounds for the assertion that Cynewulf was the author of it. The poem presents a picture of the sorrows of the masterless man, not as a record of personal experience, it may be supposed, but in the idealizing manner common to all lyric poetry. It is preserved in a single copy in the Exeter Book, and will be found in the edition by Gollancz, pp. 286–293. It is contained in *Anglo-Saxon and Old Norse Poems*, by N. Kershaw, Cambridge University Press, 1922, and it has been frequently printed elsewhere.

Oft him anhaga   are gebideð,
Metudes miltse,   þeah þe he mod-cearig
geond lagu-lade   longe sceolde
hreran mid hondum   hrim-cealde sæ,
5 wadan wræc-lastas: wyrd bið ful aræd!
    Swa cwæð eard-stapa   earfeþa gemyndig,
wraþra wæl-sleahta,   wine-mæga hryre:
'Oft ic sceolde ana   uhtna gehwylce
mine ceare cwiþan;   nis nu cwicra nan,
10 þe ic him mod-sefan   minne durre
sweotule asecgan.   Ic to soþe wat
þæt biþ in eorle   indryhten þeaw,
þæt he his ferð-locan   fæste binde,
healde[1] his hord-cofan,   hycge swa he wille.

[1] *MS.* healdne.

130

Ne mæg werig mod   wyrde wiðstondan
ne se hreo hyge   helpe gefremman;
forðon dom-georne   dreorigne oft
in hyra breost-cofan   bindað fæste.
Swa ic mod-sefan   minne sceolde   5
oft earm-cearig   eðle bidæled,
freo-mægum feor   feterum sælan,
siþþan geara iu   gold-wine minne[1]
hrusan heolster[2] biwrah,   and ic hean þonan
wod winter-cearig   ofer waþema[3] gebind,   10
sohte sele dreorig   sinces bryttan,
hwær ic feor oþþe neah   findan meahte
þone þe in meodu-healle   minne[4] wisse
oþþe mec freond-leasne[5]   frefran wolde,
wenian mid wynnum.   Wat se þe cunnað   15
hu sliþen bið   sorg to geferan
þam þe him lyt hafað   leofra geholena;
warað hine wræc-last,   nales wunden gold,
ferð-loca freorig,   nalæs foldan blæd;
gemon he sele-secgas   and sinc-þege,   20
hu hine on geoguðe   his gold-wine
wenede to wiste: wyn eal gedreas!
Forþon wat se þe sceal   his wine-dryhtnes
leofes lar-cwidum   longe forþolian.
Ðonne sorg and slæp   somod ætgædre   25
earmne anhogan   oft gebindað,
þinceð him on mode   þæt he his mon-dryhten
clyppe and cysse,   and on cneo lecge
honda and heafod,   swa he hwilum ær
in gear-dagum   gief-stolas breac;   30
ðonne onwæcneð eft   wine-leas guma,
gesihð him biforan   fealwe wegas,

---

[1] MS. mine.   [2] MS. heolstre.   [3] MS. waþena.
[4] MS. mine.   [5] MS. freondlease.

baþian brim-fuglas,   brædan feþra,
hreosan hrim and snaw   hagle gemenged.
Þonne beoð þy hefigran   heortan benne,
sare æfter swæsne,   sorg bið geniwad,
5 þonne maga gemynd   mod geondhweorfeð,
greteð gliw-stafum,   georne geondsceawað
secga geseldan;   swimmað eft[1] on weg.
Fleotendra ferð   no þær fela bringeð
cuðra cwide-giedda;   cearo bið geniwad
10 þam þe sendan sceal   swiþe geneahhe
ofer waþema gebind   werigne sefan.
Forþon ic geþencan ne mæg   geond þas woruld
for hwan mod-sefa   min[2] ne gesweorce,
þonne ic eorla lif   eal geondþence,
15 hu hi færlice   flet ofgeafon,
modge magu-þegnas.   Swa þes middan-geard
ealra dogra gehwam   dreoseð and fealleþ.
Forþon ne mæg weorþan[3] wis   wer, ær he age
wintra dæl in woruld-rice.   Wita sceal geþyldig,
20 ne sceal no to hat-heort   ne to hræd-wyrde,
ne to wac wiga   ne to wan-hydig,
ne to forht ne to fægen   ne to feoh-gifre,
ne næfre gielpes to georn,   ær he geare cunne.
Beorn sceal gebidan,   þonne he beot spriceð,
25 oþ þæt collen-ferð   cunne gearwe
hwider hreþra gehygd   hweorfan wille.
Ongietan sceal gleaw hæle   hu gæstlic bið,
þonne eall[4] þisse worulde wela   weste stondeð,
swa nu missenlice   geond þisne middan-geard
30 winde biwaune   weallas stondaþ,
hrime bihrorene,   hryðge þa ederas.
Woriað þa win-salo,   waldend licgað

---

[1] _MS_. oft.   [2] _MS_. modsefan minne.
[3] _MS_. wearþan.   [4] _MS_. ealle.

dreame bidrorene; duguð eal gecrong
wlonc bi wealle. Sume wig fornom,
ferede in forð-wege; sumne fugel oþbær
ofer heanne holm; sumne se hara wulf
deaðe gedælde; sumne dreorig-hleor 5
in eorð-scræfe eorl gehydde;
yþde swa þisne eard-geard ælda Scyppend,
oþ þæt burg-wara breahtma lease
eald enta geweorc idlu stodon.
Se þonne þisne weal-steal wise geþohte, 10
and þis deorce[1] lif deope geondþenceð,
frod in ferðe feor oft gemon
wæl-sleahta worn, and þas word acwið:
'Hwær cwom mearg? hwær cwom mago? hwær cwom
        maþþum-gyfa? 15
hwær cwom symbla gesetu? hwær sindon sele-dreamas?
Eala beorht bune! eala byrn-wiga!
eala þeodnes þrym! Hu seo þrag gewat,
genap under niht-helm, swa heo no wære!
Stondeð nu on laste leofre duguþe 20
weal wundrum heah, wyrm-licum fah;
eorlas fornoman asca þryþe,
wæpen wæl-gifru, wyrd seo mære,
and þas stan-hleoþu stormas cnyssað
hrið hreosende hrusan[2] bindeð, 25
wintres woma, þonne won cymeð,
nipeð niht-scua, norþan onsendeð
hreo hægl-fare hæleþum on andan.
Eall is earfoðlic eorþan rice,
onwendeð wyrda gesceaft weoruld under heofonum; 30
her bið feoh læne, her bið freond læne,
her bið mon læne, her bið mæg læne;
eal þis eorþan gesteal idel weorþeð!'

_____
[1] *MS.* deorcne.   [2] *MS.* hruse.

Swa cwæð snottor on mode,   gesæt him sundor æt
rune.

Til biþ se þe his treowe gehealdeð;   ne sceal næfre his
torn to rycene

5 beorn of his breostum acyþan,   nemþe he ær þa bote
cunne,

eorl mid elne gefremman.   Wel bið þam þe him are
seceð,

frofre to Fæder on heofonum,   þær us eal seo fæstnung
10   stondeð.

_____

GNOMES FROM *BEOWULF*

Æghwæþres sceal
scearp scyld-wiga   gescad witan,
worda ond worca,   se þe wel þenceð.

ll. 287–289.

Wyrd oft nereð
15 unfægne eorl,   þonne his ellen deah.

ll. 572–573.

Fela sceal gebidan
leofes ond laþes,   se þe longe her
on ðyssum win-dagum   worulde bruceð.

ll. 1060–1062.

Selre bið æghwæm,
20 þæt he his freond wrece,   þonne he fela murne.

ll. 1384–1385.

Swa sceal man don,
þonne he æt guðe   gegan þenceð
longsumne lof,   na ymb his lif ceараð.

ll. 1534–1536.

Deað bið sella
25 eorla gehwylcum   þonne edwit-lif.

ll. 2890–2891.

XVII

THE WHALE

The Whale is one of three poems surviving in Anglo-Saxon as parts probably of some completer but now unknown Physiologus. Of the other two poems, one treats of the panther, and the second, a fragment, of the partridge. The method of the poems of this type was to describe some fact or pseudo-fact of nature and to derive allegorically a spiritual significance from it. The text of the three surviving representatives of this kind of literature in Anglo-Saxon is preserved in a single copy in the Exeter Book, and has been edited by Grein-Wülker, *Bibliothek*, III, Part I, pp. 164 ff., and by Cook, *Elene, Phoenix and Physiologus*, pp. 77 ff.

Nu ic fitte gen   ymb fisca cynn
wille woð-cræfte   wordum cyþan
þurh mod-gemynd   bi þam miclan hwale,
se bið unwillum   oft gemeted,
frecne ond ferð-grim   fareð-lacendum,   5
niþþa gehwylcum;   þam is noma cenned,
fyrn-streama geflotan,   Fastitocalon.
Is þæs hiw gelic   hreofum stane,
swylce worie   bi wædes ofre,
sond-beorgum ymbseald,   sæ-ryrica mæst,   10
swa þæt wenaþ   wæg-liþende
þæt hy on ea-lond sum   eagum wliten;
ond þonne gehydað   heah-stefn scipu
to þam unlonde   oncyr-rapum,
setlaþ sæ-mearas   sundes æt ende,   15
ond þonne in þæt eg-lond   up gewitað
collen-ferþe;   ceolas stondað
bi staþe fæste   streame biwunden.

Ðonne gewiciað   werig-ferðe,
faroð-lacende,   frecnes ne wenað.
On þam ea-londe   æled weccað,
heah-fyr ælað,   hæleþ beoþ on wynnum
5 reonig-mode,   ræste gelyste.[1]
Þonne gefeleð   facnes cræftig
þæt him þa ferend   on fæste wuniaþ,
wic weardiað   wedres on luste,
ðonne semninga   on sealtne wæg
10 mid þa noþe   niþer gewiteþ,
gar-secges gæst,   grund geseceð,
ond þonne in deað-sele   drence bifæsteð
scipu mid scealcum.   Swa bið scinna þeaw,
deofla wise,   þæt hi drohtende
15 þurh dyrne meaht   duguðe beswicað
ond on teosu tyhtaþ   tilra dæda,
wemað on willan,   þæt hy wraþe secen
frofre to feondum,   oþþæt hy fæste ðær
æt þam wær-logan   wic geceosað.
20 Þonne þæt gecnaweð   of cwic-susle
flah feond gemah,   þætte fira gehwylc
hæleþa cynnes   on his hringe biþ
fæste gefeged,   he him feorg-bona
þurh sliþen searo   siþþan weorþeð,
25 wloncum ond heanum,   þe his willan her
firenum fremmað;   mid þam he færinga,
heoloþ-helme biþeaht,   helle seceð
goda geasne,   grund-leasne wylm
under mist-glome,   swa se micla hwæl,
30 se þe bisenceð   sæ-liþende
eorlas ond yð-mearas.   He hafað oþre gecynd,
wæter-þisa wlonc,   wrætlicran gien:
þonne hine on holme   hungor bysgað

[1] *MS.* geliste.

ond þone aglæcan   ætes lysteþ,
ðonne se mere-weard   muð ontyneð,
wide weleras;   cymeð wynsum stenc
of his innoþe,   þætte oþre þurh þone,
sæ-fisca cynn,   beswicen weorðaþ;   5
swimmað sund-hwate   þær se sweta stenc
ut gewiteð.¹   Hi þær in farað,
unware weorude,   oþþæt se wida ceafl
gefylled bið;   þonne færinga
ymbe þa here-huþe   hlemmeð togædre   10
grimme goman.   Swa biþ gumena gehwam,
se þe oftost   his unwærlice
on þas lænan tid   lif bisceawað,
læteð hine beswican   þurh swetne stenc,
leasne willan,   þæt he biþ leahtrum fah   15
wið Wuldor-cyning;   him se awyrgda ongean
æfter hin-siþe   helle ontyneð,
þam þe leaslice   lices wynne
ofer ferht-gereht²   fremedon on unræd.
Þonne se fæcna   in þam fæstenne   20
gebroht hafað,   bealwes cræftig,
æt þam edwylme   þa þe him on cleofiað,
gyltum gehrodene,   ond ær georne his
in hira lif-dagum   larum hyrdon,
þonne he þa grimman   goman bihlemmeð   25
æfter feorh-cwale   fæste togædre,
helle hlin-duru;   nagon hwyrft ne swice,
ut-siþ æfre,   þa þær in cumað,
þon ma þe þa fiscas   farað-lacende
of þæs hwæles fenge   hweorfan motan.   30
Forþon is eallinga   ³æghwylcum geboden
þæt he Hælende hyre   ond Heofon-cyninge,³

¹ *MS.* gewitað.   ² *MS.* gereaht.   ³ *A break in the MS.*
here; a half-line and a full line are supplied by Grein-Wülker.

dryhtna Dryhtne,   ond a deoflum wiðsace
wordum ond weorcum,   þæt we Wuldor-cyning
geseon moton.   Uton a sibbe to him
on þas hwilnan tid   hælu secan,
5 þæt we mid swa leofne   in lofe motan
to widan feore   wuldres neotan.

LATIN PROVERBS IN ANGLO-SAXON

I. Se æppel næfre þæs feorr ne trenddeð, he cyð
hwanon he com.

Pomum licet ab arbore igitur unde reuoluitur tamen
10 prouidit, unde nascitur.

II. Hat acolað, hwit asolað, leof alaðaþ, leoht
aðystrað.

Ardor frigescit, nitor squalescit, amor abolescit, lux obtene-
brescit.

15   III. Æghwæt forealdað, þæs þe ece ne byð.

Senescunt omnia, que æterna non sunt.

From the British Museum *MS.* Cott.
Faust. A. x., in *Anglia* I, 285.

IV. Clipiendra gehwylc wolde, þæt him mon on
cwæde.

Omnis inuocans cupit audiri.

From the British Museum *MS.* Royal
2 B. v., in *Anglia* II, 373.

XVIII

CHARMS

Of the three charms printed here, the first and the third are
from Harley 585, a manuscript of the late eleventh century now
contained in the British Museum. The second charm, Wi∂
ymbe, is from Corpus Christi 41, a manuscript of the late tenth
century at Corpus Christi College, Cambridge. The authorship
of the charms is not known. An edited text of these and many
other charms, with introduction and commentary, is given by
Felix Grendon, *The Anglo-Saxon Charms*, in the *Journal of
America Folk-lore*, Vol. xxii, pp. 105–237, April–June, 1909.
The charms here printed are from Grendon's edition, pp. 166,
168, 184–186.

I. Wi∂ Dweorh

Man sceal niman vii lytle oflætan, swylce man mid
ofra∂, and writtan þas naman on ælcre oflætan: Maxi-
mianus, Malchus, Johannes, Martinianus, Dionisius,
Constantinus, Serafion. Þænne eft þæt galdor þæt her
æfter cwe∂, man sceal singan, ærest on þæt wynstre   5
eare, þænne on þæt swi∂re eare, þænne ufan þæs mannes
moldan. And ga þænne an mædenman to, and ho hit
on his sweoran and do man swa þry dagas: him bi∂
sona sel.

> Her com in gangan, in spider wiht,   10
> hæfde him his haman on handa.
> Cwæ∂ þæt þu his hæncgest wære.
> Legeþ he his teage an sweoran.
> Ongunnan him of þæm lande liþan.

139

Sona swa hy of þæm lande coman,
þa ungunnon him þa colian.
Þa com ingangan deores sweostar.
Þa geændade heo and aðas swor:
5 ðæt næfre þis ðæm adlegan derian ne moste,
ne þæm þe þis galdor begytan mihte,
oððe þe þis galdor ongalan cuþe.
Amen, fiat.

II. Wið Ymbe

Nim eorþan, oferweorp mid þinre swiþran hand under
10 þinum swiþran fet and cweð:

Fo ic under fot; funde ic hit.
Hwæt, eorðe mæg wið ealra wihta gehwilce,
and wið andan and wið æminde,
and wið þa micelan mannes tungan.

15 Forweorp ofer greot, þonne hi swirman, and cweð:

Sitte ge, sige-wif, sigað to eorþan,
næfre ge wilde to wudu fleogan!
Beo ge swa gemindige mines godes,
swa bið manna gehwilc metes and eþeles.

III. Wið Ceapes Lyre

20 Þonne þe mon ærest secge, þæt þin ceap sy losod,
þonne cweð þu ærest, ær þu elles hwæt cweþe:

Bæðleem hatte seo buruh,
þe Crist on acænned wæs.
Seo is gemærsod geond ealne middan-geard.
25 Swa þyos dæd for monnum mære gewurþe
þurh þa haligan Cristes rode! Amen.

Gebide þe þonne þriwa east and cweþ þonne þriwa:
Crux Christi ab oriente reducat; gebide þe þonne þriwa
west and cweð þonne þriwa: Crux Christi ab occidente
reducat; gebide þe þonne þriwa suð and cweð þriwa:
Crux Christi ab austro reducat; gebide þe þonne 5
þriwa norð and cweð þriwa: Crux Christi ab aquilone
reducat, Crux Christi abscondita est et inuenta est.
Judeas Crist ahengon; dydon dæda þa wyrrestan;
hælon þæt hy forhelan ne mihtan. Swa þeos dæd
nænige þinga forholen ne wurþe, þurh þa haligan Cristes 10
rode. Amen.

THE PROPERTIES OF THINGS

     Daroð sceal on handa,
gar golde fah.   Gim sceal on hringe
standan steap ond geap.   Stream sceal on yðum
mecgan mere-flode.   Mæst sceal on ceole,   15
segel-gyrd seomian.   Sweord sceal on bearme,
drihtlic isern.   Draca sceal on hlæwe,
frod frætwum wlanc.   Fisc sceal on wætere
cynren cennan.   Cyning sceal on healle
beagas dælan.   Bera sceal on hæðe,   20
eald and egesfull.   Ea of dune sceal,
flod græg feran.   Fyrd sceal ætsomne,
tir-fæstra getrum.   Treow sceal on eorle,
wisdom on were.   Wudu sceal on foldan
blædum blowan.   Beorh sceal on eorþan   25
grene standan.   God sceal on heofenum,
dæda demend.

  ll. 253–268, in Plummer, *Two Saxon Chronicles*, I, 281.

XIX

RIDDLES

The riddles here given as examples are taken from the larger collection of nearly one hundred contained in the Exeter Book. These riddles were formerly assigned to Cynewulf with considerable agreement of opinion, but scholars now generally assume that the evidence is not adequate to prove that Cynewulf was the author of them. The time of composition of the riddles was not improbably the early part of the eighth century, but the proof of date, as well as the proof of authorship, is inconclusive. The whole collection has been fully edited by Frederick Tupper, Jr., *The Riddles of the Exeter Book*, 1910.

I

Ic eom anhaga   iserne wund,
bille gebennad,   beado-weorca sæd,
ecgum werig.   Oft ic wig seo,
frecne feohtan,   frofre ne wene,
5 þæt me[1] geoc cyme   guð-gewinnes,
ær ic mid ældum   eal forwurde;
ac mec hnossiað   homera lafe,
heard-ecg heoro-scearp   hond-weorc[2] smiþa,
bitað in burgum;   ic abidan sceal
10 laþran gemotes.   Næfre læce-cynn
on folc-stede   findan meahte,
þara þe mid wyrtum   wunde gehælde,
ac me ecga dolg   eacen weorðað
þurh deað-slege   dagum ond nihtum.

[1] *MS*. mec.   [2] *MS*. ondweorc.

II

Hrægl min swigað   þonne ic hrusan trede
oþþe þa wic buge   oþþe wado drefe.
Hwilum mec ahebbað   ofer hæleþa byht
hyrste mine   ond þeos hea lyft,
ond mec þonne wide   wolcna strengu   5
ofer folc byreð.   Frætwe mine
swogað hlude   ond swinsiað,
torhte singað,   þonne ic getenge ne beom
flode ond foldan,   ferende gæst.

III

Moððe word fræt;   me þæt þuhte   10
wrætlicu wyrd,   þa ic þæt wundor gefrægn,
þæt se wyrm forswealg   wera gied sumes,
þeof in þystro,   þrymfæstne cwide
ond þæs strangan staþol.   Stælgiest ne wæs
wihte þy gleawra   þe he þam wordum swealg.   15

XX

BEOWULF

The poem *Beowulf* is preserved in a single manuscript, Cotton Vitellius A. xv., now in the British Museum. The manuscript has been damaged by fire. It was written probably near the end of the tenth century, but the date of composition of the poem must have been at least several centuries earlier than the date of this late copy of it. Nothing is known concerning the author or the immediate circumstances of the production of the work. The materials contained in the poem belong to a period antedating the arrival of the Angles, Jutes and Saxons in England, and the most reasonable hypothesis is that some English poet in the seventh or eighth century gathered together this epic material, probably already traditionally current in large part in literary form, and combined it in the unified poem which we now possess. This accounts for the fact that the setting and events of the most important narrative poem of the Anglo-Saxon period are not specifically British and insular, but Continental. The poem has been frequently edited, most recently by Klaeber, Boston, 1922, and the manuscript itself has been photographically reproduced under the direction of Zupitza, for the Early English Text Society.

There are three points of highest narrative interest in the poem. The first is Beowulf's fight with Grendel, the second with Grendel's mother, and the third, which results fatally for the hero of the poem, with the fire dragon. Beowulf is a Geat, dwelling in Sweden, who hears of the evil deeds performed by a monster, Grendel, in the great hall, Heort, which had been built by the Danish king, Hrothgar. In a spirit of heroic adventure, Beowulf sets sail for Denmark, and in a night combat in the great hall, he mortally wounds Grendel. Soon Grendel's mother appears, however, seeking vengeance for the death of her son, and in a second fight, which takes place in a sea-cavern, Beowulf overcomes and kills her. Richly rewarded, he returns to his own country, and after the death of his king, Hygelac, Beowulf rules the country for fifty years. In his old age, however, a fire-spewing dragon devastates the land, and Beowulf as protector of his people, seeks the dragon in combat. He succeeds in killing it, but in the progress of the fight, he receives his own death wound, and the poem closes with an account of the funeral ceremonies at the pyre of Beowulf.

The entire poem consists of 3182 lines, following the numbering of the edition of Wyatt and Chambers, Cambridge, 1914. The first of the two passages given below tells of the building of Heort by Hrothgar and of the first visits of Grendel. The second describes Beowulf's fight with Grendel. The first corresponds to ll. 64–158, in Wyatt and Chambers' edition, the second to ll. 710–836. The third passage tells the story of the fight between Beowulf and the fire-dragon. It corresponds to ll. 2550–2835 in Wyatt and Chambers' edition. The passage opens with the appearance of Beowulf before the entrance to the cavern of the fire-dragon. Within the dragon is guarding a treasure which had been in its possession untouched for ages. But a stray man had entered the cave, and had carried off a gold cup while the dragon lay sleeping. When the dragon awoke, it discovered the theft, and waiting until night, it flew forth spewing avenging flames of fire upon the habitations of men. But it was now back in its cavern, where Beowulf challenges it to come out to combat.

I. HEORT

Þa wæs Hroðgare   here-sped gyfen,
wiges weorð-mynd,   þæt him his wine-magas
georne hyrdon,   oðð þæt seo geogoð geweox,
mago-driht micel.   Him on mod bearn
þæt heal-reced   hatan wolde,   5
medo-ærn micel,   men gewyrcean,
þonne[1] yldo bearn   æfre gefrunon,
ond þær on innan   eall gedælan
geongum ond ealdum,   swylc him God sealde,
buton folc-scare   ond feorum gumena.   10
Ða ic wide gefrægn   weorc gebannan

[1] *MS.* þone.

manigre mægþe   geond þisne middan-geard,
folc-stede frætwan.   Him on fyrste gelomp
ædre mid yldum,   þæt hit wearð eal gearo,
heal-ærna mæst;   scop him Heort naman,
5 se þe his wordes geweald   wide hæfde.
He beot ne aleh,   beagas dælde,
sinc æt symle.   Sele hlifade
heah ond horn-geap;   heaðo-wylma bad
laðan liges.   Ne wæs hit lenge þa gen
10 þæt se ecg-hete[1]   aþum-swerian
æfter wæl-niðe   wæcnan scolde.

   Ða se ellen-gæst   earfoðlice
þrage geþolode,   se þe in þystrum bad,
þæt he dogora gehwam   dream gehyrde
15 hludne in healle;   þær wæs hearpan sweg,
swutol sang scopes.   Sægde se þe cuþe
frumsceaft fira   feorran reccan,
cwæð þæt se Ælmihtiga   eorðan worhte,[2]
wlite-beorhtne wang,   swa wæter bebugeð;
20 gesette sige-hreþig   sunnan ond monan
leoman to leohte   land-buendum,
ond gefrætwade   foldan sceatas
leomum ond leafum;   lif eac gesceop
cynna gehwylcum,   þara ðe cwice hwyrfaþ.
25   Swa ða driht-guman   dreamum lifdon
eadiglice,   oð ðæt an ongan
fyrene fremman,[3]   feond on helle;
wæs se grimma gæst   Grendel haten,
mære mearc-stapa,   se þe moras heold,
30 fen ond fæsten;   fifel-cynnes eard
won-sæli wer   weardode hwile,
siþðan him Scyppend   forscrifen hæfde.

---

[1] *MS.* secghete.   [2] *The end of the word* worhte *is obliterated in the MS.*   [3] *MS. defective; Kemble supplied* fremman.

In Caines cynne   þone cwealm gewræc
ece Drihten,   þæs þe he Abel slog.
Ne gefeah he þære fæhðe,   ac he hine feor forwræc,
Metod for þy mane,   man-cynne fram.
Þanon untydras   ealle onwocon,   5
eotenas ond ylfe   ond orcneas,
swylce gigantas,   þa wið Gode wunnon
lange þrage;   he him ðæs lean forgeald.
Gewat ða neosian,   syþðan niht becom,
hean huses,   hu hit Hring-Dene   10
æfter beor-þege   gebun hæfdon.
Fand þa ðær inne   æþelinga gedriht
swefan æfter symble;   sorge ne cuðon,
wonsceaft wera.   Wiht unhælo,
grim ond grædig,   gearo sona wæs,   15
reoc ond reþe,   ond on ræste genam
þritig þegna;   þanon eft gewat,
huðe hremig,   to ham faran,
mid þære wæl-fylle   wica neosan.
Ða wæs on uhtan   mid ær-dæge   20
Grendles guð-cræft   gumum undyrne;
þa wæs æfter wiste   wop up ahafen,
micel morgen-sweg.   Mære þeoden,
æþeling ær-god,   unbliðe sæt,
þolode ðryð-swyð,   þegn-sorge dreah,   25
syðþan hie þæs laðan   last sceawedon,
wergan gastes;   wæs þæt gewin to strang,
lað ond longsum.   Næs hit lengra fyrst,
ac ymb ane niht   eft gefremede
morð-beala mare   ond no mearn fore,   30
fæhðe ond fyrene;   wæs to fæst on þam.
Þa wæs eað-fynde,   þe him elles hwær
gerumlicor   ræste sohte,[1]

[1] sohte *not in MS.*

bed æfter burum,   ða him gebeacnod wæs,
gesægd soðlice,   sweotolan tacne
heal-ðegnes hete;   heold hyne syðþan
fyr ond fæstor,   se þæm feonde ætwand.
5   Swa rixode   ond wið rihte wan
ana wið eallum,   oð þæt idel stod
husa selest.   Wæs seo hwil micel;
twelf wintra tid   torn geþolode
wine Scyldinga,[1]   weana gehwelcne,
10 sidra sorga;   for ðam syðþan[2] wearð
ylda bearnum   undyrne cuð,
gyddum geomore,   þætte Grendel wan
hwile wið Hroþgar,   hete-niðas wæg,
fyrene ond fæhðe   fela missera,
15 singale sæce;   sibbe ne wolde
wið manna hwone   mægenes Deniga,
feorh-bealo feorran,   fea þingian,
ne þær nænig witena   wenan þorfte
beorhtre bote   to banan folmum.

II. Grendel

20   Ða com of more   under mist-hleoþum
Grendel gongan;   Godes yrre bær.
Mynte se man-scaða   manna cynnes
sumne besyrwan   in sele þam hean.
Wod under wolcnum,   to þæs þe he win-reced,
25 gold-sele gumena,   gearwost wisse,
fættum fahne;   ne wæs þæt forma sið
þæt he Hroþgares   ham gesohte.
Næfre he on aldor-dagum,   ær ne siþðan,
heardran hæleþas,[3]   heal-ðegnas fand.
30 Com þa to recede   rinc siðian

[1] *MS.* scyldenda.   [2] syðþan *not in MS.*   [3] *MS.* hæle.

dreamum bedæled;   duru sona onarn,
fyr-bendum fæst,   syþðan he hire folmum æthran;[1]
onbræd þa bealo-hydig,   ða he gebolgen[2] wæs,
recedes muþan.   Raþe æfter þon
on fagne flor   feond treddode,   5
eode yrre-mod;   him of eagum stod
ligge gelicost   leoht unfæger.
Geseah he in recede   rinca manige,
swefan sibbe-gedriht   samod ætgædere,
mago-rinca heap.   Þa his mod ahlog;   10
mynte þæt he gedælde,   ær þon dæg cwome,
atol aglæca,   anra gehwylces
lif wið lice,   þa him alumpen wæs
wist-fylle wen.   Ne wæs þæt wyrd þa gen
þæt he ma moste   manna cynnes   15
ðicgean ofer þa niht.   Þryð-swyð beheold
mæg Higelaces,   hu se man-scaða
under fær-gripum   gefaran wolde.
Ne þæt se aglæca   yldan þohte,
ac he gefeng hraðe   forman siðe   20
slæpendne rinc,   slat unwearnum,
bat ban-locan,   blod edrum dranc,
syn-snædum swealh;   sona hæfde
unlyfigendes   eal gefeormod,
fet ond folma.   Forð near ætstop,   25
nam þa mid handa   hige-þihtigne
rinc on ræste,   ræhte togeanes[3]
feond mid folme;   he onfeng hraþe
inwit-þancum   ond wið earm gesæt.
   Sona þæt onfunde   fyrena hyrde   30
þæt he ne mette   middan-geardes,

---

[1] *MS. defective; Wyatt and Chambers conjecture* æthran.
[2] *MS. not clear;* he ge — *conjectural restoration of Grundtvig.*
[3] *MS.* ongean.

eorþan sceatta,   on elran men
mund-gripe maran;   he on mode wearð
forht on ferhðe;   no þy ær fram meahte.
Hyge wæs him hin-fus,   wolde on heolster fleon,
5 secan deofla gedræg;   ne wæs his drohtoð þær
swylce he on ealder-dagum   ær gemette.
Gemunde þa se modga[1]   mæg Higelaces
æfen-spræce,   up-lang astod
ond him fæste wiðfeng;   fingras burston;
10 eoten wæs ut-weard;   eorl furþur stop.
Mynte se mæra,   þær[2] he meahte swa,
widre gewindan   ond on weg þanon
fleon on fen-hopu;   wiste his fingra geweald
on grames grapum;   þæt wæs geocor sið
15 þæt se hearm-scaþa   to Heorute ateah.
Dryht-sele dynede;   Denum eallum wearð,
ceaster-buendum,   cenra gehwylcum,
eorlum ealu-scerwen.   Yrre wæron begen
reþe ren-weardas.   Reced hlynsode;
20 þa wæs wundor micel   þæt se win-sele
wiðhæfde heaþo-deorum,   þæt he on hrusan ne feol,
fæger fold-bold;   ac he þæs fæste wæs
innan ond utan   iren-bendum
searo-þoncum besmiþod.   Þa fram sylle abeag
25 medu-benc monig,   mine gefræge,
golde geregnad,   þær þa graman wunnon;
þæs ne wendon ær   witan Scyldinga,
þæt hit a mid gemete   manna ænig,
betlic[3] ond ban-fag,   tobrecan meahte,
30 listum tolucan,   nymþe liges fæþm
swulge on swaþule.   Sweg up astag
niwe geneahhe;   Norð-Denum stod

---

[1] MS. goda.   [2] MS. defective, edd. generally, þær.
[3] MS. hetlic.

atelic egesa, anra gehwylcum,
þara þe of wealle wop gehyrdon,
gryre-leoð galan Godes ondsacan,
sige-leasne sang, sar wanigean
helle hæfton. Heold hine fæste, 5
se þe manna wæs mægene strengest
on þæm dæge þysses lifes.
Nolde eorla hleo ænige þinga
þone cwealm-cuman cwicne forlætan,
ne his lif-dagas leoda ænigum 10
nytte tealde. Þær genehost brægd
eorl Beowulfes ealde lafe,
wolde frea-drihtnes feorh ealgian,
mæres þeodnes, ðær hie meahton swa.
Hie þæt ne wiston, þa hie gewin drugon, 15
heard-hicgende hilde-mecgas,
ond on healfa gehwone heawan þohton,
sawle secan: þone syn-scaðan
ænig ofer eorþan irenna cyst,
guð-billa nan, gretan nolde, 20
ac he sige-wæpnum forsworen hæfde,
ecga gehwylcre. Scolde his aldor-gedal
on ðæm dæge þysses lifes
earmlic wurðan, ond se ellor-gast
on feonda geweald feor siðian. 25
  Ða þæt onfunde, se þe fela æror
modes myrðe manna cynne
fyrene gefremede, he fag wið God,
þæt him se lic-homa læstan nolde,
ac hine se modega mæg Hygelaces 30
hæfde be honda; wæs gehwæþer oðrum
lifigende lað. Lic-sar gebad
atol æglæca; him on eaxle wearð
syn-dolh sweotol; seonowe onsprungon,

burston ban-locan.   Beowulfe wearð
guð-hreð gyfeþe;   scolde Grendel þonan
feorh-seoc fleon   under fen-hleoðu,
secean wyn-leas wic;   wiste þe geornor
5 þæt his aldres wæs   ende gegongen,
dogera dæg-rim.   Denum eallum wearð
æfter þam wæl-ræse   willa gelumpen.
Hæfde þa gefælsod,   se þe ær feorran com,
snotor ond swyð-ferhð   sele Hroðgares,
10 genered wið niðe;   niht-weorce gefeh,
ellen-mærþum.   Hæfde East-Denum
Geat-mecga leod   gilp gelæsted,
swylce oncyþðe   ealle gebette,
inwid-sorge,   þe hie ær drugon
15 ond for þrea-nydum   þolian scoldon,
torn unlytel.   Þæt wæs tacen sweotol,
syþðan hilde-deor   hond alegde,
earm ond eaxle   (þær wæs eal geador
Grendles grape)   under geapne hrof.[1]

III. The Fire-Dragon

20 Let ða of breostum,   ða he gebolgen wæs,
Weder-Geata leod   word ut faran;
stearc-heort styrmde;   stefn in becom
heaðo-torht hlynnan   under harne stan.
Hete wæs onhrered;   hord-weard oncniow
25 mannes reorde;   næs ðær mara fyrst
freode to friclan.   From ærest cwom
oruð aglæcean   ut of stane,
hat hilde-swat;   hruse dynede.
Biorn under beorge   bord-rand onswaf
30 wið ðam gryre-gieste,   Geata dryhten,

[1] *MS. defective, edd. generally,* hrof.

ða wæs hring-bogan   heorte gefysed
sæcce to seceanne.   Sweord ær gebræd
god guð-cyning,   gomele lafe,
ecgum unslaw;[1]   æghwæðrum wæs
bealo-hycgendra   broga fram oðrum.   5
Stið-mod gestod   wið steapne rond
winia bealdor,   ða se wyrm gebeah
snude tosomne,   (he on searwum bad),
gewat ða byrnende   gebogen scriðan,
to gescipe scyndan.   Scyld wel gebearg   10
life ond lice   læssan hwile
mærum þeodne,   þonne his myne sohte.
Ðær he þy fyrste   forman dogore
wealdan moste,   swa him wyrd ne gescraf
hreð æt hilde.   Hond up abræd   15
Geata dryhten,   gryre-fahne sloh
incge lafe   þæt sio ecg gewac
brun on bane,   bat unswiðor,
þonne his ðiod-cyning   þearfe hæfde,
bysigum gebæded.   Þa wæs beorges weard   20
æfter heaðu-swenge   on hreoum mode,
wearp wæl-fyre;   wide sprungon
hilde-leoman.   Hreð-sigora ne gealp
gold-wine Geata;   guð-bill gcswac
nacod æt niðe,   swa hyt no sceolde,   25
iren ær-god.   Ne wæs þæt eðe sið,
þæt se mæra   maga Ecgðeowes
grund-wong þone   ofgyfan wolde;
sceolde ofer[2] willan   wic eardian
elles hwergen,   swa sceal æghwylc mon   30
alætan læn-dagas.   Næs ða long to ðon
þæt ða aglæcean   hy eft gemetton.

[1] *MS.* un glaw, *with traces of an erased* e *before* a *in* glaw.
[2] ofer *not in the MS.*

Hyrte hyne hord-weard,   (hreðer æðme weoll),
niwan stefne;   nearo ðrowode
fyre befongen,   se ðe ær folce weold.
Nealles him on heape   hand¹-gesteallan,
5 æðelinga bearn,   ymbe gestodon
hilde-cystum,   ac hy on holt bugon,
ealdre burgan.   Hiora in anum weoll
sefa wið sorgum;   sibb æfre ne mæg
wiht onwendan,   þam ðe wel þenceð.
10   Wiglaf wæs haten   Weoxstanes sunu,
leoflic lind-wiga,   leod Scylfinga,
mæg Ælfheres;   geseah his mon-dryhten
under here-griman   hat þrowian;
gemunde ða ða are   þe he him ær forgeaf,
15 wic-stede weligne   Wægmundinga,
folc-rihta gehwylc,   swa his fæder ahte.
Ne mihte ða forhabban;   hond rond gefeng,
geolwe linde;   gomel swyrd geteah;
þæt wæs mid eldum   Eanmundes laf,
20 suna Ohteres,²   þam æt sæcce wearð,
wræccan wine-leasum,   Weohstan bana
meces ecgum,   ond his magum ætbær
brun-fagne helm,   hringde byrnan,
eald sweord etonisc,   þæt him Onela forgeaf,
25 his gædelinges   guð-gewædu,
fyrd-searo fuslic;   no ymbe ða fæhðe spræc,
þeah ðe he his broðor bearn   abredwade.
He frætwe geheold   fela missera,
bill ond byrnan,   oð ðæt his byre mihte
30 eorl-scipe efnan   swa his ær-fæder;
geaf him ða mid Geatum   guð-gewæda
æghwæs unrim,   þa he of ealdre gewat
frod on forð-weg.   Þa wæs forma sið
¹ *MS.* heand.   ² *MS.* ohtere.

geongan cempan   þæt he guðe ræs
mid his freo-dryhtne   fremman sceolde;
ne gemealt him se mod-sefa,   ne his mæges[1] laf
gewac æt wige;   þæt[2] se wyrm onfand,
syððan hie togædre   gegan hæfdon.   5
Wiglaf maðelode,   word-rihta fela
sægde gesiðum   (him wæs sefa geomor):
    "Ic ðæt mæl geman,   þær we medu þegun,
þonne we geheton   ussum hlaforde
in bior-sele,   ðe us ðas beagas geaf,   10
þæt we him ða guð-getawa   gyldan woldon,
gif him þyslicu   þearf gelumpe,
helmas ond heard sweord.   Ðe he usic on herge geceas
to ðyssum sið-fate   sylfes willum,
onmunde usic mærða,   ond me þas maðmas geaf,   15
þe he usic gar-wigend   gode tealde,
hwate helm-berend,   þeah ðe hlaford us
þis ellen-weorc   ana aðohte
to gefremmanne,   folces hyrde,
forðam he manna mæst   mærða gefremede,   20
dæda dollicra.   Nu is se dæg cumen
þæt ure man-dryhten   mægenes behofað
godra guð-rinca;   wutun gongan to,
helpan hild-fruman,   þenden hyt sy,
gled-egesa grim.   God wat on mec,   25
þæt me is micle leofre   þæt minne lic-haman
mid minne gold-gyfan   gled fæðmię.
Ne þynceð me gerysne   þæt we rondas beren
eft to earde,   nemne we æror mægen
fane gefyllan,   feorh ealgian   30
Wedra ðeodnes.   Ic wat geare,
þæt næron eald gewyrht   þæt he ana scyle
Geata duguðe   gnorn þrowian,
¹ MS. mægenes.   ² MS. þa.

gesigan æt sæcce; urum sceal sweord ond helm,
byrne ond beadu[1]-scrud bam gemæne.''

Wod þa þurh þone wæl-rec, wig-heafolan bær
frean on fultum, fea worda cwæð:

5 "Leofa Biowulf, læst eall tela,
swa ðu on geoguð-feore geara gecwæde
þæt ðu ne alæte be ðe lifigendum
dom gedreosan; scealt nu dædum rof,
æðeling an-hydig, ealle mægene
10 feorh ealgian; ic ðe fullæstu.''

Æfter ðam wordum wyrm yrre cwom,
atol inwit-gæst, oðre siðe
fyr-wylmum fah fionda niosian,[2]
laðra manna. Lig-yðum forborn
15 bord wið ronde,[3] byrne ne meahte
geongum gar-wigan geoce gefremman;
ac se maga geonga under his mæges scyld
elne geeode, þa his agen wæs[4]
gledum forgrunden. Þa gen guð-cyning
20 mærða[5] gemunde, mægen-strengo sloh
hilde-bille, þæt hyt on heafolan stod
niþe genyded; Nægling forbærst,
geswac æt sæcce sweord Biowulfes,
gomol ond græg-mæl. Him þæt gifeðe ne wæs
25 þæt him irenna ecge mihton
helpan æt hilde; wæs sio hond to strong,
se ðe meca gehwane, mine gefræge,
swenge ofersohte, þonne he to sæcce bær
wæpen wundrum[6] heard; næs him wihte ðe sel.
30 Þa wæs þeod-sceaða þriddan siðe,
frecne fyr-draca, fæhða gemyndig,

---

[1] *MS.* byrdu.   [2] *MS. not clear, but edd. generally read* niosian.
[3] *MS.* rond.   [4] *MS. worn at the edge and part of the word* wæs
gone.   [5] *MS. worn, as in* wæs *above.*   [6] *MS.* wundum.

ræsde on ðone rofan, þa him rum ageald,
hat ond heaðo-grim, heals ealne ymbefeng
biteran banum; he geblodegod wearð
sawul-driore, swat yðum weoll.

Ða ic æt þearfe gefrægn[1] þeod-cyninges   5
andlongne eorl ellen cyðan,
cræft ond cenðu, swa him gecynde wæs;
ne hedde he þæs heafolan, ac sio hand gebarn
modiges mannes, þær he his mæges[2] healp,
þæt he þone nið-gæst nioðor hwene sloh,   10
secg on searwum, þæt ðæt sweord gedeaf
fah ond fæted, þæt ðæt fyr ongon
sweðrian syððan. Þa gen sylf cyning
geweold his gewitte, wæll-seaxe gebræd
biter ond beadu-scearp, þæt he on byrnan wæg;   15
forwrat Wedra helm wyrm on middan.
Feond gefyldan, (ferh ellen wræc),
ond hi hyne þa begen abroten hæfdon,
sib-æðelingas; swylc sceolde secg wesan,
þegn æt ðearfe. Þæt ðam þeodne wæs   20
siðast[3] sige-hwila[4] sylfes dædum,
worlde geweorces. Ða sio wund ongon,
þe him se eorð-draca ær geworhte
swelan ond swellan; he þæt sona onfand,
þæt him on breostum bealo-niðe[5] weoll   25
attor on innan. Ða se æðeling giong
þæt he bi wealle wis-hycgende
gesæt on sesse; seah on enta geweorc,
hu ða stan-bogan stapulum fæste
ece eorð-reced innan healde.   30
Hyne þa mid handa heoro-dreorigne,
þeoden mærne, þegn ungemete till,

---

[1] gefrægn *not in MS.*   [2] *MS.* mægenes.   [3] *MS.* siðas.
[4] *MS.* sigehwile.   [5] *MS. defective, edd. generally,* -niðe.

wine-dryhten his,　wætere gelafede
hilde-sædne,　ond his helm[1] onspeon.
Biowulf maþelode,　he ofer benne spræc,
wunde wæl-bleate;　wisse he gearwe,
5 þæt he dæg-hwila　gedrogen hæfde,
eorðan wynne;[2]　ða wæs eall sceacen
dogor-gerimes,　deað ungemete neah:
　"Nu ic suna minum　syllan wolde
guð-gewædu,　þær me gifeðe swa
10 ænig yrfe-weard　æfter wurde
lice gelenge.　Ic ðas leode heold
fiftig wintra;　næs se folc-cyning
ymbe-sittendra　ænig ðara,
þe mec guð-winum　gretan dorste,
15 egesan ðcon.　Ic on earde bad
mæl-gesceafta,　heold min tela,
ne sohte searo-niðas,　ne me swor fela
aða on unriht.　Ic ðæs ealles mæg
feorh-bennum seoc　gefean habban;
20 forðam me witan ne ðearf　Waldend fira
morðor-bealo maga,　þonne min sceaceð
lif of lice.　Nu ðu lungre geong
hord sceawian　under harne stan,
Wiglaf leofa,　nu se wyrm ligcð,
25 swefeð sare wund,　since bereafod.
Bio nu on ofoste,　þæt ic ær-welan,
gold-æht ongite,　gearo sceawige
swegle searo-gimmas,　þæt ic ðy seft mæge
æfter maððum-welan　min alætan
30 lif ond leod-scipe,　þone ic longe heold."
　Ða ic snude gefrægn　sunu Wihstanes
æfter word-cwydum　wundum dryhtne

---

[1] *MS. defective, edd. generally*, helm.
[2] *MS. defective, edd. generally*, wynne.

hyran heaðo-siocum,   hring-net beran,
brogdne beadu-sercean,   under[1] beorges hrof.
Geseah ða sige-hreðig,   þa he bi sesse geong,
mago-þegn modig   maððum-sigla fealo,
gold glitinian   grunde getenge,   5
wundur on wealle,   ond þæs wyrmes denn,
ealdes uht-flogan,   orcas stondan,
fyrn-manna fatu,   feormend-lease,
hyrstum behrorene.   Þær wæs helm monig,
eald ond omig,   earm-beaga fela   10
searwum gesæled.   Sinc eaðe mæg,
gold on grunde,[2]   gum-cynnes gehwone
oferhigian,   hyde se ðe wylle.
Swylce he siomian geseah   segn eall-gylden
heah ofer horde,   hond-wundra mæst,   15
gelocen leoðo-cræftum;   of ðam leoma[3] stod,
þæt he þone grund-wong   ongitan meahte,
wræte[4] giondwlitan.   Næs ðæs wyrmes þær
onsyn ænig,   ac hyne ecg fornam.
Ða ic on hlæwe gefrægn   hord reafian,   20
eald enta geweorc   anne mannan,
him on bearm hladon[5]   bunan ond discas
sylfes dome;   segn eac genom,
beacna beorhtost.   Bill ær gescod
(ecg wæs iren)   eald-hlafordes   25
þam ðara maðma   mund-bora wæs
longe hwile,   lig-egesan wæg
hatne for horde,   hioro-weallende
middel-nihtum   oð þæt he morðre swealt.
Ar wæs on ofoste,   eft-siðes georn,   30
frætwum gefyrðred;   hyne fyrwet bræc,
hwæðer collen-ferð   cwicne gemette

---

[1] MS. urder.   [2] MS. worn, edd. generally, grunde.
[3] MS. leoman.   [4] MS. wræce.   [5] MS. hlodon.

in ðam wong-stede   Wedra þeoden,
ellen-siocne,   þær he hine ær forlet.
He ða mid þam maðmum   mærne þioden,
dryhten sinne,   driorigne fand
5 ealdres æt ende;   he hine eft ongon
wæteres weorpan,   oð þæt wordes ord
breost-hord þurhbræc.   Biorn-cyning spræc,[1]
gomel on giohðe,[2]   gold sceawode:
  "Ic ðara frætwa   Frean ealles ðanc,
10 Wuldur-cyninge,   wordum secge,
ecum Dryhtne,   þe ic her on starie,
þæs ðe ic moste   minum leodum
ær swylt-dæge   swylc gestrynan.
Nu ic on maðma hord   mine[3] bebohte
15 frode feorh-lege,   fremmað gena
leoda þearfe;   ne mæg ic her leng wesan.
Hatað heaðo-mære   hlæw gewyrcean
beorhtne æfter bæle   æt brimes nosan;
se scel to gemyndum   minum leodum
20 heah hlifian   on Hrones-næsse,
þæt hit sæ-liðend   syððan hatan
Biowulfes biorh,   ða ðe brentingas
ofer floda genipu   feorran drifað."
Dyde him of healse   hring gyldenne
25 þioden þrist-hydig;   þegne gesealde,
geongum gar-wigan,   gold-fahne helm,
beah ond byrnan,   het hyne brucan well.
  "Þu eart ende-laf   usses cynnes,
Wægmundinga;   ealle wyrd forsweop[4]
30 mine magas   to metod-sceafte,
eorlas on elne;   ic him æfter sceal."
Þæt wæs þam gomelan   gingæste word

---

[1] *This half-line not in the MS., supplied by Klaeber.*
[2] *MS.* giogoðe.   [3] *MS.* minne.   [4] *MS.* for speof.

breost-gehygdum, ær he bæl cure,
hate heaðo-wylmas; him of hræðre[1] gewat
sawol secean soð-fæstra dom.

Ða wæs gegongen guman[2] unfrodum
earfoðlice þæt he on eorðan geseah   5
þone leofestan lifes æt ende
bleate gebæran. Bona swylce læg,
egeslic eorð-draca ealdre bereafod,
bealwe gebæded. Beah-hordum leng
wyrm woh-bogen wealdan ne moste,   10
ac him irenna ecga fornamon,
hearde, heaðo-scearde, homera lafe,
þæt se wid-floga wundum stille
hreas on hrusan hord-ærne neah;
nalles æfter lyfte lacende hwearf   15
middel-nihtum, maðm-æhta wlonc
ansyn ywde, ac he eorðan gefeoll
for ðæs hild-fruman hond-geweorce.

[1] *MS.* hwæðre.   [2] *MS.* gumum.

NOTES

3, 1. **·lx· wintra.** In medieval manuscripts a period was often placed before and after a number to prevent falsification of it by prefixing or adding other symbols. In designating a period of years, the Anglo-Saxons commonly used the word **winter**, not **gear**. Cf. the Modern English *sixteen summers*. The Anglo-Saxons also commonly used **niht,** 'night' in designating a period of days, and cf. Modern English *fortnight, Twelfth Night,* and the archaic *sennight.*

The date now usually given for Caesar's first visit to Britain is 55 B.C. The *Chronicle* here gives the date according to the system of chronology of Dionysius Exiguus, who early in the sixth century first put forward the method of reckoning time, now in general use among Christian peoples, from the birth of Christ. It is now known, however, that Dionysius placed the birth of Christ four years or more too late. For Caesar's account of his wars in Britain see his *De Bel. Gal.*, Book V, Chapters VIII–XXIII.

4, 3. **From frymþe,** etc. The date of the Creation was arrived at by medieval chronologists by adding up the years indicated in the genealogical lists of the Old Testament. The result varies, but usually it is given as about 5000 B.C. In the Anglo-Saxon prose *Harrowing of Hell* it is given as 5500 B.C.

4, 7. **Lucius.** This story of a British king Lucius and his sending letters to Rome with the request that he be made a Christian is derived from Bede's *Historia Ecclesiastica*, Book I, Chapter IV. Concerning it Bright, *Chapters of Early English Church History*, p. 4, remarks: "There would be no intrinsic improbability that a native prince 'in the Roman island' had requested instruction from the Roman Church in Christian belief; but the lack of earlier authority has induced most modern writers to reject the whole story." It is not until a century or more later that authentic evidences of the existence of Christianity in Britain are met with.

4, 9. **Seuerus.** The correct date for the accession of Severus is 193. The statement of the *Chronicle* is derived from Bede. Traces of the early Roman walls are still found in northern England.

4, 14. **Gotan.** The true date of the Fall of Rome is 410, although the city was first besieged by the Goths in 408. The

Germanic conquest of Rome may be regarded as the first step in the Anglo-Saxon conquest of Roman Britain. See below, p. 26, l. 9.

4, 18. Hengest ond Horsa. With respect to this story of Hengest and Horsa, Oman, *England before the Norman Conquest*, p. 192, remarks that "there is every reason to suspect its details." Contemporary evidence for the arrival of Hengest and Horsa is lacking, and the account given by Bede and other early authorities is largely traditional. The names *Hengest* and *Horsa* mean 'horse,' and they have the appearance of being legendary. Yet personal names from the names of animals occur frequently, and the general trustworthiness of the tradition is confirmed by other evidence. Allowing for certain possibly legendary elements in it, Freeman, *History of the Norman Conquest*, I, 9, concludes that "the main substance of the narrative remains essentially where it was." The story is accepted by all historians of early England as marking the beginning of the Anglo-Saxon conquest of Roman Britain. In modern narratives the name of the British king **W**yrtgeorn is usually given in the form Vortigern.

4, 20. Ypwinesfleot. Identified as Ebbsfleet on the isle of Thanet. Augustine and his Roman missionaries landed at the same place on their arrival in England.

4, 22. Ælle. This entry records the founding of the kingdom of the South Saxons. The wood mentioned here was a great forest in southern England, extending westward from Kent through Sussex and Hampshire. It was a place of retreat for outlaws and fugitives and is mentioned a number of times in the *Chronicle*. The region, particularly in Kent, is now known as the Weald.

4, 27. West Seaxe. The origin of the kingdom of the West Saxons. The number of ships, and consequently of fighters, in these earliest invasions was usually not large, and in general the Saxon conquest of England proceeded by a succession of small arrivals rather than by a sudden and inclusive occupation of the country. Under the year 495 the *Chronicle* mentions the coming of Cerdic and Cynric to Britain, and these also were West Saxons. Apparently Stuf and Wihtgar came as supporters of Cerdic and Cynric. The records of the *Chronicle* indicate that it took about twenty years to establish the kingdom of the West Saxons, and perhaps Cerdic and Cynric have a better title as founders than Stuf and Wihtgar. It will be noticed that in the West Saxon genealogy given under the year 855 Stuf and Wihtgar are not mentioned.

THE OSEBERG SHIP

This ship was found in a burial mound at Oseberg, on the Kristianiafjord in Norway, in 1903, and it is now in the historical museum at Oslo. It is 70.34 ft. long, 16.73 ft. wide, and comparatively shallow, being 5.24 ft. deep. It has holes for fifteen oars on a side, and it had a mast and sail. Part of the mast is still in the boat. This ship was pointed at both ends, but the stern, originally ending in a coiled dragon-head, has been destroyed. It was built of oak, carved with involved animal figures. The boat was built about 800, perhaps as the private yacht of a queen. It was used for a ship-burial, the tent-like structure in the middle of the boat being the burial-house. With it were found the skeletons of two women, the one being probably that of the queen, the other of her bond-woman, besides a great many other objects of archæological value. For further details and for complete photographic reproductions of the ship, see the work published by the Norwegian Government, *Osebergfundet*, 1917 ff., prepared by A. W. Brøgger and others.

5, 3. **Ida.** The founding of the Northumbrian kingdom, but though the *Chronicle* passes over all the early history of Northumberland and speaks of it only as a united kingdom under Ida, undoubtedly the occupation of Northumbria was gradual, as was that of other regions of Britain. Anglo-Saxon Northumberland consisted of two parts, Bernicia and Deira, which were sometimes separate kingdoms, sometimes were united under one ruler.

5, 5. **Gregorius.** Gregory became pope probably in 590. The date of his death was 604. This entry records the most important event in the history of England since the arrival of the Kentish, South Saxon, West Saxon and Northumbrian settlers, but it would not be safe to infer from the brevity of the record that the chronicler was not aware of the importance of the event.

5, 8. **Beorhtric.** This annal may be regarded as the beginning of two important series of events in Anglo-Saxon history: first, the development of the power of the royal house of Wessex, and second, the period of the Danish invasions. One must read between the lines to see the importance of the annal for the first of these themes. Offa, king of Mercia, was at this period the most powerful of the various Anglo-Saxon kings. By his marriage with Eadburg, Beorhtric, king of Wessex, forms an alliance with the powerful Mercians. As a result of this alliance Egbert, grandfather of Alfred, who was later to establish the authority of the kingdom of Wessex, but at this time was an exile from Wessex dwelling at the court of Offa, was compelled to flee from the court of the Mercian king. He found refuge on the Continent at the Frankish court. The later stages in his history are recorded in subsequent annals of the *Chronicle*. He became king of the West Saxons in 802.

In the reign of Beorhtric, though not necessarily in the year 787, appeared the first Danish ships in England. The officer (**gerefa**) who was slain probably attempted to collect from them the royal customs or duties. It is not, however, until many years later that the Danes appear in large numbers in England.

5, 9. **·iii· scipu.** Precise figures cannot be given for the size of the invading Danish armies, but when the number of ships is known, a close approximation can be made. The Danish ships varied in size, but a very common size carried twenty benches of rowers, with forty oars and a crew of ninety men. Olav Tryggvason's famous ship, the Long Serpent, is said to have had a crew of three hundred men. An estimate of forty fighters in each boat would certainly be conservative. In the full tide of the invasion the fleets often contained more than three hundred ships, and an assembled Danish army may well have numbered between fifteen and twenty thousand fighters. "The chroniclers [not only Anglo-Saxon but others also] describe in glowing colors the vast number of the invaders. They are compared to swarms of grasshoppers that cover the earth. The viking ships, says an Arabian writer, fill the ocean like a flock of red birds [the sails of the ships were usually dyed red]. An Irish annalist says that the ocean rolls billows of strangers over all Erin." — Gjerset, *History of the Norwegian People*, I, 73. In the entry for 878, the *Chronicle* states that in a single engagement the West Saxons killed 840 men from 23 ships. If half of the Danish force was killed, this would mean that the ships carried an average of over 70 fighters.

5, 14. Her hæþne men. The second mention of the presence of Danes in England, but there may have been other visits before 787 and 832 which the chronicler does not mention. The Anglo-Saxons used the word Dane as a general term which might apply to any of the heathen invaders, whether Danish, Norwegian or otherwise Scandinavian.

5, 15. Ecgbryht. Egbert had scarcely established himself firmly in his kingdom of Wessex before he was compelled to resist the attacks of the Danes. He was the grandfather of Alfred. The place of this battle **æt Carrum** was Carhampton, in Somerset. But the Danes did not seriously endanger Wessex until the time of Egbert's successors.

5, 20. West Walas. The Welsh were the natural allies of the Danes, since they had never really submitted to West Saxon authority. See Notes, p. 7, l. 10.

5, 28. þy . . . þy. 'For this reason . . . that.'

6, 3. Ecgbrehting. 'Son of Egbert.' The ending -*ing* is a patronymic suffix and means 'son of,' or 'descended from.' It has therefore similar force to the Irish and Scotch *Mac*, e.g. *Macdonald*, 'son of Donald,' and the Welsh *ap*, e.g. *ap Rhys* (which develops into the Modern English proper name *Price*), 'son of Rhys.'

6, 9. dux. The Latin word *dux* is the equivalent of the Anglo-Saxon **ealdormon.** See Notes, on **eorlas,** p. 10, l. 1. Another word of similar meaning was **here-toga,** literally 'army leader,' the second element being etymologically the same word as *dux* and as -*zog* in German *Herzog*.

6, 9. here. The usual word in the *Chronicle* for the Danish invaders. The word is of the same root as Modern English *harry, harrow,* and it implies a devastating, plundering army. The usual word for the West Saxon army is **fierd**, cognate with the verb **faran**, *to go*, and by its etymology it would mean merely the moving body of troops.

6, 10. Dornsætum. 'With the men of Dorset.' In Anglo-Saxon, geographical localities are usually indicated by the names of the peoples who occupied them. A compound like **Defenascire** 851, means 'the shire of the Devons.' But these tribal names soon acquired the value of geographical designations.

6, 24. Ealchstan biscep. Bishops are frequently mentioned in the *Chronicle* as taking an active part in warfare.

6, 32. ofer winter sæton. The remaining of the Danes over winter marks a new period in their invasions. They no longer come merely on harrying expeditions but from now on attempt to occupy and settle on the land.

6, 33. feorðe healf hund. 'Three hundred and fifty.' By this method of indicating fractions the last in the series of numerals is not a unit but a part of a unit, those that precede being full units. Thus **feorðe healf hund** would mean 'three full hundreds and the fourth a half hundred.' So also in the entry for 855, **nigon-teoþe healf gear** means eighteen and a half years, eighteen full years and the nineteenth only a half year. Cf. Modern German *anderthalb*, one and a half, *drittehalb*, two and a half.

7, 10. Norþ Walas. The country of the Welsh of Wales, as distinguished from **West Walas,** Cornwall and the Welsh of that region. The West Welsh or Cornish Welsh have now all been assimilated by the surrounding English population. Note that **Norþ Walas** is plural in form, but **gehiersumade** is singular, from which one may infer that the chronicler thought of **Norþ Walas** not as the name of the people but as the name of a region.

7, 12. Ælfred. This is the first mention of Alfred in the *Chronicle*. At the time of this journey to Rome, Alfred must have been five years old, since we are told that he was twenty-three years old when he succeeded to the throne and that he became king in 871. The purpose of this visit was probably that he might receive confirmation at the hands of the Pope himself; this is what is meant by the Pope's receiving him as **biscepsunu.** Just how the Pope could consecrate him as king at this time is not clear. The Pope had nothing to do with the choosing of English kings, and as Alfred had at least three older brothers living at the time of his visit, he could not be given precedence over them. Probably all that the statement means is that Alfred was consecrated as king by the Pope in the event that he should become king. Alfred accompanied his father on a second visit to Rome in 855, when he was seven or eight years old. These visits to Rome are more significant as indications of the piety of Alfred's father, Æthelwulf, than for anything which directly concerned Alfred.

7, 19. **Burgrede.** 'To Burgred king of Mercia,' **of Wesseaxum** going with **dohtor. Merce** is an accusative plural after **on.** The death of this daughter of Æthelwulf, sister therefore of Alfred, is recorded under the year 888, p. 16, 1. 2. Her name was Æthelswith. The further history of Burgred is recorded under the year 874.

7, 22. **gebocude.** The word **gebocian,** from **boc,** 'book,' means in general 'to record a conveyance in a book,' 'to convey by charter.' Land which was thus held by charter was called **boc-land,** and the earliest recorded forms of Anglo-Saxon are contained in such charters. Æthelwulf, and Alfred with him, remained a year in Rome, although the time, when the Danes were invading his country, seems scarcely propitious for such a long visit.

7, 26. **Carl, Francna cyning.** This was Charles the Bald. His daughter, not mentioned here by name, was Judith. She was at this time about twelve or thirteen years old, whereas Æthelwulf must have been an old man. The marriage was political, probably one of the conditions of an alliance between Æthelwulf and Charles against their common enemy, the Danes.

7, 31. **Ecgbrehting.** 'Son of Egbert.' This genealogy is perhaps historical down to Cerdic and Cynric, but after that it is mostly legendary, containing the names of Teutonic divinities, for example, Woden, tribal heroes, like Beaw and Sceldwea, and finally Old Testament worthies to carry back the genealogy to the time of the Creation.

7, 34. **to Sancte Petre.** 'To Rome.' Ine's journey to Rome and his death there are recorded in the *Chronicle* under the year 728.

8, 29. **Cantware him feoh geheton.** This is the first mention in the *Chronicle* of buying peace by payments of money to the Danes. This fatal practice, however, did not become a common one until many years later, especially in the latter part of the tenth century. See Wulfstan's homily, p. 90 ff., and the notes on it, and Notes, p. 113, 1. 21.

8, 31. **hiene.** A reflexive object of **bestæl,** the antecedent being **se here.** Plummer, II, 84, quotes a remark of Steenstrup, *Vikinger,* p. 55, here: "With 865 begins the real attempt to conquer England."

9, 8. **ungecyndne cyning.** 'An unlineal king,' i.e. one not of the traditional royal family. In Anglo-Saxon times, kings held their office by election, not by divine right, and not merely by descent.

9, 13. **ungemetlic wæl.** By this victory at York, the Danes now extended their authority into Northumbria. The following year they made an unsuccessful attempt to occupy Mercia.

9, 14. **ofslægene.** The verb **wæron** is understood.

9, 29. **Her rad se here.** Of course living on the country as it went. The Eadmund mentioned here was king of East Anglia. East Anglia seems to have fallen into the hands of the Danes with but little opposition, and from this time on it is one of their bases of operation. The Danes were here provided with horses (probably by theft), and though horses were not used in battle, they were of the greatest importance to the Danes in their forays, the success of which depended as much upon the swiftness and suddenness of the attack as upon the numerical strength of the invaders.

9, 34. **Her cuom se here.** This was the first serious invasion of Wessex. The chronicler says that nine general engagements were fought in this year, of which he names six, the battles at Englefield, Reading, Ashdown, Basing, Merton and Milton. Besides these battles in which the main forces were engaged, there were also battles between smaller bodies. The result was on the whole favorable to the West Saxons, as they made peace with the Danes and were comparatively undisturbed until the attack was renewed in 876.

10, 1. **eorlas.** The Anglo-Saxon word **eorl,** 'earl,' was so much like the Danish title *jarl,* of the same etymological origin, that it readily took the place of the latter word. The word **eorlas** is used here as referring specifically to Danish *jarls,* who held a more clearly defined official position in the Danish army than would ordinarily be implied by the Anglo-Saxon word **eorl.** The Anglo-Saxon title which corresponded more closely to *jarl* than **eorl** was **ealdormon,** see Law XXXV, p. 98.

10, 10. **on Æscesdune.** At Ashdown, in Berkshire. This was Alfred's great victory. Asser, in his life of Alfred, describes this battle in greater detail. King Æthelred, he says, refused to fight until he had heard mass. "And men said, 'Come forth, O King, to the fight, for the heathen men press hard upon us.' And King Æthelred said, 'I will serve God first and man after, so I will not come forth till all the words of the mass be ended.' So the King Æthelred abode praying, and the heathen men fought against Alfred, the Ætheling. And Alfred said, 'I cannot abide till the King my brother comes forth; I must either flee, or fight alone with the heathen men.' So Alfred the Ætheling and his men fought against the five Earls." — Freeman, *Old English History*, p. 112. The five earls were those who were slain, but there may have been more in the Danish *here*.

10, 18. gefliemde. The subject is implied in the verb and its antecedent is Alfred. The word **ofslægenra** in this same line is a genitive plural after þusenda. Translate: '(there were) many thousand of the slain.'

10, 25. sige ahton . . . ond þa Deniscan ahton wælstowe gewald. The statements seem to be contradictory. But what is meant probably is that in the real fighting engagement, which took place in the open field, the West Saxons were victorious and put the Danes to flight. The Danes, however, may simply have retreated to their redoubt on the field from which the Anglo-Saxons could not dislodge them or might make no attempt to do so. This result would be a defeat for the Danes but not an utter rout. A statement similar to this is made at several places elsewhere in the *Chronicle*.

10, 29. micel sumorlida. The summer army was one which came only on summer marauding excursions, as distinguished from the army of occupation and conquest which now was permanently established in England. These summer excursionists must have added greatly to Alfred's difficulties. Apparently they reached England before Easter, as their arrival is recorded before the death of Alfred's brother.

11, 20. Angelcynnes scole. The English school at Rome was a hospice where English persons in Rome dwelt.

11, 21. anum unwisum. His name was Ceolwulf, called **semi-vir** by William of Malmsbury. He was merely a figurehead, set up by the Danes for their own convenience. See the end of the entry for 877.

12, 1. Wesseaxna fierde. The construction of **fierde** is as a genitive after **bestæl**; see **bestælon þære fierde,** four lines below. Translate: 'Here the horde stole up on the West Saxon army at Wareham.'

12, 3. on þam halgan beage. The **beag** was a sacred temple ring placed on the altar in the heathen Danish temple. "All oathes were to be made by laying the hand upon the temple ring; at sacrificial banquets it was to be dipped in the blood, and was to be worn by the priest at all meetings. The ring was either of gold or silver, open, its weight varying between two, three and twenty ounces." — Cleasby-Vigfusson, *Icelandic Dictionary*, p. 53.

12, 4. noldon. The infinitive **don** is understood. So also after **meahte,** l. 15, a verb of motion, **cuman,** is understood.

12, 6. se gehorsoda here. Appositive to **hie,** subject of **bestælon.**

12, 7. lond gedælde. This shows the final reduction and occupation of Northumbria by the Danes.

12, 8. hiera tilgende. 'Providing for themselves,' i.e. plowing and cultivating the soil instead of depending on plundering expeditions among the Anglo-Saxons.

12, 9. into Escanceastre. Evidently the purpose of the Danish fleet was to unite with the Danish land force at Exeter. This plan was frustrated by the destruction of one hundred and twenty of their ships, and the Danish land force, although it was able to get behind the walls of Exeter, was not strong enough to stand siege and so gave oaths and hostages to Alfred.

12, 21. to Cippanhamme. The most dramatic year in the *Chronicle.* The Danes make a sudden mid-winter attack on Chippenham, in which they are completely victorious. The surprised West Saxons are unable to gather their forces together, and even Alfred is compelled to retreat with a small band to the fen-fastnesses of Æthelney. He remains here until Easter, when he gathers an army together, meets the Danes in the decisive battle of Eddington, and wins a victory as complete as his defeat had been several months before. The campaign began early, Easter falling on March 23, in 878.

12, 26. Inwæres broþur. This brother of Ingwære and Healfdene was probably Ubba, mentioned several times by early historians.

12, 30. æt Æþelingaeigge. "In the midst of the great marsh of Sedgemore, now intersected by drains and ditches, there rises, as one drives from Bridgewater to Langport, a low but well-defined hill out of the flat. This hill is Athelney; and here, amidst the swamps, impenetrable save to the country folk who knew the way, and protected from the enemy by its agues and fevers, Alfred found a place of refuge for himself, his queen, his children, and a small following. The *Chronicle* says that he constructed a fortress here." — Besant, *The Story of King Alfred,* p. 94. Later legend developed this retreat to Athelney elaborately. Alfred is described as fleeing for his life alone and in disguise and as taking refuge in the hut of a swine-herd. It is here that the incident of the cakes is said to have happened. This story first appears in a late and unreliable work, *The Life of St. Neot,* and although the incident itself is not improbable, the implications of it, that Alfred was a helpless and solitary fugitive, are certainly contrary to the facts. In the year 1693, the Alfred Jewel, which bears the inscription Ælfred mec heht gewyrcan, was found in the neighborhood of Athelney.

12, 32. **Sumursætna.** A genitive plural, dependent on **dæl,** this word being co-ordinate in syntax with **Ælfred,** l. 30: 'Alfred and the part of Somerset which was nearest,' etc.

13, 2. **se dæl se hiere behinon sæ was.** 'The part of it (i.e. Hampshire) which was this side of the sea.' The Isle of Wight was also part of Hampshire. The writer is of course speaking from the point of view of one in Wessex.

13, 2–3. **ond his gefægene wærun.** The words are "the more expressive for their extreme simplicity." — Plummer, *Life and Times of Alfred,* p. 103.

13, 10. **Godrum.** Appositive to **se cyning.** The baptismal name which Guthrum received was Æthelstan, but he is generally known by the name Guthrum, or Gorm, a variant form of Guthrum.

13, 12. **his.** The object of **onfeng,** which verb takes the genitive case after it.

13, 13. **crismlising.** This was the **chrisom-loosing,** or "undoing of the 'chrismale' or linen fillet ... which was bound round the head of the newly baptized to keep the chrism or unction on the head during the week" following baptism. See Plummer, *Baedae Opera Historica,* II, 280.

13, 14. **Weþmor.** Wedmore was one of the estates of Alfred. In his will it is granted to his son Edward, who succeeded him as king. This Peace of Wedmore should not be confused with the Treaty of Wedmore, made between Alfred and Guthrum in 886, which is not specifically mentioned in our text of the *Chronicle.* By the Treaty Guthrum was to hold East Anglia and the northeastern part of Mercia, while Alfred was to have the southwestern part of Mercia and all south of the Thames. See the entry for 886. No document has been preserved which embodies the terms of the Peace of Wedmore in 878 more fully than the *Chronicle* here gives them.

13, 19. **hloþ wicenga.** A **hloþ** was a small body of men, less than an army. See Law LVII, p. 100. The word **wicing** is used here as merely an equivalent of pirate or Dane. It is supposed ultimately to be derived from Norse *vik,* 'a bay,' from the fact that the vikings haunted the bays, creeks and fjords. It has nothing to do with the word 'king,' the two elements of the compound being **wic** and **-ing.** "In heathen days [in the Scandinavian countries] it was usual for young men of distinction, before settling down, to make a warlike expedition to foreign parts; this voyage was called 'viking,' and was a part of a man's education like the grand tour in modern times; hence the saying in the old Saga, — 'when I was young and on my voyage (viking), but now I am old and decrepit.'" — Cleasby-Vigfusson, *Icelandic Dictionary*, p. 716. But this etymology of **viking** from **vik**, 'bay,' has been questioned. "The word **viking** means 'warrior,' not, as hitherto generally held, 'a dweller by a **vik** or bay.'" — Gjerset, *History of the Norwegian People*, I, 44, citing Bugge, *Norges Historie*, I, pt. 2, p. 71. According to this interpretation, the first element of **viking** would be from **vig**, 'battle.' But the older etymology seems the more probable. See Hoops, *Reallexikon der Germanischen Altertumskunde*, IV, 530.

13, 22. gesæt þæt lond, ond gedælde. Giving up hopes of making their way against the West Saxons, the Danes return to East Anglia, apportion the land, and settle down as farmers, except the band which goes overseas to France in search of further plunder. The dukedom of Normandy was not founded until 913, when Rolf or Rollo became head of the Danes in France.

13, 25. ufor. Further up into the interior. They follow the same tactics in France that they had followed in England.

14, 7. se foresprecena here. The army in France, mentioned in 881, 882, 883 and 884. Part of it goes to eastern France, to Louvain, as is stated by other authorities, and part crosses over with horses and all to Rochester.

14, 10. aweredon. The subject **hie** refers to the citizens of Rochester.

14, 12. behorsude. Deprived of their horses, without which there was nothing for them to do but go back to France.

14, 21. Carl, Francna cyning. "This is Carloman, King of Aquitaine and Burgundy; he died Dec. 12, 884, from the effects of a wound received while hunting. It is said that he was accidentally wounded by an attendant, and that the dying prince, 'splendide mendax,' himself gave currency to the fiction that he had received his hurt from a boar, in order to shield his luckless follower." — Plummer, II, 97.

14, 25. þe Æþelwulf ... his dohtor hæfde. The **þe ... his** is equivalent to a genitive relative, 'whose.'

14, 31, 32. Wendelsæ ... þisse sæ. The **Wendelsæ** is the Mediterranean, **þisse sæ** is the channel between England and France.

14, 32. þridda fæder. The 'third father' or great-grandfather of this Charles (Charles the Fat) was **se alda Carl,** Charlemagne.

The succession of the Frankish kings, with the dates of their deaths, is as follows: Pippin, 768; Charlemagne, 814; Louis the Pious, 840; Louis the German, 876; the three brothers Carloman, 880, Louis, 882, and Charles the Fat, 888.

15, 5. **he sende.** The antecedent of **he** is **Marinus.** This gift of the **lignum domini** is mentioned in the Laud version of the *Chronicle* under 883.

15, 7. **se here ... bræc friþ.** The army of Guthrum; it had remained quiescent for seven years, that is, since the Peace of Wedmore in 878. The renewal of hostilities in 885 led to the Treaty of Wedmore in the following year, by which their own and the West Saxon rights were again defined.

15, 9. **gelende.** The word meant originally 'to land,' but came to mean, as here, merely 'to go,' 'proceed.' The army is the one that is mentioned at the opening of the entry for 885.

15, 13. **hie þa befæste, þa burg.** The subject of **befæste** is Ælfred, l. 11, **hie** being the object and **þa burg** an appositive to **hie.** It was a great gain for Alfred to have London again in his possession.

15, 15. **æt Paris.** In 886 the Danes, after a year's siege of Paris, had concluded a treaty which, though it did not give them the city, was very favorable to them. Charles the Fat was deposed one year before his death.

15, 28. **on þa healfe muntes.** 'On the other side of the mountains.'

15, 33. **Wesseaxna ælmessan.** The 'alms' which was sent to Rome was the voluntary offering, or Peter's pence, annually given to the Pope.

16, 20. **rædehere.** 'The riding army,' that is, the army provided with horses, as distinguished from the ship army.

16, 22. **þrie Scottas.** The **Scottas** of this story were Irishmen, and the boat, in which they had stolen away from Ireland, is what is known as a coracle. It was a mere frame covered with hide and was without oars or steering gear. The mystical Irish religious temperament led the Irish to invent the most ingenious kinds of religious ceremonies and pilgrimages. The kind which we have represented here is that technically known as *Imrama* or Voyages. The voyage consisted in several persons entrusting themselves in a boat to the will of God as manifested in the winds and tide. They took no oars with them and but little food; or if they took oars, they were not to use them. Like these three Irishmen of the *Chronicle*, their purpose was to be on pilgrimage for the love of God, they recked not whither.

The best known literary instances of *Imrama* are the Voyage of Maelduin, and the Voyage of St. Brendan. The latter is most readily accessible in English in Caxton's *Golden Legend or Lives of the Saints*, edited by F. S. Ellis, in the Temple Classics. An episode in the Voyage of St. Brendan is utilised by Matthew Arnold in his poem called *St. Brendan*.

16, 26. þriddan healfre. 'Two and a half.' See Notes, p. 6, 1. 33.

16, 31. Swifneh. This piece of information concerning the death of Swifneh or Sweeny was perhaps brought to Wessex by the three Irishmen.

16, 33. gangdagas. The word means literally 'going' or 'walking days.' They are also called Perambulation and Rogation days. They are the three days before Ascension day or Holy Thursday, and in earlier times it was customary to traverse the bounds of the parishes and districts on those days, whence the names **gangdagas** and Perambulation Days.

16, 34. boclæden. Læden, from *Latin*, came to be used in Anglo-Saxon in the sense merely of 'language.' **Boclæden** means here therefore 'book-language,' as distinguished from the spoken or popular language, **Englisc.** The book or learned language was of course Latin.

17, 2. stent. This verb is primarily a verb of rest, but it is occasionally used, as here, in idioms in which motion is expressed. Cf. the similar uses in Modern English in such expressions as 'The ship stands out to sea'; 'Stand by to go about'; 'Stand up,' etc.

17, 11. hundtwelftiges. The syllable **hund** is added to all numbers beginning with seventy and beyond, and is really pleonastic, the number being expressed by the remaining element of the compound. Thus seventy is **hundseofontig,** the syllable -tig meaning 'ten,' **seofon-tig** = seven tens. So here **twelf-tig** = twelve tens, and **hund** adds nothing to the meaning.

17, 13. lið. Like **stent,** above, a verb of rest used with the value of a verb of motion. Translate 'flows.'

17, 15–16. inne on ... on. Note the pleonastic use of the prepositional particles.

17, 25. þa oþre hergas mid ealle herige. That is, as often as the two armies at Appledore and Milton went out, probably then uniting into one army (**mid ealle herige**), then the Northumbrians and East Anglians either joined them or undertook expeditions of their own.

17, 26. on heora healfe on. Again a pleonastic use of preposi-
tions.

17, 31. þa foron hie. The **hie,** subject of **foron,** refers to the
Danes. They steal along the edge of the forest, looking for op-
portunities to dash out on undefended towns and villages.

17, 33. him mon eac mid oþrum floccum sohte. 'One [i.e. the
West Saxons] hunted them out (**sohte**) with other small bands
almost every day, either by day or by night, bands both from
the regular army (**fierde**) and from the permanent fortifications
(**burgum**).' It is a kind of guerilla warfare which is here described.

18, 5. þa burga. The garrisons of the **burga** were permanent.

18, 6. oftor ... þonne tuwwa. After the **fierd** was gathered the
Danes apparently always left a strong force in their camps to defend
them, until they were ready to give them up for good and make for
their ships.

18, 9. þa woldon ferian. The object of **woldon ferian** is **þa,** its
antecedent being **herehyð.**

18, 14. buton ælcum forda. 'Without any ford,' that is, as best
they could and probably with loss of life.

18, 24, 25. sum hund scipa ... sum feowertig scipa. One must
keep these two divisions clear. The hundred ships go south and
besiege Exeter. The forty ships keep on round Land's End and turn
north and besiege a place on the north coast of Devonshire on the
'north sea.' It should be remembered that the chronicler looks at
things from the geographical point of view of a West Saxon, perhaps
of one at Winchester, and so would naturally speak of the Bristol
Channel as the North Sea.

18, 28. wið Exanceastres. The king turns westward with all
the force that he had intended to lead against the Danes in their
island camp on the Colne, with the exception of a small part of his
army which he sends eastward (under the ætheling Edward) to look
after the Danes. The *Chronicle* takes up the experiences of this
section of the army under Edward first.

19, 13 ff. godsunu. 'They [Alfred and Æthered] had received
them as god-sons before Hæsten came to Benfleet, and he [Hæsten,
on the occasion of this ceremony, which probably took place when
Hæsten was encamped at Milton, see 893] had given hostages and
oaths and the king in turn had given him money abundantly. And
so then he [Alfred, living up to the terms of the compact] gave back
the boy and the woman. But as soon as they [the Danes] had come
to Benfleet, and the fortification was finished, then he [Hæsten,

breaking his word] harried in his [Alfred's] kingdom, in that section which Æthered his [Hæsten's] cumpater held; and afterwards he had again gone out a-harrying in that same kingdom when they destroyed his fortification.'

19, 19. **his cumpæder.** The word **cumpæder,** Latin *cum,* 'with, together with' and *pater,* 'father,' indicates the relationship in which the father, Hæsten, and the godfather, Æthered, stood with respect to each other towards the child. They were 'fathers together,' *cumpatres,* of the child. See the *New English Dictionary,* 'cummer,' for a word of similar origin, and cf. the etymology and development of Modern English 'gossip' from earlier *God sib.*

20, 11. **metelieste.** It is the Danes who were afflicted with hunger and who had eaten a large part of their horses, the rest of the horses (þa oþre) having died of starvation.

20, 13. **Þa eodon hie ut.** 'Then they (the Danes) went out.'

20, 25. **on anre westre ceastre.** In panic stricken flight the Danes cross over Central England to a waste, i.e. abandoned, city, Legaceaster. This is modern Chester, which in the Roman period had been the station of a Roman legion. It was therefore called *Legionis castra,* in Anglo-Saxon **Lega-ceaster.** It had probably stood desolate since the battle of Chester in 607. The Anglo-Saxons rarely occupied the cities left behind by the Romans on their departure from Britain.

21, 4. **ðe hie gehergod hæfdon.** It is not quite clear whether **hie** refers to the Danes or to the West Saxons and the destruction of the crops mentioned in the preceding lines.

21, 7. **ofer Norðhymbra lond,** etc. They make a long detour, so as to keep out of the way of the English, and creep down along the shore to their retreat on Mersey.

21, 17. **ymb twa ger.** The close of a second year of disaster for the Danes; see the concluding sentence of 894 and of 896.

21, 25. **þa hwile þe hie hira corn gerypon.** The Danes might have destroyed the crops. But they were dependent upon them for their own sustenance and preferred to have the English reap them with the prospect that they, the Danes, might afterwards be able to seize them.

22, 11. **þa þe feohlease wæron.** The implications of this statement are interesting. Those of the Danes who had money settled down in East Anglia and Northumbria, *buying the land on which they settled.* This shows that these regions were so thickly settled now by Danes that no more free land was available. Those of the Danes who had no money got ships (by theft presumably) and went over-seas to France. This marks the end of Alfred's second great cam-paign.

22, 14. Godes þonces. *Dei gratia*, not 'Thanks to God.'

22, 24. wicgefera. Perhaps one should read here **wicgerefa,** 'town reeve.'

22, 29. mid stælhergum. Predatory bands, not an army of conquest and occupation.

22, 29. mid ðæm æscum. Light ships, as distinguished from Alfred's 'long ships.' They were called **æscas** because they were made of ash. Similarly by metonomy **æsc** = 'spear.' Alfred's ships were nearly twice as long as the **æscas,** but the **æscas** were smaller than the usual warship of the Northmen.

22, 33. unwealtran. 'Steadier.' Cf. Longfellow, *The Phantom Ship:*

> "But Master Lamberton muttered,
> And under his breath said he,
> 'This ship is so crank and walty
> I fear our graves she will be!'"

23, 3 ff. **Þa æt sumum cirre,** etc. "The narrative states that Alfred had designed and built a fleet of vessels of a new kind, larger and better than the boats of the Frisians or the Danes. In this year, 897, nine of these new boats were sent out against six Danish ships that were harrying the country in Devon and all along the southern coast. The West-Saxon ships succeeded in intercepting the Danish ships at the mouth of one of the channels which separate the Isle of Wight from the mainland (**forforon him þone muðan foran on utermere**), at which mouth the narrative does not state. Three of the six Danish ships came out to attack the West Saxons, and of these three ships two were taken and their crews were slain, but the third ship escaped. In the meantime, the other three Danish ships lay grounded up in the channel, and it was because they were grounded that they failed to come to the aid of the other half of their fleet. As the tide continued to ebb, all of the West-Saxon ships grounded also, three on the same side of the channel as that on which the Danish ships were grounded, the other six on the opposite side of the channel. The West-Saxon forces being thus separated, the Danes seized their opportunity, and coming overland, they attacked the crews of the three ships that were grounded on their side of the channel. In this engagement divers persons were slain, both Danish

and Christian, but the flood tide coming first to the Danish ships
(þa com þæm Deniscum scipum þeh ær flod to, ær þa Cristnan
mehten hira ut ascufan), they pushed out and rowed away. They
were so much weakened by their losses, however, that two of the
three ships were unable to row out around the Sussex coast, and were
cast up on the land. The crews were carried to Winchester, where
they were hanged at the command of the King." — Krapp, *Modern
Language Notes*, XIX, 233.

23, 26. **Þa com þæm Deniscum scipum þeh ær flod to.** This state-
ment seems inconsistent with the general situation. For if the
Danish ships were higher up in the channel than the West Saxon,
we should expect the flood tide to come to the West Saxons first.
But perhaps what is meant is that the Danish ships being lighter
than the West Saxon could float on less tide. Or it may be that the
nature of the tides around the Isle of Wight explains the statement.
By reason of the interference of the Isle of Wight, the tides which
enter the two arms of the sea which separate the island from the
mainland of England, that is the Solent and the Spithead channels,
differ in time, high water through the Spithead channel being two
hours later than high water through the Solent. The two tides meet
at the upper part of the Spithead channel opposite the river Hamble.
It may be therefore that the Danes were far enough up in the Spit-
head channel to get the Solent tide, which would reach them two
hours before the Spithead tide reached the West Saxons lower down
in the channel. The Danes would therefore seize their opportunity
to row out past the English, whose ships would still be grounded.
It is interesting to note that remains of boats supposed to be of
Alfred's period have been found imbedded in the mud near the
mouth of the Hamble river. One of them was originally "at least
130 feet long and was caulked with moss; its ribs which measured
about fourteen inches by twelve, were four inches apart, the intervals
being filled with some kind of cement, while the planking consisted
of three thicknesses of oak, fastened with iron bolts." (*Victoria
History of Hampshire*, London [1902], pp. 396–397.) This ship, if
it is a relic of West-Saxon days, is more likely to have been one of
Alfred's new-fashioned ships than a Danish ship. The *Chronicle*
says that Alfred's ships were nearly twice as long as the Danish
ships, and a well-preserved specimen of a Danish boat found in a
peat bog in Jutland measures only 78 feet in length.

24, 7. **Her gefor Ælfred.** As All Saints' Day is Nov. 1, the date
given here would fall in October, 901. But there is some uncertainty

as to the exact year in which Alfred died. The *Chronicle* gives it here as 901. But it also states that Alfred ruled 28½ years (**oþrum healfum læs þe ·xxx· wintra**), and as he succeeded his brother Æthelred in 871, this should bring the year of his death to 899 or 900. The weight of other authorities also turns in favor of the year 900.

Note the characteristic reserve of the chronicler in stating this event. "One would fain hope that his reticence was due to the feeling so finely expressed by Hallam when he speaks of Sir Thomas More as one 'whose name can ask no epithet.' But I do not think it was; and I rather doubt whether Alfred's greatness was fully appreciated in his own day, except by one or two of those in his immediate neighborhood." — Plummer, *Life and Times of Alfred*, p. 13. But the *Chronicle* was certainly written by one who stood in intimate relations with the King and who knew his greatness. He probably suppresses personal comment here, not because he had nothing to say, but for the same reason that he had suppressed it on numerous preceding occasions.

26, 5. þurh Alaricum. The conquest of Rome by Alaric, king of the Visi-Goths, took place in 410 A.D.

26, 9. feower hund wintra, etc. Counting from 55 B.C., the date of Caesar's first visit to Britain, the 470 years of the Roman occupation would bring one to 415 as the date given here by Bede for its close. This date accords with all the historical evidence.

28, 2. on an. Adverbial, 'anon,' **Bryttum** being dative after **gesægdon.**

28, 16. hu hi him wæpen wyrcean sceoldan. It was the usual method in Roman colonies to place all military matters in the hands of a professional military class. The departure of the professional soldiers explains why those who were left behind were so helpless.

29, 11. cepecnihtas. The buying and selling of slaves was an active business in the Anglo-Saxon period. "There can be little doubt that the chief source of communication between England and the Continent at this time [the latter part of the sixth century] was the slave-trade. . . . The trade must have been an extremely profitable one. For the value of the slave in England in Ine's time was only 60 shillings, i.e. probably a pound of silver, whereas the prices mentioned in the Continental laws are 10, 30 and 36 gold solidi, i.e. probably from three to six pounds of silver." — Chadwick, *Origin of the English Nation*, pp. 17–18.

29, 25. hie Engle nemde wæron. Gregory's puns come out better in Bede's Latin than in the Anglo-Saxon translation: Angli =

angeli, Deira = de ira, and Ælle = alleluia. Punning was a repu-
table literary device of long standing in Gregory's day. Deira was
one of the divisions of Northumbria.

30, 26. **Þa se cyning,** etc. The king is Edwin, and the words were
the words of Paulinus, who had been invited to expound the Christian
religion to Edwin and his followers.

31, 6. **þuhte ond gesawen wære.** The expression is pleonastic,
and one may translate 'how this new lore seemed to them.' The
verb **gesawen wære,** from **geseon,** *to see,* is a literal adaptation from
Latin *videor,* 'I seem,' the passive of *video,* 'I see.' The two verbs
þuhte and gesawen wære are therefore synonymous. See below,
Þyslic me is gesewen, p. 31, l. 25, 'thus it seems to me,' and **Ða wæs
him eallum gesegen,** p. 35, l. 20, 'then it seemed to them all.'

31, 18. **ure godo.** When the heathen gods are referred to, the
word is usually treated as a neuter plural, but the word for the
Christian god is treated as a singular masculine noun.

31, 23. **Þæs wordum,** etc. 'To the words of this [one] another
councillor,' etc.

31, 30. **an spearwa.** This remarkable passage provided the
theme for the sixteenth sonnet in Wordsworth's *Ecclesiastical
Sonnets*.

33, 15. **seo stow.** Since Bede lived in the near-by monastery of
Wearmouth and Jarrow, he probably knew of these places through
personal acquaintance. The conversion of Northumbria here de-
scribed did not make Northumbria permanently Christian. Edwin
was killed in battle in 633, his queen Æthelburh and Paulinus, her
chaplain, escaped to Kent, and the early beginnings of the Christian
church in Northumbria came to naught. The permanent Christian-
ization of Northumbria came as the result of the labors of Aidan
and other missionaries from the Irish church.

33, 21. **þysse abbudissan.** A genitive singular feminine, qualify-
ing **mynstre.** The name of this abbess was Hild, and the monastery,
of which she was the founder and first abbess, was situated at a place
known to the Anglo-Saxons as Streoneshalh, a word which probably
means 'a bay or bend in the shore,' not far from York. After the
coming of the Danes, this name was replaced by a Danish name,
Whitby, which it still retains. The monastery at Streoneshalh was a
double monastery, with provision for both men and women, who
lived separately but under the general direction of one head.

34, 15. **blisse intinga.** Translating the Latin *laetitiae causā,* with
causa in the ablative case, though the translator mistakes it for the

nominative. What the Latin says is 'when for the sake of celebration, it was appointed that all,' etc., but what the Anglo-Saxon says is 'when there was deemed an occasion of celebration that all,' etc.

35, 1. Nu we sculan herian, etc. These lines are commonly known as Cædmon's *Hymn.* As it stands here in this story of the life of Cædmon, the *Hymn* cannot be in the form in which Cædmon composed it, if he did compose it, for it is in the West Saxon dialect, and Cædmon, living not far from York, must have spoken and written in the Northumbrian dialect. In the Latin text of his *Historia Ecclesiastica* Bede does not give the Anglo-Saxon version of the *Hymn,* but a Latin rendering of it. But several copies of the Anglo-Saxon version have been inserted by scribes in transcripts of Bede's *Historia,* and one of these, that in the Moore MS., in the Cambridge University Library, is of special interest because it is written in the Northumbrian dialect, probably of the early eighth century, and may correspond fairly closely to the lines as they were originally composed by Cædmon. A comparison of the Northumbrian form with the West Saxon version contained in the translation of Bede will show that the latter is not a translation of Bede's Latin, but merely a transcription of the *Hymn* in its traditional form, probably well known in Anglo-Saxon times, from the Northumbrian into the West Saxon dialect. The Northumbrian version, as given by Sweet, *Oldest English Texts,* p. 149, is as follows:

> Nu scylun hergan   hefaenricaes uard,
> metudæs maecti   end his modgidanc,
> uerc uuldurfadur;   sue he uundra gihuaes,
> eci Dryctin,   or astelidæ.
> He aerist scop   aelda barnum
> heben til hrofe,   haleg scepen.
> Tha middungeard,   moncynnæs uard,
> eci Dryctin,   æfter tiadæ
> firum fold[u],   frea allmectig.
> *Primo cantavit* Cædmon *istud carmen.*

35, 12. Gode wyrþes songes. Literally, 'and to these words soon joined many words of song worthy to God.'

35, 13-14. to þam tungerefan. Cædmon was a secular servant of the monastery, when the gift of song came to him, and only later did he become a brother of the monastery.

36, 2. het hine læran. 'Commanded to teach him.'

36, 13. Þæs . . . boca. 'Of the books of the canon of the Holy

Writ.' The canon was the list of books in the Bible accepted by the church. According to Bede, Cædmon did not versify apocryphal or legendary material.

36, 24. **regollicum.** According to the *regula* or monastic rule of his order. Extracts from the *regula* of the Order of St. Benedict, founded in 529, will be found below, pp. 78 ff.

36, 33. **untrumra manna hus.** The infirmary of the monastery.

37, 3. **þeng.** The scribe occasionally writes *ng* for the more customary *gn*. Note **fræng,** below, for **frægn.**

38, 3. **Ond seo tunge,** etc. An imperfect translation of the Latin, which itself is not very clear because it is elliptical. As a feminine **seo tunge** should be referred to by **heo,** in the next clause, but what happens is that the translater drops the idea of **seo tunge,** and passing from the part to the whole in the pronoun **he,** changes his subject to refer to Cædmon.

40, 1. **Ohthere.** "The Norsemen had, from early times, occasionally visited Finmarken to trade with the Finns, and to fish and hunt along the coast, but little was known about the region till Ohthere [Norse *Ottar*] explored it in King Harold Haarfagre's time. In 880 Ohthere went to England, where he joined King Alfred's court. He gave the English king, who was much interested in history and geography, an account of his voyage around the North Cape, and his exploration of Finland and Bjarmeland (the land of the Permians). . . . The countries around the Baltic [described in Wulfstan's voyages] were quite well known already at that time, but Ohthere's voyage is of extraordinary interest and importance, being the first voyage of exploration into the arctic regions." — Gjerset, *History of the Norwegian People,* I, 142. See also *The Voyage of the Vega Round Asia and Europe,* by A. E. Nordenskiöld, translated by Alexander Leslie, p. 40 ff.

40, 3. **wiþ þa Westsæ.** As one whose home is in Norway, Ohthere speaks of the 'west sea,' the sea to the west of the coast of Norway, as distinguished from the Baltic on the eastern side of the Scandinavian peninsula.

40, 15. **Þa beag þæt land.** Not having any maps or other information to guide him, Ohthere could not tell when he had to change his course to the eastward whether the general contour of the coast changed or whether he was merely entering a large bay, where the sea bent in on the land. But after he had sailed four days he knew he was not in a bay, and when he turned South, he had sailed completely round the northern end of the Scandinavian peninsula.

40, 24. an micel ea. The river Dwina.

40, 25. for unfriþe. 'For fear of hostile attack,' because the country on the other side of the river was well settled by the Permians.

41, 2. Finnas. "The extreme northern part of Norway is inhabited to a large extent by two peoples of Mongolian race, the Finns and the Kwæns." — Gjerset, *History of the Norwegian People*, I, 40. The term *Terfinn* as a name for the Finns has not survived, is recorded nowhere else, and is of unexplained meaning. Like most primitive peoples, the Finns were probably divided into clans or tribes, each with a name of its own. In modern use, the term Finns also includes the Lapps.

41, 13. swiþe æþele ban. Walrus ivory was highly esteemed by the early Teutonic peoples, for out of it they made drinking horns, sword handles, boxes, brooches, and other useful or ornamental articles.

41, 19. syxa sum. 'A certain one of six,' i.e., he and five others.

42, 25. Þa Cwenas. According to Gjerset, I, 41, the Kwæns are a large and well-built people, while the Finns are small, dark, broad-faced, with scanty beards.

42, 31. Halgoland. "North of Trøndelagen a large sea coast region fringed with thousands of islands stretches for many hundred miles towards the borders of Finmarken. This is Nordland, or, as it was called in earlier times, Haalogaland. The great cod and herring fisheries for which this region is still noted made it in early days one of the most populous districts in Norway. Whale and walrus were caught here in large numbers, and the district was for centuries the center of the rich fur trade of the North, until it was finally surpassed by Novgorod, in Russia, in the eleventh century." — Gjerset, I, 116.

43, 5. Iraland. The statement of the *Chronicle* is that on his right Ohthere first had Ireland, then the islands that lie between Ireland and 'this land,' i.e. England. It would be more appropriate if for Ireland one substituted Iceland, and this was probably the intention in Ohthere's narrative. The islands between Iceland and England would be the Faroes, Shetland and the Orkneys.

43, 7. Scirincgesheale. The ancient Norwegian town Skiringssal lay on the bay or fjord at the head of which stands Oslo (formerly called Christiania). In Ohthere's time it was a place of commercial importance but was later surpassed by several other towns in the vicinity.

43, 9. swyðe mycel sæ. The Baltic, and **Gotland** is Jutland, **Sillende** the island Zeeland.

43, 14. **æt Hæþum.** Haddeby, the preposition **æt** in the older form of the name being a part of the name, as not infrequently in Anglo-Saxon place names. Note that at the beginning of the account of Wulfstan's voyage, the name has already lost its preposition, a fate which regularly befell names of this type.

43, 17. **on þæt bæcbord Denamearc.** Ohthere's statement that as he sailed from Sciringesheal, Denmark lay on his left would not be true now but was true to the geography of his day, since the southern part of the Scandinavian peninsula was at that time part of the Danish kingdom.

43, 29. **Burgenda land.** The island of Bornholm, which now belongs to Denmark. **Blecinga-eg** probably refers to the region of southern Sweden now known as the province of Blekinge. The name of the island Bornholm is supposed to be derived from **Burgundar-holmr,** 'island of the Burgundians.' Later the Burgundians migrated southward and took an active part in continental affairs. See Hoops, *Reallexikon der Germanischen Altertumskunde,* I, 357, and elsewhere in the same book for accounts of other early Germanic peoples mentioned here.

44, 2. **Gotland on bæcbord.** Not Jutland, but Gothland, modern Gotland, off the west coast of Sweden, where the ancient city Visby is located.

44, 6. **to Estum.** The Ests were a Baltic people, of several stocks or groups, referred to by Tacitus as *Aestiorum gentes.* See Hoops, *Reallexikon,* I, 54.

44, 11. **Ond þonne benimð,** etc. 'And then the Vistula deprives the Elbing of its name.'

44, 17. **myran meolc.** Probably fermented mare's milk, perhaps a kind of alcoholic kumyss.

44, 32. **Alecgað hit,** etc. The largest portion is laid about a mile from the town, then the second portion a little nearer the town, and so on until all the property is put down. Then the racers assemble five or six miles from the town, the man with the swiftest horse arriving at the first and largest pile ahead of the others. The man with the second-best horse takes the second pile, and so forth until all the piles are taken.

45, 23. **hi magon cyle gewyrcan.** An unexplained but not incredible statement, the manufacture of ice not being a complicated matter with the proper chemicals.

45, 31. **hiora unþonces.** 'They being unwilling.'

46, 7. **þæs.** 'Afterwards.'

46, 9, 11. **Octauiane, Antoniuse.** Anglo-Saxon dative endings, appended to Latin nouns, in *Antoniuse* to a Latin nominative.

46, 21. **legian.** An anglicized form of Latin *legio*, which in the nominative singular was a weak feminine, *legie*. The word was taken over early by the Anglo-Saxons and appears in some English place names, e.g. **Legaceaster,** the old name of Chester.

47, 3. **hlafmæsse.** Literally, 'loaf-mass,' the harvest festival on August 1, with consecration of the loaves. The later English form of the word is Lammas, an archaic word now, since the festival is no longer celebrated.

47, 12. **ipnalis.** The Latin form is *hypnale*, from a similar Greek word, and the name of a kind of adder. But neither **ipnalis** nor *hypnale* stands in Zangemeister's Latin text of *Orosius*, the word there being merely the general word for 'serpent.' The Latin text which Alfred used, however, may have contained **ipnalis** or *hypnale*, either in the body of the text, or as a marginal comment on the general word in the text.

47, 22. **uissillus.** The word evidently caused the translator trouble, as it might anyone in this form. It is a corruption of *Psyllos* in the Latin: *frustra Caesare etiam Psyllos admovente, qui venena serpentum e vulneribus hominum haustu revocare atque exsugere solent.* The noun *psyllos* is the Greek word for flea, which the translator turned into another kind of serpent because the word was strange to him. The *Psylli* here referred to were skilful in extracting the poison from snake bites by sucking the wounds. The story is in Suetonius, see *De Vita Caesarum*, ed. Peck, p. 58, and notes.

49, 1. **Ælfred kyning hateð gretan . . . ond ðe cyðan hate.** The conventional opening of an Anglo-Saxon letter, first with a greeting in the third person, passing then to the body of the letter in the first person. The greeting was presumably to be given orally by the messenger who carried the letter. For Wærferð, see the introductory note to the passages from Gregory's *Dialogues*.

49, 20. **ic wene ðætte,** etc. The implication of Alfred's remark may be that as Northumbria had suffered more from the Danes than the south of England, scholarship would be less likely to have survived in the north. Or it may be that with his usual caution, Alfred expresses himself positively only about that concerning which his information is positive. The lack of scholarship in the south is not to be explained entirely by the invasions of the Danes, for Wessex suffered less than other regions. But Wessex before Alfred's time had never been a center of learning.

49, 26. **ðæt ðu ðe ðissa.** 'That thou free thyself from these temporal matters for this purpose.'

51, 1. **sumæ bec.** Object of **wenden** and the antecedent of **ða** in the next line.

51, 4. **gif we ða stilnesse habbað.** 'If the Danes don't trouble us too much.'

51, 19. **Plegmunde.** Plegmund was made archbishop of Canterbury in 890. Asser was a Welshman who wrote a life of Alfred. John and Grimbald were from Low Germany and Flanders respectively. There are many indications of Alfred's endeavor to develop a kind of cosmopolitan culture in Wessex.

51, 26. **æstel.** 'A book-mark,' from Latin *hastula,* 'a spear,' probably attached to the book by means of a cord or ribbon which marked the place in the book, the **æstel** being a piece of ornamental wrought metal, perhaps silver, which hung outside the book.

51, 32. **oððe hio hwær,** etc. 'Or it be somewhere on loan, or someone would write another [copy] by [it].' It is characteristic of Alfred that he does not give an inflexible but a sensible rule for the use of the books.

54, 3. **Retie.** "Rhætia, error for Neritia." — Sedgefield, p. 327. But the error was already in Alfred's source.

54, 12. **Iobes suna.** The letter *b* in Iobes is an attempt to secure a special letter for the sound of *v*, the letter *f* ordinarily standing in Anglo-Saxon for both the sound of *f* and of *v*. Of course it has nothing to do with the biblical name Job.

54, 14. **forþamðe.** A compound which might be written as three separate words, but Sedgefield treats it as one word.

56, 28. **Gif men.** A variant manuscript reading has **mon,** and either form is possible as object of the impersonal verb **onhagie.** In any event, the subject of **hæbbe** is implied in the pronoun governed by **onhagie.**

64, 8. **Virago.** The derivation of **virago** from *vir* may be justified, though not by Ælfric's reasoning. Ælfric does not explain how Adam came to know Latin. So also in the derivation of **Aeva,** Ælfric is thinking of Latin *aevum,* 'age, life.' These etymologies were not Ælfric's inventions, but bits of medieval traditional misinformation.

73, 10. **weorkes.** The symbol *k* occurs rarely in Anglo-Saxon manuscripts, but gradually becomes more frequent in the late Anglo-Saxon period and in early Middle English.

74, 5. **on minon bedde.** A preposition **of** would be a closer translation of the Latin. The form **minon** is Late West Saxon for **minum.**

74, 6. **uhtsang.** The divisions of the Anglo-Saxon day are discussed by Frederick Tupper, Jr., *Anglo-Saxon dæg-mæl*, Publications of the Modern Language Association, Vol. X, pp. 111–241 (1895). For the seven daily services, see below, The Benedictine Rule, Chapter XVI.

78, 1. **Seofonsiðum on dæg,** etc. *Psalm* 119, 164: 'Seven times a day do I praise thee because of thy righteous judgments.'

78, 8. **To middre,** etc. *Psalm* 119, 62: 'At midnight I will arise to give thanks unto thee because of thy righteous judgments.'

79, 7. **bedreaf.** A compound, **bed** + **reaf,** 'bed clothes.'

79, 7. **æfter heora drohtnunge gemete.** Translating *pro modo conversationis*, 'according to the manner of their way of life,' i.e., in accord with their rank and position.

80, 5. **fultum and frofer.** The point of this passage is that those who serve in the kitchen should have as many comforts and conveniences as the size of the brotherhood and the situation of the place permit.

80, 8. **aspeled æt þære þenunge.** Translating *excusetur a coquina.* By **hordere** here is meant 'steward,' in the Latin *cellerarius.*

80, 14. **ealra gebroðra fet.** A comprehensive Saturday bath was not compulsory.

80, 19. **anre tide.** Translating *ante unam horam*, one hour before the general meal time. The Latin is more specific than the Anglo-Saxon.

80, 27. **wið ealra geferena cneowa.** This translates *omnium genibus* in the Latin. The meaning evidently is that they are all to prostrate themselves (**betyrnan,** in the Latin, *prouoluantur*) on their knees, but the syntax both in the Latin and in the Anglo-Saxon is not very clear.

81, 2. **Begim þu,** etc. *Psalm* 40, 13: 'Be pleased, O Lord, to deliver me: O Lord, make haste to help me.'

81, 14. **Drihten, geopena þu,** etc. *Psalm* 51, 15: 'O Lord, open thou my lips; and my mouth shall shew forth thy praise.'

81, 28. **for ðæs halgan husles þigene.** Translating *propter communionem sanctam.*

82, 19. **Warniað,** etc. *Luke* 21, 34: 'And take heed to yourselves, lest at any time your hearts be overcharged with surfeiting and drunkenness.' The Latin text reads: *Uidete, ne grauentur corda uestra in crapula et ebrietate.*

83, 1. **Anra gehwylc,** etc. Not a translation of *Romans* 12, 5–6, but probably suggested by these verses.

83, 6. **emina.** The measure emina or hemina is defined as half of a sextarius, and a sextarius as a liquid measure held a pint. The allowance is therefore half a pint of wine a day.

83, 19. **witan oft misfoþ.** The Latin reads *uinum apostatare facit etiam sapientes*, which corresponds to the thought of *Isaiah* 28, 7, though not closely to the words.

89, 25. **þæs mycclan lices.** Elephantiasis, literally, 'of the great body.'

90, 3. **a swa leng swa wyrse.** The entries of the *Chronicle* for this period fully confirm Wulfstan's picture of the suffering and weakness of England at this time. The entry for 1014, for example, tells among other things how Cnut cut off the hands and noses of a number of English hostages and how King Æthelred, known as The Unready, i.e., lacking in wisdom, in spite of all these evils paid the Danish army twenty-one thousand pounds. Æthelred died in 1016, and in 1017, Cnut became king of all England. After this Cnut divided his time between his two kingdoms of Denmark and England. Though Wulfstan endeavors to explain the misfortunes of the English as due to neglect of their Christian duties, between the lines appears the crude realism of a violent life and death struggle between the English and the Danes for political and economic supremacy in England.

91, 20. **mæþe and munde.** Probably a popular alliterative phrase, like 'time and tide.' 'Deprived of respect and protection.' Phrases of this kind, as well as occasional rimes and near-rimes, and the accumulation of almost synonymous words, as on p. 92, ll. 12 ff., are characteristic of a popular pulpit style and will be found throughout the homily.

91, 21. **þenan.** For **þenum** or **þegnum,** the latter being the customary Early West Saxon form.

91, 28. **folclaga.** The ancient English customs and laws, replaced either by Danish laws, or allowed to fall into disuse. The changes in social standing which Wulfstan describes here so bitterly have not been without their parallels in later periods of political and military upheaval, and treachery and the violation of the natural affections seem to be common to all such disturbances. See Notes, p. 118, l. 14.

93, 1. **Eadwerd.** Edward the Martyr, king in succession to his father Edgar, and murdered at Corfe in Dorset, in 978. The statement of Wulfstan that his body was burned "is flatly against the witness of the *Chronicle*," Plummer, *Two Saxon Chronicles*, II, 167, which says nothing about the burning. He was succeeded by his half-brother Æthelred, whom Wulfstan speaks of as having been driven out of his country. As Edward was murdered by his political enemies and therefore did not die for the faith, he was not technically a martyr. But public interest has always made 'martyrs' of those who have died suddenly and perhaps innocently.

93, 3. Æþelred. In 1013 Swegen, father of Cnut and the leader of the Danes, was accepted by various groups of Anglo-Saxons as their king. Æthelred himself went over to Normandy, and it is possible that he was formally deposed by the witan, though the *Chronicle* does not say this. In 1014 he was recalled by the witan and spent his last days in England. Swegen died in this same year and was succeeded by his son Cnut. Æthelred was certainly one of England's unhappiest, perhaps unwisest, kings. He is commonly referred to as The Unready, but this epithet does not mean what the adjective *unready* means in modern English. It is derived from the negative prefix compounded with a form of the Anglo-Saxon word **ræd**, 'counsel,' 'wisdom,' i.e., The Unwise. Historians have usually condemned Æthelred's policy of trying to buy off the Danes, but it is difficult to see what else he could have done with his resources and in the face of the overwhelming number of the invaders.

93, 9. man gesealde. The selling of slaves was not a new thing and had been going on for centuries, as we learn from the story of Gregory and the English slave boys in Rome. But what was new was that people now sold their own kin into slavery, a thing expressly forbidden in Anglo-Saxon law.

93, 11. hwær seo yrmð gewearð. Under pressure of poverty.

93, 23. of cristendome to wicinge. The great body of the Danes were still heathen at this time. Wulfstan has previously referred to the **gedwolgodu**, 'idols, false gods,' of the Danes, and to the priests who minister to them.

93, 26. ægylde. 'Without compensation.' On the payment of money compensations in Anglo-Saxon law, see Notes, p. 97, l. 2.

94, 10. twegen sæmen oððe þry. Because the seamen had behind them the support of large bodies of ruthless Danish invaders whom they could call upon if they needed any help.

94, 16. gyldað singallice. Occasional payments of money are mentioned even in the early years of the Danish invasions, but later, especially in the reign of Æthelred, this seems to have become a common practice. Nothing could have been more futile, for every payment was an invitation to come back for more. So much English money went out of the country that more coins dating from this period have been found in Scandinavia than in England, see Grueber and Keary, *A Catalogue of English Coins*, Vol. II, p. lxxxi.

97, 2. angylde. The punishment prescribed is three-fold, the **angylde,** a fixed sum agreed upon, probably as restitution for what was stolen, the **wite,** also a money payment or fine, in proportion to the **angylde,** and finally the physical mutilation. The proportion of the **wite** to the **angyld** was specified by law, the amount of the **angyld** being determined in each case by the extent of the loss or damage. The severity of the penalty of mutilation reflects Anglo-Saxon respect for Biblical authority.

97, 5. were. The word **wer** primarily means 'man,' but it was used in Anglo-Saxon as a synonym for **wergield,** the compensation value of a man in terms of money payment as fixed by statute with respect to his rank and standing in the social scale. The values were not fixed for individuals but for classes. They were established for complete and for partial damage, see below, Laws XL ff., and the complete **wer** was the amount that might be paid in case of death. The compensation for partial damage was fixed by the laws in great detail, so much for the loss of an eye, an ear, a tooth, a finger, etc.

97, 10. æt gemænan weorce. See *Deuteronomy* 19, 5–6: 'As when a man goeth into the wood with his neighbour to hew wood, and his hand fetcheth a stroke with the axe to cut down the tree, and the head slippeth from the helve, and lighteth upon his neighbour, that he die; he shall flee unto one of those cities, and live: (6) Lest the avenger of the blood pursue the slayer, while his heart is hot, and overtake him, because the way is long, and slay him; whereas he was not worthy of death, inasmuch as he hated him not in time past.' The influence of the Bible was strong on the Anglo-Saxon codes of law.

97, 12. him fo se to. 'Let him (**se**) take possession of it.' But grammatically **se** is subject of **fo.**

98, 2. wer ond wite. Two money payments, as in Law VII. Three degrees of seriousness of offence and of severity of punishment are indicated in the three paragraphs of this law.

98, 6. ealdormonnes gingran. Subordinate officers of the **ealdormon.**

98, 7. cyninges preoste. A cleric or priest acting as king's officer or sheriff. In some codes, priests were forbidden thus to engage in secular affairs.

98, 11. ðone dæg þe Crist ðone deofol oferswiððe. The day was
Feb. 15, and the allusion is to the Temptation in the Wilderness,
see *Luke* 4, 1–13, traditionally associated with the beginning of Lent
in the services of the church. The day itself was apparently not a
feast day, though it is mentioned in some of the church calendars,
as in the *Leofric Missal*, ed. Warren, p. 24, *Diabolus recessit a
domino*. The Leofric Missal was in use at the cathedral at Exeter
from 1052 to 1072. Occasional references to Christ's overcoming the
devil are found in Anglo-Saxon homilies, especially in the Blickling
Homilies. These homilies are popular in character, and proba-
bly Feb. 15 was a day of greater popular than ecclesiastical
interest.

98, 12. Sanctus Gregorius gemynddæg. The day of Pope
Gregory I, March 12, a saint of special interest to the English people
because of his connection with the Augustinian mission.

98, 13. æt Sancte Petres tide. The day of Peter and Paul
Apostles, June 29.

98, 15. Sancta Marian mæssan. The feast of the Assumption
of the Virgin, Aug. 15.

98, 15. Eallra haligra. All Saints' Day, Nov. 1.

98, 16. on iiii ymbrenwicum. The ember weeks took their
name from the Ember Days, days of fasting and prayer. The days
were Wednesday, Friday and Saturday after the first Sunday in
Lent; Whitsunday, the seventh Sunday after Easter; Holy Cross
Day, Sept. 14; and St. Lucia's Day, Dec. 13. The holidays suggested
by the law for slaves came therefore at approximately equal intervals
during the year.

98, 17. þam þe him leofost sie, etc. The words **þe him** are equiv-
alent to a relative pronoun in the dative case, 'to whom.' Translate:
'to those to whom it is most pleasing to grant somewhat of that which
any man wishes to grant them for God's name [i.e. as a free gift] or
they may earn in any of their odd times.'

98, 21. butu ðyrel. 'If both the bones are pierced,' i.e., if the
object causing the wound goes both in and out again.

99, 11. gebete he. The **he** refers to the parent of the child.
Liebermann points out, III, 69, that this law is one of a group which
apply to the laity.

99, 17. þolie his hyde. In other laws it is provided that a slave
might escape this whipping by paying six shillings — the same
penalty being fixed for idolatrous worship or for breaking a fast by
eating meat, Liebermann, II, 2, 622.

100, 10. ceorl. A **ceorl** was a freeman, standing in rank between the **ðeow** or slave, and the **ealdormon** or noble.

101, 5. gesiðcundne monnan. A man of the rank of warrior or king's retainer, therefore of somewhat higher standing than a mere **ceorl**, but not so high as an **ealdormon.** The intent of the law is that if such a man must be expelled, he should be forbidden the precincts of the court but not driven from the community.

103, 6. æt-gifan. Their food-dispenser was Noah.

103, 8. Him on hoh beleac. Elaborated from *Genesis* 7, 16, *et inclusit eum dominus deforis.* But there is nothing in the Biblical account corresponding to **and segnode earce innan.** The word **segnian** usually means 'to make the sign of the Cross,' 'to bless (by making this sign),' and though it would be anachronistic for God to make the sign of the Cross on the Arc, such anachronism would by no means be uncommon in Anglo-Saxon poetry. The poet returns to the thought, p. 104, ll. 4–5.

103, 11. agenum spedum. Though grammatically **agenum** can agree with **spedum,** the two words being taken as an adverbial instrumental phrase, 'with his own powers,' yet this seems awkward on account of the somewhat forced meaning of **spedum.** Standing alone, **spedum** could be a dative plural adverb, 'speedily,' and perhaps this is the best way to treat it, **agenum** being in the same syntax as **mundum sinum,** l. 9.

103, 16. Drihten sende, etc. *Genesis* 7, 17, *Factum est diluvium XL diebus super terram: et muliplicatae sunt aquae et elevaverunt arcam in sublime a terra.* 18, *Vehementer enim inundaverunt: et omnia repleverunt in superficie terrae: porro arca ferebatur super aquas.* 19 . . . *operti sunt omnes montes excelsi sub universo caelo.*

103, 23. man-fæhðu bearn. 'The children of wickedness,' the first element of the compound being **mān,** not **man.**

104, 8. fære. A dative or instrumental of **fǽr,** and stylistically parallel to **hæste,** l. 10.

104, 10. hrinon. For the more usual **hrinan,** 'touch,' by extension, 'harm.'

104, 10. hie. The occupants of the ark, though Holthausen suggests an emendation to **hit,** the ark itself.

104, 13. monnes elna. The genitive **elna** is dependent on **Fiftena,** l. 11.

104, 14. Þa æt niehstan, etc. 'Then was straightway (**æt niehstan**) no one out of it (**to gedale,** literally, 'for' or 'to separation'), except that it (the ark) was raised,' etc. Not a very satisfac-

tory rendering of a difficult passage, though it accords with the
account in *Genesis*, where the destruction caused by the Flood is
dwelt upon, and also the fact that only Noe and his family survived
— *Genesis* 7, 23, *remansit autem solus Noe et qui cum eo erant in arca.*
Holthausen retains the manuscript reading **þam,** but gives up the
interpretation of the line with the remark that he does not under-
stand it. But Holthausen also reads **heof,** 'lamentation,' for **heo**
in l. 15, an emendation that does not make the passage easier to
understand. Freely the passage may be translated: 'Then straight-
way no one would have been out of it (the Flood) unless the ark had
been raised into the upper air.'

104, 19. **ead-modne.** Holthausen prefers to emend the obviously
faulty manuscript reading to **edniowne,** 'continually renewed.' But
the Flood was not continually renewed, as the account in *Genesis*
explicitly says. The word **ead-modne** may be translated 'humble,'
'submissive,' as the Flood was, obeying the will of God both in
waxing and in waning.

104, 31. **l. and c.** Resolve as **fiftig and hundteontig** to make a
metrically complete line.

105, 5. **Noees.** The emendation of the manuscript reading **Noes**
is supported by the meter which here requires a trisyllabic word.
Scan ⊥ | ⊥ ⤬ ⤬. As the alliteration is vocalic, the best scansion for
the second half-line would be the same. The treatment of foreign
proper names in Anglo-Saxon verse is sometimes arbitrary.

105, 7. **soðra gehata.** The object of **bad,** in the genitive case.

105, 21. **þæs þe.** 'From the time that,' 'after.'

105, 29. **fleotende hreaw.** This explanation is not mentioned in
Genesis but was supplied by early Biblical commentators.

105, 30. **secan.** Here the verb **secan** is used as an intransitive,
'come back.'

105, 32. **æfter.** Construe with **hrefne,** l. 31.

106, 17. **hyre.** An adverb from the adjective **hīre, hȳre,** which
also occurs in the forms **hīere, hēore,** 'safe,' 'pleasant.' The al-
ternative would be to take **hyre** as a possessive pronoun, 'on her
tree,' which forces the meaning. Yet in l. 21, **mid lacum hire,** the
word **hire** is certainly the pronoun, 'with her offerings.' In l. 17
hyre cannot be an adjective agreeing with **beam** because it has not
the form of an accusative, singular masculine.

107, 3. **hu þu ær,** etc. Translate: 'how didst thou become for
the multitudes of the world a child born with thy father through his
strength and power!' The allusion is to the Father and Son as co-

eternal, a mystery, as Cynewulf points out, ll. 6–10. He returns to the point that Christ was already in existence at the time of the Creation in ll. 12–14, p. 108.

107, 8. **sund-buendum.** Literally, 'those dwelling by the sound, or sea,' a poetic synonym for 'men.' So also **eorl,** l. 6, is a word taken from traditional heroic poetry as the poetic term for 'man.' The following lines, p. 107, 10 to p. 108, 8, give a brief account of the Creation.

108, 4. **ond him,** etc. This half-line is awkward syntactically and the style would be improved if one read **on** for **ond,** and treated the half-line as parenthetic '(in him was the power of judgment),' i.e., his judgments or decrees were powerful.

108, 7. **leoht lixende, gefea.** This is an awkward line, both syntactically and metrically. It has been suggested that **gefea** be omitted, and this would be an improvement. Or **gefea** might be transferred to the second half-line, in which case the second half-line would be scanned as an E-type, with anacrusis of two unstressed syllables. The first half-line would be a D-type.

108, 9. **sceolde.** An infinitive **beon** or **don** is understood.

108, 15 ff. **Þu eart seo snyttro,** etc. Cook, *Christ,* p. 101, suggests that Cynewulf may have had the Antiphon of the Magnificat for Dec. 17 in mind in this passage: *O sapientia, quae ex ore altissimi prodiisti, attingens a fine usque finem, fortiter suaviterque disponens omnia: veni ad docendum nos viam prudentiae.*

108, 27. **þa gyldnan geatu.** "Plural for the singular: **auream portam.** The reference is undoubtedly to the physical birth of Christ." — Cook, *Christ,* p. 102.

109, 4. **ofer ussa nioda lust.** Literally, 'over (i.e., despite) the desire of our wishes,' or freely, contrary to our will.

109, 7. **wreccan.** A dative plural, the usual form for which would be **wreccum.**

109, 18 ff. **Wile Ælmihtig,** etc. Like a king at a meeting of his witan.

109, 23. **þurh egsan þrea.** Literally, 'through the menace of terror,' i.e., with terrible menace.

109, 29. **fyllað mid fere.** The manuscript reading **feore,** 'life,' is not appropriate, and Cook's emendation **fere,** 'fear,' seems reasonable. The emendation **fyre,** 'fire,' has also been proposed but, as Cook remarks, "there is no suggestion of fire in this context." A few lines later, however, fire is mentioned. But cf. p. 110, l. 21, as possibly supporting the reading **fyre** here.

110, 9. **nales fore lytlum.** Supply **mægen-earfeþum** from the next line.

110, 11. **eall þreo.** Explained in ll. 13–15.

110, 21. **fyres egsan.** 'With the terror of fire.' But a nominative **egsa** would simplify the passage a great deal.

110, 22. **mid ealle.** 'Altogether,' 'completely.'

111, 12. **bi heofon-woman.** Literally 'by heaven-tumult,' i.e., in this tumult from or of the heavens. A word like **heofung-woman,** 'sound of lamentation,' would fit the context better but requires an emendation of the manuscript reading.

111, 15. **londes.** Dependent on **leg-bryne.**

112, 2. **hyssa hwæne.** 'A certain one of his retainers,' perhaps the **Offan mæg** of l. 5. The **se cniht** of l. 9 refers to the **Offan mæg,** but he is not otherwise more specifically named. Offa is mentioned later in the poem, p. 118, l. 26, p. 119, l. 26, p. 121, l. 15.

112, 4. **hicgan to handum.** Literally, 'take thought to his hands,' i.e. bestir himself.

112, 5. **Þa.** 'Then,' or possibly 'when,' but if this latter interpretation is preferred, the semicolon at the end of l. 6 must be replaced by a comma.

112, 6. **se eorl.** The **eorl** is Byrhtnoth, though the usual Anglo-Saxon title was **ealdormon.** See Notes, p. 10, l. 1. But **eorl** was a poetic word in Anglo-Saxon and **ealdormon** was not. The word **ealdormon** does not occur in *Beowulf*, though **eorl** occurs frequently. The uncompounded form **ealdor,** 'lord,' 'chief,' also occurs frequently in *Beowulf*.

113, 1. **Eadric.** One of Byrhtnoth's personal followers, of the **heorð-werod** mentioned in l. 14. Many others are mentioned by name in the poem which alone keeps their fame alive.

113, 7. **Byrhtnoð.** Ealdormon of Essex. The battle at Maldon and the death of Byrhtnoth are mentioned in the *Chronicle*, under the year 991 in the Laud version, 993 in the Parker version. Very little is known about Byrhtnoth except what is told in the poem. It is known, however, that he was one of the powerful ealdormen of his day, connected by marriage with the royal family, and the possessor of large estates.

113, 8. **rad and rædde.** The Anglo-Saxons did not fight on horseback, and when the fighting begins Byrhtnoth dismounts. See l. 13. The undisciplined character of Byrhtnoth's troops appears from the fact that their chief commander has to give them instructions how to hold their shields and to form their lines.

113, 14. **his heorð-werod.** The immediate personal following or **comitatus** of the **ealdormon.** These constituted a permanent military force, while the body of the troops were probably called from their farms to meet an emergency.

113, 16. **wicinga ar.** 'Messenger' or 'spokesman of the vikings.' As a Northman he would probably speak Norse, but Anglo-Saxon and Norse were sufficiently alike to make intelligible communication possible. The messenger is standing 'on the shore' (**on stæðe,** l. 15) and he announces his message to the earl who stands **on ofre,** l. 18, which also means 'on the shore,' i.e., on the other shore. Sedgefield, p. XIV, quotes from Freeman's *Norman Conquest,* I, 268 ff., this description of the place of the contest:

"The battle took place near the town of Maldon, on the banks of the tidal river Panta, now called the Blackwater. The town lies on a hill; immediately at its base flows one branch of the river, while another, still crossed by a medieval bridge, flows at a little distance to the north. The Danish ships seem to have lain in the branch nearest to the town and their crews must have occupied the space between the two streams, while Brihtnoth came to the rescue from the north. He seems to have halted by the church of Heybridge, having both streams between him and the town."

113, 21. **beagas.** A poetic synonym for money. On the paying of tribute to the Danes, see Notes, p. 8, l. 29, and p. 94, l. 16. Originally the **beagas** were twisted spirals of precious metal, worn on the arm and serving as a primitive form of money. Later **beag** came to be used, especially in poetry, for money or treasure in general. Some few specimens of this early ring money have survived and are preserved in collections of early Teutonic antiquities. But the specimens are very few and the custom had probably passed out of use before the Anglo-Saxons arrived in England.

113, 31. **friþes.** 'In peace.'

115, 14. **alyfan landes to fela.** The Danes were evidently fighting at a disadvantage, and Byrhtnoth, bravely or rashly, permits them to approach nearer. The precise location of the **ford** mentioned in l. 12 is not clear, but the evident intention of the narrative is to state that Byrhtnoth allowed the Danes to cross the bridge in order that there might be a decisive trial at arms.

115, 16. **Byrhtelmes bearn.** 'The son of Byrhthelm,' i.e., Byrhtnoth.

116, 7. **his swuster sunu.** 'The son of his (Byrhtnoth's) sister.'

116, 23. **þæs beornes.** One of the Danes, not previously mentioned. In l. 22, **wiges heard,** 'the one bold in battle,' refers to Byrhtnoth.

116, 26. **suþerne gar.** 'A spear from the south,' the Danes being to the south of the men of Essex. See Notes, p. 113, l. 16.

117, 10. **þæt se to forð gewat.** 'That it went so far forth.'

117, 16. **forlet forheardne.** 'He let (it) very hard,' i.e., the same spear that had wounded Byrhtnoth.

117, 19. **gesyrwed secg.** One of the Danes, who attempts to despoil the fallen Byrhtnoth.

118, 8. **hel-sceaðan.** Not a reference to the Danes, but to the after-life. The antecedent of **hi** is **sawul,** l. 5.

118, 14. **Oddan bearn.** Traitors like these sons of Odda appear not infrequently in the annals of the late Anglo-Saxon period, and are perhaps an indication of a deterioration in the general moral tone of Anglo-Saxon civilization, such as in described in Wulfstan's homily.

118, 18. **on þam gerædum.** This apparently refers to the trappings of Byrhtnoth's horse, which Godric mounts. When the East Saxons see the horse departing, they think that Byrhtnoth is fleeing. See p. 120, ll. 1–6.

119, 3. **oðer twega.** 'One of two things.'

120, 12. **Sturmere.** "Apparently Leofsunu's home, perhaps the estuary of the river Stour in Essex; cf. **Stūremūða,** where the Northmen were defeated in 885." — Sedgefield, p. 38.

120, 19. **unorne ceorl.** Dunnere was a **ceorl,** therefore not of noble rank, but a freeman who is given a place in the list of heroes because of his faithfulness.

120, 24. **hiredmen.** Men of the ealdorman's household. The first part of the compound is composed of **hiw,** 'family,' and **ræd,** a noun element used in compounds, somewhat as **-dom** is in *kingdom.* The word has nothing to do with *hired-,* from *to hire.*

120, 28. **se gysel.** A Northumbrian, though how he happened to be among the East Saxons is not made clear, and is not important, the point being that he stood by his fellow-Englishmen.

121, 16. **Gaddes mæg.** Since Gad is otherwise unknown, the most natural supposition is that the phrase refers to Offa. Or it may refer to another of the East Saxons, or least probably, it may refer to **sæ-lidan,** l. 15, one of the Northmen.

121, 23. **he læg ðegenlice.** The keynote of the whole poem.

122, 10. **Hige sceal,** etc. 'Mind shall (be) the sterner, heart the bolder, courage the greater as (literally, by what) our strength diminishes.'

123, 1. **Ic þe mæg,** etc. The prose passage immediately preceding this is a dialogue between Wisdom and the author on the theme that a man's actions reveal his character and that a wicked man is more like a wolf or other beast than a man. The first three lines may be translated: 'I may easily tell thee in ancient and fictitious narratives a tale (**spræce**) similar even to that same (**spræce** understood) about which you and I (**wit**) are speaking.'

123, 5. **under.** Unusual word order, the preposition governing **þæm casere** in the next line.

123, 8. **Retie.** See above, Notes, p. 54, l. 3.

123, 13. **for.** Past tense of **faran.**

124, 9. **famig-bordon.** An accusative singular weak masculine noun, appositive to **ceol,** l. 10. The more usual form would be **-bordan.**

125, 18. **ofer mægð giunge.** 'Besides the young maiden.'

125, 21. **eardes lyste.** The verb is impersonal, literally, 'it longed them for home.'

125, 23. **Ða ongunnon.** The subject is **wer-ðeoda** and **spell** is the object.

126, 28. **ænlepra ælc.** Literally, 'each of ones,' i.e., every one, appositive to **listas** and **cræftas.**

127, 4. **lit.** Third singular present of **lietan,** 'bend,' 'incline.'

128, 1. **Weland himbe wurman.** By **Weland** is meant Weland, the Smith, famous in Teutonic legend. But the meaning of **himbe wurman** is much disputed and obscure. The manuscript reads plainly **himbe wurman,** but these words have no meaning. Many emendations have been suggested, all so improbable that Dickins prefers to let the unchanged manuscript reading stand as an unsolved mystery. With a very slight change, however, it is possible to read **Weland him be wif-man,** as suggested long ago by Grein, and this first line might then be translated, 'Weland experienced persecution towards himself in connection with a woman.' The woman would be the Beadohild of the next stanza, who figures in the Weland story to his sorrow.

As this poem is composed of illustrations of the theme of hardships overcome, as comfort in time of present suffering, it is necessary to know something of the stories alluded to in it. These stories were all familiar to Anglo-Saxon audiences, and for them an allusion was sufficient. An Anglo-Saxon version of the story of Weland is not now extant, but the story as found in the old Norse *Vǫlundarkviþa*, is briefly summarized by Dickins, p. 70, as follows: "Vǫlundr, a mysterious smith, is surprised by Níþǫþr [**Niðhad,** 1. 5], king of the Níarar, and robbed of a great treasure, including a (magic?) ring. The ring is given by Níþǫþr to his daughter Bǫþvildr [**Beadohilde,** 1. 8] and the smith hamstrung [cf. **swoncre seono-bende,** 1. 6] to prevent reprisals. Forced to labour for the king, he seeks an opportunity for revenge, which soon presents itself. Visited in secret by Níþǫþr's sons, he slays them both [**hyre broþra deaþ,** 1. 8] and makes of their bones utensils for the royal table. In the meantime Bǫþvildr has broken her ring, and fearing her father's wrath, she brings it to the smithy for repair. The smith receives her amiably and offers her wine to drink; but the draught is drugged and Vǫlundr works his will [**þæt heo eacen wæs,** 1. 11] upon the sleeping princess. Once more in possession of the ring, he regains his magic power and flies away, first announcing what has happened to the king."

128, 5. on. Although **on** has **nede** for its object, Dickins, p. 72, prefers to place it in the first half-line. If it is so placed, it will bear a metrical stress, and the first half-line will be scanned × × × × ⊥ | × ⊥. But this is not necessary and is perhaps a bit improbable. If **on** were placed in the second half-line, the second half-line would be scanned × ⊥ × | ⊥ ×, and the first half-line ⊥ × × × | ⊥ ×.

128, 6. seono-bende. Literally, 'sinew-bonds,' and the reference may be merely to Nithhad's binding the hands and feet of Weland with sinews. Or it may refer to the mutilating of Weland, as a result of which he became lame. Editors who prefer this latter interpretation are inclined to change **seono-bende** to **seono-benne,** 'sinewwound.' But according to the tale, the binding implied the wounding, and it seems as well to retain the manuscript reading.

128, 7. Þæs ofereode. The syntax of **Þæs** is as a genitive of specification after the impersonal **ofereode.** Literally the refrain may be translated, 'It passed over with respect to that, so may it (pass over) with respect to this,' or freely, 'If he survived that, I may survive this.'

128, 11. þæt heo eacen wæs. The son of Beadohild and Weland was also famous in early Teutonic story and is mentioned several times elsewhere in Anglo-Saxon poetry.

129, 1. Mæðhilde. Many suggestions have been made concerning the identity of **Mæðhilde,** or of **Hilde,** taking **mæð** as a separate word, but these are all so uncertain that "it is safer," says Dickins,

p. 73, "to regard this stanza as alluding to one of those stories, familiar enough to an Anglo-Saxon audience, which have not come down to us." **Mæðhilde** must be genitive or dative dependent on **frige,** 'the love of the Geat for Mathhild.' Who the Geat was is also unknown.

129, 1. **monge.** Appositive to **We,** 'many of us have heard.'

129, 5. **Ðeodric.** The famous Theodoric, Dietrich von Bern in German, of history and legend, king of the Ostrogoths. He conquered and ruled Italy from 493 to 527 — **þritig wintra.** The **Mæringa burg** was the city of the Mæringas, another name for the Ostrogoths, which Theodoric took from his predecessor Odoacer. Though the Theodoric of history seems to have been a fortunate and efficient ruler, legend and tradition made of Theodoric a different sort of person, so that "one of the most successful figures in all history came to be the type of endurance under consistent and undeserved misfortune." — Chambers, *Widsith,* p. 38.

129, 8. **Eormanrices.** Another famous Gothic king in early Teutonic tradition. In *Deor* no reference is made to any particular parts of the legend of Eormanric, but the poem merely refers in general to his bad character. This character was very largely of legendary growth and in Teutonic story Eormanric became the type of the cruel and tyrannical ruler. But Eormanric himself was slain, and it is his death and defeat that give point to the inclusion of him in Deor's song.

129, 13. **ofercumen wære.** The subject is **he,** i.e., Eormanric, and **ofercumen** must be taken in the sense 'deprived': 'Many a man . . . wished often that he might be deprived of his kingdom.'

129, 15–21. **Siteð sorg-cearig,** etc. These lines are an obvious interruption in the poem and are probably a Christian interpolation of some scribe. Note that the lines do not have the customary refrain, and that when Deor himself is represented as speaking in the last stanza the first person is used, but the third person in these lines.

129, 23. **Heodeninga.** Heoden, the chief of the Heodenings, is mentioned in *Widsith* as a king who ruled the Gloms, but who the Gloms were is not definitely known. See Chambers, *Widsith,* p. 193. Chambers, p. 162, thinks that Heoden and his tribe "are to be localized somewhere on or near the Baltic."

129, 24. **Deor.** Though the name Deor is not an unknown Anglo-Saxon name, this particular Deor cannot be identified. All that we know of him is what he tells us, that he was the minstrel of the king of the Heodenings and was supplanted by a rival.

129, 26. **Heorrenda.** A rival minstrel who supplants Deor in the favor of his lord. Note that Deor makes no accusations of injustice against his lord or of incompetence or treachery against Heorrenda, the implication being that Deor had merely outlived his best days. It would seem that both Deor and Heorrenda were minstrels at the court of Heoden. Heorrenda appears as a court singer in other versions of the story of Heoden. See Chambers, *Widsith*, pp. 100–105.

130, 1. **anhaga.** This word would perhaps supply a better title for the poem than the usual one of *The Wanderer*. "No title is assigned to the poem in the MS., but since the time of Thorpe it has generally been known as The Wanderer. This title is not a particularly happy one. It does not apply at all to the latter part of the poem, and even in the first part it would have been possible to choose a more appropriate term for the person whose position is described. The poem falls into two main sections, of which only the first deals with a 'wanderer' — or rather a homeless man of the upper class who has lost his lord. The second main section consists of reflections upon a ruin. . . . The general theme however is the transitoriness of prosperity, tempered by the reflection, which is introduced both at the beginning and the end, that relief from misery may be expected from God's mercy." — Kershaw, p. 1. But **eard-stapa** in l. 6 is a fairly close equivalent to English *wanderer*.

130, 4. **hrim-cealde.** This is the only occurrence of this compound in Anglo-Saxon, but Kershaw, p. 162, points out that it occurs three times in Norse poetry.

130, 5. **wyrd.** Usually translated 'fate,' though this word is of Latin origin and is derived from *fatum*, the past participle of *fari*, 'to speak,' fate being that which is spoken or decreed, whereas **wyrd** is related to the verb **weorðan,** 'to become, to happen.' Freely the phrase might be translated, "That which must be, will be."

130, 6. **Swa.** This word looks forward to the speech to follow, not back to what has preceded.

130, 7. **hryre.** The most natural reading would be to make **hryre** a genitive, appositive to **earfeþa** and **wæl-sleahta,** but **hryre** is a masculine noun and its genitive would be **hryres.** Retaining the reading of the manuscript, it is best to take **hryre** as an instrumental.

131, 3. **dreorigne.** A word like **hyge,** 'mind,' 'thought,' must be understood after **dreorigne.** The meaning of **hyge** is repeated in **mod-sefan,** l. 5.

131, 8. **gold-wine minne.** The manuscript reading might be retained here if **gold-wine** were taken as an accusative plural, but it seems more appropriate to have a singular noun for the object.

131, 17. **lyt.** One expects a word for 'few,' rather than for 'little.' But other instances of this use occur in Anglo-Saxon, as in *Beowulf*, l. 2836, **lyt manna,** and elsewhere.

131, 23. **Forþon.** Not necessarily a strong logical connective but merely a general transitional word, 'indeed,' 'verily.'

131, 24–26. Other punctuation is possible, e.g., a comma after **forþolian** and a period after **gebindað.**

131, 28. **on cneo lecge,** etc. "This passage probably refers to some act of homage, such as the sword oath. In the *Norges Gamle Love* (ed. Keyser and Munch, 1848), Vol. II, p. 422 f., it is stated that the king (of Norway) is to sit on his high seat with his sword on his knees, the blade under his arm and the hilt on his right knee, and so take hold of it with his right hand. He who intends to enter the **hirð** is to advance, kneel on the floor, and with his right hand grasp the sword by the hilt, hold it downwards in front of him, then kiss the king's hand and swear allegiance." — Kershaw, p. 163.

132, 8. **fela.** 'None at all' — by the rhetorical figure litotes, which is frequently found in Anglo-Saxon poetry. See Notes, p. 147, l. 32.

132, 19 ff. **Wita sceal geþyldig,** etc. A passage of general gnomic advice, of a kind that Anglo-Saxon poets frequently inserted in their poems as adornments.

133, 3. **fugel.** Some scholars take this to be a figurative word for 'ship,' and of course the figure of a ship as a bird is a very obvious one. The reference might then be to ship-burial, or merely to those who sailed away and never came back. Those who take the word literally give it the meaning eagle, vulture, or other bird of prey. But even the largest eagles are not in the habit of carrying off full-grown warriors, except possibly piecemeal as carrion.

133, 4. **hara wulf.** This may also be figurative and may refer to those who died as wanderers or exiles in the forest: 'Some died in battle, another sailed away and never came back, another disappeared in the forest, another the earl buried in the earth.'

133, 9. **enta geweorc.** Survivals from the earlier Roman civilization in England, such as stone buildings, walls, paved roadways, etc., were frequently referred to as the works of the giants by Anglo-Saxon poets. But it would be unsafe to infer from this that the poets were not aware of the Roman origin of these relics.

133, 10. **weal-steal.** "From the description it would seem that the ruin which the poet has in mind must be that of a Roman building, for there is no satisfactory evidence that the Saxons used stone for any save ecclesiastical buildings until a late period. The picture, however, which is drawn of the life of its former occupants is that of an English prince's court. For this we have a parallel in the *Ruin*, which likewise appears to deal with the remains of a Roman building." — Kershaw, p. 166.

133, 14. **Hwær cwom mearg.** These rhetorical questions are of a type common to many literatures. They are frequent in Latin literature and such passages are often referred to as of the *Ubi sunt* formula. It does not seem necessary to assume that the Anglo-Saxon poet was imitating the Latin formula in this passage. If he had been he scarcely would have used the verb **cwom** as the equivalent of *sunt*.

133, 21. **wyrm-licum fah.** The meaning is not altogether clear. The phrase may mean 'adorned with serpent images,' with reference to carved ornamentation. Or **wyrm-licum** may be adverbial, 'dragon-like,' and the whole phrase may mean 'variegated dragon-like,' i.e., splotched with color, as dragons were supposed to be.

134, 1 ff. **Swa cwæð,** etc. These lines are of a kind often called hypermetrical. They differ from the usual line in that each half-line contains three stressed syllables. Hypermetrical lines occur occasionally in Anglo-Saxon poems, usually in groups and to correspond to something in the content of the lines. In this instance they are a rhetorical flourish to mark the end of the poem. They may be scanned as follows:

$$\acute{\underline{}} \times \mid \acute{\underline{}} \times \times \mid \acute{\underline{}} \times \parallel \times \acute{\underline{}} \times \mid \acute{\underline{}} \times \times \mid \acute{\underline{}} \times$$

$$\acute{\underline{}} \times \times \times \times \mid \acute{\underline{}} \times \times \mid \acute{\underline{}} \times \parallel \times \times \acute{\underline{}} \times \times \mid \acute{\underline{}} \times \mid \acute{x} \times \times$$

$$\acute{\underline{}} \times \times \mid \acute{\underline{}} \times \times \mid \acute{\underline{}} \times \parallel \times \times \times \acute{\underline{}} \times \mid \acute{\underline{}} \times \mid \acute{\underline{}} \times$$

$$\acute{\underline{}} \times \mid \acute{\underline{}} \times \times \mid \acute{\underline{}} \times \parallel \acute{\underline{}} \times \times \times \times \mid \acute{\underline{}} \times \mid \acute{\underline{}} \times$$

$$\acute{\underline{}} \times \times \mid \acute{x} \times \times \mid \acute{x} \times \times \parallel \times \times \acute{\underline{}} \times \mid \acute{\underline{}} \times \mid \acute{\underline{}} \times$$

134, 7. **Wel bið,** etc. The last line and the half-line preceding it do not appear to suit the context. The transition to **Fæder on heofonum** seems too sudden, and it is possible that these lines are a Christian emendation of some transcriber of the poem. It would be more appropriate if the poem had ended with some such sentiment as the following: 'Well is it for him who locks his thoughts in his breast if he can do nothing about them.' It is true that the Wanderer has not shown much hesitation in speaking his thoughts, even though he knew no **bote** for them, but he recognizes the futility of his laments elsewhere in the poem.

135, 4. **unwillum.** Adverbial, 'which is often met with by seafarers, unwillingly by each of men.'

135, 7. **Fastitocalon.** Probably a corruption of Greek ἀσπιδοχελώνη, literally, 'shield tortoise,' the name of a fabulous sea-monster in Byzantine writers.

135, 9. **worie.** The subject is **sæ-ryrica mæst,** 'the greatest of sea-islands,' but the meaning of **ryrica** is doubtful. One expects a phrase like 'greatest of sea-wonders,' something which the seafarers take to be an island. Moreover the verb **worie** indicates that it was moving. Cook takes **-ryrica** to mean 'sedges.'

135, 13. **gehydað.** Perhaps one should read **gehyðað,** from **hyð,** 'landing place,' 'harbor.' But whether one reads **gehydað** or **gehyðað** the meaning of the verb is obviously 'make a landing.'

136, 8. **wedres on luste.** 'Enjoying the pleasant weather.' The word *weather* in Modern English usually implies bad weather, but not so in Anglo-Saxon.

136, 10. **mid þa noþe.** 'With these boldly,' **noþe** being an instrumental adverb.

136, 14–15. **drohtende þurh dyrne meaht.** 'Acting through their wicked power.' The word **dierne, dyrne** means primarily 'secret,' but it passed from this meaning easily to the meaning 'evil,' that which is secret or hidden being often evil.

136, 16–17. **on teosu.** 'Lead them on (**tyhtaþ**) through the deceptive appearance (**on teosu**) of good deeds, seduce (them) in (their) desire.'

136, 22. **hringe.** 'Link,' 'chain.'

136, 25. **wloncum ond heanum.** Appositives to **him,** l. 23. 'He becomes to them a life-destroyer.'

136, 31. **He hafað oþre gecynd.** The antecedent of **he** is **hwæl,** 'He hath another characteristic.'

137, 19. **ofer ferht-gereht.** The first element of the compound is from **ferhð,** 'mind,' 'spirit,' and the antithesis is to **lices wynne,** l. 18, 'for the pleasure of the body.' The phrase **ofer ferht-gereht** may be translated 'disregardful of what is due the spirit.'

137, 27. **helle hlin-duru.** The jaws of hell are frequently represented in medieval drawings as the jaws of the whale.

139, I. **Wið Dweorh.** The title literally means *Against a Dwarf,* the dwarf being the imp or demon responsible for the attack, which was, according to Grendon, p. 215, "some paroxysmal disease."

139, 2. **Maximianus,** etc. "The famous seven youths of Ephesus who slept in Mt. Celion for 230 years." — Grendon, p. 216. The same mythical persons are invoked in other charms.

139, 4. **þæt galdor.** Object of **sceal singan,** l. 5. The spell or charm, beginning with l. 10, is written in an imperfect kind of meter, the general rhythm of good Anglo-Saxon verse being preserved, but the customary rules of good verse are not observed in detail.

139, 7. **ho hit on his sweoran.** Translate, 'hang it on her neck.' The antecedent of **hit** is the spider referred to in l. 10. "The spider cure is common in folk-lore. . . . Spiders were hung around the neck, the arm, etc., irrespective of the seat of the disease." — Grendon, p. 215.

139, 12. **Þu.** The **dweorh** or plaguing spirit. "The spider wight is to ride off, using the dwarf-demon as his horse. . . . As soon as they have ridden away, the wounds begin to cool." — Grendon, p. 215.

140, II. **Wið Ymbe.** 'Against a Swarm of Bees,' i.e., to prevent them from swarming, or to bring them down when they are swarming.

140, 12. **eorðe mæg.** 'Earth (i.e., the earth spirit) is powerful against each of all wights.'

140, 15. **Forweorp ofer greot.** 'Throw gravel over (them).'

140, 16. **sige-wif.** "Sige-wif was an appellation of the Valkyries, and is probably used here with the idea of mollifying or conciliating the rebellious spirit of the bees. . . . Kögel thinks **sige-wif** a title like that in 'Lady bird, lady bird, fly away home.'" — Grendon, p. 217.

141, 2. **Crux Christi,** etc. 'May the Cross of Christ bring you (the lost cattle) back from the east,' repeated for the west, the south, and the north.

141, 7. **Crux Christi abscondita,** etc. 'The Cross of Christ was hidden and has been found.'

142, 1. **Ic eom,** etc. This is Riddle 6, in Tupper's edition, p. 7, and Shield is generally accepted as the answer to it. The shield calls himself **anhaga** because a warrior would have or could use only one shield. Or perhaps because the Anglo-Saxon shield was round, and was therefore thought of as something self-containing and complete in itself. Note also that the word **anhaga** is appropriate to the elegiac tone of the riddle. It is not a proud and beautiful shield that speaks here, but an old and battered one. See also **anhaga** in *The Wanderer*, l. 1.

142, 1. iserne wund. Literally, 'wounded by iron,' i.e., scarred by the sword.

142, 7. homera lafe. Literally, 'the leavings of hammers,' i.e., swords, as the things that are left after the hammers have done their work on the anvil.

142, 9. bitað in burgum. 'They (the swords) bite in the cities.' The phrase **in burgum** has no very definite meaning, perhaps nothing more than 'among men.' Similar tags became very common in the phrasing of the Middle and Early Modern English romances and ballads.

142, 10. Næfre læce-cynn, etc. Somewhat freely translated: 'Never might I find among men (**on folcstede**) any of the tribe of doctors who could heal my wounds with herbs, but the wounds of swords grow great unto me in the death-stroke by night and by day.'

143, 1. Hrægl min, etc. This is Riddle 8, in Tupper's edition, p. 8, and the generally accepted solution is Swan. The belief that swans in flying make music with their feathers is widespread in folk-lore, but the riddle does not mention the equally common superstition of swans singing at death.

143, 2. oþþe þa wic, etc. 'Or occupy habitations or stir the waters,' i.e., swim.

143, 4. lyft. Subject of **ahebbað** and co-ordinate with **hyrste.**

143, 6. Frætwe mine. The plumage of the swan.

143, 9. ferende gæst. 'A wandering spirit,' appositive to **ic.**

143, 10. Moððe word fræt. This is Riddle 48 in Tupper's edition and the answer is Book-moth.

145, 3. seo geogoð geweox. Until he grew out of youth into manhood, literally 'Until his youth waxed.'

145, 4. mago-driht. Appositive to **wine-magas,** l. 2.

145, 4. bearn. Past tense of the verb **be-iernan,** 'to run, occur.' Translate: 'It occurred to him in mind.'

145, 7. þonne. The editors generally accept the emendation of the manuscript reading **þone** to **þonne.** But this does not remove all difficulties, for **þonne** implies a preceding comparative, and **micel,** l. 6, is a positive. One must assume a comparative 'greater' as implied in **micel,** though not expressed.

145, 7. yldo bearn. 'The children of men.' Genitives in -*o* are infrequent but are occasionally met with in Anglo-Saxon texts.

145, 10. **buton folc-scare,** etc. The king does not exert control over the folk-share, i.e., the public land, or over the lives of men. Wyatt and Chambers, p. 6, call attention to the remark of Tacitus, *Germania* VII: "The kings have not despotic or unlimited power."

146, 3. **ædre mid yldum.** 'Quickly among men,' i.e., merely 'soon.'

146, 4. **Heort.** Probably called Hart because ornamented with the antlers of a stag on the gable. Cf. **horn-geap,** l. 8, and **ban-fag,** p. 150, l. 29.

146, 8. **heaðo-wylma bad.** Literally, 'it awaited the battle-surgings of hostile fire.' This might be merely a general anticipation of the usual fate of Anglo-Saxon houses, which were built entirely of wood, with a fireplace in the center. Or the allusion may be to the equally probable fate of being attacked and burned in hostile warfare. Some of the great passages of early Teutonic poetry turn on the burning of halls. See Gummere, *Germanic Origins.* In *Beowulf* the burning of Heort is not described, but from Scandinavian sources it is known that such was the actual fate of the hall. It was burned in the time of Hrothulf, the son of Hrothgar's younger brother, and Hrothulf himself was slain. The allusion in ll. 9–11 also makes the reference here specific.

146, 9. **lenge.** Best taken as a comparative adverb, though the usual form is **leng.** Translate: 'It was not very long then,' i.e., the time was not very far away.

146, 10. **aþum-swerian.** The first element of this compound means son-in-law, the second, father-in-law, and the whole means one in relation to the other. It must be a dative, and many editors emend the text to read **aþum-sweorum.** But Wyatt and Chambers, p. 7, make a reasonable defence of the manuscript reading. The allusion is to a conflict between Hrothgar and his son-in-law Ingeld, details of which are given in *Beowulf,* ll. 2020 ff.

146, 12. **ellen-gæst.** Grendel, though the commendatory epithet 'courageous spirit' seems scarcely appropriate. Some editors emend to **ellor-gæst,** 'alien spirit,' a compound which occurs a number of times in *Beowulf.*

146, 16. **Sægde se þe cuþe.** The minstrel sings the story of the Creation, familiar poetic material to the Anglo-Saxons of Christian England, but chronologically out of place in an early Germanic continental community.

146, 27. **feond on helle.** More appropriate would be **feond of helle.** But **feond on helle** perhaps merely means 'fiend whose home is in hell.' The Christian interpretation of the kin of Grendel must necessarily be comparatively late, though belief in the existence of such beings may have been primitive.

147, 3. Ne gefeah, etc. Translate: 'He (Cain) had no satisfaction in that feud, but he (God) banished him (Cain) far,' etc.

147, 10. hean huses. Genitive after **neosian.** The weak adjective without a demonstrative preceding is found not infrequently in Anglo-Saxon poetry, especially the earlier poetry. The usual form of the infinitive is **neosan,** as in l. 19.

147, 14. wiht unhælo. 'The creature of evil,' i.e., Grendel.

147, 22. þa wæs æfter wiste, etc. 'Then was after the feast (of the Danes the night before) lamentation raised.' But Grendel also had had a feast, and it may be that **æfter wiste** should be taken as referring to this feast.

147, 25. ðryð-swyð. 'Strong in might,' an adjective agreeing with the subject of **þolode** unexpressed. It occurs again, p. 149, l. 16.

147, 25. þegn-sorge. Sorrow for the loss of his thanes.

147, 32. Þa wæs eað-fynde, etc. The ironical figure of litotes, frequently employed in Anglo-Saxon poetry. The meaning is that the hall was completely deserted. See Notes, p. 132, l. 8, p. 158, l. 17.

148, 1. bed æfter burum. 'A bed among the bowers.' The bower was a separate building, the place where the women lived, and where the domestic life of the lord's household was carried on. Grendel's hatred was apparently directed only against the hall and those who might endeavor to dwell in it. In the hall dwelt the retainers of the lord, the **heorð-werod** which formed his immediate bodyguard in battle.

148, 9. wine Scyldinga. Hrothgar.

148, 12. gyddum geomore. 'Sadly in songs.'

148, 15. sibbe. An instrumental, 'out of friendship.'

148, 17. fea þingian. 'Settle for money' — the customary procedure according to Anglo-Saxon law. The word **fea** is a dative or instrumental case of the noun **feoh.** The more common form would be **feo,** but **fea** is a form that also occurs.

148, 26. fættum fahne. The word **fæt** usually means 'plate,' 'gold plate,' and the customary translation of this passage is 'shining with gold plates' — a bit of poetic rather than realistic description. See also **golde geregnad,** p. 150, l. 26, for further poetic ornamentation.

148, 29. heardran hæleþas. Various other dispositions have been made of the manuscript reading, **heardran hæle,** but Schücking's emendation to **hæleþas,** appositive to **heal-ðegnas,** is satisfactory and the most simple.

149, 5. on fagne flor. The adjective has meanings ranging from 'blood-stained' to 'shining,' 'resplendent.' It is used here in the latter sense and is a bit of poetic, not realistic, description.

149, 6. eode, etc. The rhyme in this line is probably accidental. If rhyme had been considered an ornament, certainly Anglo-Saxon poets could easily have used it much more frequently than they did.

149, 7. ligge. The more usual spelling would be **lige,** with a long vowel, but unpronounced *g* often follows the vowel *i* merely as an indication that the vowel is long. The spelling **ligge** is therefore equivalent to **līge.**

149, 13. lif wið lice. 'Life from the body,' **lif** being the object of **gedælde,** l. 11.

149, 17. man-scaða. Not 'man-scather,' but 'evil-scather,' 'deadly foe.' The Anglo-Saxon word for 'man' is **man** but for 'evil,' 'wickedness,' it is **mān.**

149, 17. mæg Higelaces. 'Kinsman of Higelac,' i.e., Beowulf.

149, 27. togeanes. The manuscript reading **ongean** means the same thing as the emended reading, but **ræhte ongean** does not scan satisfactorily. The editors generally accept **ræhte togeanes,** $\underline{} \times \times \mid \underline{} \times$.

149, 29. wið earm gesæt. He raised himself up so that he leaned on his arm. With the other arm he seized Grendel. The subject of **ræhte,** l. 27, is **feond,** but the antecedent of **he,** l. 29, is **Beowulf.**

150, 3. meahte. The infinitive of a verb of motion to be supplied.

150, 7. modga. The change from the manuscript reading **goda** to **modga** is made for the sake of the alliteration.

150, 11. se mæra. The word **mæra** was generally used in a favorable sense in Anglo-Saxon, 'famous,' but sometimes also in an unfavorable sense, 'notorious.'

150, 14. þæt wæs. The manuscript reading here is **þæt he wæs,** but the **he** is evidently due to an error of the scribe.

150, 18. ealu-scerwen. 'Ale-dearth.' In a slightly variant form, **meodu-scerwen,** the same figure occurs in *Andreas*, l. 1526. An ale-dearth is apparently taken as the type of the greatest misfortune that could befall a Teutonic community and the term was thus extended to mean in general 'dire distress.' Though this is the commonly accepted interpretation of the term, it is hard to believe that the Anglo-Saxons were ever simple-minded enough to employ 'ale-dearth,' as a synonym for 'panic.' This explanation of the term can be approved only for lack of a better.

150, 19. ren-weardas. If the first element is taken as an intensive, the interpretation of it usually given, then the compound means 'mighty guardians.' But it has been suggested that **ren** is for **ærn,** 'hall,' by metathesis, and the compound would then mean 'hall-guardians.' This gives the better sense, the only objection to it being that it requires an exceptional rendering of **ren.** It scarcely seems probable that so familiar a word as **ærn** would be metathesized in a stray instance.

150, 23. iren-bendum. These iron bands are probably a poetic elaboration, like the gold plates of p. 148, l. 26. Or **iren** may be taken merely as an intensive, 'with sturdy bands,' bands as resisting as iron.

150, 26. golde geregnad. See Notes, p. 148, l. 26.

150, 29. ban-fag. See Notes, p. 146, l. 4.

151, 5. hæfton. For the more usual form **hæftan.**

151, 8. eorla hleo. 'The protector of earls,' i.e., Beowulf.

151, 18. þone. A connective **þæt** is to be understood before **þone,** or it may have dropped out in the copying of the manuscript.

151, 21. forsworen. "Not that Grendel had 'forsworn,' 'renounced' the use of swords, but that he had 'laid a spell' on the swords of his foes. If we translate **forsworen** as 'forsworn,' then **he** must be Beowulf: others tried to slay Grendel with the sword, but he, knowing better, had forsworn weapons [and trusted to his grip]." — Wyatt and Chambers, p. 42.

151, 27. modes myrðe. 'In mirth of mind,' i.e., light-heartedly.

152, 19. under geapne hrof. The position of Grendel's arm has been much debated. Some scholars think it was nailed up at the front of the hall beneath the gable, as farmers nail up a hawk they have killed. But the phrase may mean merely that Beowulf laid the arm down beneath the wide roof, that is, in the hall where the fight occurred.

152, 29. Biorn under beorge. 'The hero before (or under) the barrow (or hill),' i.e., Beowulf. The dragon is referred to as **beorges weard,** p. 153, l. 20.

153, 8. he on searwum bad. 'He (Beowulf) awaited in his war-gear.'

153, 13. Ðær he, etc. 'There he (Beowulf) at that occasion for the first time (literally, for the first day) must strive (**wealdan**) (in such manner) as fate did not appoint to him glory at the battle.'

153, 17. incge lafe. A troublesome passage. The word **laf,** 'heir-loom,' for 'sword,' is frequent Anglo-Saxon usage, but a word **incge** is otherwise unrecorded. From the context one would infer that it meant 'heavy' or 'valuable,' 'with the heavy or valuable sword.' It has been suggested that **incge** should read **Incges lafe,** 'with the sword of Ing,' and it is undoubtedly true that swords were frequently described in terms of the person from whom they were inherited, as on p. 154, l. 19. Another conjectural reading is **Ingwines lafe,** 'with the sword of Ingwine.' The term **Ingwine** is frequently used of the Danes, from **Ing,** an early traditional founder of the race. In this passage **Ingwines** would then refer to Hrothgar, the king of the Danes, and the meaning would be 'with the sword that Hrothgar gave him.' Swords were among the other presents which Hrothgar gave to Beowulf for slaying Grendel. This is an interesting possibility but not provable.

153, 19. his. 'Of it.'

153, 26–31. Ne wæs þæt, etc. Two interpretations of these lines are possible: (1) that Beowulf was compelled to yield ground in the fight with the dragon, or (2) that he was about to die and seek a habitation elsewhere, as every man must depart from this temporal life. Or there may be a transition from the first thought to the second.

154, 3. se ðe. Beowulf, 'he who for a long time before had ruled his people.'

154, 7. burgan. For the more usual **burgon.**

154, 8. sibb æfre, etc. A reproach to the followers of Beowulf who did not stand by him, in contrast to the faithful Wiglaf.

154, 19–33. Eanmundes laf, etc. The allusions here are to events in a complicated pattern of early Germanic epic tradition. The events were familiar to Anglo-Saxon audiences and the mere allusions were sufficient to call up complete stories which they had often heard.

154, 23. hringde byrnan. Perhaps to be read **byrnan hringde,** to improve the alliteration.

154, 28. He frætwe geheold. The antecedent of **He** is **Weohstan,** and the **byre** of the next line is Wiglaf. The subject of **geaf,** l. 31, is also Weohstan, and **him** again refers to Wiglaf. The **geongan cempan,** p. 155, l. 1, is Wiglaf.

155, 13. Ðe he usic, etc. The **Ðe** of l. 13 is co-ordinate with the **þe** of l. 16, 'In that he . . . thereby he,' etc.

155, 24. hyt. A change to **hat,** 'heat,' has been suggested, 'as long as the heat may be, grim fire-terror.' But **hyt** may be merely anticipatory, 'as long as it may be, this grim fire-terror.'

155, 26. micle leofre. The second member in the comparison is unexpressed — 'than that I should fail him now.'

155, 27. fæðmiȩ. The cedilla occurs in the manuscript, and probably indicates **æ**, 'the oldest form of the optative ending,' Wyatt and Chambers, p. 132.

155, 32. eald gewyrht. Literally, 'ancient deeds,' i.e., the consideration earned by ancient deeds.

156, 1. urum. The words **urum** and **bam** have the same syntax, 'to us two.' But the ordinary dual dative form is **unc**, and **unc bam**, 'to us two' would be normal grammar. Or **ure bam**, 'to both of us,' would also be normal. But **urum** looks like a fusion of both forms, genitive in the root and dative in the ending. Such mechanical combinations are not without parallel in grammar.

156, 13. fionda niosian. 'To seek its enemies,' i.e., Beowulf and Wiglaf.

156, 15. bord wið ronde. Wiglaf's shield, burned to the boss.

156, 22. Nægling. It was customary for swords to have names. That Nægling broke in Beowulf's hands is not to be taken as disparagement of the sword but as evidence of Beowulf's great strength. In reality early Teutonic swords were probably not well made and breaking or broken swords appear frequently in early story. So also do swords too heavy for an ordinary man to wield, and no doubt strength was often sought at the expense of lightness.

156, 26. wæs sio hond to strong. This half-line might be treated as parenthetic, with a comma after **hilde.** Then se ðe, l. 27, would have **him**, l. 25, as its antecedent. Since **hond** is feminine, it could not be grammatically the antecedent of **se ðe.** But the meaning permits it: 'was his hand too strong, he who,' etc.

157, 1. ageald. The subject is **he** unexpressed, i.e., Beowulf. And **he** in l. 3 also means Beowulf.

157, 6. andlongne eorl. Wiglaf.

157, 8. ne hedde he þæs heafolan. 'He paid little heed to his head [which may mean that Wiglaf paid little heed to his own head, i.e., risked it, or that he paid little heed to the dragon's head, i.e., guarded himself too little, and therefore his hand was burned] but the hand of the valiant man burned where he helped his kinsman.'

157, 11. þæt ðæt. The collection of *that's* in these lines is awkward and perhaps the whole passage should be punctuated differently. If the two lines, ll. 8–9, were taken as parenthetic, the ðæt of l. 10

would connect directly with **ellen cyðan,** l. 6, as a result clause. A period or semicolon might follow **searwum,** l. 11. This would necessitate a change of the first **þæt** in l. 11, which might be emended to **þær.** Some such readjustment seems necessary, for cumbersome sentence structure like this is not characteristic of the style of *Beowulf.*

157, 17. ferh ellen wræc. The subject is **ellen,** the object **ferh:** 'Their valor (i.e., of Beowulf and Wiglaf), drove out his (the dragon's) life.'

157, 25. bealo-niðe. A dative or instrumental adverb, 'balefully.'

157, 26. giong. Past tense of **gongan,** 'go,' more frequent in the form **geong.**

158, 3. ofer benne. 'In spite of his wound,' 'in his wounded condition.' The dragon had bit him in the throat.

158, 14. guð-winum. 'With war-friends,' i.e., with swords.

158, 15. ðeon. For the more usual **ðywan,** 'oppress.'

158, 17. ne me swor fela. By the rhetorical figure of litotes so common in Anglo-Saxon poetry — 'none at all.'

159, 3. þa he bi sesse geong. See p. 157, l. 28, **gesæt on sesse.**

159, 6. ond þæs wyrmes denn. The word **denn** must be object of **geseah,** though it does not fit in with the other objects of the verb. Some editors change to **geond þæs wyrmes denn,** 'throughout the dragon's den,' an improvement in meaning.

159, 13. oferhigian. A word of much discussed and doubtful meaning, but 'deceive,' 'make too confident' seems the most reasonable interpretation: 'Gold hidden away (**on grunde**) may easily deceive anyone [as the dragon was deceived by the thought that he could keep his treasure], hide it who will.'

159, 22. hladon. For the more usual infinitive form **hladan.**

159, 25. eald-hlafordes. Dependent on **bill,** and referring to Beowulf. In l. 26 **þam** is dative after **gescod.** Completer syntax would be **þam þe ðara maðma.**

159, 27. longe hwile. Perhaps a period should follow **longe hwile,** and **lig-egesan** might begin a new sentence.

159, 30. Ar wæs on ofoste. Wiglaf was in haste to return to Beowulf.

160, 14. on maðma hord. 'In exchange for the hoard of treasures.'

161, 2. hræðre. For the more usual **hreðre.**

161, 12. heaðo-scearde. Perhaps better **heaðo-scearpe,** 'battle-sharp,' as suggested by Thorpe.

161, 17. eorðan gefeoll. 'Fell (on) the earth,' bit the dust.

GLOSSARY

All words are alphabetically arranged except a few **j-** and **v-**beginning words placed under **i** and **u** respectively; the ligature **æ** follows **a** and **þ** follows **t**. The letters **þ** and **ð** are used arbitrarily in the headings, **þ** initially and **ð** medially and finally. Nouns are indicated by the gender abbreviations **m., f., n.** (for masculine, feminine and neuter) with the class-number (1 to 9) immediately after, whenever the noun is likely to prove difficult to classify. The strong verbs are classified with the abbreviations **S1, S2,** etc., weak verbs with **W1, W2** and **W3,** preteritive-present verbs (see sec. 55) with **PP.** and special verbs (sec. 57) with **spec.**

All parenthetical numbers preceded by 'sec.' refer to sections of the grammar in this book.

In the bracketed matter at the end of the articles the abbreviation **cf.** (*compare*) is used to distinguish related words from those which are equivalent or derivative forms.

Starred words are hypothetical.

Letters enclosed in parentheses are not always found in the word.

Other abbreviations commonly used are:

acc.	accusative	intrans.	intransitive
adj.	adjective	l.	line
adv.	adverb or adverbially	Lat.	Latin
A.S.	Anglo-Saxon	Mod. Eng.	Modern English
comp.	comparative	North.	Northumbrian
conj.	conjunction or conjunctive	num.	numeral
		orig.	originally
dat.	dative	p., pp.	page, pages
dem.	demonstrative	pl.	plural
dial.	dialectal	prep.	preposition
et seq.	and following	pres.	present tense
Fr.	French	pron.	pronoun
gen.	genitive	ptc.	participle or participial
Ger.	German		
Gr.	Greek	q.v.	*quod vide,* which see
i.e.	*id est,* that is to say	Scot.	Scottish
imp.	imperative	sg.	singular
ind.	indicative	subj.	subjunctive
indecl.	indeclinable	subs.	substantive
inf.	infinitive	sup.	superlative
ins.	instrumental	trans.	transitive
interj.	interjection	var.	variant form
interrog.	interrogative	W. S.	West-Saxon

GLOSSARY

A

ā, āa, ō, adv., *aye, ever, always.*

ab (Lat.), prep., *from.*

abbod, abbat, m., *abbot.* [Lat. abbas, Ger. abt]

abbudisse, -ysse, f., *abbess.* [Lat. abbatissa]

Ābel, m., *Abel,* brother of Cain; 147, 2.

ābelgan, S3, *to irritate, anger.* [cf. belgan]

ābēodan, S2, *to announce, enjoin.* [cf. bēodan]

āberan, S4, *to bear, endure; to bear up.* [cf. beran]

ābīdan, S1, *to abide, await, expect* (with gen.) [cf. bīdan]

ābisgian, W2, *to busy, engage, trouble.* [cf. bisig]

ābītan, S1, *to bite, devour* (with gen., sometimes); pres. 3rd sg. ābitt 47, 15. [cf. bītan]

āblāwan, S7, *to blow, breathe.* [cf. blāwan]

ābrecan, S4, *to break up, destroy.* [cf. brecan]

ābredwian, W2, *to kill, slay.*

ābregdan, -brēdan, S3, *to snatch away, free;* past ptc. ābrōdene 30, 3. [cf. bregdan]

ābrēotan, S2, *to break up, destroy, kill.*

ābrēoðan, S2; ābrēað; ābrudon; ābroden; *to frustrate, ruin* (trans.); *to fail, perish* (intrans.).

abscondita est (Lat.), passive pres. perfect 3rd sg. of abscondo; *has been hidden.*

ābūgan, S2, *to bend away, break off; to bow, incline.* [cf. būgan]

āc, f., *oak.* [Ger. eiche]

ac, ah, æc, conj., *but.*

acan, S6, *to ache, pain.*

ācennan, -cænnan, W1, *to beget, give birth to;* past ptc. ācænned 140, 23. [cf. cennan]

Āclēa (= āc-lēah), f., *Oakley,* i.e., *oak-meadow;* 7, 4.

ācōlian, W2, *to grow cool.*

ācsian, see āscian.

ācuman, S4, *to come.* [cf. cuman]

ācwecc(e)an, W1, *to shake.* [cf. cweccean]

ācwelan, S4, *to die, perish.* [cf cwelan]

ācwellan, W1, *to kill, put to death.* [cf. cwellan]

ācwencan, W1, *to quench, extinguish.* [cf. cwencan]

ācweðan, S5, *to speak;* pres. 3rd sg. ācwið 133, 13. [cf. cweðan]

217

ācȳðan, W1, *to reveal, proclaim.*

ād, m., *fire, funeral pyre.*

ad (Lat.), prep., *to, for.*

Ādām, m., *Adam,* the first man; 8, 13; also 63, 10 et seq.; 71, 22; Adames cyn 110, 7.

ādelfan, S3, *to dig.* [cf. delfan]

ādihtian, W2, *to compose.* [cf. dihtan]

ādl, f., *disease.*

ādlēg, m., *flame of the pyre.*

ādlig, adj., *sick, diseased;* sg. dat. ðæm ādlegan, *the sick man,* 140, 5.

ādōn, spec., *to do away, remove.* [cf. dōn]

ādrǣfan, W1, *to drive away, expel.* [cf. drǣfan]

ādrenc(e)an,   W1;   ādrencte; ādrenced, ādrenct; *to submerge, drown.*

ādrīfan, S1, *to drive away, banish.* [cf. drīfan]

ādrincan, S3, *to drown, immerse.* [cf. drincan]

ādūn, ādūne, adv., *down, downward.*

āebbian, W2, *to ebb, recede;* ptc. āhebbad 23, 19.

aeththa, North. form of oððe q.v.

Aeva, f., *Eve;* Aeva 64, 10; nom. Eve 65, 17; acc. Evan 71, 22.

āfaran, S6, *to go, march.*

āfeallan, S7, *to fall.* [cf. feallan]

āfēdan, W1, *to feed.* [cf. fēdan]

āflīeman, -flȳman, W1, *to put to flight.* [cf. flīeman]

āfūlian, W2, *to become foul, putrify;* ptc. in dat. absolute,

āfūliendum līchaman, *after the body putrified,* 89, 25. [cf. fūl]

āfyllan, -fellan, W1, *to fell, make fall, destroy.*

āfyrhtan, W1, *to frighten.*

āfȳsan, W1, *to hasten forth, hurry on;* past ptc. āfȳsde, *rushing, hurrying,* 110, 29. [cf. fȳsan]

Agame(m)non, m., *Agamemnon,* leader of the Greeks against Troy; sg. nom. Agamenon 54, 4; Agamemnon 123, 10.

āgān, spec., *to go, pass away.* [cf. gān]

āgan, PP. (sec. 55), āhte; ptc. āgen; *to own, possess, keep, have;* pres. 1st sg. āh 118, 3. [cf. Ger. eigen; Mod. Eng. owe]

agēn, see ongēan.

āgen, ptc. of āgan q.v., used as adj., *own, peculiar.* [Ger. eigen]

āgend, m.(8), *owner.* [pres. ptc. of āgan]

āgeornan, W1, *to yearn, desire.*

āgi(e)fan, -gyfan, S5, *to give, pay, render; to give up, relinquish, return;* past sg. āgef 19, 16. [cf. giefan]

āgieldan, S3, *to yield, allow.*

āglǣca, m., *monster, fiend, demon; warrior, hero.*

Agustīnus (Lat.), Augustīnus, m., *Augustine,* the "Apostol of the Anglo-Saxons," first Archbishop of Canterbury (died 604 A.D.); sg. nom. Agustīnus 52, 1; sg. acc. Augustīnum 5, 5.

Agustus,   m.,   *Augustus;   the*

month of August. — Also *Augustus Caesar;* 26, 3.

āh, āg, pres. 1st and 3rd sg. of **āgan** q.v.

āhebbad, ptc. of **āebbian** q.v.

āhebban, S6, *to heave, raise;* past ptc. āhafen 115, 30. [cf. hebban]

āhli(e)hhan, S6, *to laugh, rejoice.* [cf. hliehhan]

āhnēapan, S7; āhnēop; āhnēopon; āhnēapen; *to pluck off.*

āhōf, past sg. of **āhebban** q.v.

āhōn, S7, *to hang.* [cf. hōn]

āhreddan, W1, *to save, deliver, rescue.*

āhsian, see **āscian.**

āht, see **āwiht.**

āhwǣr, ōhwǣr, ōwēr, adv., *anywhere;* londes ōwēr, *anywhere in the land,* 111, 15.

āhwærgen, -hwergen, adv., *anywhere.*

āīdlian, W2, *to render useless, profane.* [cf. īdel]

ālādian, W2, *to excuse.* [cf. lādian]

alan, S6, *to nourish.* [Lat. alo]

Alaricus, m., *Alaric,* Gothic king; 26, 5 (see note).

ālāðian, W2, *to become hateful.* [cf. lāð]

ālǣdan, W1, *to lead away.* [cf. lǣdan]

ālǣtan, S7, *to let, leave, give up.* [cf. lǣtan]

aldor(-), non-W.S. form of **ealdor(-)** q.v.

Ald-Seaxe, see **Eald-Seaxe.**

ālecg(e)an, W1; ālegde, ālēde;

ālēd; *to lay down, place.* [cf. lecgean]

ālēogan, S2; ālēh; ālugon; ālogen; *to belie, falsify.* [cf. lēogan]

Alexandria (Lat.), f., *Alexandria,* chief city of Egypt; Lat. sg. acc. Alexandriam 47, 25.

ālīefan, -lȳfan, W1, *to allow, permit, yield.* [cf. līefan]

ālīesan, -lȳsan, W1, *to free, deliver, ransom, redeem.* [cf. forlēosan]

ālīesednes, -lȳsednes, f., *ransom, redemption.*

ālimpan, S3, *to come to pass, befall.* [cf. limpan]

al(l), see **eall.**

alleluia (Lat.), interj., *hallelujah,* i.e., *praise ye the Lord.* [12.

Alre, *Aller,* near Athelney; 13,

alwiht, npl., *all things.* [cf. Mod. Eng. wight, whit]

ālȳfan, see **ālīefan.**

ālȳsan, see **ālīesan.**

ālȳsednes, see **ālīesednes.**

amang, see **ongemang.**

ambor, amber, omber, m., and n., *a dry measure of 4 bushels.* [Lat. amphora, Ger. eimer]

ambyre (= and-byre), adj., *favorable.* [*der, spoil.*

āmyrran, W1, *to mar, check,* hin- **ān,** num.; also indefinite article (see sec. 36); *one, certain one; a, an.* — Also in pl. and weak sg. especially, *only, alone;* þā ān, *those alone,* 34, 9; m. sg. acc. þē ǣnne, *thee only,* 67, 28; pl. gen. ānra gehwylc, *each one.* [Ger. ein] an(-), see on(-).

āna, weak form of ān q.v., *only, alone.*

ancor-rāp, oncyr-, m., *anchor-rope.*

and, ond, conj., *and.* [Ger. und]

ānda, m., *hatred, malice, zeal, hostility.*

andefn, f., *fitting amount.*

andettan, ondettan (= and-hatan),W1; andette; andeted; *to confess, acknowledge.*

andgi(e)t, n., *intelligence; meaning.* [cf. gietan]

andgi(e)tan, S5, *to understand.* [cf. ongietan]

andgi(e)tfullīce, adv.; sup. andgitfullīcost, -ast; *intelligently, comprehensibly.* [cf. andgiet]

andlang, -long, adj., *standing upright, upstanding.*

andlang, onlong, ondlong, prep. (with gen.), *along, beside.* [Ger. entlang]

Andred, m., *the Weald,* the great forest in Kent and Sussex; 17, 10.

Andredes-lēag, f., *Andredsley;* 4, 26. [cf. lēah]

andsaca, ond-, m., *adversary.*

andswarian, ond-, W2, *to answer.*

andswaru, ond-, f., *answer.*

andweald, see onweald.

andwe(a)rd, ond-, adj., *present.*

andwlita, m., *countenance, appearance.* [cf. wlītan; Ger. antlitz]

andwyrdan, -werdan, W1, *to answer.* [cf. Ger. antworten]

andwyrde, n., *answer.* [Ger. antwort]

ānes, sg. gen. of ān q.v., used adverbially, *once.* [Ger. eins]

ānfeald, adj., *one-fold,* hence, *single, simple, singular.* [cf. Ger. einfältig]

ānforlǣtan, S7, *to leave, abandon.* [cf. lǣtan]

angel, angil, m., *fishhook.*

Angel-cyn(n), Ongel-, n., *Anglian race, English people;* 9, 1; 22, 14; etc.

Angel-þēod, Ongel-, f., *the English people, England;* in Ongolþēode 34, 3.

angin(n), see onginn.

Angle, see Engle.

Anglos (Lat.), pl. acc. of Angli, m., earlier, *the Anglians,* later, *the English.*

ān-gyld, n., *single payment;* 97, 2 (see note). [cf. gieldan]

ān-haga, -hoga, m., *lone wanderer, recluse;* 130, 1 (see note); also 142, 1 (see note).

ānhȳdig, adj., *resolute.*

āniman, S4, *to take away.* [cf. niman]

anlīcnes, see onlīcnes.

ānlīpig, ǣnlīpig, ānlēpe, ǣnlēpe, -lȳpig, adj., *single, individual;* ǣnlēpra ǣlc, *each one,* 126, 28.

ānmōdlīce, adv., *all together, with one accord, whole-heartedly.*

anno (Lat.), sg. ablative of annus, m., *year;* anno millesimo XIIII, *in the year* 1014 A.D.

ānrǣd, adj., *resolute, determined.*

ansīen, -sȳn, see onsīen.

ānstandend, ptc. adj., *standing alone, alone.*

ānstreces, gen. used adverbially,

at one stretch, hence, *contin-
uously.*

ansȳn, see onsīen.

Antecrīst, m., *Antichrist.*

antimber, see ontimber.

Antōnius (Lat.), m., *Mark An-
tony,* i.e., *Marcus Antonius*
(c. 83–30 B.C.), a Roman con-
sul defeated by Augustus
Caesar at Mutina in 43 B.C.
and again at Actium in 31 B.C.;
nom. Antōnius 46, 8; 46, 12,
etc.; gen. Antōniuses 46, 28;
dat. Antōniuse 46, 11; acc.
Antōnius 46, 6; 46, 18, etc.

anweald, -wald, m., *power, con-
trol, dominion.*

Anwynd, m., *Anwynd,* a Danish
king; 11, 30.

Apollinus (Lat.), m., *Apollo;*
sg. nom. 54, 19; 124, 17; sg.
gen. Apollines 54, 11; Apo-
lines 124, 15.

apostol, m., *apostle.* [Lat. apos-
tolus]

apostolīc, adj., *apostolic.*

Apulder, m., *Appledore* (Kent);
æt Apuldre 17, 20; 19, 2.

apuldre, f., *apple-tree;* æt þære
hāran apuldran, *at the hoary
apple-tree,* 24, 16.

aquilone (Lat.), ablative sg. of
aquilo, m., *the north.*

ār, m., *messenger.*

ār, f.; pl. gen. āra or ārna;
*honor, mercy; property, posses-
sions.* [Ger. ehre]

ār, f., *oar.*

āræd, adj., *inexorable, resolute.*

ārǣdan, W1, *to read.* [cf. rǣ-
dan]

ārǣran, W1, *to raise, erect, resur-
rect; arouse, stir up.* [cf. rǣ-
ran]

arc, see earc.

Archilaus, m., *Archelaus,* son of
Herod. King of Judea until
7 A.D.; 4, 2.

ārecc(e)an, W1, *to expound,
translate.* [cf. reccean]

ārētan, W1; ārētte; āret(ed);
to cheer, comfort; ptc. ārētne
56, 31.

Arfaxað, m., *Arphaxad,* son of
Shem; 69, 18.

ārfæst, adj., *virtuous.*

ārfæstnes, -nis, f., *virtue.*

ārian, W2, *to honor, spare, pity.*

ariht, adv., *aright, rightly, cor-
rectly.*

ārīsan, S1, *to arise;* pres. 1st sg.
ic ērīse 77, 1. [cf. rīsan]

ārlēas, adj., *wicked, impious,
honorless.*

Armenia, f., *Armenia,* the land
where Noah landed; 105, 5.

ārna, var. weak pl. gen. of ār,
f., q.v.

ārwurð, -wyrð, adj., *venerable.*

ārwurðlīce, adv., *reverently, hon-
orably.*

ārwurðnes, f., *reverence, honor.*

āsc(e)acan, S6, *to shake.* [cf.
sceacan]

āscian, ācsian, āhsian, āxian,
W2, *to ask.*

āscūfan, S2, *to shove, push.* [cf.
scūfan]

āscung, f., *asking, inquiry.* [cf.
āscian]

āsēcan, W1, *to seek out, explore,
ransuck.* [cf. sēccan]

āsecg(e)an, W3, *to tell, relate;* past sg. āsǣde 118, 26.

āsendan, W1, *to send.* [cf. sendan]

āsettan, W1, *to set over, transport; to appoint;* past pl. āsettan 17, 7; ptc. sg. dat. āsettum 66, 21. [cf. settan]

Asia (Lat.), f., *Asia;* Lat. sg. acc. Asiam 46, 13.

āsingan, S3, *to sing.* [cf. singan]

āsittan, S5, *to sit or remain fast,* hence, *to ground* (of ships). [cf. sittan]

āslēan, S6, *to strike, cut off.* [cf. slēan]

āsolian, W2, *to become soiled or darkened.*

āspelian, W2, *to spell,* i.e., *relieve, take the place of.*

āspendan, W1, *to spend.* [cf. spendan]

āspringan, S3, *to spring up; spring, be descended.* [cf. springan]

Asser, m., *Asser or Asserius,* biographer and friend of King Alfred, bishop of Sherborne (died ca. 909 A.D.); 51, 20.

āstandan, S6, *to stand up.* [cf. standan]

āstīgan, S1, *to ascend, mount.* [cf. stīgan]

āstrecc(e)an, W1, *to stretch out.* [cf. streccean]

atelīc, adj., *dire, horrible, loathsome.* [cf. atol]

ātēon, S2; ātēah; ātugon; ātogen; *to draw, draw out; to take or go on* (a journey). [cf. tēon, 'to draw']

atol, adj., *horrible, dire, terrible;* atol āglǣca 149, 12.

āt(t)or, āt(t)er, ǣt(t)er, n., *poison, venom.* [Ger. eiter]

āð, m., *oath.* [Ger. eid]

āð-bryce, m., *breaking of an oath.* [cf. brecan]

āþenc(e)an, W1, *to conceive, imagine, think, intend.* [cf. þencean]

āðer, see ǣghwæðer.

āþī(e)strian, -þȳstrian, -þēostrian, W2, *to become dark, be eclipsed.* [cf. þeoster]

Aðulfing, see Æðelwulfing.

āðum-swerian, pl. m.(5), *father-in-law and son-in-law;* pl. dat. āþum-swerian 146, 10 (see note).

āþȳstrian, see āþīestrian.

Augustīnus, see Agustīnus.

Aulixes, m., *Ulysses, or Ulixes,* also called *Odysseus,* one of the Greek heroes in Homer's *Iliad* and *Odyssey;* 54, 2, etc.

austro (Lat.), ablative sg. of auster, m., *the south.*

āweaxan, S7, *to grow.* [cf. wcaxan]

āwecc(e)an, W1, *to waken, wake* (trans.). [cf. weccean]

aweg, on weg, onwæg, phrasal adv., *away.*

āwendan, W1, *to turn, change; translate; return;* pres. 2nd sg. āwenst 66, 11; āwentst 66, 12. [cf. wendan]

āweorpan, S3, *to throw away, reject.* [cf. weorpan]

āwerian, āwerg(e)an, W1, *to defend, protect.*

āwiht, āuht, āht, ōwiht, ōht, n., used as pron., *a whit,* hence, *aught, anything;* — tō āhte, *at all.*

āwihte, ōwihte, adv. ins., *at all;* fier ōwihte, *farther at all,* 108, 24.

āwrītan, S1, *to write, compose.* [cf. wrītan]

āwyrgda, past ptc. of āwyrigan q.v., used as subs., m., *the devil, the accursed one.*

āwyr(i)gan, W1, *to accurse, curse;* past ptc. āwyrgda 108, 32; sē āwyrgda, *the devil,* 137, 16. [cf. wirigan]

āxian, see āscian.

Ǣ

ǣ, see ǣw.

Ǣbbe, m., *Ǣbbe,* a Frisian in the service of King Alfred; 23, 23.

ǣc, see āc.

ǣder, ēder, f.(2); ǣdre, ēdre, f.(5); *vein; stream, source.* [Ger. ader]

ǣdre, adv., *quickly, soon, forthwith;* ǣdre mid yldum, *quickly among men,* i.e., *quickly,* 146, 3.

ǣfæst, ǣfest, adj., *pious.*

ǣfǣst, ǣf(ē)st, f., *envy, malice.*

ǣfǣsti(g)an, W2, *to envy, grow envious.*

ǣfǣstnes, ǣfestnes, -nis, f., *piety, firmness in the law.*

ǣfen, m., *evening, eventide; the time of vespers;* sg. acc. ǣfen 79, 4. [Ger. abend]

ǣfen-gi(e)fl, n., *evening food, supper.*

ǣfen-sang, m., *vespers, evening song;* a service held at sunset; sg. nom. ǣfensang 78, 4; sg. acc. ǣfen-sangc 74, 14.

ǣfen-sprǣc, f., *evening-speech.*

ǣfen-tīd, f., *eventide, evening;* 89, 6.

ǣfre, adv., *ever;* ǣfre embe stunde, *every now and then,* 120, 34.

ǣft, adv., *aft, behind.*

ǣftan, adv., *behind, from behind.*

ǣfter, prep. (with dat.), *after, along, through, according to.* — Also adv.; comp. ǣfterra; sup. ǣftemest; *afterwards.*—Comp. and sup. also used as adj., *next, second; aftermost, last.*

ǣfterfyl(i)gan, W3, *to follow after.* [cf. folgian]

ǣfter þǣm þe, conj. adv., *after.*

ǣg, n.(9), pl. nom. ǣgru, ǣgra; *egg;* pl. acc. ǣgra 75, 12. [Ger. ei, pl. eier]

ǣghwā, m., ǣghwǣt, n., *everyone, everything.*

ǣghwǣr, adv., *everywhere.*

ǣghwǣt, n. sg. nom. and acc. of ǣghwā, q.v., pron., *any, anything.*

ǣghwǣðer, ǣgðer, āðer, pron., *each.* — Also correlative conj. ǣghwǣðer ge ... ge, *both ... and;* āðer oððe ... oððe, *either ... or.*

ǣghwilc, -hwylc, -hwelc, pron., *each.*

ǣgilde, ǣgylde, ā-, adv., *unpaid for, without compensation;* 93, 26 (see note).

ǣgðer, see ǣghwæðer.

Ǣgypte, see Egypte.

ǣht, f., *possession, property.* [cf. āgan]

ǣl, m., *eel.*

ǣlan, W1, *to kindle, burn up, scorch.*

ǣlc, pron. and adj., *each, any;* mǣst ǣlc, *almost every one;* m. sg. acc. ǣlcne æfter ōðrum, *one after the other,* 124, 33.

ǣlcor, elcor, adv., *otherwise.*

ǣlde, see ielde.

ǣled, m., *fire;* sg. gen. ǣldes 110, 6. [cf. ǣlan]

Ǣlfere, m., *Ælfhere,* a kinsman of Wulfstan; 115, 4.

Ǣlfhere, m., *Ælfhere,* a kinsman of Wiglaf; 154, 12.

Ǣlfnōð, m., *Ælfnoth,* a companion of Byrhtnoth; 118, 11.

Ǣlfrēd, m., *Alfred the Great,* ruled the West Saxons 871–901 A.D.; 7, 12 (see note).

Ǣlfrīc, m., *Ælfric,* father of Ælfwine; 119, 5.

Ǣlfwine, m., *Ælfwine,* brave son of Ælfric and follower of Byrhtnoth; 119, 7.

Ǣlle, Ǣlla, m., *Ælle,* founder of the South Saxon kingdom; 4, 22 (see note). — *Ælle,* a king of Deira (560–588 A.D.); 30, 5. — *Ælle,* a later Northumbrian king; 9, 8 (see note).

ǣlmes-riht, n., *right or obligation of alms.*

ǣlmesse, f., *alms.* [Lat. eleemosyna from Gr. ἐλεημοσύνη]

ǣlmihtig, adj., *almighty;* sē Ǣlmihtiga, *the Almighty, God.*

ǣlþēodignes, elþīod-, f., *being or living abroad, exile.*

ǣmetta, m., *leisure.*

ǣmtig, ēmtig, ǣmettig, adj., *empty.*

ǣ-mynde, n., *forgetfulness, neglect.*

ǣnlēpe, see ānlīpig.

ǣnlīc, adj., *unique, excellent, incomparable.* [cf. Mod. Eng. only]

ǣnlīpig, see ānlīpig.

æppel, m. (1 or 7), sometimes n.; pl. æppla, æpplas; *apple.* [Ger. apfel]

ǣr, adv.; comp. ǣror; sup. ǣrest, ǣrost; *earlier, formerly, before.* — Also conj., *before, ere,* especially in ǣr þǣm, ǣr þan þe, etc., usually with subj. mood. — Also prep. with dat., *before* (temporal).

ǣrcebisce(o)p, erce-, m., *archbishop.*

ǣr-dæg, m., *early day, dawn.*

ǣrend(e), n., *errand, message;* pl. acc. ǣrenda 84, 3. [cf. ār, m.]

ǣrend-gewrit, n., *message, letter.*

ǣrend-raca, -wreca, m., *messenger.* [cf. reccean, wrecan]

ǣrest, sup. of ǣr q.v., *earliest,* hence, *first.* — Also adj., *first.* [Ger. erst, archaic Eng. erst]

ǣr-fæder, m., *forefather, old father.*

ǣrgedōn, ptc. adj., *done before.*

ǣr-gestrēon, n., *ancient treasure, heirloom.*

ǣr-gōd, adj., *very good.*

ǽrīst, m., f. or n., *arising, resur-rection*. [cf. ārīsan]

ærnan, W1, *to run* (a horse); *to ride, gallop*. [cf. iernan]

ǽr þǣm þe, ǽr þon, conj., *before, ere* (usually with subj. mood).

ǽr-wela, m., *ancient wealth*.

ǽs, n., *food, prey, carrion*. [Ger. aas]

æsc, m., *ash*, hence, *spear*, also *ship, boat;* 22, 29 (see note).

æsc, see æx.

æsce, f., *search, inquisition, ask-ing*. [cf. āscian]

Ǽscesdūn, f., *Ashdown* (Berk-shire); 10, 10 (see note).

Ǽscferð, m., *Ashferth*, a North-umbrian hostage who fought to avenge Byrhtnoth; 120, 30.

æsc-here, m., *spear-army, ship-army*, i.e., *the Danish army*.

æsc-holt, n., *spear-shaft*.

æstel, m., *book-mark;* sg. nom. 51, 26 (see note); sg. acc. 51, 27. [Lat. hastula]

ǽ-swice, m., *law infraction, fail-ure to keep the law*.

ǽt, m. or f., *food; eating;* sg. gen. ǽtes 80, 22. [cf. etan]

æt, prep. (with dat.), *at, in; of, from* (with verbs of receiving, learning, asking, buying, etc.).

ætberan, S4, *to bear or carry away*. [cf. beran]

ætberstan, S3, *to escape, break away*. [cf. berstan]

ætēowan, -ȳwan, W1; or ætēo-wian, W2; *to appear* (intrans.); *to show, manifest* (trans.). [cf. ēowan]

ætforan, prep. (with dat.), *before*.

ætgǽd(e)re, adv., *together;* so-mod ætgǽdre, *together*, 131, 25.

ǽt-gi(e)fa, m., *food-giver*.

ætgi(e)fan, S5, *to give*.

æthlēapan, S7, *to run away, es-cape* (with dat.). [cf. hlēapan]

æthrīnan, S1, *to touch, reach*. [cf. hrīnan]

ætsamne, -somne, adv., *to-gether*. [cf. tōsamne]

ætsteppan, S6, *to step forth*. [cf. steppan]

ættren, ǽttryn, ǽttern, adj., *poi-sonous*.

ætwindan, S3, *to escape* (with dat.). [cf. windan]

ætwītan, S1, *to twit, reproach*. [cf. wītan]

ætȳwan, see ætēowan.

Ǽðelbald, m., *Athelbald*, older brother of King Alfred; 8, 15; 8, 19; etc.

Ǽðelbryht, m., *Athelbert*, older brother of King Alfred; 8, 16; 8, 26.

ǽðele, adj., *noble, excellent*. [Ger. edel]

Ǽðelferð, m., *Athelferth*, a com-panion of King Alfred; 23, 24.

Ǽðelgār, m., *Athelgar*, father of the brave Godric, follower of Byrhtnoth; 122, 18.

Ǽðelhelm, m., *Athelhelm*, a West Saxon leader; 6, 9. — Also a messenger who carried the West Saxon alms to Rome; 15, 33.

Ǽðelhere, m., *Athelhere*, a Fri-sian in the service of King Alfred; 23, 24.

ǽðeling, m., *noble, prince*.

Æðelinga-ēigg, f., *Athelney*, the island of nobles, the refuge of King Alfred during the winter of 878 A.D.; 12, 31 (see note).

æðel(l)īce, adv., *nobly, elegantly.*

Æðelm, m., *Athelm*, an alderman under King Alfred; 20, 1; 24, 4.

Æðelnōð, m., *Athelnoth*, an alderman under King Alfred; 20, 1.

æðelo, f.(4, b), *nobility, origin, nature;* collectively, *the nobles.*

Æðelrēd, m., *Athelred*, archbishop; 16, 5. — Also *Athelred the Unready*, king of England (978–1016 A.D.); 93, 3 (see note); 114, 10; 117, 11; etc.

Æðelstān, m., *Athelstan*, king of the East Saxons; 6, 4.

Æðelswīð, f., *Athelswith*, sister of King Alfred; 16, 2.

Æðelwold, m., *Athelwold*, alderman; 16, 5.

Æðelwulf, Eðelwulf, m., *Athelwulf*, king of the West Saxons; 6, 3; 7, 3. — Also an alderman of Berkshire; 8, 25; 10, 2.

Æðelwulfing, Aðulfing, m., patronymic, *son of Athelwulf;* Ælfred Aþulfing 24, 7.

Æðerēd, m., *Athered*, older brother of King Alfred; 8, 33. — Also an alderman under Alfred; 15, 13; 19, 13; 19, 19; etc.

Æðerīc, m., *Atheric*, a brave follower of Byrhtnoth; 121, 9.

æðm, m., *breath, breathing.* [Ger. atem, odem]

æ(w), f., *law; wedlock, the marriage vow.* [Ger. ehe]

æw-bryce, m., *breaking of the marriage vow, adultery.*

æx, æsc, f.(2); also acase, axe, f.(5); *ax, hatchet.*

B

bā, bū, bō, see bēgen.

bacan, S6, *to bake.* [Ger. backen]

Bachsecg, Bagsecg, m., *Bachsecg*, a Danish king; 10, 11.

baldlīce, see bealdlīce.

balo-, see bealu-.

bān, n., *bone;* pl. dat. biteran bānum, *sharp tusks,* 157, 3. [Ger. bein]

bana, bona, m., *slayer, murderer, destroyer.* [cf. benn; Mod. Eng. bane]

banc, f., *bench, bank, hillock.* [cf. benc]

bān-cofa, m., *the bone-chamber,* i.e., *body.*

bān-fāg, adj., *adorned with bone,* or, probably, *with antlers;* 150, 29.

bān-hūs, n., *bone-house,* i.e., *body.*

bān-loca, m., *bone-locker,* i.e., *body,* also, *joint of body.*

bannan, bonnan, S7; bē(o)n(n); bē(o)nnon; (ge)bannen; *to summon.* [Ger. bannen, Mod. Eng. ban]

bār, m., *wild boar.*

Basengas, pl. m., *Basing* (Hampshire); 10, 21.

Basileus (Greek), m., *king.* [Gr. βασιλεύς]

bāt, m., *boat.*

baðian, W2, *to bathe.* [cf. bæð]

bæc, n., *back;* ofer bæc, *backwards;* under bæc, *behind.*

bæc-bord, n., *larboard,* i.e., *left side of ship.* [Ger. backbord, Fr. babord]

bæcere, m., *baker.* [cf. bacan]

bædan, W1, *compel, urge on; oppress.*

Bægere, Bægware, pl. m.(4), *Bavarians;* 16, 21.

bǽl, n., *burning, fire.*

Bældæg, m., *Bældæg,* an ancestor of King Alfred; 8, 7.

Bældæging, m., patronymic, *son of Bældæg;* 8, 6.

bændan, see **bendan.**

bǽr, f., *bier; couch, litter.* [cf. beran; Ger. bahre]

bærnan, W1, *to burn* (trans.); *kindle, set afire.* [cf. beornan]

bǽtan, W1, *to bit, bridle; restrain;* also, probably, *to make headway against an adverse wind, beat, tack* (a nautical term); 59, 13. [cf. bītan]

bǽting, f., *beating about,* i.e., *sailing against the wind;* 59, 13. [cf. bǽtan]

bæð, n., *bath.* [Ger. bade]

Bæðleem, see **Bethlem.**

be, bī, big, prep. (with dat. or ins.), *by, near, beside, along, concerning; according to.* [Ger. bei]

be-, bi-, prefix, often gives to verbs an intensive signification or changes intransitives to transitives.

bēacen, n., *light, beacon; the sun; banner.* [cf. bēacnian]

bēacnian, W2, *to beckon, point out, signify by a sign, make plain.* [cf. bēacen]

Beadohild, f., *Beadohild,* daughter of King Nithhad (see note to p. 128, l. 1).

beadu, f., *battle.*

beadu-rǽs, m., *battle-rush, onslaught.*

beadu-scearp, adj., *battle-sharp.*

beadu-scrūd, n., *battle-dress,* hence, *coat of mail.* [cf. scrūd]

beadu-serce, f., *battle-sark, coat of mail.*

beadu-weorc, beado-, n., *work of battle.*

bēag, bēah, m., *ring, bracelet, crown;* 12, 3 (see note); bēagas, *money,* 113, 21 (see note). [cf. būgan]

bēag-gifa, bēah-, m., *ring-giver, lord.*

bēah-hord, n., *ring-hord.*

beald, bald, adj., *bold, brave, confident.*

bealdlīce, baldlīce, adv.; comp. b(e)aldlīcor; sup. b(e)aldlīcost; *boldly.*

bealdor, m., *prince, lord.*

bealu, b(e)alo, n., *evil, wrong, bale;* sg. gen. bealwes cræftig, *cunning in evil,* 137, 21.

bealu-cræft, balo-, m., *evil art, sorcery.*

bealu-full, bealo-, adj., *baleful, malicious.*

bealu-hycgend, bealo-, ptc. adj., *intending evil, hostile.*

bealu-hӯdig, bealo-, adj., *intending evil, hostile.*

bealu-nīð, bealo-, m., *dire hatred,*

wickedness; sg. ins. as adv., *balefully,* 157, 25.

bēam, m., *tree.* [Ger. baum, Mod. Eng. beam]

Bēamflēot, m., *Benfleet* (Essex); 18, 33.

bēan, bīen, f., *bean.* [Ger. bohne]

bearh, past sg. of **beorgan** q.v.

bearhtm, brehtm, m., *crash, up-roar.*

bearm, m., *bosom, lap.* [cf. beran; archaic Eng. barm]

bearn, n., *child.* [cf. beran; Scot. bairn]

bearn, past sg. of **beiernan** q.v.

Bearrucscīr, f., *Berkshire;* 8, 25.

bearu, bearo, m.; pl. nom. bear-was; *grove, wood.*

bēatan, S7; bēot; bēoton; (ge)-bēaten; *to beat, strike.*

Beaw, m., *Beaw,* an ancestor of King Alfred; 8, 10.

Beawing, m., patronymic, *son of Beaw;* 8, 10.

bebēodan, -bīodan, S2, *to com-mand, order; offer, commit, entrust.* [cf. bēodan]

bebod, n., *command.* [cf. bēo-dan]

bebūgan, S2, *to surround; avoid.*

bebycg(e)an, W1, *to sell.*

bebyrgan, -byrigan, W1, *to bury.* [cf. byrgan]

becuman, S4, *to come, arrive; go;* past pl. becōman 59, 22. [cf. cuman; Mod. Eng. become]

bed, n., *prayer, supplication.* [cf. gebed, Mod. Eng. bead]

bedǣlan, W1, *to separate, de-prive of* (with gen. or dat.).

bed(d), n., *bed.* [Ger. bett]

bed(d)-rēaf, n., *bedclothes.*

bedrīfan, S1, *to drive, pursue.* [cf. drīfan]

be ēastan, prep. (with dat.), *east of.*

beebbian, W2, *to be stranded by the ebbing tide.* [cf. ebbian]

befæstan, bi-, W1; befæste; befæst(ed); *to entrust; fix, fasten; make secure.*

befeallan, S7, *to fall, fall off.* [cf. feallan; Mod. Eng. be-fall]

befēolan (orig. **befeolhan*), S3; befealh; befulgon; befolgen; *to apply oneself* (with dat.). [Ger. befehlen]

befōn, S7, *to seize, encircle, en-velop;* fȳre befongen, *sur-rounded by fire,* 154, 3. [cf. fōn]

beforan, bi-, adv., *before, before-hand.* — Also prep. (with dat.); sometimes postposi-tive, him biforan, *before him,* 131, 32.

be fullan, adv. phrase, *fully, completely, perfectly.*

begān, spec. (sec. 57), *to go over, practice, perform, carry on.* [cf. gān]

begangan, -gongan, S7, *to prac-tice, exercise.* [cf. gangan]

bēgen, m., **bā, bū, bō,** m., f., n., num. adj. and pron., *both.* Used with twā and tū in the intensive compounds bātwā, būtū; pl. dat. ūrum bām, *to us two or the two of us,* 156, 1 (see note).

begeondan, -giondan, prep. (with dat.), *beyond.*

begi(e)tan, -gytan, S5; begeat; begēaton; begeten; *to get, find, obtain.* [cf. gietan]

begīman, -gȳman, W1, *to care for, attend.*

beginnan, S3, *to begin;* ptc. as dat. absolute, him beginnendum, *when he is beginning,* 81, 13.

begyrdan, W1, *to begird, surround.*

begytan, see **begietan.**

behāt, n., *promise.*

behātan, S7, *to promise.* [cf. hātan]

behealdan, S7, *to hold, occupy; to behold, observe.* [cf. healdan]

be healfe, prep. (with dat.), *beside;* used postpositively, him be healfe 117, 12.

behēfe, adj., *necessary, behooveful.*

beheonan, behi(o)nan, behienan, prep. (with dat.), *on this side of.*

behindan, adv., *behind.* — Also prep. (with dat.), *behind;* used postpositively, him behindan 124, 6.

behinon, see **beheonan.**

behlemman, bi-, W1, *to clash or snap together.*

behōfian, W2, *to require, have need of* (pers. with gen.); *to behoove, be necessary, concern* (impers.).

behorsian, W2, *to deprive of a horse;* past ptc. behorsude 14, 12 (see note).

behrēosan, S2, *to cover, fall upon;* *to deprive of;* ptc. pl. nom. bihrorene 132, 31; pl. acc. behrorene 159, 9. [cf. hrēosan]

behroren, past ptc. of **behrēosan** q.v., *deprived of* (with dat.).

beiernan, S3; bearn; beurnon; beurnen; *to run to; occur.* [cf. iernan]

belādian, W2, *to excuse.*

belǣwan, W1, *to betray.*

belgan, S3; bealg, bealh; bulgon; (ge)bolgen; *to be angry* (intrans.); *to anger* (trans.).

belimpan, S3, *to belong, concern, pertain; to befall, happen.*

belle, f., *bell.*

belūcan, S2, *to lock up, enclose, surround, shut off.* [cf. lūcan]

bēn, f., *prayer, petition, request.* [cf. Mod. Eng. boon]

benc, f., *bench.* [cf. banc]

bend, m.(1) or f.(2), *bond, fetter.* [cf. bindan]

bendan, bændan, W1; bende; (ge)bended; *to bend; bind, fetter.* [cf. bindan]

benēman, -nǣman, W1, *to deprive* (with dat.). [cf. niman]

beniman, S4, *to rob, deprive of* (with acc. of person and gen. or ins. of thing). [cf. niman]

benn, f., *wound;* sg. acc. ofer benne, *in spite of his wound,* 158, 3; pl. nom. benne 132, 3. [cf. bana]

be norðan, prep. (with dat.), *north of.*

benugan, PP. (sec. 55); benohte; ptc. wanting; *to need, want.* [cf. genugan]

Beocca, m., *Beocca,* West-Saxon leader; 16, 1.

bēodan, S2; bēad; budon; (ge)-boden; *to command; announce, proclaim; offer.* [Ger. bieten]

bēon, bīon, spec. (sec. 57); wæs, was; wǣron; ptc. wanting; *to be;* subj. pres. sg. bī 73, 7; imp. sg. bīo 158, 26; imp. pl. in inversion bēo gē 140, 18; ind. past sg. was 7, 25; pres. pl. syn 92, 29. [cf. wesan]

beorcan, S3, *to bark.*

beorg, beorh, biorh, m., *hill, mountain, grave-mound.* [Mod. Eng. barrow, Ger. berg]

beorgan, S3; bearg, bearh; burgon; (ge)borgen; *to protect, preserve* (with dat.); inf. beorghan 96, 1; past pl. burgan 154, 7 (see note). [Ger. bergen]

beorht, biorht, bryht, adj.; comp. beorhtra; sup. beorhtost; *bright, shining, glorious;* f. sg. gen. beorhtre 148, 19.

beorhte, bryhte, adv., *brightly, gloriously.*

Beorhtrīc, m., *Beorhtric,* king of the West Saxons; 5, 8 (see note).

Beorhtulf, m., *Beorhtulf,* an alderman of Essex; 22, 20.

Beorhtwulf, m., *Beorhtwulf,* king of the Mercians; 7, 1.

Beormas, pl. m., *the Permians,* who dwelt on the eastern coast of the White Sea; 41, 3.

beorn, biorn, m., *man, warrior.*

beornan, byrnan, S3; bearn, barn; burnan; (ge)bornen; *to burn* (intrans.). [cf. bærnan; Ger. brennen]

beorn-cyning, biorn-, m., *hero-king.*

Beorngār, m., *Berenger,* king of Italy (888–924); 15, 27.

Beornhelm, m., *Beornhelm,* an abbot and messenger to Rome; 16, 10.

Beornulf, m., *Beornulf,* a reeve at Winchester under King Alfred; 22, 24.

bēor-sele, bīor-, m., *beer-hall, banquet-hall.*

bēor-þegu, f., *beer-taking,* i.e., *beer-drinking.* [cf. þicgean]

bēot (orig. *bī-hāt), n., *boast;* on bēot, *boastfully,* 113, 17; bēot āhebban, *to boast.* [cf. hātan]

bēotian, W2, *to boast.*

Bēowulf, Bīowulf, m., *Beowulf,* the Geat hero who slew Grendel. The second scribe uses the spelling 'Biowulf' regularly; 156, 5.

bepǣc(e)an, W1; bepǣhte; bepǣht; *to deceive, entice.*

bera, m., *bear.* [Ger. bär]

beran, S4; bær; bǣron; (ge)-boren; *to bear, give birth to;* pres. 3rd sg. byrð 45, 15; past pl. bēron 114, 24. [Lat. fero]

berǣdan, W1, *to deprive, dispossess.*

berēafian, W2, *to bereave; to rob of, deprive of* (with dat.).

beren, adj., *of a bear.*

berīdan, S1, *to pursue, overtake.* [cf. rīdan]

berōwan, S7, *to row around or
past.* [cf. rōwan]

berstan, S3; bærst; burston;
(ge)borsten; *to burst; break
out.* [Ger. bersten]

berȳpan, W1, *to plunder, despoil
of* (with acc. of person and
gen. of thing).

besārgian, W2, *to be sorry, com-
plain, be regretful.* [cf. sārig]

bescēawian, bi-, W2, *to observe,
consider, look up.* [cf. scēa-
wian]

besencan, bi-, W1, *to sink, sub-
merge.* [cf. sencan]

besēon, S5, *to see, look.* [cf. sēon]

besettan, W1, *to place; to beset,
occupy.* [cf. settan]

besierwan, -syrwan, W1, *to trick,
ensnare, deceive.* [cf. searu]

besittan, S5, *to besiege, surround;
possess.* [cf. sittan; Ger. be-
sitzen]

besmiðian, W2, *to forge; to
fasten, reinforce* (as by a smith).

bestandan, S6, *to surround, beset.*
[cf. standan]

bestelan, S4, *to steal upon or
away.* Sometimes used re-
flexively with pron., *to betake
oneself secretly.* [cf. stelan]

bestrȳpan, W1, *to strip, plunder,
denude* (with gen.).

be sūðan, prep. (with dat.),
south of.

beswīcan, S1, *to beguile, deceive.*
[cf. swīcan]

beswician, W2, *to avoid, evade.*

beswingan, S3, *to beat, scourge.*
[cf. swingan]

besyrwan, see **besierwan**.

bētan, W1; bētte: (ge)bēted;
to improve, amend, better; le-
gally, *to pay a fine for.* [cf.
bōt, Ger. bessern]

betǣc(e)an, W1, *to commit, en-
trust, commend.* [cf. tǣcean]

Bethlem, **Bæðleem**, *Bethlehem,*
birthplace of Christ, 6 miles
from Jerusalem; 3, 8; 140, 22.

betlīc, adj., *excellent, splendid.*

betst(a), sup. of gōd q.v.

betweoh, -tweox, -twux, -twih,
-t(w)uh, -twyh, -tux, prep.
(with dat. or acc.), *between,
among, betwixt.*

betwē(o)nan, adv., *between-
whiles, in between times.*

betwēonum, -twēonan, -twȳnum,
prep. (with dat.), *between,
among.* — Used postpositively,
ūs betwēonan, *among us,* 95,
33.

betȳnan, W1; betȳnde; be-
tȳned; *to enclose, shut up;
end, conclude.* [cf. tūn]

betyrnan, W1, *to bend the knee,
prostrate oneself.*

beþecc(e)an, bi-, W1, *to cover,
conceal;* past ptc. biþeaht 136,
27. [cf. þeccean; Ger. be-
decken]

bewāwan, bi-, S7; bewēow; be-
wēowon; bewāwen; *to blow
upon;* ptc. pl. nom. biwāune
132, 30. [cf. Ger. wehen]

be westan, prep. (with dat.),
west of.

bewindan, bi-, S3, *to invest,
clothe; to encircle, surround.*
[cf. windan]

bewitan, PP.; bewiste; be-witen; *to watch over, preside over.* [cf. witan]

bewrīhan, -wrēon, S1; bewrāh; -wrigon; -wrigen; *to cover up, conceal.* [cf. wrēon]

bewrītan, bi-, S1, *to copy, write off, transcribe.* [cf. wrītan]

bī, pres. subj. sg. of bēon q.v.

bī(-), big(-), see be(-), prep.

bi-, see be-, prefix.

bicg(e)an, see bycgean.

bīdan, S1, *to abide, wait, remain, endure; await, expect* (with gen.).

biddan (orig. *bedjan), S5; bæd; bǣdon; (ge)beden; *to ask, seek, desire, request* (with acc. or dat. of person and gen. of thing or object clause); contracted pres. 3rd sg. bit 59, 25. [cf. bed; Ger. bitten]

bidrēosan, S2, *to cause to fall away, deprive* (with dat. or ins.); ptc. pl. nom. bidrorene 133, 1. [cf. drēosan]

bī(e)gan, bȳgan, W1, *to bend* (trans.), *turn back*. [cf. būgan]

biforan, see beforan.

big, see bī.

bīgang, bīgong, m., *course; worship.* [cf. bī + gang]

bigenga, m., *inhabitant.*

bihrorene, past ptc. of behrēosan q.v., *covered with.*

bīleofa, big-, m., *provision, food.* [cf. līf, libban]

bīleofen, big-, f., *provision, food.*

bil(e)-wit, byl(e)-, adj., *gentle, kindly, innocent.* [cf. Ger. billig]

bil(e)-witnes, f., *mildness, innocence.*

bil(l), n., *sword.* [Ger. bille]

bilocen, ptc. of belūcan q.v.

bindan, S3, *to bind.* [cf. bendan; Ger. binden]

binnan (= be + innan), binnon, adv., *within.* — Also prep. (with dat.), *within.*

bīon, see bēon.

bīor-, see bēor-.

biorh, see beorg.

biorn(-), see beorn(-).

Bīowulf, see Bēowulf.

bisc(e)op, biscep, m., *bishop.* [Lat. episcopus]

bisceopdōm, biscep-, m., *bishopric, office of bishop.*

bisc(e)op-rīce, biscep-, n., *bishopric.*

bisceop-seðl, -setl, n., *episcopal residence.*

bisce(o)p-stōl, m., *seat of the bishop,* hence, *bishopric.*

biscep-sunu, m.(7), *bishop's son,* i.e., *a spiritual son at confirmation.*

bīsen, see bȳsen.

bisgian, bysgian, W2, *to busy, occupy; trouble, disturb, torment.* [cf. bisig]

bisig, bysig, adj., *busy, anxious, occupied.*

bis(i)gu, bys(i)gu, f.; also pl. n. bisgu; *business, trouble, responsibility;* pl. nom. bisgu 59, 21; pl. dat. bysegum 79, 25. [cf. bisig]

bism(e)rian, see bysm(e)rian.

bīspell, big-, n., *example, parable.* [Ger. beispiel]

bit, contracted pres. 3rd sg. of **biddan** q.v.

bītan, S1, *to bite.* [Ger. beissen]

biter, bitter, adj., *bitter, severe, fierce.* [cf. bītan]

biδ, pres. 3rd sg. of **bēon** q.v.

biþeaht, past ptc. of **beþeccean** q.v.

biwunden, past ptc. of **bewindan** q.v.

blandan, blondan, S7; blē(o)nd; blē(o)ndon; (ge)blanden; *to mix, blend, mingle.*

blāwan, S7; blēow; blēowon; (ge)blāwen; *to blow, breathe.* [Lat. flo, Ger. blähen]

blǣc, blāc, adj., *pale, shining.* [Ger. bleich, Mod. Eng. bleak, dial. blake]

blæc, adj., *black.*

blǣcan, W1, *to bleach, whiten.* [cf. blǣc, and blīcan; Ger. bleichen]

blǣd, m., *blast, breath, inspiration; prosperity, riches, glory, honor.* [cf. blāwan]

blǣd, blēd, f., *blossom, fruit.* [Lat. flos; cf. blōwan]

blæd, n., *blade, leaf; foliage;* pl. acc. blǣdæ 106, 23. [Ger. blatt]

blǣst, m., *flame, burning.*

blēate, adv., *wretchedly, pitiably.*

Blēcinga-ēg, f., *Blekinge,* a district of southern Sweden; 44, 1 (see note to 43, 29).

blētsian, blēdsian, W2, *to bless, consecrate.* [cf. blōd]

blētsung, blēdsung, f., *blessing.* [cf. blētsian]

blīcan, S1, *to shine.*

blind, adj., *blind.* [Ger. blind]

blinnan, S3, *to cease.*

bliss, f., *bliss, joy.* [cf. blīδe]

blīδe, adj.; comp. blīδra; sup. blīδost; *blithe, happy, glad.* — Also adv., *gladly, happily.*

blīδ(e)-mōd, adj., *blithe of heart, cheerful, friendly.*

blōd, n., *blood.* [Ger. blut]

blōdegian, W2, *to make bloody.* [cf. blōdig]

blōd-gȳte, m., *bloodshed; the flowing of blood.*

blōdig, adj., *bloody.* [Ger. blutig]

blōtan, S7; blēot; blēoton; (ge)blōten; *to sacrifice.*

blōwan, S7; blēow; blēowon; (ge)blōwen; *to bloom, blow, blossom.* [Lat. floreo, Ger. blühen]

bōc, f.(6); pl. bēc; *book.* [Ger. buch]

bōcere, m., *learned man, scholar.* [cf. bōc]

bōc-lǣden, -lēden, n., *book-language,* i.e., *book-Latin;* 16, 34 (see note).

boda, m., *messenger.* [cf. bodian; Ger. bote]

bodian, bodig(e)an, W2, *to proclaim, preach, bode.*

boga, m., *bow.* [cf. būgan; Ger. bogen]

bolster, m., *bolster, pillow.*

bona, see **bana.**

bord, n., *shield, board; covering or deck of a ship, the ship;* under bord, *aboard,* 103, 14.

bord-rand, m., *shield.*

bord-weall, m., *wall of shields.*

borgian, W2, *to borrow;* also, *lend.* [Ger. borgen]

bōsm, m., *bosom.*

bōt, f., *boot, advantage, remedy, repentance;* legally, *compensation, reparation.* [Ger. busse]

botl, n., *abode, dwelling.*

brād, adj.; comp. brādra, brǣdra; sup. brādost; *broad;* n. sg. comp. brǣdre 42, 15. [Ger. breit]

brāde, adv., *broadly, far and wide, everywhere.*

brǣd, var. past sg. of **bregdan** q.v.

brǣdan, W1; brǣdde; (ge)-brǣd(e)d; *to extend, spread out, broaden.* [cf. brād]

brǣdu, brǣd, f., *breadth, width.* [cf. brād; Ger. breite]

breahtm, m., *noise, revelry, music.* [Ger. pracht]

brecan, S4; bræc; brǣcon; (ge)-brocen; *to break, burst upon, overcome.* [Ger. brechen]

bregdan, brēdan, S3; brægd, brǣd; brugdon, brūdon; (ge)-brogden, -brōden, -brēden; *to draw, brandish, move to and fro; braid, weave;* brogdne beadu-sercean, *woven coat of mail,* 159, 2.

brem(b)el, brember, m., *bramble.*

brengan, see **bringan.**

brenting, m., *high ship.*

brēost, n., *breast.*

brēost-cofa, m., *breast-chamber, heart, mind.*

brēost-gehygd, f. or n., *thought of the heart.* [cf. hycgean]

brēost-hord, n., *breast-hoard,* i.e., *breast, mind, heart.*

Bre(o)ten, Bryten, f., *Britain;* on Breotene 26, 9; of Brytene 29, 7; also *Briton;* Breotona rīce 26, 9.

Bre(o)tenland, -lond, n., *the land of Britain.*

Bre(o)ttas, Bryttas, pl. m., *Britons;* also, *the Bretons;* 16, 16; Bryttas, *Britons,* 27, 2.

brēowan, S2, *to brew.* [Ger. brauen]

brice, bryce, m., *breaking, fracture, breach.* [cf. brecan]

bricg(-), see **brycg(-).**

brid(d), m., *young bird.* [Mod. Eng. bird]

brim, n., *sea, water, surge.*

brim-ceald, adj., *ocean-cold.*

brim-fugol, m., *sea-bird.*

brim-līðend, m.(1 or 8), *seafarer, sailor.*

brim-man(n), -mon(n), m.(6), *seaman, pirate.*

bringan, brengan, W1; brōhte; (ge)brōht, rarely, (ge)brungen; *to bring.* [Ger. bringen]

brōc, f.; pl. nom. brēc; *breech,* usually pl. *breeches.*

brocian, W2, *oppress, injure.* [cf. broc, brecan]

broga, m., *terror.*

brogdne, past ptc. of **bregdan** q.v.

Brond, m., *Brond,* an ancestor of King Alfred; 8, 6.

Bronding, m., patronymic, *son of Brond;* 8, 6.

brōðor, brōður, m. (sec. 18); pl. nom. brōðor or brōðru, -ro;

sg. dat. brēðer; *brother.* [Lat. frater, Ger. bruder]

brūcan, S2; brēac; brucon; (ge)-brocen; *to use, eat, enjoy, brook* (with gen., dat. or acc.). [Ger. brauchen]

brūn, adj., *brown; bright.* [Ger. braun]

brūn-ecg, adj., *brown-edged.*

brūn-fāg, adj., *brown-colored.*

Brūtus (Lat.), m. *Brutus,* i.e., Marcus Junius Brutus (85–42 B.C.), a Roman politician who assassinated Julius Caesar and was defeated by Augustus Caesar at Philippi in 42 B.C.; sg. acc. Brūtus 46, **7.**

bryce, see **brice.**

brycg, bricg, f., *bridge.* [Ger. brücke]

brycg-weard, bricg-, m., *bridge-guard.*

brȳd, f., *bride.* [Ger. braut]

brygd, brȳd, n., *drawing, brandishing.* [cf. bregdan]

bryhte, see **beorhte.**

bryhtm, m., *glance, twinkling.* [cf. breahtm]

bryne, m., *burning, fire.* [cf. beornan]

Bryten(-), see **Breoten(-).**

brytta, m., *bestower, dispenser, lord.*

Bryttas, see **Breottas.**

Bryttisc, adj., *British.*

būan, būgan, W1; būde; (ge)-būd or -būn, -bȳn; *to dwell; occupy, cultivate;* pres. pl. 3rd būgeað 18, 23. [Ger. bauen]

bufan, bufon (= be-ufan), prep.

(with dat.), *above.* — Also prep. (with acc.), *on, onto.*

būgan, S2; bēag, bēah; bugon; (ge)bogen; *to bow, bend, turn.* [cf. biegan, Ger. biegen]

būgan, see **būan.**

būgeað, pres. pl. 3rd of **būan** q.v.

bune, f., *cup.*

Bunne, f., *Bononia,* now *Boulogne;* 17, 6.

būr, n., *bower, chamber, room;* æfter būrum, *among the chambers,* 148, 1 (see note). [cf. būan]

burg, burh, f.(6), pl. nom. byr(i)g; but also f.(2), pl. nom. burga, -e; *city, fort,* sg. nom. buruh 140, 22. [Ger. burg, Mod. Eng. borough, -bury]

Burgendas, pl. m.(1), or **Burgende,** pl. m.(4), or **Burgendan,** pl. m.(5), *the Burgundians;* Burgenda land, *Bornholm,* 43, 29 (see note).

Burgrēd, Burgrǣd, m., *Burgred,* Mercian king; 7, 7; 7, 19 (see note); 11, 16.

burg-ware, burh-, m.(4), in pl. only; also m.(5), pl. nom. burg-waran; *citizens, burghers.*

burg-weall, m., *city wall.*

burna, m., also **burne,** f., *stream, fountain, bourn.*

būr-þēn, -þegn, m., *chamberlain, chamber-servant.*

būtan, būton (= be + ūtan), adv., *without.* — Also prep. (with dat. or acc.), *without, outside; except, but.* — Also conj. (with ind.), *except, except* *that;* (with subj.), *unless;* 51, 31. [Mod. Eng. but]

būtan þām þe, conj., *beside the fact that;* 11, 4.

būte, conj., *but, unless.*

butere, f., *butter.* [Gr. βούτυρον, Lat. butȳrum, Ger. butter]

Buttingtūn, m., *Buttington,* on the river Severn; 20, 7.

būtū, bātwā, an intensive compound adj. and pron., *both,* literally, *both two.* See bēgen and twēgen. [cf. Lat. ambo, Ger. beide]

butueoh, see betweoh.

bycg(e)an, bicg(e)an, W1; bohte; (ge)boht; *to buy.*

byht, n., *corner; dwelling; bight.* [cf. būgan]

byldan, W1, *to embolden, encourage.* [cf. beald]

bȳn, var. ptc. of būan q.v.

byrde, adj.; comp. byrdra; sup. byrdest; *well-born, of high rank, noble.* [cf. gebyrd]

byre, m., *favorable opportunity.*

byre, m., *child, son.* [cf. beran]

byrgan, byrigan, W1, *to bury.*

byrgen, f., *grave, tomb.* [cf. byrgan]

Byrhtelm, m., *Byrhthelm,* father of Byrhtnoth; 115, 16.

Byrhtnōð, m., *Byrhtnoth,* or *Brihtnoth,* East-Saxon 'ealdorman,' who fell while leading the English against the Norsemen in the battle of Maldon; 113, 7 (see note).

Byrhtwold, m., *Byrhtwold,* a follower of Byrhtnoth; 122, 7.

byrig, sg. gen. and dat. and pl. nom. and acc. of burg q.v.

byrnan, see beornan.

byrne, f., *byrnie, coat of mail, corselet.* [Ger. brünne]

byrn-wiga, m., *mailed or armored warrior.*

byrst, m., *loss, calamity.*

byrð, byreð, pres. 3rd sg. of beran q.v.

byrðen, f., *burden, load.* [Ger. bürde]

bȳsen, bīsen, f., *example.*

bysgian, see bisgian.

bysig, see bisig.

bys(i)gu, see bis(i)gu.

bysmer, bismer, bysmor, n., *abomination, disgrace, mockery.*

bysm(e)rian, bism(e)rian, W2, *to mock, scorn, revile.*

byð, bið, pres. 3rd sg. of bēon q.v.

C

cāf, adj., *bold, brave, quick.*

cāflīce, adv., *quickly, promptly, boldly.*

Cain, m., *Cain;* 147, 1.

calan, S6, *to cool off.* [Lat. gelo, Ger. kühlen]

cald, see ceald.

calend, m.; pl. calendas; *month;* also used in the pl. after the Roman manner, *the kalends, the first day of the month;* calendas Agustus, *first of August,* 47, 2. [cf. Lat. calendae]

calu, adj., *callow, bald.* [Ger. kahl]

camb, m., *comb*. [Ger. kamm]

Camon, m., *Cainan*, son of Enos (see Genesis 5:9); 8, 13.

camp, m., *battle, fight*. [Ger. kampf]

campian, compian, W2, *to struggle, fight*. [cf. camp; Ger. kämpfen]

camp-stede, m., *battle-field*. [cf. camp]

candel, condel, f., *candle*. [Lat. candela]

canon, m., *sacred canon or body of writings*. [Lat. canon, Gr. κανών]

Cantwaraburg, Contwara-, f., *Canterbury*, i.e., *city of the inhabitants of Kent*.

Cantwararīce, n., *the kingdom of Kent;* 6, 4.

Cantware, m.(4), *dwellers in Kent;* pl. dat. mid Cantwarum 7, 15.

capitol-mæsse, f., *early or morning mass*.

carc-ern, cearc-ern, -ærn, n., *prison*. [cf. Lat. carcer and A.S. ærn]

carian, see **cearian**.

Cariei, *Chezy;* 15, 16.

Carl, Karl, m., *Charles or Carl.* — *Charlemagne* (died 814 A.D.); þæs aldan Carles 15, 2. — *Charles the Bald*, grandson of Charlemagne and father of Judith, stepmother of Alfred the Great. Charles died in 877 A.D.; 7, 26 (see note); 14, 34. — *Carloman*, king of Aquitaine and Burgundy (died 884 A.D.); 14, 21 (see note).

— *Charles the Fat*, brother of Carloman. He died in 888 A.D.; 14, 30, etc. [Lat. Carolus, Ger. Karl]

Carr, m., *Carhampton*, in Somersetshire; æt Carrum 5, 16 (see note to 5, 15).

cāsere, kāsere, m., *emperor*. [Lat. Caesar, Ger. kaiser]

Cassus (Lat.), m., *Cassius*, i.e., *Caius Cassius Longinus* (died 42 B.C.), a Roman general defeated by Augustus Caesar at Philippi in 42 B.C.; sg. acc. Cassus 46, 6.

castel, m., or n., *castle, fort*. [Lat. castellum]

Cædmon, Cedmon, m., *Cædmon,* a herdsman of the Northumbrian abbey of Whitby, said by Bede to have been divinely inspired to compose sacred songs and narratives; Cedmon 34, 24.

ceaf, cef, n., *chaff*.

ceafl, m., *bill, beak, snout, jaw*.

ceald, cald, adj., *cold*. [Ger. kalt]

cealf, calf, n.(9), pl. nom. c(e)alfru; or m.(1), cealfas; *calf*. [Ger. kalb]

ceallian, W2, *to call, cry out, shout*. [Lat. calo]

cēap, m., *cattle; salable commodity; a bargain*. [Mod. Eng. cheap]

cē(a)pe-cniht, cȳpe-, m., *slave, bought servant or youth;* pl. acc. cēpecnihtas 29, 11 (see note).

cēap(e)-mann, cȳp(e)-, m.(6),

chapman, i.e., *merchant*. [Ger. kaufmann]

cē(a)pe-þing, n., *salable things, merchandise*.

cēap-stōw, f., *market-place*.

cearian, carian, W2, *to care for, look after, be concerned about*.

cearu, caru, -o, f., *care, sorrow;* pl. gen. cearena 110, 8.

ceaster, f., *town, fort, city*. [Lat. castra, Mod. Eng. -caster, -chester]

ceaster-būend, m.(1 or 8), *city-dweller*. [cf. būan]

ceaster-ware, m.(4), in pl. only; *city-dwellers, citizens*.

Ceaulining, m., patronymic (sec. 61), *son of Ceawlin;* 8, 3.

Ceawlin, m., *Ceawlin*, an ancestor of King Alfred; 8, 3.

Cēfi, Cǣfi, m., *Ceafi or Coifi* (in Latin version), chief priest of Edwin, pagan king of the Northumbrians; Cēfi, 31, 8; Cǣfi, 32, 9.

cellod, adj., *curved, hollow, embossed*.

cemban, W1, *to comb*. [cf. camb; Ger. kämmen]

cempa, m., *warrior;* sg. dat. cempan 155, 1. [cf. camp]

cēne, adj., *keen, bold*.

cennan, W1, *to beget, bear, create*. [cf. cunnan; Ger. kennen, archaic Eng. ken]

Cēnrēd, m., *Cenred*, father of King Ine; 8, 2.

Cent, f.(4), *Kent;* 8, 32; 17, 9. [Lat. Cantia]

cēnðu, f., *boldness, keenness*. [cf. cēne]

cēol, cīol, m., *keel of a ship; ship*. [cf. Mod. Eng. keel]

Cēola, m., *Ceola*, father of Wulfstan, Byrhtnoth's follower; 114, 33.

Cēolmund, m., *Ceolmund*, a Kentish alderman; 22, 20.

Cēolnōð, m., *Ceolnoth*, archbishop, who died in 870 A.D.; 9, 33.

Cēolwald, m., *Ceolwald*, an ancestor of King Alfred; 8, 2.

Cēolwalding, m., patronymic, *son of Ceolwald;* 8, 2.

Cēolwulf, m., *Ceolwulf;* 12, 19.

ceorfan, S3, *to cut, carve*. [Ger. kerben]

ceorian, W2, *to murmur, complain*. [cf. Lat. garrio, Ger. kerren]

ceorl, m., *freeman, man of the common people; man, husband;* 100, 10 (see note). [Mod Eng. churl]

Ceorl, m., *Ceorl*, alderman; 6, 27.

ceorlisc, cirlisc, adj., *churlish*, i.e., *of lower rank*. [cf. ceorl]

ceorung, f., *murmuring, complaint*.

cēosan, S2; cēas; curon; (ge)-coren; *to choose, select, accept, taste*.

cēowan, S2, *to chew, gnaw*.

cēpe-, see cēape-.

Cerdic, m., *Cerdic*, founder of the West-Saxon kingdom; 8, 4.

Cerdices-ōra, m., *Cerdic's shore*, in southern Dorsetshire; 4, 28.

Cerdicing, m., patronymic, *son of Cerdic;* 8, 4.

cerran, see cierran.

cēse, cȳse, m.(1); also m.(5); *cheese*. [Lat. caseus; Ger. käse]

Cham, m., *Ham*, son of Noah; 67, 29.

cherubim (Hebrew), pl., *cherubs, an order of angels*.

Christus (Lat.), m., *Christ, The Anointed*. [Gr. Χριστός]

Cicero, see Marcus.

cīdan, W1, *to chide, reproach* (with dat.).

cī(e)gan, cȳgan, W1, *to call, cry out* (intrans.); *to call, name* (trans.).

ci(e)le, cyle, m., *cold, chill*. [cf. Lat. gelu; Ger. kühle]

ci(e)rr, cyrr, m., *turn, time, occasion*. [cf. cierran; Mod. Eng. char, chore]

ci(e)rran, cyrran, cerran, W1, *to turn, return*. [Ger. kehren]

cild, n.(9), pl. nom. cildru, cildra; also n.(3), pl. nom. cild; *child*. [cf. Mod. Eng. dial. pl. childer]

cining, see cyning.

cīol, see cēol.

Cippanhām, m., *Chippenham* (Wiltshire); 12, 21; 13, 17.

Circē, Kirkē, f., *Circe*, daughter of Apollo, an enchantress, living on the island Ææa; sg. nom. Kirkē 54, 21; Circē 125, 6.

Cirenceaster, Cyren-, f., *Cirencester* (Gloucestershire); 13, 17.

cir(i)ce, cyr(i)ce, f., *church*. [Gr. κυριακή]

cir(i)c-hata, cyr(i)c-, m., *church-hater*.

cirlisc, see ceorlisc.

cirm, cyrm, m., *noise, clamor*.

cirr, see cierr.

cirran, see cierran.

cīsnes, cēasnes, f., *choiceness, desirableness; squeamishness, fastidiousness*. [cf. cēosan]

Cissa, m., *Cissa*, a son of Ælle; 4, 23.

Cisseceaster, f., *Chichester*, i.e., *Cissa's fort or town;* 21, 12.

clauster, n., *an enclosed place*, usually, *cloister*. [Lat. claustrum]

clǣne, clēne, adj., *clean, pure*. — Also adv., *clean, entirely*. [Ger. klein]

clǣnsian, clēnsian, W2, *to cleanse, purify, clear*. [cf. clǣne]

clēofan, S2, *to cut or cleave, split* (trans.). [Ger. klieben]

cleofian, see clifian.

Cleopātra (Lat.), Cleopātro, f., *Cleopatra*, last queen of Egypt (69–30 B.C.); sg. acc. Cleopātron 46, 15; 47, 1; sg. nom. Cleopātro 47, 6.

cleopian, see clipian.

clif, clyf, n.; pl. clifu, cliofu; *cliff*. [Ger. klippe]

clīfan, S1, *to cleave, adhere*.

clifian, cleofian, clyfian, W1, *to adhere, cleave to*.

climban, S3, *to climb*.

clingan, S3, *to wither, cling*.

clipian, cleopian, clypian, W2, *to cry out, exclaim, call*.

cludig, adj., *rocky, stony*.

clyfian, see clifian.

clypian, see clipian.

clyppan, W1, *to embrace*, hence, *accept, cherish*. [Mod. Eng. clip]

cnapa, cnafa, m., *boy, youth; knave*. [Ger. knabe]

cnāwan, S7; cnēow; cnēowon; (ge)cnāwen; *to know*.

cnedan, S5, *to knead*. [Ger. kneten]

cnēoris, f., *generation; tribe*.

cnēo(w), n.; pl. nom. cnēowu; *knee*.

cniht, m., *boy, youth*. [Mod. Eng. knight, Ger. knecht]

cnoci(ge)an, cnucian, W2, *to knock*.

cnotta, m., *knot, binding*.

cnyll, m., *knell, sound of a bell*. [Ger. knall]

cnyssan, W1, *to beat, strike*.

cnyttan, W1, *to knit, bind*. [cf. cnotta]

cofa, m., *cove, cave, chamber, ark*.

cōlian, W2, *to cool*.

collen-fer(h)ð, adj., *fierce-minded, bold of heart*.

Coln, f., *the river Colne* (Essex); be Colne 18, 14.

cometa, m., *comet*. [Lat. cometa]

compian, see campian.

con(n), pres. 1st and 3rd sg. of cunnan q.v.

Constantīnus, m., *Constantine*, one of the Seven Sleepers of Ephesus; 139, 4 (see note).

consul (Lat.), m., *consul*.

Contwaraburg, see Cantwaraburg.

corn, n., *corn, grain*. [Ger. korn; cf. Lat. granum and Mod. Eng. grain]

Cornw(e)alas, pl. m., *Cornishmen;* on Cornwalum, *in Cornwall*, 16, 29.

corðer, n., *troop, company*.

cosp, cops, m., *fetter, chain*.

costung, costnung, f., *temptation*.

crabba, m., *crab*.

cradol-cild, n.(9); pl. nom. -cildru; *child in cradle*.

crāwan, S7; crēow; crēowon; (ge)crāwen; *to crow*. [Ger. krähen]

cræft, m., *power, skill, craft*. [Ger. kraft]

cræftig, adj.; *crafty, cunning, skillful, powerful* (often with gen.); sup. cræftgast 127, 6.

creaturae (Lat.), sg. gen. of creatura, f., *creation*.

Crēcas, Crēacas, pl. m., *Greeks;* pl. gen. Crēca 123, 11.

Crēcisc, adj., *Grecian*.

crincan, S3, *to fall in battle;* past pl. cruncon 121, 31. [Apparently a var. of cringan]

cringan, S3, *to cringe, yield, fall, die*.

crism-lȳsing, -līsing, f., *leaving off of the baptismal fillet;* 13, 13 (see note).

Crīst, m., *Christ;* 141, 8. [Lat. Christus]

Crīsten, adj. and noun, *Christian;* pl. nom. þā Crīstnan 20, 15; 23, 27; Crīstenæ 50, 33; Crīstene 91, 24.

crīstendōm, m., *Christendom, the Christian world*.

crīstnian, W2, *to christen, Christianize.*

crūdan, S2, *to crowd.*

Crux Christi (Lat.), f., *the Cross of Christ,*

cū, f.(6); pl. nom. cȳ; *cow;* in pl. *kine.* [Ger. kuh]

cucu, see **cwic.**

cul(u)fre, f., *dove, culver.* [Lat. columba]

cuma, m., *a comer, guest, visitor.*

cuman, S4; c(w)ōm, cuōm; c(w)ōmon, cuōmon; (ge)cumen; *to come;* also, *to go;* pres. 3rd sg. cymeð 32, 2; cymð 43, 7; ind. past pl. cōman 27, 20; 43, 21; etc. [Ger. kommen]

cumpæder, m., *fellow-father,* hence, *godfather;* 19, 19 (see note). [Lat. compater]

Cundoð, *Condé-sur-l'Escaut,* in Northern France; 14, 3.

cunnan, PP. (sec. 55); cūðe; (ge)cunnen, ptc. adj. cūð; *can, be able; to know, understand.* [cf. cunnian, cennan; Ger. können]

cunnian, W2, *to prove, try, examine, experience* (with gen. or acc.). [cf. cunnan]

cure, subj. past sg. of **cēosan** q.v.

Curuus (Lat.), m., *Curvus,* the earlier name of Felix, a monk quoted by Gregory in his *Dialogues.*

cūð, ptc. of **cunnan** q.v., adj., *known, familiar.* [Ger. kund; cf. Mod. Eng. uncouth]

Cūða, m., *Cutha,* an ancestor of King Alfred; 8, 3.

Cūðaing, m., patronymic, *son of Cutha;* 8, 2.

cūðe, cūðon, past ind. of **cunnan** q.v.

cūðlīc, adj.; comp. cūðlīcra; sup. cūðlīcost; *known, certain.*

cūðlīce, adv., *clearly, positively.*

Cūðwine, m., *Cuthwine,* an ancestor of King Alfred; 8, 3. [cf. cūð + wine]

Cūðwining, m., patronymic, *son of Cuthwine;* 8, 3.

cwalu, f., *killing, murder, death.* [cf. cwelan]

Cwantawīc, n., *St. Josse-sur-Mèr* or *Estaples,* earlier *Quantovic* or *Quentawich;* 6, 19.

Cwātbrycg, f., *Bridgenorth* (Shropshire); 21, 34; 22, 8.

cwealm, m., *death, destruction, killing.* [cf. cwelan, Mod. Eng. qualm]

cwealm-cuma, m., *deadly visitor.*

cwecc(e)an, W1; cwe(a)hte; (ge)cwe(a)ht; *to shake, vibrate.*

cwelan, S4; cwæl; cwǣlon; (ge)cwolen; *to die.* [cf. cwellan]

cwellan, W1; cwealde; (ge)cweald; *to kill, quell.* [cf. cwelan; Ger. quellen]

cwelman, cwylman, W1, *to kill, destroy.* [cf. cwealm]

cwēman, W1, *to please, satisfy* (with dat.). [cf. Ger. bequemen]

cwēn, cuēn, f.(4), *queen.*

Cwēnas, pl. m., *Kwaens,* a tribe near the Finns; 42, 25 (see note).

cwencan, W1; cwencte; (ge)-
cwenct, -cwenced; *to extin-
guish, quench.*

cwene, f., *woman, wife;* also, *a
woman of ill fame.* [Mod.
Eng. quean]

cweorn, f., *quern, mill.*

cweðan, S5; cwæð; cwædon,
cuædon; (ge)cweden; *to say,
speak, name;* pres. 3rd sg.
cweð 139, 5. [cf. archaic Eng.
quoth]

cwic, cwicu, cucu, adj., *alive,
quick.*

cwic-sūsl, n., *hell-torment.*

cwicu, see **cwic.**

cwide, cwyde, m., *a speech,
saying.* [cf. cweðan]

cwide-giedd, n., *word, utterance,
song.*

cwild, cwyld, m., f. or n., *de-
struction, plague.* [cf. cwel-
lan]

cwīðan, W1, *to bewail, lament.*

cwīðnes, f., *wailing, lamenta-
tion.* [cf. cwīðan]

cwyde, see **cwide.**

cycene, cicene, f., *kitchen.* [Lat.
coquina, Ger. küche]

cyle, see **ciele.**

cyme, m., *coming, arrival.* [cf.
cuman]

cyme, cume, subj. pres. sg. of
cuman q.v.

Cymēn, m., *Cymen,* son of Ælle;
4, 23.

Cymēnes-ōra, m., *Cymen's Shore,*
near Wittering, Sussex; 4, 24.

cym(e)ð, pres. 3rd sg. of **cuman**
q.v.

cyne-cyn(n), n., *royal race.*

cyne-rīce, n., *kingdom;* sg. gen.
kynerīces 51, 16.

cyn(in)g, cin(in)g, kyn(in)g, etc.,
m., *king;* sg. nom. cyng 8, 19;
cyningc 44, 15; kuning 59,
15; sg. gen. cinges 20, 2;
pl. nom. kyningas 44, 23. [cf.
cynn; Ger. könig]

cyn(n), n., *kin, race, lineage,
kind.* [cf. Lat. genus]

cyn-ren, -ryn, n., *family, gen-
eration, progeny.*

Cynrīc, m., *Cynric,* an ancestor
of King Alfred; 8, 4.

Cynrīcing, m., patronymic, *son
of Cynric;* 8, 3.

cȳp(e)-, see **cēap(e)-.**

cyre, m., *choice.* [cf. cēosan;
Ger. kur]

cyr(i)c-, see **cir(i)c-.**

cyrm, see **cirm.**

cyrtel, kyrtel, m., *kirtle, coat,
garment.*

cȳse, see **cēse.**

cyspan, W1, *to fetter, bind.*

cyssan, W1; cyste; (ge)cyssed,
-cyst; *to kiss.* [Ger. küssen]

cyst, cist, f., *choice; excellence.*
[cf. cēosan]

cȳte, cote, f., *cot, cottage, cell.*

cȳðan, W1, cȳðde, cȳdde; (ge)-
cȳðed, -cȳd(d); *to make known,
show, proclaim, announce;*
pres. 3rd sg. cȳð 138, 7. [cf.
cūð]

cȳððu, f., *kinship, kith; home.*

D

daf(e)nian, W2, *to be becoming
or proper* (impers. with dat.).

dagian, W2, *to dawn, become day.*
[cf. dæg; Ger. tagen]

Dani (Lat.), pl. m., *the Danes;*
90, title (see note).

daroð, m., *dart, spear.*

dǣd, f., *deed, act.* [Ger. tat]

dæg, m., *day;* sg. gen. dæges and
nihtes, *by day and night.* [Ger.
tag]

dæghwamlīc, adj., *daily.*

dæghwamlīce, adv., *daily.*

dæg-hwīl, f., *span of days, day.*

dægrǣd, -rēd, n., *dawn, day-
break;* sg. acc. dægrēd 79, 3.

dægrǣdlīc, -rēdlīc, adj., *of the
early morning, at dawn.*

dægrēd-sang, m., *morning song;
service held at sunrise; lauds;*
sg. nom. dægrēdsang 78, 3;
sg. dat. dægrēdsange 80, 26.

dæg-rīm, n., *number of days.*

dæg-weorc, n., *day's work.*

dǣl, dāl, m., *part, portion, meas-
ure, deal, dole;* be suman
dǣle, *in some measure,* 95, 26.
[Ger. teil]

dǣlan, W1, *to divide, distribute,
deal out.* [cf. dǣl]

dǣl-nēomend, ptc. adj., *partic-
ipating;* used to translate
'participem.'

dē (Lat.), prep., *from, about*
(with ablative case).

dēad, adj., *dead.* [Ger. todt]

dēadlīc, adj., *deadly, mortal.*

dēaf, adj., *deaf.* [Ger. taub]

deah, pres. 3rd sg. of dugan q.v.

dearnunga, adv., *secretly.*

dear(r), pres. 1st and 3rd sg. of
durran q.v.

dēað, m., *death.*

dēað-dæg, m., *death-day.*

dēað-līg, -lēg, m., *death-flame,
deadly fire.*

dēað-scūa, m., *death-shadow.*

dēað-sele, m., *hall of death.*

dēað-slege, m., *deadly blow.* [cf.
slēan]

Def(e)nas, pl. m., *the people of
Devonshire;* also, *Devonshire;*
on Defnum, *into Devonshire,*
20, 10; 23, 5.

Def(e)nascīr, f., *Devonshire;* 6,
28; on Defenascīre 12, 27; 18,
26.

delfan, S3; dealf; dulfon; (ge)-
dolfen; *to delve, dig.*

dēman, W1, *to judge, appoint,
decree.* [cf. dōm]

dēmend, m.(8), *judge.* [pres.
ptc. of dēman]

Denamearc, Dene-, f., *Denmark;*
43, 17 (see note); 43, 23.

Dene, pl. m.(4), *Danes;* pl.
gen. Deniga 148, 16; pl. dat.
Denon 116, 21.

Denisc, adj., *Danish;* þā Denis-
can, *the Danes;* 9, 31, etc.;
on Denisc, *in the Danish fash-
ion,* 23, 2; pl. gen. Deniscena
23, 26.

den(n), n., *den, lair.*

dēofol, m., or n., *devil.* [Lat.
diabolus, Ger. teufel]

dēofol-gyld, -gild, n., *idol.*

dēofol-sēoc, adj., *devil-sick,* i.e.,
possessed of devils.

dēogollice, adv., *secretly, slyly.*

dēop, n., *the deep, the sea.*

dēop, adj., *deep.* [Ger. tief]

dēope, adv., *deeply, profoundly.*

dēor, dīor, n., *wild animal, ani-*

mal. [Mod Eng. deer, Ger.
tier]

Deor, m., *Deor,* a scop; 129, 24
(see note).

dēor-boren, dīor-, adj., *well-born,
of noble birth.*

deorc, adj., *dark, murky, black.*

dēor-cynn, n., *animal-kind.*

dēore, dīore, dīere, dȳre, adj.,
dear, beloved, valuable. — Also
adv., *dearly.* [Ger. teuer]

Deorwente, f., *the Derwent river;*
33, 16.

Dēre, pl. m.(4), *Deirans;* 30, 1.

derian, derigan, W1; derede;
(ge)dered; *to injure, do harm*
(with dat.); subj. pres. 3rd
sg. derige 65, 15.

deru, daru, f., *harm, injury;* sg.
acc. dere 89, 22. [cf. derian]

dēð, pres. 3rd. sg. of **dōn** q.v.

dīc, m., *dike, wall.* [Ger. deich]

dīc, f., *ditch, channel.*

dīcian, W2, *to dike, bank up.*
[cf. dīc, m.]

dī(e)gol, adj., *secret.*

dierne, dyrne, adj., *secret, ob-
scure; wicked, deceitful;* 136,
15 (see note).

diht, dyht, n., *disposition, direc-
tion.*

dihtan, W1, *to arrange, dictate,
compose.* [Lat. dicto, Ger.
dichten]

Dionisius, m., *Dionisius,* one of
the Seven Sleepers of Ephesus;
139, 3 (see note).

dīor, see **dēor.**

dīore, see **dēore.**

disc, m., *plate, bowl, dish.* [Lat.
discus, Ger. tisch]

discipulus (Lat.), m.; pl. nom.
discipuli; *disciple.*

dōgor, n., *day;* ealra dōgra
gehwām, *every day.*

dōgor-gerīm, n., *number of days.*

dohte, past sg. of **dugan** q.v.

dohtor, f. (sec. 18); pl. nom.
dohtor, dohtra, dohtru; sg.
dat. dehter; *daughter.* [Gr.
θυγάτηρ, Ger. tochter]

dol, adj., *dull, foolish, erring.*
[Ger. toll]

dolg, dolh, n., *wound, scar.*

dollīc, adj., *foolhardy, rash, des-
perate.*

dōm, m., *judgment, discretion,
choice, doom; renown, glory.*

dōm-georn, adj., *eager for justice,
ambitious.*

dominātiō (Lat.), f.; pl. nom.
dominātiōnes; *dominion.*

Dominī Nostrī (Lat.), sg. gen.
of **Dominus Noster,** m., *Our
Lord.*

domne, m., *lord.* [Lat. dom-
inus]

dōn, spec. (sec. 57); dyde; (ge)-
dōn, -dēn; *to do, cause, put,
act; remove;* 51, 28; 160, 24;
pres. 3rd sg. dēð 56, 24. [Ger.
tun]

Dorceceaster, Dorcan-, f., *Dor-
chester;* æt Dorceceastre 22,
23.

Dornsǣte, Dorsǣte, pl. m.(4),
inhabitants of Dorsetshire; pl.
dat. Dornsǣtum 6, 10 (see
note); 6, 25.

dorste, dorston, past ind. of
durran q.v.

drāf, f., *drove, herd.* [cf. drīfan]

dragan, S6; drōg, drōh; drōgon;
(ge)dragen; *to draw, drag.*
[Lat. traho, Ger. tragen]

drǣdan, S7, drēd, earlier dreord;
drēdon; (ge)drǣden; *to dread,
fear.*

drǣfan, W1, *to drive.* [cf. drī-
fan]

drēam, m., *joy, revelry, mirth;* pl.
dat. as adv. drēamum, *joy-
ously, happily.* [Mod. Eng.
dream]

drecc(e)an, W1 (sec. 51, b);
dre(a)hte; (ge)dre(a)ht; *to
vex, trouble, afflict.*

drēfan, W1; drēfde; gedrēfed;
to trouble, confuse, disquiet, stir.
[Ger. trüben]

drenc, m., *drink; drowning.* [cf.
drincan]

drencan, W1, *to cause to drink,
drench; to drown.* [cf. drin-
can; Ger. tränken]

drenc(e)-flōd, m., *a drowning-
flood, deluge.*

dreng, m., *warrior.*

drēogan, S2; drēag, drēah; dru-
gon; (ge)drogen; *to endure,
suffer; do, work, perform,
engage in; experience, pass
through;* past pl. drogan 55,
15. [cf. Mod. Scot. dree]

drēorig, adj., *blood-stained;
dreary, sad.* [cf. drēosan;
Ger. traurig]

drēorig-hlēor, adj., *sad-faced.*

drēorignes, -nis, f., *dreariness,
sadness.*

drēosan, S2; drēas; druron;
(ge)droren; *to fall, perish.*
[cf. Mod. Eng. dross]

drepan, S5, *to strike.* [Ger. tref-
fen]

drīfan, S1; drāf; drifon; (ge)-
drifen; *to drive.* [Ger. trei-
ben]

drīge, drīe, see **drȳge.**

driht-, see **dryht-.**

drinc, drync, m.(1); sg. gen.
drinces; also **drinca,** m.(5);
or **drince,** f.(5); sg. gen.
drincan; *a drink, a draught.*
[Ger. trink]

drincan, S3, *to drink.* [cf. dren-
can; Ger. trinken]

drīorig, see **drēorig.**

drohtian, W2, *to live a life, carry
out a practice* (for good or
evil), hence, *to act.*

drohtniąn, W2, *to live, lead one's
life.* [cf. drēogan]

drohtnung, drohtung, f., *conduct,
condition.*

drohtoð, -að, m., *living, way of
life, conduct, experience.* [cf.
drēogan]

drȳ-cræft, m., *magic, sorcery.*

drȳ-cræftig, adj., *skilled in sor-
cery.*

drȳge, drīge, drīe, adj., *dry;* sg.
dat. on drȳgum, *on dry ground,*
23, 10; pl. dat. drīum 69, 28.
[Ger. trocken]

dryhten, drihten, m., *ruler, lord,
prince; the Lord, God.* [cf.
gedryht]

dryht-guma, m., *retainer, war-
rior.*

dryhtlīc, driht-, adj., *lordly, noble.*

dryhtlīce, adv., *in lordly manner,
sovereignly.*

dryht-sele, m., *splendid hall.*

drync, see **drinc**.

Dubslane, m., *Dubslane*, a 'Scot' who came to King Alfred; 16, 30.

Dudda, m., *Dudda*, an alderman who fought under King Egbert; 5, 19.

dūfan, S2; dēaf; dufon; (ge)-dofen; *to dive, sink*.

dugan, PP. (sec. 55); dohte; ptc. wanting; *to avail, be worth, be of use, be strong or vigorous;* pres. 3rd sg. deah 114, 5. [cf. duguð; Ger. taugen]

duguð, dugoð, f., *body of retainers, the older warriors; virtue, manhood, honor;* tō duguþe, *as an honor*, 118, 25. [cf. dugan, Ger. tugend]

dumb, adj., *dumb*. [Ger. dumm]

dūn, f., *down, hill, mountain*.

Dunnere, m., *Dunnere*, a brave follower of Byrhtnoth; 120, 18.

durran, PP. (sec. 55); dorste; ptc. wanting; *to dare*.

duru, f.(7), *door*. [Ger. tür]

dūst, n., *dust*. [Ger. dunst]

dux (Lat.), m., *leader*.

dwæs, adj., *foolish, dull, stupid*.

dwelan, S4, *to err, be led into error*. [cf. dwellan]

dwellan, W1 (sec. 51, b); dwelian, W2; dwealde, dwelode; (ge)dweald, -dwelod; *to lead into error, deceive, lead astray; to err*. [cf. dwelan; cf. Mod. Eng. dull]

dweorh, dweorg, m., *dwarf*. [Ger. zwerg]

dyde, dydon, past sg. and pl. of **dōn** q.v.

dyht, see **diht**.

dynnan, W1, *to resound*. [cf. Mod. Eng. din]

dȳre, see **dēore**.

dyrne, see **dierne**.

dyrstig, adj., *daring, bold, rash*. [cf. durran]

dysig, n., *folly*.

dysig, dyseg, adj., *foolish*. [Mod. Eng. dizzy]

dysignes, dysines, f., *foolishness*.

E

ēa, ē, f.; also indecl. in sg.; also sg. gen. ēas; *river, running water;* sg. gen. ēas 21, 31; sg. dat. ēæ 21, 28. [Lat. aqua, Ger. au]

ēac, ēc, adv. and conj., *also, moreover, eke*. — Also prep. (with dat.), *in addition to, besides*. [Ger. auch]

ēaca, m., *addition, increase*. [cf. ēac]

ēacan, S7; ēoc; ēocon; ēacen, ēcen; *to increase, augment*. [Mod. Eng. to eke out]

ēacen, ptc. of **ēacan**, q.v., adj., *increased; pregnant*.

ēac swā, adv., *also*.

ēac swylce, adv., *likewise, moreover, also*.

ēac wel, adv., *likewise abundantly*.

Ēadburg, f., *Eadburg*, daughter of King Offa; 5, 8.

ēadig, adj., *blessed, rich, happy*.

ēadiglīce, adv., *happily*.

ēadignes, f., *happiness, blessedness.*

ēad-mōd, see ēaðmōd.

ēadmōdlīce, see ēaðmōdlīce.

ēadmōdnys, see ēaðmōdnes.

Ēadmund, m., *Edmund,* king of the East Anglians; 9, 31.

Ēadrīc, m., *Eadric,* a follower of Byrhtnoth; 113, 1 (see note).

Ēadulf, m., *Eadulf,* a South-Saxon thane of King Alfred; 22, 23.

Ēadwe(a)rd, m., *Edward,* son of King Alfred, reigned 901–925 A.D.; 24, 11. — Also *Edward the Martyr;* sg. acc. Ēadwerd 93, 1 (see note); 116, 9. — Ēadweard sē langa 121, 2.

Eafa, m., *Eafa,* an ancestor of King Alfred; 7, 32.

Eafing, m., patronymic (sec. 61), *son of Eafa;* 7, 32.

eafor, see eofor.

eafora, m., *heir, son.*

ēage, n., *eye.* [Lat. oculus, Ger. auge]

eahta, num., *eight.* [Ger. acht]

eahtatig, hundeahtatig, num., *eighty.* [Ger. achtzig]

eal, see eall.

ēalā, interj., *O, lo, oh; alas.*

ēa-land, -lond, n., *island.*

ealað, sg. gen. of ealu q.v.

Ealchere, Ealhere, m., *Ealchere,* a leader of the Kentish people; 6, 30.

Ealchstān, m., *Ealchstan,* bishop; 6, 24 (see note).

eald, ald, adj.; comp. (i)eldra, yldra, ealdra; sup. (i)eldest, yldest, eltst; *old, ancient;*

ealda fæder, *grandfather.* [Ger. alt]

ealda fæder, m., *grandfather.*

eald-hlāford, m., *old lord;* 159, 25 (see note).

ealdor, aldor, ealder, m., *prince, ruler; elder, parent; prior;* 81, 25. [cf. eald]

ealdor, n.; pl. ealdor; *life;* sg. dat. ealdre 154, 7. [Ger. alter]

ealdor-bisceop, m., *chief bishop.*

ealdor-dæg, aldor-dæg, m., *life-day, day of life.*

ealdor-gedāl, aldor-, n., *life-parting, separation from life,* hence, *death.* [cf. dǣlan]

ealdor-man(n), aldor-, mon(n), m., *alderman,* i.e., *chief officer of a shire.* See note to p. 112, l. 6. [Mod. Eng. alderman]

Eald-Seaxe, Ald-, pl. m.(4), *the old Saxons,* that branch of the Saxons remaining in Germany; 14, 28.

Ealdwold, m., *Ealdwold,* a brave follower of Byrhtnoth; 122, 2.

ealgian, W1, *to protect, preserve.*

Ealhelm, m., *Ealhelm,* a Mercian, grandfather of Ælfwine, brave follower of Byrhtnoth; 119, 14.

Ealhere, m., *Ealhhere,* leader of the Kentish men; 7, 15.

Ealhheard, m., *Ealhheard,* bishop of Dorchester; 22, 22.

Ealhmund, m., *Ealhmund,* a West Saxon ancestor of Alfred; 7, 32.

Ealhmunding, m., patronymic (sec. 61), *son of Ealhmund;* 7, 32.

eal(l), al(l), adj., *all;* m. sg.
acc. ealne weg, ealneg, *always;*
pl. acc. eallæ 50, 20; pl. gen.
as subs. Eallra hāligra, *All
Saints' Day* (Nov. 1), 98, 15.
[Ger. all]

eal(l), al(l), adv., *altogether,
completely;* eal swā, *just as,
just so.*

ealles, adv. gen., *altogether, en-
tirely;* ealles swīþost, *most of
all,* 22, 17.

eall-gylden, adj., *all-golden.*

eallunga, eallinga, adv., *alto-
gether, entirely, absolutely.*

ealneg (= ealne weg), adv.,
always.

ealswā, adv., *also, likewise.* —
Conj. adv., *just as.*

ealu, ealo, eala, n.(6); gen.
ealað, (e)aloð, dat. ealaðe, or
indecl.; *ale;* sg. acc. eala 76,
8; ealu 76, 9.

ealu-scerwen, f., *dearth of ale;*
perhaps fig., *dire distress;* 150,
18 (see note).

Ēanmund, m., *Eanmund,* son of
the Swedish king, Ohthere;
154, 19 (see note).

Ēanulf, m., *Eanulf,* alderman;
6, 23.

earc, erc, f.(2), arc, m.(1),
earce, f.(5), *ark.* [Lat. arca]

eard, m., *dwelling, home; native
land.*

eard-geard, m., *dwelling-place.*

eardian, eardi(ge)an, W2, *to
dwell* (intrans); *to inhabit*
(trans.). [cf. eard]

eard-stapa, m., *land-stepper,
wanderer.* [cf. steppan]

ēare, n., *ear.* [Lat. auris, Ger.
ohr]

earfoðe, earfeðe, n.(3), *diffi-
culty, hardship, toil;* pl. acc.
earfoþa 128, 2. [Ger. arbeit]

earfoðlīc, adj., *full of hardship,
irksome.*

earfoðlīce, adv., *hard, with dif-
ficulty, with trouble, grievously.*

earfoðnes, -nys, f., *hardship,
torture.*

earfoð-rīme, adj., *hard to count,
numerous.*

earfoð-sīð, m., *laborious journey;
hard times, misfortune.*

earh, earg, adj., *weak, timid,
cowardly.* [Ger. arg]

earhlīc, earg-, adj., *cowardly,
craven;* earhlīce laga, *laws
imposed upon cowards,* 93, 28.

earm, m., *arm.* [Ger. arm]

earm, arm, adj., *poor, wretched.*
[Ger. arm]

earm-bēag, m., *arm-ring, brace-
let.*

earm-cearig, adj., *miserable,
wretched.*

earmlīc, adj., *miserable, wretched.*

earmlīce, adv., *miserably,
wretchedly.*

earn, m., *eagle; ern.*

earnian, W2, *to earn, merit, de-
serve* (with gen.).

Earnulf, m., *Arnulf,* king of the
East Franks and emperor of
the Holy Roman Empire (died
899 A.D.); 15, 19.

earnung, f., *merit, deserts.*

ēast, adv.; comp. ēast(er)ra;
sup. ēastmest; *east, in an
easterly direction.* — Comp.

and sup. also used as adj., *more easterly; easternmost.* [Ger. osten]

ēastan, adv., *east, from the east;* — be ēastan (prep. with dat.), *east of.*

ēa-stæð, -steð, n., *river-bank.*

ēast-dǣl, m., *East, eastern region, Orient.*

Ēast-Dene, pl. m.(4), *East Danes.*

ēast-ende, m., *east end.*

Ēast-Engle, pl. m.(4), *East Anglians;* 9, 1, etc.

ēast(e)we(a)rd, adj., *eastern, easterly, eastward.*

ēast(e)we(a)rde, adv., *eastward, to the east.*

Ēast-Francan, pl. m., *East Franks.*

ēast-healf, f., *east side.*

ēastlang, adv., *along the east.*

ēast-rīce, n., *eastern kingdom.*

Ēastro, Ēastru, Ēastron, pl. f. or n., *Easter;* ofer Ēastron 7, 18; tō ēastron 98, 13.

ēastryhte, adv., *due east, eastward.*

ēast-sǣ, m. or f., *eastern sea,* i.e., Baltic Sea. [cf. west-sǣ]

Ēast-Seaxe, pl. m.(4); also pl. m.(5), pl. nom. -Seaxan, pl. gen. -Seaxna; *East Saxons;* 8, 17, etc.

ēastweard, see ēast(e)weard.

ēaðe, ēðe, īðe, adj.; comp. ēað-(e)ra, īeðra; sup. ēaðost, īeð-est; *easy, smooth, pleasant.* — Also adv., *easily.*

ēaðelīc, adj., *easy, simple.*

ēað-fynde, adj., *easy to find.*

ēaðmōd, ēadmōd, adj., *humble, meek, mild;* m. sg. acc. ēad-mōdne 104, 19 (see note).

ēaðmōdlīce, ēad-, adv., *humbly.*

ēaðmōdnes, ēad-, -nys, f., *meekness, humility.*

ēawan, see ēowan.

eax(e)l, exl, f., *shoulder.* [Lat. axilla, Ger. achsel, Mod. Eng. axle]

ebba, m., *ebb, or receding of water.* [Ger. ebbe]

ebbian, W2, *to ebb, recede.* [Ger. ebben]

Eber, m., *Eber,* reputed ancestor of the Hebrews; 69, 21.

Ebrēisc, adj., *Hebrew.*

Ebrēisc-geþīode, n., *Hebrew language.*

ēce, adj., *eternal, everlasting.*

ecg, f., *edge; sword.* [Ger. ecke]

Ecgbrehting, m., patronymic (sec. 61), *son of Egbert;* 6, 3 (see note); 7, 31.

Ecgbryht, m., *Egbert,* king of West Saxons (800–837 A.D.); 5, 15 (see note); 7, 32.

Ecgbryhtesstān, m., *Egbert's Stone,* some place in Wiltshire (?); 12, 34.

ecg-hete, m., *sword-hate, deadly hate.*

Ecglāf, m., *Ecglaf,* father of the Northumbrian hostage Ashferth, who fought to avenge Byrhtnoth; 120, 30.

Ecgðēow, m., *Ecgtheow,* father of Beowulf; 153, 27.

Ecgulf, m., *Ecgulf,* an officer of King Alfred's household; 22, 24.

ēcnes, -nys, f., *eternity.*

ēder, see **æder.**

edor, eder, eodor, m., *enclosure, dwelling, house.*

edwīt-līf, n., *life of disgrace.*

ēd-wylm, m., *heat of the fire, burning heat.* [cf. ād, wielm]

efen, efn, æfen, adj., *even, equal;* on efen, *together, at once.* [Ger. eben]

efen-eardigende, ptc., *co-dwelling.* [cf. eardian]

efenēhð, f., *neighborhood.*

efen-gōd, emn-gōōd, adj., *equally good.*

efenlang, emnlang, adj., *equally long;* on emnlang, prep. (with dat.), *along.*

efen-yrfe-weard, m., *co-heir, equal sharer of property.*

efes, f., *side, edge, edge of roof,* i.e., *eaves.*

efnan, æfnan, W1, *to perform, accomplish, achieve.*

efnan, W1; efnede; (ge)efned; *to level, make even, lay low.* [cf. efen]

efne, adv., *even, just, only.*

efor, see **eofor.**

efstan, W1; efste; (ge)efsted, -efst; *to hasten.*

eft, adv., *again, back, afterwards.* [cf. æft]

eft-fylg(e)an, W3, *to follow, succeed.* [cf. folgian]

eft-sīð, m., *return journey.*

ege, m.(4, later 1), *fear, awe, terror.*

egesa, egsa, m., *terror, fear, dread.* [cf. ege]

egesfull, adj., *terrible.*

egeslīc, adj., *terrible, awful.*

ēg-land, -lond, see **īg-land.**

ēgor-here, m., *water-army,* i.e., *the deluge.*

ēgor-strēam, m., *water-stream.*

ēg-strēam, m., *water-stream.*

Egypte, Ægypte, pl. m., *Egyptians;* gen. Ægypta 36, 11; Egypta 47, 25; acc. Egypti 46, 17.

ēhtan, W1; ēhte; (ge)ēhted; *to pursue, persecute* (with gen. or acc.).

ēhtere, m., *persecutor, tormentor.*

ēhtnes, -nys, -nis, f., *persecution.*

elcung, f., *delay.*

eldan, see **ieldan.**

elde, see **ielde.**

ele, m.(4, later 1), *oil.* [Lat. oleum, Ger. öl]

ele-bēam, m., *olive-tree,* i.e., *oil-tree.* [cf. ele]

Elesic, m., *Elesa,* father of Cerdic and ancestor of King Alfred; 8, 4.

Elesing, m., patronymic (sec. 61), *son of Elesa;* 8, 4.

Eleutherius, m., *Eleutherius,* pope from about 175 to 189 A.D.; 4, 5.

ellen, n., *strength, courage;* sg. dat. elne, *courageously;* on ellen, *courageously, boldly,* 119, 7; mid elne, *courageously,* 134, 7.

ellen-gǣst, m., *powerful spirit;* 146, 12 (see note).

ellen-mǣrðu, f., *fame for courage, heroic deed.*

ellen-sīoc, adj., *strengthless, weakened, helpless.*

ellen-weorc, n., *work of valor, courageous undertaking.*

ellen-wōdnes, -nis, f., *zeal, fervor.*

elles, adv., *else, otherwise;* elles hwǣr, *elsewhere.* [cf. Lat. alias, alius]

ellor-gāst, -gǣst, m., *alien spirit, spirit from elsewhere.*

eln, f., *ell, a measure of about 2 ft.* as used by Ohthere. Originally, the space from elbow to finger tips, hence, often about 18 inches. [cf. Lat. ulna, Ger. elle, Mod. Eng. ell, elbow]

elne, sg. dat. of ellen q.v., adv., *courageously, boldly.*

elra, comp. adj., *another.* [Lat. alius; cf. elles]

eltsta, ieldesta, sup. of eald q.v.

elþēodig-, see ælþēodig-.

embe, see ymbe.

Embene, pl. m.(4), *inhabitants of Amiens;* 14, 5.

emina (Lat.), **hemina,** f., *a liquid measure of half a pint;* 83, 6 (see note).

emn-, see efen-.

ende, m., *end;* sometimes *side;* on gewelhwilcum ende, *on every side,* 93, 32. [Ger. ende]

endebyrdnes, f., *order;* þurh endebyrdnesse, *in order or rotation,* 34, 15.

ende-lāf, f., *last remnant, sole survivor.*

endelēas, adj., *endless, infinite.*

endemes, adv., *equally, in like manner, uniformly.*

en(d)le(o)fan, num., *eleven.*

endle(o)fta, endlyfta, ordinal num., *eleventh.*

ēnga, adj., *only, sole.* [cf. ān]

engel, m., *angel.* [Lat. angelus, Ger. engel]

Englafeld, m., *Englefield* (Berkshire), scene of a battle in 871 A.D.; 10, 2.

Englaland, n., *England.*

Engle, Angle, pl. m.(4), *Angles;* in later times, *the English;* 29, 25; etc.

englelīc, adj., *angel-like, angelic.*

Englisc, adj., *English; the English language;* on Englisc 17, 1; pl. gen. Engliscra 23, 25.

Engliscgereord, n., *the English language.*

engu, f., *narrowness, confinement.* [Ger. enge]

Enoh, m., *Enoch;* 8, 13.

Enos, m., *Enos,* son of Seth (see Genesis 5:6); 8, 13.

ent, m., *giant.*

ēode, ēodon, past sg. and pl. of gān q.v.

eodorcan, W1, *to ruminate.*

eofor, efor, eafor, m., *wild boar;* pl. nom. eaforas 125, 32. [Lat. aper, Ger. eber]

Eoforwīcceaster, f., *York,* i.e., *City of the Wild Boar;* 9, 4; 9, 11. [Lat. Eboracum]

eoh, eh, m. and n., *war-horse, charger;* m. sg. acc. eoh 118, 17. [Lat. equus]

eom, pres. 1st. sg. of bēon q.v.

Eoppa, m., *Eoppa,* an ancestor of King Alfred; 7, 33.

Eopping, m., patronymic (sec. 61), *son of Eoppa;* 7, 32.

eorl, m., *earl.* See notes to p. 10, l. 1 and p. 112, l. 6. [Ger. erl]

eorlscipe, m., *earlship, status or quality of an earl.*

Eormanrīc, m., *Eormanric,* a famous Gothic king (see note to p. 129, l. 8).

eornost, eornest, f., *earnest, earnestness;* on eornost, *in earnest.* [Ger. ernst]

eornoste, adv., *earnestly, fiercely.*

eornostlīce, eornust-, adv., *earnestly; indeed.*

eorð-būend, m.(1. or 8), *earthdweller.* [cf. būan]

eorð-draca, m., *earth-dragon, earth-drake.* [cf. Lat. draco, Ger. drache]

eorðe, f.(5), also, **eorð,** f.(2), *earth, ground.* [Ger. erde]

eorðlīc, adj., *earthly.*

eorð-reced, m., or n., *earthhouse, cavern.*

eorð-scræf, n., *earth-cave, grave.*

eorð-wæstm, f., *fruit of the earth.*

eorð-weall, m., *earth-wall, rampart, mound.*

ēos (Lat.), m. pl. acc. of **is**; *them.*

eoten, m., *giant, monster.*

eotenisc, etonisc, adj., *gigantic, of a giant.*

ēow, īow, pl. 2nd pers. dat. and acc. of þū q.v., *you.*

ēowan, īewan, ȳwan, ēawan, W1; also **ēowian,** W2; *to show, manifest, disclose, reveal.*

ēowde, ēowede, n., *flock, herd.*

ēower, īower, pl. 2nd pers. gen. of þū q.v., *your, yours, of you.*
— Also possessive adj.

ēowian, see **ēowan.**

Eowland, n., *Öland,* an island lying near the southeastern coast of Sweden; 44, 1.

ercebiscep, see **ærcebisceop.**

eri(g)an, W1, *to plow, cultivate;* pres. ptc. ergende 12, 7. [Lat. aro]

ērīse, see **ārīsan.**

ermð, see **iermð.**

ernð, f., *standing grain, crop.*

ēruti (Lat.), past ptc. of **ēruo;** *plucked, snatched, saved.*

Escanceaster, see **Exanceaster.**

Esla, m., *Esla,* an ancestor of King Alfred; 8, 4.

Esling, m., patronymic, *son of Esla;* 8, 4.

esne-wyrhta, m., *a mercenary, hireling.*

est (Lat.), verb, *is.*

Estas, pl. m., *the Estas or Esthonians,* dwelling east of the Vistula; pl. dat. Estum 44, 6 (see note); 44, 20–21; 45, 20–23.

ēstfulnes, f., *devotion, zeal.*

Estland, n., *Esthonia,* i.e., country of the Estas; 44, 10; 44, 14.

Estmere, m., *the sea of the Estas,* i.e., *Frische Haff;* 44, 7–10.

et (Lat.), conj., *and.*

etan, S5; æt (or ǣt); ǣton; (ge)eten; *to eat;* pres. 2nd sg. ytst 75, 8; etst 75, 16. [cf. ettan; Ger. essen]

etonisc, see **eotenisc.**

ettan, W1, *to pasture, graze.* [cf. etan]

Eðandūn, f., *Eddington* (Wiltshire); 13, 4.

ēðe, see ēaðe.

ēðel, m., or n., *one's own residence or property, native land, home.*

ēðel-cyning, m., *king of the land.*

ēðel-land, n., *native land, homeland.*

Eðelwulf, see Æðelwulf.

Eve, see Aeva.

Euticius (Lat.), m., *Euticius, a holy man;* 87, 15; sg. acc. Euticium 87, 24; sg. gen. Euticius 88, 34.

Exance(a)ster, Escan-, f., *Exeter, the city of the river Exe, in Devonshire;* 12, 9 (see note); Escanceaster 12, 6; sg. acc. Exanceaster 18, 27.

F

fāc(e)n, n., *evil, deceit, fraud.*

fadian, W2, *to arrange, order, direct.*

fāg, fāh, adj., *colored, stained, variegated, shining;* 149, 5 (see note).

fāh, fāg, adj., *guilty, criminal, hostile;* sg. acc. as subs., fāne, foe, 155, 30. [cf. gefā]

Falster, *Falster,* an island of Denmark lying just south of Zealand; 43, 28.

falu, fealo, fealu, adj., *fallow, pale yellow.* [Ger. fahl]

fāmig, adj., *foamy.*

fāmig-borda, m., *a ship with foamy sides or deck;* m. sg. acc. fāmig-bordon 124, 9 (see note).

fandian, W1, *to try, test, tempt; try to learn, find out.* [cf. findan; Ger. fahnden]

fandung, f., *temptation, trial, experiment.* [cf. fandian]

fāne, sg. acc. of fāh q.v.

faran, S6; fōr; fōron; (ge)-faren; *to go, proceed;* also, *to come; fare;* pres. 3rd sg. færeð 110, 30. [cf. ferian; Ger. fahren]

faroð-lācend, fareð-, m., *seafarer, traveler by water;* used as ptc. adj., *seafaring,* 137, 29.

Fastitocalon, *Fastitocalon,* the name of a large whale. See note to p. 135, l. 7.

fæc, n., *division, space, interval.* [Ger. fach]

fæcne, fācne, adj., *guileful, wicked, deceitful.*

fæder, m. (sec. 18); pl. nom. fæd(e)ras; *father.* [Lat. pater, Ger. vater]

fæd(e)ren-healf, f., *the father's side.*

fædren-cynn, n., *paternal descent.*

fǣge, adj., *fated, doomed.* [Ger. feig]

fægen, adj., *fain, rejoicing; glad of* (with gen.).

fæger, adj., *fair, beautiful, pleasant.*

fægere, adv., *beautifully, well.*

fægernes, -nys, f., *fairness, beauty.*

fǣhð, f., *feud, enmity.* [cf. fāh; Ger. fehde]

fǣlsian, W2, *to cleanse, purge.*

fǣmne, fēmne, f., *virgin, damsel, woman.* [Lat. femina]

fǣr, fēr, m., *fear; peril;* mid fēre, *with fear*, 109, 29 (see note).

fær, n., *journey, way, going;* also, *vehicle, vessel, ship.* [cf. faran]

færeld, n., *journey, expedition.* [cf. faran]

fǣr-gripe, m., *a fearful grip,* hence, *sudden grip or attack.* [cf. fǣr]

fǣringa, adv., *suddenly.*

fǣrlīce, adv., *suddenly.*

fǣr-sceaða, m., *sudden or dangerous enemy, deadly foe.*

fæsl, m.(?), *offspring, progeny.*

fæst, adj., *fast, firm, secure.* [Ger. fest]

fæstan, W1, *to fasten, make firm, entrust; to fast, abstain from food.* [cf. fæst, fæstnian; Ger. fasten]

fæste, adv.; comp. fæstor; sup. fæstost; *fast, firmly, securely.*

fæsten, n., *fastness, fortress; fasting, abstaining from food.*

fæsten-bryce, -brice, m., *breaking of a fast.*

fæstlīce, adv., *firmly, resolutely.*

fæstnian, W2, *to fasten, conform, confirm, secure.* [cf. fæst]

fæstnung, f., *security, safety.*

fǣt, n., *gold plate;* pl. dat. fǣttum 148, 26 (see note).

fæt, n., *vessel, cup, vat.* [Ger. fass]

fǣted, ptc. adj., *plated, ornamented.*

fǣtels, m. or n.; pl. fǣtelsas or fǣtels; *vessel, vat.*

fæðm, m., *embrace,* hence, *fathom,* a measure either of about one and one-half feet (= a cubit) or else of about six feet; fīftig fæþma, *fifty cubits*, 67, 32. [Mod. Eng. fathom]

fæðmian, W2, *embrace, enfold.*

fēa, var. sg. dat. of **feoh** q.v.

fēa, see **fēawe.**

fealdan, S7; fēold; fēoldon; (ge)fealden; *to fold, wrap.* [Ger. falten]

feallan, S7; fēoll; fēollon; (ge)feallen; *to fall;* pres. 3rd sg. fylð, *extends*, 43, 9. [cf. fellan; Ger. fallen]

fealo, fealu, adj., *fallow,* i.e., *pale, yellow, dark.*

fealo, var. of **fela** q.v.

fealo-hilte, adj., *fallow-hilted,* i.e., *with a yellow or golden hilt.*

fe(a)rh, færh, m.; pl. nom. fēaras; *little pig; litter.* [Mod. Eng. farrow]

fearm, m., *freight, cargo, load.* [cf. faran, ferian]

Fearnhām, m., *Farnham* (Surrey); 18, 12.

fēawe, fēa, fēawa, pl. adj., *few.*

feax, fex, n., *hair of the head.*

feaxede, fexede, adj., *long-haired.*

fecc(e)an, W. S. form of **fetian**, W3; also W2; fette, fetode; (ge)fett, -fetod; *to fetch, bring.*

fēdan, W1; fēdde; (ge)fēd(d), -fēded; *to feed, sustain.* [cf. fōda]

fēgan, W1, *to join, bind, fix;*
past ptc. gefēged 136, 23.
[Ger. fügen]

fela, feala, feola, fealo, indecl.
adj., *many, much;* fealo, 159,
4; tō fela, *too much,* 115, 14.
[Ger. viel]

fēlan, W1, *to feel, touch.*

feld, m.(1), pl. nom. feldas; but
also m.(7), sg. dat. felda;
field. [cf. folde]

Felix (Lat.), m., *Felix,* a monk
quoted by Gregory in his
Dialogues; 85, 1.

fel(l), n., *skin, hide, fell.* [Lat.
pellis]

fellan, see **fyllan,** *to fell.*

feng, m., *grasp, clutch.* [cf.
fōn]

fen(n), n., *fen, marshy region.*

fen(n)-hlið, n., *fen-slope, marshy
tract;* pl. acc. fen-hleoðu
152, 3.

fen(n)-hop, n., *fen-retreat.*

feoh, fioh, fēo, n.; sg. gen. fēos,
dat. fēo, fēa; *cattle; property;*
sg. dat. fēo 13, 15; fēa 148, 17
(see note). [Lat. pecus, Mod.
Eng. fee, Ger. vieh]

feoh-gehāt, n., *promise of prop-
erty.*

feoh-gīfre, adj., *avaricious, cove-
tous.*

feohlēas, adj., *without money or
property;* 22, 12 (see note).

feohtan, S3; feaht; fuhton;
(ge)fohten; *to fight.* [Ger.
fechten]

feohte, f., *fight, battle.*

fēol-heard, adj., *file-hard.*

fēon (orig. *fehan), S5; feah;

fǣgon; (ge)fegen; *to exult, re-
joice.*

fēond, fīond, m.(1), pl. nom.
fēondas; also m.(6), pl. nom.
fīend, fȳnd; or m.(8), pl.
nom. fēond; *enemy; fiend,
devil.* [Ger. feind]

fēondscipe, m., *hostility, enmity.*

feor, see **feorr.**

feorh, fiorh, ferh, n., or m., *life;*
sg. dat. fēore 118, 22; pl. dat.
fēorum 145, 10; tō wīdan
fēore, *forever, eternally;* feorh
gewinnan, *to wound mortally,*
116, 17; frōd fēores, *advanced
in years,* 122, 15.

feorh-bana, feorg-bona, m., *life-
destroyer, slayer.*

feorh-bealo, n., *life-bale, deadly
evil.*

feorh-benn, f., *life-wound, fatal
wound.*

feorh-cwalu, f., *life-slaughter,
death.*

feorh-hūs, n., *life-house,* i.e.,
body.

feorh-legu, f., *allotted life.*

feorh-sēoc, adj., *life-sick,* i.e.,
mortally wounded.

feorm, fiorm, f., *food, provi-
sions; use, benefit.* [Mod.
Eng. farm]

feormendlēas, adj., *without a
polisher.*

feormian, W2, *to cleanse, polish;
to devour, consume.*

feor(r), adj. and adv.; comp.
fier(ra), fyr(ra); sup. fi(e)r(r)-
est, fyr(r)est; *far;* comp. *far-
ther, further;* sup. *farthest, first,
foremost, chief.* [Ger. fern]

feorran, W1, *to remove, banish.*
[cf. feorr]

feorran, adv., *from afar; from earliest times.*

feor(r)-cund, adj., *come from afar.*

fēorða, fēowerða, ordinal num., *fourth;* fēorðe healf hund, *350,* i.e., *three and a half hundreds,* 6, 33 (see note); fēorða ēac fēowertigum, *the four and fortieth,* i.e., *forty-fourth,* 26, 3. [Ger. vierte]

fēos, sg. gen. of feoh q.v.

fēower, num., *four.* [Ger. vier]

fēowertīene, -tȳne, num., *fourteen.* [Ger. vierzehn]

fēowertig, num., *forty;* pl. gen. fēowertigra 71, 26. [Ger. vierzig]

fēowertigoða, -teogoða, ordinal num., *fortieth.*

fēr, see fǣr.

fēran, W1, *to go, travel;* fēran forð, *to die.* [cf. faran]

fēre, adj., *able to go, fit for service.*

fērend, m.(8), *traveler, sailor;* used as ptc. adj. fērende gǣst, *a wandering spirit,* 143, 9. [cf. fēran]

ferh, see feorh.

ferhð, ferð, m. or n., *mind, heart, spirit.*

ferhð-gereht, ferht-, n., *that which is due the spirit, spiritual equity;* 137, 19 (see note).

fer(h)ð-grim(m), adj., *savage, fierce, awful.*

fer(h)ð-loca, m., *the soul's container,* i.e., *bosom, heart, mind.*

ferian, feri(ge)an, W1, *to carry,*

transport, lead, guide; also intrans., *to go, depart.* [cf. faran; Ger. führen, Mod. Eng. ferry]

fers, n., *verse.* [Lat. versus, Ger. vers]

fersc, adj., *fresh, pure.* [Ger. frisch]

ferð(-), see ferhð(-).

fēsian, see fȳsian.

fetian, see feccean.

fetor, feotor, f., *fetter.*

fēða, m., *band of foot-soldiers, troop.*

feðer, f., *feather.*

fiat (Lat.), subj. pres. 3rd sg. of fīo, *so be it.*

fier, comp. of feorr q.v.

fierd, fyrd, fird, f., *army, military expedition,* especially the *national militia* as organized by Alfred. See note to p. 6, l. 9.

fierdian, W2, *to make a military expedition.* [cf. fierd]

fierdlēas, adj., *army-less,* hence, *without military defense.*

fierd-rinc, fyrd-, m., *warrior.*

fierd-searo, fyrd-, n., *army-trappings, armor.*

fi(e)r(r)est, fyr(re)st, sup. of feor(r) q.v., adj., and ordinal num., *first, foremost, chief;* — also adv., *farthest.*

fīf, num., *five.* [Ger. fünf]

fīfel-cyn(n), n., *race of monsters.*

fīfel-strēam, m., *monster-stream,* i.e., *ocean.*

fīfta, ordinal num., *fifth.*

fīftene, fīftyne, num., *fifteen.* [Ger. fünfzehn]

fīftig, num., *fifty;* pl. dat. fīfte-
gum 51, 26. [Ger. fünfzig]

filg(e)an, see folgian.

Fin, m., *Fin,* an ancestor of King
Alfred; 8, 9.

findan, S3; fand, fond, also
funde; fundon; (ge)funden;
to find; ind. past sg. funde ic
hit, *I found it,* 140, 11. [cf.
fandian; Ger. finden]

finger, m., *finger.* [Ger. finger]

Finnas, pl. m., *Finns;* 41, 2
(see note).

Finning, m., patronymic, *son of
Fin;* 8, 8.

fiond, see fēond.

fīras, fȳras, m.(1), in pl. only;
men, mankind.

fird, see fierd.

firen, fyren, f., *crime, sin;
wicked deed;* adv. pl. dat.
firenum, *sinfully,* 136, 26;
pl. gen. fyrena hyrde, *master-
criminal,* 149, 30.

firen-dǣd, f., *crime, evil deed.*

firgen(-), see fyrgen(-).

Firgilius, m., *Virgil;* sg. gen.
Firgilies 127, 7.

first, see fyrst.

fisc, fix, m., *fish;* pl. acc. fixas
64, 14. [Lat. piscis, Ger.
fisch]

fiscað, see fiscnað.

fiscere, m., *fisher, fisherman.* [cf.
fisc]

fiscian, fixian, W2, *to fish.*

fiscnað, fiscnoð, fiscað, m., *fish-
ing.*

fit, f., *song, poem.*

fix, see fisc.

flā, f.(5, usually); flān, m.; *arrow.*

flāh, adj., *artful, deceitful, in-
sidious.*

flǣsc, n., *flesh.* [Ger. fleisch]

flǣsc-ǣt, m., *flesh food; the
eating of meat.*

flǣsc-hama, -homa, m., *flesh-
covering, body.*

flǣsc-mete, -mette, m., *flesh-
meat,* i.e., *meat-food.*

flēam, m., *flight.* [cf. flēon,
flīeman]

flēan (orig. *flahan), S6; flōh,
flōg; flōgon; (ge)flagen; *to
flay.*

flēogan, S2; flēag, flēah; flugon;
(ge)flogen; *to fly* (intrans.);
subj. pres. pl. flēogan 140, 17.
[Ger. fliegen]

flēon (orig. *flēohan), flīon, S2;
flēah; flugon; (ge)flogen; *to
flee, escape* (trans. and in-
trans.). [Ger. fliehen]

flēot, m., *bay, place where vessels
float.*

flēotan, S2, *to float, swim;* ptc.
pl. gen. flēotendra, *of seafarers,*
132, 8. [Ger. fliessen]

flet(t), n., *floor of the hall; hall,
house;* sg. acc. flet ofgēafon,
deserted the hall, 132, 15.

flīeman, flȳman, W1, *to put to
flight, drive out.* [cf. flēam,
flēon]

flīes, flȳs, etc., n., *fleece.*

fliht, see flyht.

flocc, m., *flock, band, company.*

floc-rād, f., *riding company,
troop.*

flōd, m., *water, flood, stream;
flood-tide.* [Ger. flut]

flōr, f.(2); but also f.(7), sg.

dat. flōra; also m.(1), sg. gen.
flōres; *floor;* m. sg. acc. flōr
149, 5. [Ger. flur]

Florentius (Lat.), m., *Florentius,*
a holy man; 87, 15; sg. acc.
Florentium 87, 29.

flot, n., *deep water.* [cf. Mod.
Eng. afloat]

flota, m., *sailor, pirate.*

flot-man(n), -mon(n), m.(6),
sailor, pirate.

flōwan, S7; flēow; flēowon;
(ge)flōwen; *to flow;* past pl.
flēowan 110, 31. [Lat. pluo]

flyht, fliht, m., *flight.* [cf. flēo-
gan]

fōda, m., *food.* [cf. fēdan]

folc, n., *folk, people, race, nation.*
[Ger. volk]

folc-cūð, adj., *well known, cele-
brated.*

folc-cyning, m., *folk-king.*

folc-gefeoht, n., *general engage-
ment.*

folc-gemōt, n., *the assembly of
the people, town-meeting.*

folcisc, adj., *of the people,* hence,
common, vulgar, popular.

folc-lagu, f., *folk or public
law.*

folc-riht, n., *folk-right, right to
a share of folk property.*

folc-sc(e)aru, f., *division of the
people, the people's share, pub-
lic land;* 145, 10 (see note).

folc-stede, m., *folc-stead, meeting
place of the people; battle
field.*

fold-bold, n., *a building.*

folde, f., *earth, country; ground.*
[cf. feld]

fold-wang, -wong, m., *earth,
ground.*

folgað, -oð, m., *following,* hence,
service, office. [cf. folgian]

folgian, W2; also **fylg(e)an,
filg(e)an,** W3; folgode, fylgde,
filigde; (ge)folgod, -fylged;
to follow, serve, obey (with dat.);
inf. fyligean 95, 28. [Ger. fol-
gen]

folm, f.(2), **folme,** f.(5), *hand;*
sg. dat. folman 115, 32. [Lat.
palma; cf. fēlan]

fōn (orig. *fanhan, later *fōhan),
S7; fēng; fēngon; (ge)fan-
gen, -fongen; *to seize, grasp,
attain to;* fō tō, *take or carry
to,* 97, 12; tō wæpnum fēng,
seized weapons, 112, 10. [cf.
Lat. pango, Ger. fangen, Mod.
Eng. fang]

fōr, f., *journey.* [cf. faran]

fōr, fōron, past ind. of **faran** q.v.

for, prep. (with dat. or ins.; also
acc.), *for, because of; com-
pared with;* for þone līcho-
man, *compared with the body,*
55, 19. [Ger. für]

for, intensive adv., *very;* for oft,
very often; for swīðe, *very
greatly.*

for-, prefix, usually adds a
contrary or unfavorable or
intensifying meaning, e.g.,
forniman, *to destroy,* forsēon,
to despise. [cf. Ger. ver-]

foran, adv., *before, in front.*

forbærnan, W1, *to burn up*
(trans.). [cf. bærnan]

forbēodan, S2, *to forbid.* [cf.
bēodan]

forbeornan, -byrnan, S3, *to burn up.* [cf. beornan]

forberstan, S3, *to burst, break into pieces, snap.* [cf. berstan]

forbregdan, -brēdan, S3, *to transform.* [cf. bregdan]

forbūgan, S2, *to turn away, avoid, escape.*

forcierran, -cerran, W1, *to avert, turn away, avoid.* [cf. cierran]

forcūð, adj.; comp. forcūðra; sup. forcūðost; *infamous, wicked.*

ford, m.(1), pl. nom. fordas; but also m.(7), sg. dat. forda; *ford.*

fordil(i)gian, W2, *to blot out, destroy completely.* [Ger. vertilgen]

fordōn, spec., *to do away with, destroy;* ptc. fordōnum, *polluted, lost,* 111, 8. [cf. dōn]

fordrīfan, S1, *to drive out, eject, banish, drive away;* fordrīfe þȳ botle, *drive out of his abode,* 101, 5; fordrifenan, *driven out of his course,* 54, 25. [cf. drīfan; Ger. vertreiben]

fore, adv.; comp. furðra; sup. fyr(e)st, forma, fyrmest; *before.* The comparative and superlative forms are likewise used as adjectives, in the sense, *further; first, earliest.*

fore, prep. (with acc.), *before.*

forealdian, W2, *to grow old.* [cf. eald]

forebiddan, S5, *to intercede, pray for.* [cf. biddan]

foregangan, -gongan, S7, *to go before, precede.* [cf. gangan]

foregīsel, m., *preliminary hostage.* [cf. gīsel]

forescēawian, W2, *to foresee, provide; foreordain.* [cf. scēawian]

forescēawung, f., *foresight, providence, preparation.*

foresp(r)eca, m., *sponsor; mediator.*

foresp(r)ecan, S5, *to mention before;* past ptc. foresprecena, *aforesaid,* 14, 7. [cf. sprecan]

foresteppan, -stæppan, S6, *to step or go before, precede.* [cf. steppan]

foreteohhung, -tiohhung, f., *predestination.*

forfaran, S6, *to go in front of, obstruct.* [cf. faran]

forgān, spec., *to forgo, abstain.* [cf. gān]

forgangan, S7, *to forgo, abstain from.* [cf. gangan]

forgi(e)fan, -gyfan, S5, *to give, grant;* occasionally, *forgive, remit.* [Ger. vergeben]

forgi(e)ldan, -gyldan, S3, *to pay for, repay; buy off;* lēan forgieldan, *to repay, requite.* [cf. gieldan; Ger. vergelten]

forgi(e)tan, S5, *to forget.* [cf. gietan; Ger. vergessen]

forgrindan, S3, *to grind to pieces, destroy, ruin.* [cf. grindan]

forgyfan, see forgiefan.

forhabban, W3, *to hold in, restrain, abstain.*

forhæf(e)dnes, -hefednes, -nis, f., *restraint, abstinence.* [cf. forhabban]

forhealdan, S7, *to withhold, disregard, misuse.* [cf. healdan; Ger. verhalten]

forheard, adj., *very hard.*

forhēawan, S7, *to cut or hew to pieces.* [cf. hēawan]

forhelan, S4, *cover over, hide, conceal.* [cf. helan]

forhergian, W2, *to devastate, lay waste.* [cf. hergian]

forhogdnis, -hohnes, f., *contempt.* [cf. forhogian]

forhogian, -hycgan, W2, *to despise, scorn.* [cf. hogian]

forht, adj., *fearful, afraid.*

forhtian, forhtigean, W2, *to be frightened; fear.*

forhwǣga, -hwega, adv., *at least, about.*

for hwǣm, for hwon, adv., *wherefore, for what reason.*

forhw(i)erfan, -hwyrfan, W1, *to transform, pervert, deprave;* ptc. pl. acc. forhwyrfdan 88, 31. [cf. hwierfan]

forierman, -yrman, W1, *to harass, afflict greatly.* [cf. ierman]

forlǣran, W1, *to misteach, corrupt, seduce.* [cf. lǣran]

forlǣtan, S7, *to permit, let go, allow; to abandon, neglect, leave;* past pl. forlǣttan 28, 29; forlēton 61, 25. [cf. lǣtan]

forlēogan, S2, *to lie, belie, perjure.* [cf. lēogan]

forlēosan, S2; forlēas; forluron; forloren; *to lose; ruin, destroy.* [Ger. verlieren; Mod. Eng. forlorn]

forliger, n., *adultery, fornication.*

forma, var. sup. of fore q.v., used as ordinal num., *first;* forman sīðe, *first, first of all,* 149, 20.

fornēan, fornēah, adv., *very nearly, almost.*

forniman, S4, *to take away, destroy, annul.* [cf. niman]

fornȳdan, W1, *to force, compel.* [cf. nīedan]

forrǣdan, W1, *to betray, deprive by treachery.* [cf. rǣdan; Ger. verraten]

forrīdan, S1, *to ride before, intercept, ride down.* [cf. rīdan]

forscieppan, -sceoppan, S6, *to transform, change completely.* [cf. scieppan]

forscrīfan, S1, *to proscribe, condemn.* [Ger. verschreiben]

forscyld(i)gian, W2, *to incriminate, condemn.* [cf. scyldig, Ger. schuldig]

forsēon, S5, *to despise, overlook.* [cf. sēon]

forsittan, S5, *to delay.* [cf. sittan]

forspanan, S6, *to beguile, seduce.* [cf. spanan]

forspendan, W1, *to spend completely.* [cf. spendan]

forspillan, W1, *to kill, destroy.* [cf. spillan]

forstandan, -stondan, S6, *to understand; to stand up for, defend, help.* [cf. standan; Ger. verstehen]

forswāpan, S7, *to sweep away.* [cf. swāpan]

forswelgan, S3, *to swallow up, consume, devour completely.* [cf. swelgan]

forswerian, S6, *to forswear, renounce; to swear falsely; to lay a spell upon,* 151, 21 (see (note). [cf. swerigean]

forswīgian, -swēogian, -swugian, W2, *to keep silent, conceal, pass over.* [cf. swīgian]

forswīðe, adv., *very much; utterly.*

forsyngian, W2, *to sin away, to spoil by sinning.*

fortēon, S2, *to lead astray, beguile.* [cf. tēon]

fortredan, S5, *to tread down.* [cf. tredan]

fortyhtan, W1, *to mislead, seduce.*

forð, adv., *forth, forwards; continually;* tō forð, *too continually,* 95, 15; *so far forth,* 117, 10. [Ger. fort]

forþæm, -þām, -þan, -þon, often followed by þe, conj. adv., *for, because;* — dem. adv., *for that reason, therefore; indeed, verily* (see note to p. 131, l. 23).

forðbringan, W1, *to bring forth, utter.* [cf. bringan]

forðfēran, W1, *to depart, pass away,* hence, *die.* [cf. fēran]

forðfōr, f., *departure; death.* [cf. faran]

forðgeorn, adj., *impetuous, eager to advance.*

for þī þe, see **for-þȳ.**

forðlǣdan, W1, *to lead or bring forth, produce.* [cf. lǣdan]

forþolian, W2, *to do without, lack, miss* (with dat.). [cf. þolian]

forþon, see **forþǣm.**

forðweard, m., *pilot.*

forðweg, m., *way leading forth; path out of life.*

for-þȳ, for þȳ þe, for-þī, etc., conj. adv., *for, because, for the reason that.* — Also dem. adv., *for that reason, therefore.*

forwegan, S5, *to overcome, kill.*

forweorpan, S3, *to cast away, reject; throw.* [cf. weorpan]

forweorðan, -wurðan, S3, *to perish.* [cf. weorðan]

forwi(e)rnan, -wyrnan, -wernan, W1, *to prevent, keep from, prohibit* (with dat. of person and gen. of thing, or object clause with þæt).

forwrecan, S5, *to drive out, banish.* [cf. wrecan]

forwrītan, S1, *to cut through, pierce.* [cf. wrītan]

forwundian, W2, *to wound seriously.*

forwyrc(e)an, W1; -worhte, -wyrhte; -worht, -wyrht; *to ruin, destroy, obstruct.* [cf. wyrcean]

foryrman, see **forierman.**

fōster, n., *fostering, nourishing, food.* [cf. fōda]

fōstre, f., *fosterer, nurse.*

fōt, m.(6); pl. nom. fēt; *foot.* [Gr. πούς, Lat. pes, Ger. fuss]

fōt-mǣl, n., *foot-print, a foot's space.*

fox, m., *fox.* [Ger. fuchs]

fracod, fracuð, adj., *wicked, vile, of bad repute.*

fram, see from.

framian, -fromian, W2, *to avail, profit, benefit* (with dat.).

franca, m., *spear*.

Francan, pl. m.(5), *the Franks;* pl. gen. Francna 7, 27.

Franc-land, Fronc-lond, n., *land of the Franks;* 5, 28; 13, 23.

Fræna, m., *Fraena*, a Danish earl, slain in 871 A.D.; 10, 17.

fræng, orthographic var. of frægn, past sg. of fricgean q.v.

frætwe, f., in pl. only, *ornaments, decorations; decorated weapons or armor;* 143, 6 (see note).

frætw(i)an, W1 or 2, *to adorn, embellish*.

frēa, m., *lord.* [cf. Ger. frau]

frēa-dryhten, -drihten, m., *lord and master*.

Frēalāf, m., *Frealaf*, an ancestor of King Alfred; 8, 8.

Frēawine, m., *Freawine*, an ancestor of King Alfred; 8, 5.

Frēawining, m., patronymic, *son of Freawine;* 8, 5; also 8, 8.

frēcen, n., *danger, peril*.

frēcennes, f., *danger, harm*.

frēcne, frǣcne, adj., *dangerous, horrible, perilous, wicked*.

frēfran, W1; frēfrede; (ge)frēfred; *to comfort, console, cheer.* [cf. frōfor, frēfrian]

frēfrian, W2; frēfrode; (ge)frēfrod; *to comfort, console, cheer*.

fremde, adj., *strange, foreign;* ðā fremdan, *strangers*, 45, 19. [Ger. fremd]

fremian, W2, *to profit, benefit, be expedient*.

fremman, W1, *to do, perform, accomplish; to shape or frame.* [cf. fram, adj., framian and fremian]

fremsumnes, f., *kindness, benefit.* [cf. fram, adj., fremian]

Frencysca, m., *a Frenchman;* 24, 23.

frēo, frīo, frēoh, frīoh, frī(g), adj., *free, noble;* weak m. sg. nom. sē frīgea, *the freeman*, 99, 18; f. sg. acc. frīge 56, 15. [Ger. frei]

frēo-bearn, m., *free-born or noble child*.

frēod, f., *peace, good-will;* wið frēode, *for peace*, 113, 29.

frēo-dryhten, m., *noble lord*.

frēols-bryce, -brice, m., *breach of the peace*.

frēols-tīd, f., *feast-tide, festival*.

frēo-mǣg, m., *free kinsman*.

frēond, m.(1), pl. nom. frēondas; also m.(6), pl. nom. frīend, frȳnd; or m.(8), pl. nom. frēond; *friend.* [Ger. freund]

frēondlēas, adj., *friendless*.

frēondlīce, adv., *in a friendly manner.* [Ger. freundlich]

frēondscipe, m., *friendship*.

frēorig, adj., *freezing, cold, chill.* [cf. frēosan]

frēo-riht, n., *rights of a freeman*.

frēosan, S2; frēas; fruron; (ge)froren; *to freeze.* [Ger. frieren]

frēot, m., *freedom, liberty.* [cf. frēo]

Fresisc, see Friesisc.

fretan (= for-etan), S5, *to devour, eat up.* [cf. etan; Ger. fressen, Mod. Eng. fret]

frettan, W1, *to graze, pasture, cause to devour.* [cf. fretan]

fricg(e)an (orig. **fregjan*), S5; fræg; frǣgon; (ge)fregen, -frigen; *to inquire, ask;* ind. past sg. fræng 37, 16. [cf. frignan, Ger. fragen]

friclan, W1, *to seek for, desire* (with gen.).

Fri(e)sa, m., *a Frisian;* 14, 30; 23, 23.

Fr(i)esisc, adj., *Frisian;* on Fresisc, *in the Frisian fashion,* 23, 2; pl. gen. Fresiscra 23, 25.

frīg, f., *love, affection;* pl. nom. frīge 129, 2.

frīge, see **frēo.**

frignan, frīnan, S3; frægn, frǣn, frǣng; frugnon, frūnon; (ge)-frugnen, -frūnen; *to ask, inquire.* [cf. fricgean, Ger. fragen]

frimdi(g), frymdi(g), adj., *desirous, asking.* [cf. fricgean]

frīo(h), see **frēo.**

Frisa, see **Friesa.**

friðe, m. or n., *peace, security;* adv. gen. friþes, *in peace,* 113, 31. [Ger. friede]

Friðogār, m., *Frithogar,* an ancestor of King Alfred; 8, 6.

Friðogāring, m., patronymic, *son of Frithogar;* 8, 6.

Friðowalding, m., patronymic, *son of Frithowald;* 8, 7.

Friðuwald, m., *Frithowald,* an ancestor of King Alfred; 8, 7.

Friðuwulf, m., *Frithuwulf,* an ancestor of King Alfred; 8, 8.

Friðuwulfing, m., patronymic, *son of Frithuwulf;* 8, 8.

frōd, adj., *wise, prudent, skillful; old, aged.*

frōfor, frōfer, f., *comfort, consolation.*

from, fram, prep. (with dat. or ins.), *from, on the part of, by* (expressing agency). — Adv., *forth, away,* often with verb of motion implied; fram ic ne wille, *I will not go away,* 122, 15; also 150, 3.

from-cyn(n), n., *ancestry, parentage.*

Fronc-lond, see **Franc-land.**

fruma, m., *beginning, creation.*

frumsceaft, f., *creation, beginning.*

frum-stōl, m., *original seat, mansion-house.*

frymdi, see **frimdig.**

frymð, m. or f., *beginning.* [cf. fruma]

frȳnd, var. pl. of **frēond** q.v.

fug(e)lere, m., *fowler.* [cf. fugol]

fugol, fugel, m., *bird;* 133, 3 (see note). [Mod. Eng. fowl, Ger. vogel]

fugol-cyn(n), n., *bird-kind.*

fuit (Lat.), pres. perfect 3rd sg. of **sum,** *to be.*

fūl, adj., *foul, vile.*

fulfremedlīce, adv., *fully, completely, perfectly.*

fūlian, W2, *to decompose, decay.*

ful(l), adj., *full; filled;* be fullan, *fully, perfectly, completely.* — Also adv., *fully, very;* full nēah, *very nearly, quite.* [Ger. voll]

Fullanhām, -hōm, m., *Fulham, on the Thames, near London;* 13, 19; 13, 23.

fullæstan, W1, *to help, aid* (with dat.). [cf. læstan]

fullian, fulwi(ge)an, W2, *to baptize.*

fullīce, adv., *fully, entirely, completely.*

ful(l)-nēah, adv., *full nigh, very near, almost.*

fulluht, fulwiht, n., *baptism.*

fulluht-nama, m., *baptismal or Christian name.*

ful(l)-wīte, m., *full punishment.*

fultum, m., *help, aid.*

fultumian, W2, *to aid, assist.* [cf. fultum]

fulwian, see **fullian.**

fulwiht, see **fulluht.**

furh, f.(6), *furrow.*

fur-lang (orig. *furh-lang*), n., *a furrow's length,* hence, *furlong, one-eighth of a mile.* [cf. furh]

furðor, furður, adv., *further.*

furðum, furðon, adv., *just, even, quite;* ne furðum, *not even.*

fūs, adj., *ready, eager.* [cf. Mod. Eng. fuss]

fūslīc, adj., *ready, prepared.*

fylcian, W2, *to gather troops, assemble a folk.* [cf. folc]

fylg(e)an, see **folgian.**

fyl(l), m., *fall, destruction, death;* also, *case,* in grammar. [cf. feallan, Ger. fall]

fyl(l), f., *fill, fulness, plenty.* [cf. full; Ger. fülle]

fyllan, fellan, W1; fylde; fyldon; (ge)fylled; *to fell, make fall,* destroy. [cf. feallan; Ger. fällen]

fyllan, W1; fylde; (ge)fylled; *to fill, make full; fulfil.* [cf. full]

fylst, m., *help, assistance.*

fylstan, W1, *to assist, help.*

fylð, pres. 3rd sg. of **feallan** q.v.

fȳnd, fiend, pl. of **fēond** q.v.

fȳr, n., *fire.* [Ger. feuer]

fyr, comp. of **feorr** q.v.

fȳr-bæð, n., *fiery bath.*

fȳr-bend, m. or f., *band forged with fire.*

fyrd(-), see **fierd(-).**

fȳr-draca, m., *fire-drake, fiery dragon.* [cf. Lat. draco, Ger. drache]

fyren, see **firen.**

fyrgen-strēam, firgen-, m., *mountain-stream.*

fyrhto, f., indecl. in sg., *fright, fear.*

fyrmest, sup. of **fore** q.v., adj. or adv., *first, foremost.*

fyrn-man(n), m., *former man.*

fyrn-strēamas, pl. m., *ancient streams,* i.e., *the ocean.*

fyrst, first, m., *period of time, time;* on fyrste, *in due time,* 146, 2. [Ger. frist]

fyrst, see **fierrest.**

fȳr-sweart, adj., *fire-darkened, smoky.*

fyrðran, W1, *to further, hasten, induce.* [cf. furðor]

fyrwet(t), fyrwit(t), n., *curiosity.*

fȳr-wylm, m., *surge of flame, wave of fire.*

fȳsan, W1, *to send forth, impel*

(trans.); *to hasten* (intrans.).
[cf. fūs]

fȳsian, fēsian, W2, *to put to
flight;* ind. pres. 3rd sg. fēseð
94, 1. [cf. fȳsan]

fyxen, fixen, f., *she-fox, vixen.*
[cf. fox]

G

Gabrihel, m., *Gabriel,* an arch-
angel; 69, 33.

Gad(d), m., *Gad,* kinsman of the
Offa who fought bravely to
avenge Byrhtnoth; Gaddes
mæg, *Offa,* 121, 16 (see note).

gaderian, see gæderian.

gafol, n., *tax, tribute.*

Gaius Iulius (Lat.), m., *Caius
Julius (Caesar);* Gaius, ōðre
naman Julius, 26, 11.

galan, S6, *to sing, sound, scream.*
[cf. Mod. Eng. nightingale]

galdor, gealdor, n., *incantation,
charm;* 139, 4 (see note).
[cf. galan]

gamol, gomol, -el, adj., *old, aged,
ancient.*

gān, spec. (sec. 57); ēode; ēodon,
-an; (ge)gān; *to go;* also,
come; walk; past pl. ēodan
23, 20. [Ger. gehen]

gang, gong, m., *path, course;
going.* [cf. gangan]

gangan, gongan, gengan, S7;
gē(o)ng, gīong, gīeng; gē(o)n-
gon, gīongon; (ge)gangen;
to go, walk, advance; subj.
pres. pl. gangon 114, 13; sg.
imp. geong 158, 22. [Scot.
gang]

gang-dagas, gong-, pl. m., *Roga-*

*tion days, the three days before
Ascension;* 16, 33 (see note).

gār, m., *spear, dart, javelin.*
[Mod. Eng. gar-fish, garlic,
gore]

gār-berend, m.(8), *spear-bearer.*

gār-ræs, m., *spear-combat, battle.*

gār-secg, m., *ocean;* literally,
spear-man or warrior.

gār-wiga, m., *spear-warrior.*

gār-wīgend, m.(8), *spear-war-
rior.*

gāst, gǣst, m., *spirit, soul.*
[Mod. Eng. ghost, Ger. geist]

gāstlīc, gǣstlīc, adj., *ghostly,
spiritual; ghastly, terrible.*
[Ger. geistlich]

gāt, f.; pl. nom. gǣt, gēt; *she-
goat.* [Ger. geiss]

gat, see geat.

gǣdeling, m., *kinsman, comrade,
relative.*

gǣd(e)rian, gaderian, W2, *to
gather, collect.*

gǣr, see gēar.

gǣst(-), see gāst(-).

gǣð, pres. 3rd sg. of gān q.v.

gē, pl. 2nd pers. nom. of þū q.v.,
ye.

ge, conj., *and;* often used as cor-
relative conj., *both . . . and.*

geācsian, see geāscian.

geador, adv., *together.*

geandettan, W1, *to confess.*

geandwyrdan, W1, *to answer*
(with gen.). [cf. andwyrdan]

geanwyrde, adj., *known, con-
fessed.*

gēap, adj., *vaulted, spacious, am-
ple, broad;* 152, 19 (see note).

gēar, gēr, gǣr, n., *year;* gen. of

time, þæs gēares, *in that year*, 11, 2; pl. gen. gēara īu, *long ago*. [Ger. jahr]

gēara, pl. gen. of gēar, q.v., adv., *of yore, in years past, formerly*.

gearcian, W2, *to prepare, make ready*.

geard, m., *inclosure, garden, yard;* also, *fence, hedge*. [cf. Lat. hortus, Ger. garten, dial. Eng. garth]

gēar-dæg, m., *day of yore*.

geare, gearwe, adv.; comp. gearwor; sup. gear(w)ost; *readily, well*.

gearnung, f., *merit, deserts*.

gearolīce, adv., *readily, clearly*.

gearu, gearo, adj., *ready;* pl. nom. gearuwe 74, 13; gearowe 114, 29. [Ger. gar]

gearwe, see geare.

gearwian, W2, *to prepare, make ready*. [cf. gearu]

geāscian, -ācsian, -āhsian, W2, *to learn by inquiry, find out, hear of;* subj. pres. sg. geāhsige 100, 16. [cf. āscian]

gēasne, adj., *deprived of, void of* (with gen.).

Gēat, m.; pl. Gēatas; *Geat,* an ancestor of the West-Saxon kings; 8, 9; — Also one of a tribe ruled by Beowulf; pl. gen. Gēata dryhten, *the lord of Geats,* 152, 30.

geat, gat, n., *gate*.

Gēating, m., patronymic, *son of Geat;* 8, 9.

Gēat-mecgas, pl. m., *men of the Geats;* 152, 12.

geat-weard, m., *gate-ward, door-keeper, porter*.

geǣmet(t)igian, W2, *to free, disengage from* (with acc. of person and gen. of thing).

geændian, see geendian.

geǣrnan, W1, *to ride for, gain by riding*. [cf. ærnan]

gebannan, S7, *to summon; order* (with dat. of person and acc. of thing). [cf. bannan]

gebǣran, W1, *to bear oneself; to behave, fare*. [cf. beran]

gebǣre, see gebǣru.

gebǣru, f., or gebǣre, n., *bearing, conduct, behavior*. [cf. beran]

gebed, n., *prayer*. [Ger. gebet]

gebed-hūs, n., *oratory, prayer-house*.

gebelgan, S3, *to make angry, anger*. [cf. belgan]

gebennian, W2, *to injure, wound*. [cf. benn]

gebeorg, -beorh, n., *protection, defense;* wið gebeorge, *for protection,* 113, 21.

gebeorgan, S3, *to protect*. [cf. beorgan]

gebeornan, S3, *to burn*. [cf. beornan]

gebēorscipe, m., *feast, conviviality,* i.e., *beership*.

gebētan, W1, *to make good, make amends for; repent;* legally, *to make reparation, give satisfaction*. [cf. bētan, bōt]

gebīdan, S1, *to experience, meet with; to await, look for* (with gen.). [cf. bīdan]

gebiddan, S5, *to pray, ask;* with

reflexive dat., him gebæd, *prayed*, 37, 29; gebide þē, *pray*, 141, 1. [cf. biddan]

gebī(e)gan, W1, gebī(e)gde; ge-bī(e)ged, *to bend*, (trans.) *turn, convert*. [cf. bīegan]

gebind, n., *combination, commingling;* waþema gebind, *the mingling of the waves, the ocean*. [cf. bindan]

gebindan, S3, *to bind*.

geblissian, W2, *to gladden; bless*. [cf. blīðe]

gebōcian, W2, *to give or grant by book or charter;* past sg. gebō-cude 7, 22 (see note). [cf. bōc]

gebod, n., *command*. [Ger. ge-bot]

gebræc, -brec, n., *breaking, crashing*. [cf. brecan]

gebregdan, -brēdan, S3, *to draw, brandish*. [cf. bregdan]

gebrēowan, S2, *to brew*.

gebringan, W1, *to bring*. [cf. bringan]

gebrōðor, gebrōðra, -ru, m. (sec. 18), used as pl. of brōðor, *brothers, brethren*. [Ger. ge-brüder]

gebūgan, S2, *to bend, turn, bow, coil*.

gebūn, -bȳn, var. ptc. of būan q.v., *inhabited*.

gebycg(e)an, W1, *to buy, ransom;* past 2nd sg. gebohtes 109, 2. [cf. bycgean]

gebyrd, n., usually indecl. in sg., *birth, parentage, rank*. Has same meaning in sg. and pl. [cf. beran; Ger. geburt]

gebyrian, -birian, W1, *to happen, behoove* (usually impers.); *pertain*. [Ger. gebühren]

gecamp, m., *fight, battle*.

gecēapian, W2, *to buy, trade, purchase*. [cf. cēap]

gecēosan, S2, *to choose, elect*. [cf. cēosan]

gecēpan, see gecīepan.

gecī(e)gan, -cȳgan, W1, *to call forth, invoke*. [cf. cīegan]

gec(ī)epan, -cȳpan, W1, *to buy*. [cf. cēap]

geci(e)rran, -cyrran, W1, *to turn, change, convert;* tō ānum gecierdon, *they united*, 5, 21.

geclæman, W1, *to smear*.

gecnāwan, S7, *to recognize, perceive, learn*. [cf. cnāwan]

gecoren(n)es, f., *choiceness; choice*. [cf. cēosan]

gecrincan, S3, *to fall in battle;* past sg. gecranc 122, 22. [cf. crincan]

gecringan, S3, *to fall, yield*. [cf. cringan]

gecwēman, W1, *to please, satisfy* (with dat.). [cf. cwēman]

gecwēme, adj., *pleasing, acceptable*. [cf. Ger. bequem]

gecweðan, S5, *to say, speak*. [cf. cweðan]

gecynd, f. and n., *nature, kind, characteristic; offspring*. [Ger. kind]

gecynde, adj., *natural, innate*.

gecyrran, see gecierran.

gecȳðan, W1, *to make manifest*. [cf. cȳðan]

gedaf(e)nian, W2, *to befit, suit* (used impersonally, with dat.).

gedafenlīc, adv., *fitting, suitable, decent.*

gedāl, n., *division, share, lot;* wæs nān tō gedāle, *there was nothing (no hope) for them,* 104, 14.

gedæghwamlīc, adj., *daily.*

gedǣlan, W1, *to divide, distribute, separate.* [cf. dǣlan]

gedēfe, adj., *fitting, proper, decent.*

gedeorf, n., *labor, hardship.*

gedīcian, W2, *to make a dike or wall, build.* [cf. dīcian]

gedihtan, W1, *to direct, compose, arrange.* [cf. dihtan]

gedōn, spec., *to do, bring about, cause to be* (trans.); *reach, arrive* (intrans.); pres. 3rd sg. gedēð 83, 19. [cf. dōn]

gedrǣg, -dreag, n., *dragging; band; tumult, noisy company.*

gedrecc(e)an, W1, *to vex, trouble, oppress;* pl. ptc. gedreahte 111, 7. [cf. dreccean]

gedrēfednes, f., *confusion, trouble.* [cf. drēfan]

gedrēosan, S2, *to fall, fail, disappear.* [cf. drēosan]

gedrinc, -drync, n., *drinking, carousing.*

gedryht, -driht, f., *retinue, band.* [cf. dryhten]

gedūfan, S2, *to dive in, sink in.* [cf. dūfan]

gedwola, m.(5), *error, heresy.*

gedwol-god, m., in pl. only, *false god, idol.*

gedwol-man(n), -monn, m.(6), *erring man, heretic.*

gedwyld, -dwild, n., *folly, error.*

gedyrstigian, W2, *to presume, dare.*

gedyrstlǣcan, W1, *to dare, venture.* [cf. dyrstig]

geealgian, -gean, W2, *to defend, protect.*

geearnian, W2, *to earn, merit, deserve.*

geearnung, f., *earnings, merit, deserts; favor, benefit.*

geedlǣcan, W1; -lǣhte; -lǣht; *to repeat, renew.*

geedstaðelian, W2, *to reëstablish, restore.*

geendian, -ændian, W2, *to end, finish* (trans.); *to cease, end, die* (intrans.).

geendung, f., *ending.*

geetan, S5, *to eat, consume.* [cf. etan]

gefā, m., *foe, enemy.*

gefaran, S6, *to go, proceed, come; pass away,* hence, *die.* [cf. faran]

gefægen, adj., *glad; glad of* (with gen.). [cf. fægen]

gefæstnian, W2, *to fasten, confirm, secure, establish.* [cf. fæstnian]

gefēa, m., *joy, delight.*

gefeallan, S7, *to fall upon.*

gefeaxe, adj., *haired, provided with hair.*

gefecc(e)an, see gefetian.

gefecg(e)an, see gefetian.

gefēlan, W1, *to feel, perceive.*

gefeoht, -fioht, n., *fight, strife, battle.*

gefeohtan, S3, *to fight; win or gain by fighting.* [cf. feohtan]

gefēon (orig. -*fehan), S5; gefe(a)h; gefǣgon; gefegen; *to rejoice; be glad of* (with gen. or dat.); pres. ptc. gefēonde 33, 12; past sg. gefeah 147, 3 (see note).

gefēra, m., *companion, comrade.*

gefēr(r)ǣden, f., *companionship, fellowship; a society.*

gefērscipe, m., *fellowship; company.*

gefetian, -fecc(e)an, -fecgan, W2, also W3; gefetode or -fette; gefetod or gefet(t); *to fetch, bring.*

geflǣscnes, f., *incarnation.* [cf. flǣsc]

geflīeman, -flȳman, W1, *to put to flight.* [cf. flēam]

geflota, m., *floater, swimmer.*

gefōn, S7, *to seize, grasp, capture.* [cf. fōn]

geforðian, W2, *to promote, accomplish.*

gefrǣge, n., *report, hearsay;* mīne gefrǣge, *as I have heard tell*, 150, 25. [cf. gefrignan]

gefrǣge, adj.; comp. gefrǣgra; sup. gefrǣgost; *famous.* [cf. gefrignan]

gefrætwian, W2, *to adorn, embellish.* [cf. frætwian]

gefrēfrian, W2, *to comfort, console.*

gefremman, W1, *to promote, perform, confer, render, do.*

gefrēogan,-frēon, W1; gefrēode; gefrēod; *to free, make free.* [cf. frēo]

gefrēolsian, W1, *to deliver, set free* (with acc. of person and gen. of thing).

gefrignan, S3, *to learn by inquiry, hear of;* past pl. gefrūnon 145, 7. [cf. frignan]

gefu, see giefu.

gefullian, -fulwian, W2, *to baptize.*

gefultumian, W2, *to aid, assist.* [cf. fultumian]

gefylce, n., *troop, division.* [cf. folc]

gefyllan, W1, *to fill* (with gen.); *to fulfil, complete;* ptc. gefyldæ 50, 7. [cf. fyllan]

gefyllan, W1, *to fell, cut down;* past pl. gefyldan 157, 17.

gefyrn, adv., *formerly.*

gefȳsan, W1, *to make ready, prepare.* [cf. fȳsan]

gegad(e)rian, W2, *to gather, assemble, collect.* [cf. gæderian]

gegān, spec. (sec. 57), *to go; to pass over, overrun, occupy; happen; obtain, gain.* [cf. gān]

gegangan, -gongan, S7, *to obtain, to come by, acquire.* [cf. gangan]

gegearwian, W1, *to prepare, make ready.* [cf. gearu]

geglengan, -glencan, W1; geglengde; geglenged, geglencd; *to adorn, compose, set in order.*

gegōdian, W2, *to endow.* [cf. gōd]

gegremian, W2, *to enrage.* [cf. gremian]

gegrētan, W1, *to greet, salute.* [cf. grētan]

gehādian, W2, *to ordain.*

gehādod, ptc. of gehādian q.v., ptc. adj. used as substantive,

*the ordained, those in holy or-
ders.*

gehālgian, W2, *to consecrate, hal-
low, bless.* [cf. hālig]

gehāt, n., *promise.*

gehātan, S7, *to promise; name.*
[cf. hātan]

gehāt-land, n., *promised land.*

gehāwian, W2, *to observe, recon-
noiter.*

gehǽlan, W1, *to heal.* [cf. hǽ-
lan, hāl]

gehealdan, S7, *to hold, maintain,
save;* past pl. gehīoldon 49, 9.
[cf. healdan]

gehende, adv. prep. (with dat.),
near, handy. [cf. hand]

Gehhol, Gehhel, Gēol, etc., n.,
Yule, Christmas.

gehīeran, -hȳran, W1, *to hear;
obey;* subj. pres. pl. gehȳran
77, 6. [cf. hīeran; Ger. ge-
hören]

gehīernes, -hȳrnes, f., *hearing,
report.* [cf. gehīeran]

gehīersum, -hȳr-, adj., *obedient.*
[cf. gehīeran; Ger. gehorsam]

gehīersumian, -hȳr-, W2, *to obey*
(with dat.); *to make obedient
to* (with acc.). [cf. gehīersum]

gehīersumnes, -hȳrsumnys, f.,
obedience, subjection. [cf. hīe-
ran]

gehihtan, -hyhtan, W1, *to hope,
trust.* [cf. hiht]

gehlēapan, S7, *to leap upon,
mount.* [cf. hlēapan]

gehlystan, W1, *to listen, hear.*

gehola, m., *protector.* [cf. helan]

gehorsian, W2, *to provide with
horses.* [cf. hors]

gehrēfan, W1, *to roof, cover over.*
[cf. hrōf]

gehrēodan, S2, *to adorn, bedeck;*
past ptc. pl. nom. gehrodene
137, 23.

gehrēow, n., *lamentation.*

gehwā, gehwæt, indef. pron.,
each, every; everything; m. sg.
acc. on healfa gehwone, *on
every side,* 151, 17.

gehwæs, sg. gen. of **gehwā** q.v.

gehwæðer, pron. adj., *either,
both.*

gehwettan, W1, *to whet, excite,
instigate.*

gehwi(e)rfan, -hwyrfan, W1, *to
turn, change, convert.* [cf.
hwierfan]

gehwilc, -hwelc, -hwylc, pron.,
each, every; all (in pl.); ānra
gehwilc, *each one.*

gehwone, var. m. sg. acc. of
gehwā q.v.

gehwylc, see **gehwilc.**

gehȳdan, W1, *to hide, conceal.*

gehȳdan, W1, *to secure or fasten*
(with a cable of hide). But
see also note to p. 135, l. 13.

gehygd, -hȳd, f., also n., *mind,
thought, purpose.*

gehyhtan, see **gehihtan.**

gehȳran, see **gehīeran.**

gehȳrnes, see **gehīernes.**

gehȳrsum(-), see **gehīersum(-).**

geinnian, W2, *to fill in, make
good.* [cf. inne]

gelāc, n., *motion, commotion.*
[cf. lācan]

gelafian, W2; gelafode, -ede;
gelafod; *to lave, refresh.* [cf.
Ger. laben]

gelagian, W2, *to fix by law, ordain*. [cf. lagu]

gelaðian, -leaðian, W2, *to summon, invite;* ptc. geleaþade 4, 18. [cf. laðian; Ger. einladen]

gelæcc(e)an, W1, *to take, seize, catch up*. [cf. læccean]

gelǣdan, W1, *to lead*. [cf. lǣdan]

gelǣran, W1, *to teach, persuade, educate*. [cf. lǣran]

gelǣred, ptc. of **gelǣran** q.v., adj.; comp. gelǣr(e)dra; sup. gelǣr(e)dest; *learned*.

gelǣstan, W1, *to perform, carry out* (trans.); *assist, help* (intrans. with dat.). [cf. lǣstan]

geldan, see **gieldan**.

geléafa, m., *belief, faith*. [Ger. glaube]

geleaðian, see **gelaðian**.

gelendan, W1; gelende; gelend(ed); *to land, come, arrive;* past sg. gelende 15, 9 (see note). [cf. land]

gelenge, adj., *belonging to* (with dat.).

geléogan, S2, *to lie, deceive*. [cf. léogan]

geleornian, -liornian, W2, *to learn, study*. [cf. leornian]

gelettan, W1, *to hinder, delay, prevent*. [cf. lettan]

gelíc, adj.; comp. gelícra; sup. gelícost; *like, resembling, same*. Used with dat. like a preposition. [Ger. gleich]

gelíce, adv., *like, in like manner* (with dat.).

gelíefan, -lýfan, -lé(o)fan̄, W1, *to believe, trust* (with gen., dat. or acc.); *to have faith* (intrans.); past pl. geléfdon 55, 16; past ptc. gelýfede 71, 19. [Ger. glauben]

gelí(e)fed, -lýfed, ptc. of **gelíefan** q.v., used as adj., *believing, faithful*.

gelíffæstan, W1, *to quicken, make alive*.

gelíhtan, -lýhtan, W1, *to approach, draw near*.

gelimp, n., *event, accident, chance*. [cf. gelimpan]

gelimpan, S3, *to happen, come to pass*.

gelimplíc, adj., *fitting, suitable*.

gelógian, W2, *to lodge, place, lay*.

gelóme, adv., *repeatedly, often;* oft and gelóme, *often and repeatedly*.

gelustfullíce, adv.; comp. gelustfullícor; sup. gelustfullícost; *willingly, whole-heartedly*.

gelýfan, see **gelíefan**.

gelýfed, ptc. adj., *advanced, infirm, weak*. [cf. Mod. Eng. left hand]

gelýfed, see **gelíefed**.

gelystan, W1, *to desire, long for* (used impersonally, with acc. of person and gen. of thing); ræste gelyste, *they longed for rest*, 136, 5. [cf. lystan; Ger. gelüsten]

gemaca, gemæcca, m. and f., *mate, companion*.

gemáh, adj., *shameless, impious, wicked*.

geman, gemon, pres. 1st and 3rd sg. of **gemunan** q.v.

gemāna, m., *intercourse, marriage; joining, intermingling.*

gemǽlan, W1, *to speak.* [cf. mǽlan]

gemǽnan, W1, *to mean, signify.*

gemǽne, adj., *common, general, mutual.* Sometimes it governs two datives with the value of the prep. *between;* gemǽne þegene and þrǽle, *between freeman and thrall,* 93, 24. [cf. Lat. communis; Ger. gemein]

gemǽnelīc, adj., *common, general.*

gemǽnelīce, adv., *in common, generally.*

gemǽre, n., *boundary, border.*

gemǽrsian, W2, *to celebrate, magnify.*

gemedemian, W2, *to deem worthy, vouchsafe; to make fit.*

gemeltan, S3, *to melt away, dissolve.* [cf. meltan]

gemet, n., *measure, capacity, proportion, moderation;* eallum gemete, *by all means, altogether, in any wise.* [cf. metan]

gemētan, W1, *to meet with, find;* hȳ gemētton, *met each other,* 153, 32. [cf. mētan]

gemetfæstnes, f., *moderation, meekness, sobriety.*

gemetlīce, adv., *moderately.*

gemiltsian, W2, *to show mercy* (with dat. or gen.). [cf. miltsian]

gemindig, see **gemyndig**.

gemōt, n., *moot, meeting, assembly.* [cf. mētan, folc-gemōt, witena-gemōt]

gemunan, PP.; gemunde; gemunen; *to remember, call to mind* (with acc. or gen.); pres. 1st sg. geman 155, 8; pres. 3rd sg. gemon 131, 20. [cf. munan]

gemynd, f. and n., *memory; remembrance, memorial.* [cf. munan, Mod. Eng. mind]

gemynd-dæg, m., *a memorial day, anniversary.*

gemyndig, -mindig, adj., *mindful of* (with gen.).

gemyn(e)gian, W2, *to recall, remember, mention.* [cf. mynegian]

gēn, gīen; gēna, gīena, adv., *yet, still, moreover.*

genamian, -nomian, W2, *to name.* [cf. nama, genemnan]

Gend, *Ghent,* "in France"; 13, 24.

genē(a)dian, W2; genē(a)dde; genē(a)dd; *to compel.* [cf. nīedan]

geneahhe, genehe, adv.; sup. genehost; *frequently, in rapid succession, abundantly.*

genēat, m., *companion.* [Ger. genosse]

genehe, see **geneahhe**.

genehost, var. sup. of **geneahhe** q.v.

genemnan, W1, *to name.* [cf. nemnan]

generian, W1, *to save, rescue.* [cf. nerian]

generwan, see **genyrwan**.

Genesis (Gr.-Lat.), f., *Genesis,*

first book of the Bible; 36, 10.

geniman, S4, *to accept, receive, take, sieze;* used reflexively, *collect oneself.* [cf. niman]

genip, n., *mist, darkness.* [cf. nīpan]

genīpan, S1, *to become dark.*

genīwian, W2, *to renew.* [cf. nīwe]

genōh, genōg, adj., also adv., *enough;* genōh swīðe, *sufficiently, well enough.* [Ger. genug]

genotian, W2, *to use, consume;* ptc. genotudne 18, 17.

genugan, PP. (sec. 55); genohte; ptc. wanting; *to suffice.* [cf. genōh; Ger. genügen]

genyrwan, -nerwan, W1, *to narrow, contract.* [cf. nearu]

gēo, gīo, gīu, īu, adv., *formerly, of old;* gēara īu, *long ago.*

gēoc, f., *help, aid, safety, alleviation.*

geoc, gioc, n., *yoke.* [Lat. jugum, Ger. joch]

gēocor, adj., *dire, sad, grievous.*

geogoð, giogoð, -uð, f., *youth;* also, collectively, *the young warriors, young monks,* etc. [cf. geong]

geoguð-feorh, n., or m., *days of youth.*

geolu, geolo, adj., *yellow;* f. sg. acc. geolwe 154, 18.

gēomor, adj., *sorrowful, troubled.* [Ger. jammer]

gēomore, adv., *sadly, sorrowfully.*

geond, giond, gynd, prep. (with acc.), *throughout.* [Mod. Eng. yond, beyond]

geondgān, spec., *to walk through.*

geondhweorfan, S3, *to pass over or through, traverse.*

geondlī(e)htan, W1, *to enlighten, illuminate.* [cf. lēohtan]

geondscēawian, W2, *to survey, look over.* [cf. scēawian]

geondsēc(e)an, W1, *to seek through, overrun.* [cf. sēcean]

geondþencean, W1, *to think over, reflect upon.* [cf. þencean]

geondwadan, gi(o)nd-, S6, *to go through laboriously, study.* [cf. wadan]

geondwlītan, giond-, S1, *to gaze along, look over, view.*

geong, gi(o)ng, iung, etc., adj.; comp. geongra, gingra; sup. ging(e)st, gingæst; *young;* sup. *youngest,* hence, *last;* weak m. sg. nom. sē gioncga, *the younger,* 10, 16; weak m. sg. dat. geongan 155, 1; f. sg. acc. giunge 125, 17. [Ger. jung]

geopenian, W2, *to open.*

georn, giorn, adj., *eager, earnest, desirous;* with gen. 114, 30, etc. [Ger. gern]

georne, adv.; comp. geornor; sup. geornost; *eagerly, willingly, zealously, diligently; well, clearly;* — þē geornor, *the more surely,* 152, 4; swā wē geornost magan, *as diligently as we can,* 95, 24.

geornes, f., *earnestness, diligence.*

geornful, adj., *eager, desirous.*

geornfulnes, f., *eagerness, zeal.*

geornlīce, adv.; comp. geornlīcor; sup. geornlīcost; *eagerly, earnestly.*

gēr, see gēar.

gerād, adj., *considered, suited, conditioned;* swā gerād, *of such a sort.*

geræc(e)an, W1, *to reach, obtain, seize.* [cf. ræcean]

gerædan, S7, *to counsel, determine.* [cf. rædan]

geræde, -rēde, n., *harness, equipment, trappings.*

gerecc(e)an, W1, *to reckon, count; explain, interpret.* [cf. reccean]

gerēfa, m., *reeve, bailiff.*

geregnian, -rēnian, W2, *to adorn, arrange.*

gerēnod, past ptc. of **geregnian** q.v.

gereord, -reorde, n.(3), *speech, language; meal, refection, food.*

gereordung, f., *refection, meal.*

gerestan, W1, *to rest.*

gerēðru, n., in pl. only, *rudder, helm.* [cf. rēðra, rōðer]

gerian, gyrian, W1; gerede; (ge)gered; *to clothe, prepare.* [cf. gearwian]

gerīdan, S1, *to override, overrun.* [cf. rīdan]

geriht, n., *right, law, service.*

gerīpan, S1; gerāp; geripon, -rypon; geripen; *to reap;* past pl. gerypon 21, 26.

geris(e)ne, -rys(e)ne, n., *what is fitting; honor, dignity.*

geris(e)ne, -rys(e)ne, adj., *fitting, decent.*

gerisenlīc, adj.; comp. gerisenlīcra; sup. gerisenlīcost; *proper, suitable, fitting.*

gerisenlīce, adv.; comp. gerisenlīcor; sup. gerisenlīcost; *fittingly, properly.*

gerūmlīce, adv.; comp. gerūmlīcor; *roomily, at a distance, far away.*

gerȳman, W1, *to extend, widen, enlarge, make room.* [cf. rȳman]

gerys(e)ne, see **gerisene**.

gesamnian, -somnian, W2, *to collect, assemble.* [cf. samnian]

gesamnung, -somnung, f., *assembly, meeting.*

gesārgian, W2, *to afflict, sadden;* past ptc. gesārgad 110, 8. [cf. sārig]

gesǣlan, W1, *to happen, occur.*

gesǣliglīc, adj., *blessed, happy.* [cf. Ger. selig, Mod. Eng. silly]

gesǣlð, f., *happiness, fortune, prosperity.*

gescēad, -scād, n., *discrimination, discretion;* gescād witan (with gen.), *be a judge of,* 134, 12.

gescēadwīs, adj., *discriminating, intelligent.* [cf. scēadan]

gesceaft, f., *creation, creature,* also, *destiny, decree of fate;* wyrda gesceaft, *decree of fate,* 133, 30. [cf. scieppan]

gesceap, n., *creation; destiny.* [cf. scieppan]

gesceððan, S6, *to harm, injure* (with dat.); past sg. gescōd 159, 24. [cf. sceððan] gesci(e)ppan, -scyppan, S6, *to create, make.* [cf. scieppan]

gesci(e)rpan, -scyrpan, W1; gescyrpte; gescyrped; *to clothe.*

gescīnan, S1, *to shine upon, light up, illuminate.* [cf. scīnan]

gescipe, n., *fate, destiny.*

gescipian, W2, *to provide with ships.*

gescōd, past sg. of gesceðð̆an q.v.

gescrīfan, S1, *to decree, adjudge.* [cf. scrīfan]

gescyldnes, -nis, f., *protection.*

gescyppan, see gescieppan.

gesēc(e)an, W1; gesōhte; gesōht; *to seek out; reach, touch.* [cf. sēcean]

gesecg(e)an, W3, *to say, tell;* þanc gesecgean, *to express thanks.* [cf. secgean]

geseglian, see gesiglan.

gesegnian, -sēnian, W2, *to make a sign; to cross* (with reflexive acc.). [cf. segnian]

geselda, m., *hall-companion, comrade, retainer.*

gesellan, W1, *to give up, yield.* [cf. sellan]

gesēman, W1, *to reconcile, bring together.* [cf. Mod. Eng. seem]

gesēnian, see gesegnian.

gesēon, -sīon, S5, *to see, look at;* pres. 3rd sg. gesihð̆ 131, 32. [cf. sēon]

geset, n., *seat, habitation;* pl. nom. gesetu 133, 16. [cf. sittan]

geset, ptc. of gesettan q.v., ptc. adj., *appointed, established.*

gesettan, W1, *to set, appoint, expose, compose.* [cf. settan]

gesēð̆an, W1, *to show, declare, prove.* [cf. sōð̆]

gesib(b), adj., *peaceable, related.* — Used as substantive, *a relative.*

gesīgan, S1, *to sink, fall.*

gesiglan, W1; also geseglian, W2; *to sail.* [cf. segelan]

gesihð̆, -syhð̆, f., *seeing, sight; presence.* [cf. sēon]

gesihð̆, pres. 3rd sg. of gesēon q.v.

gesinlīce, adv., *continually, very often.*

gesittan, S5, *to sit, remain; occupy, take possession of;* also, *to sit out, complete;* wið̆ earm gesæt, *he supported himself with his arm,* 149, 29 (see note). [cf. sittan]

gesīð̆, m., *companion.*

gesīð̆cund, adj., *of the rank of a 'gesith' or companion of the king,* hence, *of gentle birth, gentle;* 101, 5 (see note).

geslēan, S6, *to strike, slay.* [cf. slēan]

gesoden, ptc. of sēoð̆an q.v., ptc. adj., *boiled, sodden, cooked.*

gesomnian, see gesamnian.

gesomnung, see gesamnung.

gespornan, -spurnan, S3, *to tread upon, perch upon, spurn.* [cf. spornan]

gesprec, n., *conversation; counsel.*

gestandan, S6, *to stand; to attack, assail* (trans.). [cf. standan] gestaðelfæstan, W1, *to establish, make firm.* [cf. staðol, fæstan]

gestaðelian, W2, *to build, erect, establish.*

gestaððignes, -stæððig-, f., *steadfastness, constancy.*

gesteall, n., *establishment, foundation.*

gestīgan, S1, *to mount, ascend* (trans.). [cf. stīgan]

gestillan, W1, *to still, quiet, calm* (trans.); also, *to become still, cease* (intrans.).

gestrangian, W2, *to strengthen, grow strong.*

gestrēon, n., *possession, property.*

gestrīenan, -strȳnan, W1, *to acquire, gain, win; to beget.* [cf. gestrēon]

gestun, n., *whirlwind, crash.* [cf. Mod. Eng. stun]

geswefian, W2, *to put to sleep.* [cf. swefan, swebban]

gesweorcan, S3, *to become dark, sad.*

geswīcan, S1, *to cease, leave off* (with gen.); *weaken, fail* (intrans.). [cf. swīcan]

geswīgian, -swugian, W2, *to remain still, be silent.* [cf. swīgian]

geswinc, n., *toil, hardship, deprivation.*

gesyhð, see gesihð.

gesȳne, -sīene, -sēne, adj., *seen, visible, evident.*

gesyngian, W2, *to sin.*

gesynto, f., *prosperity.*

gesyrwed, past ptc. of sierwan q.v., *wily, crafty.*

gēt, see gīet.

getācnian, W2, *to betoken, signify.* [cf. tācen]

getācnung, f., *tokening, signification; signal, sign.* [cf. tācen]

getanglīce, adv., *in juxtaposition.*

getæl, -tel, n., *number, order; narrative, story.* [cf. tellan]

getǣse, n., *advantage.*

getǣsnes, f., *favorableness, convenience.*

getenge, adj., *near to, close to, oppressing* (with dat., often postpositively); grunde getenge, *close to the ground,* 159, 5.

getēon, -tīon, S2, *to draw, lead, attract;* pres. 3rd sg. getīhð 88, 31. [cf. tēon]

getīhð, pres. 3rd sg. of getēon q.v.

getimbre, n.(3), *structure, building.*

getimbrian, W2, *to edify, build up, instruct.*

getimbrung, f., *act of building construction; edifice, structure, building; edification.*

getīmian, -tȳmian, W2, *to happen.* [cf. tīma]

getingnes, -nys, f., *eloquence.*

getoht, n., *battle.*

getrēowlīce, -trȳwlīce, adv., *faithfully, honestly, loyally.*

getrum, n., *troop, company.*

getruma, m., *troop or company of soldiers.*

getrymman, W1, *to strengthen, confirm, prepare.* [cf. trymman]

getrȳwð, -trēowð, f., *pledge, covenant, faith.* [cf. trēow]

getwǣfan, W1; getwǣfde; getwǣfd; *to cut off, deprive* (with acc. of person and gen. of thing).

getȳn, W1; getȳde, -tȳdde; getȳd, -tȳdd; *to instruct.*

geþafian, W2, *to favor, consent to, permit.* [cf. þafigean]

geþafung, f., *permission, assent, approval.*

geþah, past sg. of geþicgean q.v.

geþanc, -þonc, m., rarely n., *thought, purpose, mind.* [cf. þencean; Ger. gedanke]

geþancian, W2, *to thank.* [cf. þancian]

geþeaht, f., or n., *thought, counsel, purpose.*

geþeahtere, m., *councilor.*

geþenc(e)an, W1, *to think, take thought; recall, remember.* [cf. þencean]

geþēodan, W1; geþēodde; geþēoded; *to join, associate.* [cf. þēodan]

geþēode, -þīode, n., *language; nation.*

geþēodnes, -nis, f., *association.*

geþēofi(ge)an, W2, *to steal.*

geþēon (orig. -*þīhan, S1), S2; geþēah; geþugon; geþogen; *to thrive, grow, prosper;* pres. 3rd sg. geþīhþ 65, 2. [cf. þēon; Ger. gedeihen]

geþēowian, W2, *to enslave.* [cf. þēowian]

geþicg(e)an, S5; geþah, -þeah; geþǣgon; geþegen; *to take, receive.* [cf. þicgean]

geþīhð, pres. 3rd sg. of **geþēon** q.v.

geþingan, S3, *to thrive, grow.*

geþōht, m., *thought, mind, disposition.*

geþolian, W2, *to endure, suffer, allow, permit.* [cf. þolian]

geþrang, n., *throng, press, tumult.* [cf. þringan; Ger. gedränge]

geþrīstlǣcan, W1, *to dare, venture.* [cf. þrīste]

geþungen, ptc. of geþingan q.v., ptc. adj., *grown, excellent, distinguished;* sup. pl. acc. ðā geðungnestan 22, 25; — also, *adapted for or to, fitted.*

geþwǣrlīce, adv., *gently, harmoniously.*

geþwǣrnes, -þuǣrnes, f., *peace, concord.*

geþyld, f.(2); or geþyldu, -o, indecl.; *patience, resignation.* [Ger. geduld]

geþyldig, adj., *patient.* [Ger. geduldig]

geunnan, PP. (sec. 55); geūðe; geunnen; *to grant* (with dat. of person and gen. of thing). [cf. unnan; Ger. gönnen]

geunrōtsian, W2; geunrōtsode; geunrōtsod; *to sadden.* [cf. unrōt]

geunwurðod, ptc. of unwurðian, ptc. adj., *unhonored, neglected.* [cf. weorðian]

gewadan, S6, *to go, advance, enter.* [cf. wadan]

gewanian, -wonian, W2, *to wane, lessen, diminish; refuse.*

gewǣdian, W2, *to dress, clothe, wrap up.* [cf. wǣd]

gewǣgan, W1, *to weigh down, distress.*

gewæmmodlīce, -wemmedlīce, adv., *corruptly.*

gewealc, n., *rolling, movement;* ȳða gewealc, *rolling of the waves,* i.e., *ocean.* [cf. wealcan]

gew(e)ald, n., *power, control, dominion;* pl. dat. with sg. sense, tō gewealdon, *to his dominion,* 46, 12. [Ger. gewalt]

gewealdan, S7, *to wield, control* (with gen.); contracted pres. 3rd sg. gewylt 71, 33. [cf. wealdan]

geweaxan, S7, *to grow up.* [cf. weaxan]

gewel(e)gian, W2, *to enrich, endow.*

gewelhwǣr, adv., *everywhere.*

gewelhwilc, -hwylc, adj., *every;* n. sg. dat. on gewelhwylcon ende, *on every side,* 92, 14.

gewendan, W1, *to go, return* (intrans.); *to turn, translate* (trans.). [cf. wendan]

geweorc, -werc, n., *work, labor; fortification.*

geweorðan, -wurðan, S3, *to happen, become;* pres. 3rd sg. gewyrð 59, 8; pres. pl. gewurþaþ tō nāhte, *come to naught,* 65, 3. [cf. weorðan]

gewīcan, S1, *to give way, fail.* [cf. Ger. weichen]

gewīcian, W2, *to dwell, camp.*

gewiht, n., *weight.*

gewildan, see gewyldan.

gewindan, S3, *to turn, depart.* [cf. windan]

gewin(n), n., *struggle, contest,* *strife; tribulation.* [cf. winnan]

gewinna, m., *enemy, adversary.*

gewinnan, S3, *to gain, win, fight; to reach, attain to.* [cf. winnan]

gewin(n)fullīc, adj., *toilsome, laborious.*

gewintred, ptc. adj., *of sufficient winters,* i.e., *of age.*

gewis(s), n., *certainty.*

gewis(s), adj., *certain of* (with gen.). [Ger. gewiss]

gewit, gewitt, n., *reason, mind, understanding, senses.*

gewita, m., *witness.*

gewītan, S1, *to go, depart,* hence, *die.* Often with dat. of reference.

gewite(n)nes, f., *departure.* [cf. gewītan]

gewitnes, f., *knowledge, witness, testimony.* [cf. witan]

gewitt, see gewit.

gewrecan, S4, *to avenge.*

gewrit, n., *writ, writing, letter, scripture.*

gewuna, m., *habit, custom.*

gewundian, W2, *to wound.* [cf. wundian]

gewunelīc, adj., *usual, customary.*

gewunian, W2, *to dwell, remain; be accustomed.* [cf. wunigean; Ger. gewohnen]

gewurðan, see geweorðan.

gewyldan, -wildan, W1, *to bring into one's control, subdue, conquer.* [cf. geweald]

gewylt, -wielt, contracted pres. 3rd sg. of gewealdan q.v.

gewyl(w)an, W1; ptc. gewylede;
  to roll, band together.

gewyrc(e)an, W1, *to make, con-
  struct, produce;* in past tense
  and ptc., *wrought;* flēam
  gewyrcan, *to take flight,* 115, 5.
  [cf. wyrcean]

gewyrht, n., *work, deed; desert;*
  eald gewyrht, *merited from of
  old,* 155, 32 (see note). [cf.
  wyrcean]

geyrgan, -i(e)rgan, W1, *to make
  cowardly, dishearten.* [cf. earh]

gi(e)d(d), gyd(d), n., *word, song,
  formal speech.*

gi(e)fan, gyfan, S5; geaf; gēa-
  fon; (ge)giefen; *to give.* [Ger.
  geben]

gi(e)feðe, gyfeðe, adj., *given,
  granted.*

gief-stōl, m., *gift-seat,* i.e., *seat
  of the ruler who bestows gifts,*
  hence, *throne.*

giefu, gyfu, gifu, gefu, -o, f.,
  gift. [cf. Ger. gabe]

gi(e)ldan, gyldan, geldan, S3;
  geald; guldon; (ge)golden;
  to pay, requite, yield; pres.
  ind. 3rd sg. gylt 42, 2; gilt
  56, 22; subj. pres. 3rd sg.
  gelde 58, 18; 97, 5. [Ger.
  gelten]

gi(e)llan, gyllan, S3, *to yell, sing,
  chirp.* [cf. Ger. gellen]

gielp, gilp, gylp, m., *boasting,
  boast.*

gi(e)lpan, gylpan, S3; gealp;
  gulpon; (ge)golpen; *to boast.*
  [Mod. Eng. yelp]

gielp-word, gylp-, n., *boastful
  word.* [cf. gielpan]

gielt, gilt, gylt, m., *guilt, sin.*

gīeman, gȳman, W1, *to care for,
  take care, observe, regard* (with
  gen., or phrase with ymbe or
  object clause).

gīemen, gȳmen, f., *oversight, care.*

gīemung, gȳming, f., *care,
  guarding, guardianship.*

gīen, see gēn.

giest, gyst, gæst, m., *guest,
  stranger.* [Ger. gast]

gīet, gȳt, gīt, gēt, adv., *yet, fur-
  ther, still.*

gī(e)ta, gȳta, adv., *yet, still,
  as yet.*

gi(e)tan, gytan, S5; ge(a)t; gē-
  (a)ton; (ge)giten; *to get, obtain.*

gif, gyf, conj., *if.*

gīfernes, f., *greediness.*

gifeðe, see giefeðe.

gīfre, adj., *greedy, voracious.*

gigant, m., *giant.* [Lat. gigas,
  gen. gigantis]

gilt, contracted pres. 3rd sg. of
  gieldan q.v.

gim(m), m., *gem, jewel.* [Lat.
  gemma]

gindwadan, see geondwadan.

gingæst, var. sup. of geong
  q.v.

gingra, comp. of geong, q.v.,
  younger; hence, m.(5), *dis-
  ciple, follower; a subordinate,
  deputy.*

gīo, see gēo.

giohðo, f., *sorrow, care.*

giond(-), see geond(-).

gīong, var. past sg. of gangan
  q.v.

giong, see geong, adj.

giorn, see georn.

gise, gyse, gese, adv., *yes.*

gīsel, gӯsel, m., *hostage.* [Ger. geisel]

git, dual 2nd pers. nom. of þū q.v., *ye two.*

gītsung, f., *avarice, desire.*

gīu, see gēo.

giung, see geong.

Giwis, m., *Giwis,* an ancestor of King Alfred; 8, 5.

Giwising, m., patronymic, *son of Giwis;* 8, 5.

glæd, n., *gladness, joy.*

glæd, adj.; comp. glædra, sup. gladost; *glad, happy, bright.* [Ger. glatt]

glædlīce, adv.; comp. glædlīcor; sup. glædlīcost; *gladly, willingly.*

glēaw, adj.; comp. glēawra; sup. glēawost; *wise, prudent;* tō þæs swīðe glēaw, *so very wise,* 107, 7. [Ger. glau]

glēaw-mōd, adj., *wise-minded, sagacious.*

glēd, f., *flame, fire.* [cf. glōwan, Mod. Eng. dial. gleed]

glēd-egesa, m., *fire-horror.*

glēo(w), glīw, n., *joy, glee.*

glēowian, W2, *to jest, joke.* [cf. glēow]

glīdan, S1, *to glide.* [Ger. gleiten]

glitinian, W2, *to glitter.*

glīw-stæf, m., *joy;* pl. dat. as adv., glīw-stafum, *joyously,* 132, 6. [cf. glēow]

glōwan, S7; glēow; glēowon; (ge)glōwen; *to glow.* [Ger. glühen]

glūto (Lat.), m., *glutton.*

gnagan, S6; gnōg, gnōh; gnōgon; (ge)gnagen; *to gnaw.*

gnorn, m. or n., *sorrow, affliction.*

gnornian, W2, *to mourn, lament, grieve.*

gōd, gōōd, n., *benefit, good; goods, possessions;* sg. acc. gōōd 55, 31. [Ger. güte]

gōd, adj.; comp. bet(e)ra (or sēlra, sēlla); sup. betst (or sēlest, sēlost); *good.* [Ger. gut]

God, m.; but usually n. in pl., godu, godo; *God; gods;* n. pl. nom. godo 31, 18 (see note), but m. pl. nom. godas 69, 8–10. [Ger. Gott]

god-bearn, n., *god-child.*

godcund, adj., *godlike, divine.*

godcundlīce, adv., *divinely.*

godcundnes, -nis, f., *divinity, divine nature.*

gōddōnd, m.(6), pl. nom. gōd-dō(e)nd; or m.(8), gōddēnd; *one doing good, benefactor.*

God-fyrht, -friht, adj., *God-fearing.*

gōdian, W2, *to improve.*

gōdlīc, adj., *goodly, good.*

Godmundingahām, m., *Goodmanham* (Bernicia); 33, 17.

Godrīc, m., *Godric,* a son of Odda and cowardly follower of Byrhtnoth; 118, 15. — Also *Godric,* brave son of Æthelgar, who helped to avenge the death of his lord, Byrhtnoth; 122, 19.

Godrum, m., *Guthrum,* a Danish king; 13, 10 (see note); 16, 11.

god-sibb, m., *sponsor, godparent.* [Mod. Eng. gossip]

god-spellere, m., *evangelist.*

god-spellian, W2, *to preach the gospel; to preach, proclaim.*

god-sunu, m.(7), *godson.*

Godwīg, m., *Godwig,* son of Odda, and one of the cowards who deserted Byrhtnoth; 118, 20.

Godwine, m., *Godwin,* son of Odda and cowardly follower of Byrhtnoth; 118, 20.

Godwulf, m., *Godwulf,* an ancestor of King Alfred; 8, 9.

Godwulfing, m., patronymic, *son of Godwulf;* 8, 9.

gold, n., *gold.*

gold-ǣht, f., *treasure of gold.*

gold-fāg, -fāh, adj., *gold-adorned.*

gold-frǣtwe, pl. f., *golden ornaments.*

gold-gifa, -gyfa, m., *gold-giver, patron, generous lord.*

gold-sele, m., *gold-hall.*

gold-wine, m.(4), *gold-giver, lord, benefactor.*

gōma, m., *gum, palate;* pl., *jaws.* [Ger. gaumen]

gomol, -el, see **gamol.**

gong(-), see **gang(-).**

gōs, f.; pl. nom. **gēs;** *goose.* [Ger. gans]

Gota, m.(5), *a Goth;* pl. nom. Gotan 4, 14; pl. gen. Gotena 129, 10; pl. dat. Gotum 26, 6. [Ger. Gote]

Gotland, n., *Jutland;* 43, 10; 43, 20. — Also *Gothland,* an island in the Baltic near Sweden; 44, 2 (see note).

grafan, S6, *to dig, delve; engrave, carve;* pres. 3rd sg. græfeð 111, 17. [Ger. graben]

gram, grom, adj., *angry, fierce, hostile.*

grama, m., *anger, wrath.*

Grantebrycg, f., *Cambridge;* 11, 31.

grāp, f., *grasp, clutch; claw;* sg. gen. grāpe 152, 19. [cf. grīpan]

grǣdig, adj., *greedy, covetous.*

grǣg, adj., *gray.* [Ger. grau]

grǣg-mǣl, adj., *gray-colored.*

grēat, adj.; comp. grīetra, grȳtra; sup. grīetest, grȳtest; *great, large.* [Ger. gross]

Gregorius (Lat.), m., *Gregory the Great,* pope from 590 to 604 A.D.; sg. nom. Gregorius 5, 5 (see note); 29, 10; 52, 3; A.S. sg. dat. Gregorie 29, 4. [cf. Sanctus Gregorius]

gremian, W1, *to provoke, vex, exasperate.* [cf. grama; Ger. grämen]

Grendel, m., *Grendel,* the monster that ravaged Heorot; 146, 28, etc.

grēne, adj., *green.* [Ger. grün]

grēot, n., *gravel, sand, grit.* [Ger. griess]

grēotan, S2, *to weep.* [Scot. greet 'to weep']

grētan, W1, *to weep, lament, cry out.*

grētan, W1; grētte; (ge)grēted; *to greet, approach; attack, touch,* hence, *harm;* past pl. grēttan 28, 17. [Ger. grüssen]

Grimbald, -bold, m., *Grimbald, a friend and teacher of King Alfred;* dat. Grimbolde 51, 20.

grimetian, grymetian, W2, *to rage, grunt.* [cf. grimman]

grimlīce, adv., *grimly, fiercely, savagely.*

grim(m), adj., *grim, fierce, cruel.* [Ger. grimm]

grimman, S3, *to rage, roar.*

grindan, S3, *to grind.*

grīpan, S1, *to grip, gripe, grasp, seize.* [cf. grāp; Ger. greifen]

grið, n., *peace, security, truce.* A word in common use during the troubles with the Danes; probably Scandinavian.

griðian, W2, *to make peace* (intrans.); *to protect* (trans.).

griðlēas, adj., *unprotected.*

grornian, W2, *to lament, mourn.*

grōwan, S7; grēow; grēowan; (ge)grōwen; *to grow.*

grund, m., *ground, bottom; earth, land; a depth, abyss.* [Ger. grund]

grundlēas, adj., *groundless, bottomless, insatiable, unbounded.*

grundlunga, adv., *completely, fundamentally.* [cf. grund and Ger. gründlich]

grund-wong, m., *ground-plain, earth, floor, bottom.*

grymetian, see **grimetian.**

gryre-fāh, adj., *horribly colored or stained.*

gryre-giest, m., *grisly guest, terrible stranger.*

gryre-lēoð, n., *song of terror.*

guma, m., *man.* [Lat. homo; cf. Mod. Eng. bridegroom]

gum-cyn(n), n., *mankind, race of men.*

gum-rinc, m., *man, warrior.*

gūð, f., *battle.* [cf. Mod. Eng. gonfalon]

gūð-bill, n., *battle-sword.*

gūð-cræft, m., *fighting power, war-craft.*

gūð-cyning, m., *war-king.*

gūð-getāwa, pl. f., *war-raiment, war-gear.*

gūð-gewæde, n., *war-dress, armor.*

gūð-gewin(n), n., *warlike contest.*

gūð-hrēð, m.(?), *glory in battle.*

gūð-plega, m., *war-play,* i.e., *battle.*

gūð-rinc, m., *warrior.*

gūð-wine, m., *war-friend, sword.*

gyd(d), see **giedd.**

gyden, f., *goddess.* [cf. god]

gyf, see **gif.**

gyfeðe, see **giefeðe.**

gyfu, see **giefu.**

gyldan, see **gieldan.**

gylden, gilden, adj., *golden;* weak pl. acc. gyldnan 108, 27. [cf. gold; Ger. gülden]

gylp-, see **gielp-.**

gylt, see **gielt.**

gylt, pres. ind. 3rd sg. of **gieldan** q.v.

gyltend, m.(8), *debtor, offender.*

gȳman, see **gīeman.**

gȳmen, see **gīemen.**

gȳming, -ung, see **gīemung.**

gynd, see **geond.**

gyrd, gird, gerd, f., *rod, twig.*

gyrdan, girdan, W1; gyrde; (ge)gyrded; *to gird.* [Ger. gürten]

Gyrð, m., *Gyrth*, brother of King
Harold; 24, 22.

gyse, see **gise**.

gȳsel, see **gīsel**.

gyst, see **giest**.

gȳt, see **gīet**.

gȳta, see **gīeta**.

H

habban, W3 (sec. 54); hæfde;
(ge)hæfd; *to have;* subj. pres.
pl. hæbben 84, 6. [cf. nabban;
Mod. Ger. haben]

hacod, m., *pike* (fish).

hād, m., *rank, office, condition;
person.* [Mod. Eng. -hood]

hād-bryce, -brice, m., *breaking
of holy vows, violation of holy
orders.* [cf. brecan]

hafenian, W2, *to grasp, hold,
raise, lift up.* [cf. hebban]

hafoc, m., *hawk.* [Mod. Eng.
havoc and hawk]

haga, m., *hedge, enclosure;* also,
haw, berry of the hawthorn.
[cf. Ger. hagedorn]

hagl, see **hægel**.

hāl, adj., *whole, hale, sound.*
[Ger. heil]

hālettan, W1, *to greet, salute, hail.*

Halfdene, Healfdene, m., *Half-
dene*, a Danish king; 10, 11;
11, 26.

hālga, m., *saint.* [cf. hālig]

hālgian, W2, *to hallow, consecrate.*
[cf. hālig]

Hālgoland, n., *Helgeland*, in
northern Norway, probably in
the southern part of modern
Nordland; 42, 31 (see note).

hālig, adj.; comp. hāl(i)gra;
sup. hālgost; *holy;* þæs Hāl-
gan Gāstes, *of the Holy Ghost*,
36, 15. [cf. hāl; Ger. heilig]

hālignes, f., *holiness; faith;
sacred thing.*

hals, heals, m., *neck.* [Ger.
hals]

hālsian, hēalsian, W1, *to greet,
implore, entreat.*

hālwende, adj., *wholesome, salu-
tary.*

hām, m., *home.* [Ger. heim]

hama, homa, m., *covering, har-
ness.*

hām-cyme, m., *home-coming, re-
turn.*

hamor, homer, m., *hammer;*
homera lāfe, *the leavings of
hammers*, i.e., *swords*, 142, 7
(see note).

Hāmtūn, m., *Hampton;* 6, 6.

Hāmtūnscīr, f., *Hampshire;* 8,
24; 13, 2; 22, 22.

hāmweard, -weardes, adv.,
homewards.

hand, hond, f.(7); pl. handa;
hand; sg. dat. on handa 37,
16; pl. dat. handon 112, 7.
[Ger. hand]

hand-gestealla, m., *comrade, as-
sociate.*

hand-weorc, hond-geweorc, n.,
handiwork.

hand-wundor, hond-, n., *won-
drous handiwork.*

hangian, W2, *to hang* (intrans.).
[cf. hōn]

hār, adj., *hoary, gray, old;* wk. f.
sg. dat. hāran 24, 16.

Hareld, m., *Harold*, a Danish

earl, slain in 871 A.D.; 10, 17.

Harold, m., *Harold*, the English king defeated by William the Conqueror in 1066 A.D.; 24, 15.

hasu, adj., *gray, ash-colored;* f. sg. acc. haswe 105, 33.

hāt, n., *heat.*

hāt, adj., *hot, fiery; eager.* [Ger. heiss]

hāt, hǣt, contracted pres. 3rd sg. of **hātan** q.v.

hātan, S7; hēt, earlier heht; hēton, hehton; (ge)hāten; passive hātte q.v.; *to bid, order, cause; promise; name or call;* contracted pres. 3rd sg. hǣt, 17, 1; 43, 1; hāt 55, 8; subj. pres. pl. hātan 160, 21. [Ger. heissen]

hatian, W2, *to hate.*

hāt-heort, adj., *hot of heart, passionate.*

hātte, pres. and past sg. medial passive of **hātan** q.v.; pl. hātton; *to be called or named.* The only survival in Anglo-Saxon of an inflected medial passive; past sg. 42, 31.

hæbbe, hæbben, subj. pres. of **habban** q.v.

hæfenlēast, hafen-, f., *lack of means, poverty.*

hæft, hæfta, m., *captive, one seized;* also, *captivity, imprisonment; bondage;* sg. acc. hæfton 151, 5. [cf. Lat. captus, captivus, Ger. haft]

hæft-nīed, -nēd, f., *captivity.*

hæg(e)l, hagl, m., *hail.* [Ger. hagel]

hægl-faru, f., *hailstorm.*

hǣl, f.(2); or **hǣlu, hǣlo,** f.(4,b), indecl.; *health, salvation, welfare.* [cf. hāl]

hǣlan, W1, *to heal;* pres. ptc. hǣlende 108, 26. [cf. hāl; Ger. heilen]

Hǣlend, m.(8), *Saviour.* [pres. ptc. of hǣlan]

hæle(ð), m.(6), pl. hǣleð; m.(1), pl. hǣleðas; *man, hero, warrior.* [Ger. held]

hǣlu, see **hǣl.**

hæncgest, see **hengest.**

hærfest, herfest, m., *harvest, autumn.* [Ger. herbst]

hæring, m., *herring.*

hǣs, f., *behest, command.* [cf. hātan]

hǣst, f., *violence, fury.*

Hæsten, m., *Hæsten,* a leader of the Danes; 17, 18; 18, 33; etc.

Hæstingaport, m., *Hastings,* in England; 24, 14.

hǣt, contracted pres. 3rd sg. of **hātan** q.v.

hǣð, f., *heath.* [Ger. heide]

hǣðen, adj., *heathen.* [cf. Ger. heide]

hǣðennes, f., *heathenism, paganism.*

hǣð-stapa, m., *stag,* literally, *heath-stepper.* [cf. steppan]

Hǣðum, æt Hǣðum, *Haddeby;* now, *Schleswig,* a port of Denmark; 43, 14 (see note); 43, 19; 43, 24.

hē, m., **hēo, hīo,** f., **hit,** n., 3rd pers. pron. (sec. 29), *he, she, it.*

hēa, strong pl. and weak sg. form of **hēah** q.v.

hēafod, n., *head.* [Lat. caput, Ger. haupt]

hēafod-burg, -burh, f.(6), *chief city, metropolis.*

hēafod-wund, f., *head-wound.*

heafola, m., *head.*

hēah, hēh, adj.; comp. hīehra, hīer(r)a, hȳrra; sup. h(ī)ehst, hēxt; *high; deep, sublime;* strong m. sg. acc. hēanne 28, 12; pl. nom. hēa 46, 26; weak m. sg. gen. hēan 147, 10; — hēah weder, *rough or stormy weather,* 54, 10. [Ger. hoch, höher, höchst]

hēah-clif, n., *high cliff;* pl. nom. hēah-cleofu 110, 25.   [cf. clif, Ger. klippe]

hēah-engel, m., *archangel.*

hēah-fæder, m., *patriarch.*

hēah-flōd, m., *high or deep flood.* [Ger. hochflut]

hēah-frēa, m., *arch-lord, supreme lord.*

hēah-fȳr, n., *high-leaping fire.*

hēah-getimbre, n., *lofty building.*

Hēahmund, m., *Heahmund,* bishop, slain at Merton in 871 A.D.; 10, 28.

hēahnes, hēannes, f., *height; excellence.* [cf. hēah]

Hēahstān, m., *Heahstan,* bishop of London, who died in 898 A.D.; 24, 6.

hēah-stefn, adj., *high-prowed.*

hēahðungen, ptc. adj., *high-born, of higher rank.* [cf. þēon]

healdan, haldan, S7; hēold; hēoldon, hīoldon; (ge)heal-den; *to hold, keep, guard;*

contracted pres. 3rd sg. hylt 60, 5. [Ger. halten]

healdend, m.(8), *keeper.* [pres. ptc. of healdan]

healf, half, f., *half, side, direction.* — Also adj., *half;* ōðrum healfum, *one and a half,* 24, 10; of þriddan healfre, *of two and a half;* fēorðe healf, *three and a half,* 6, 33 (see note); — be healfe, prep. (with dat.), *beside.* [Ger. halb]

Healfdene, see **Halfdene.**

hēalīc, adv., *lofty, sublime, most high, perfect.*

heall, f., *hall.* [Ger. halle]

heal(l)-ærn, n., *hall-building.*

heal(l)-reced, n., *hall-building.*

heal(l)-þegn, m., *hall-thane;* heal-ðegnes hete, *the hostility of Grendel,* 148, 3.

heals, see **hals.**

healt, adj., *halt, limping.*

hēan, adj., *low, mean, humble; headlong; wretched, miserable.* [Ger. hohn]

hēan, weak form of **hēah** q.v.

hēanlīc, adj., *shameful, ignominious, poor.*

hēanne, m. sg. acc. of **hēah** q.v.

hēap, m., *heap, crowd, band.* [Ger. haufe]

heard, adj.; comp. heardra; sup. heardest; *hard, stern, severe.* [Ger. hart]

heard-ecg, adj., *hard-edged.*

heard-heort, adj., *hard-hearted.*

heard-hicgend, ptc. adj., *brave-hearted.*

heardlīce, adv., *cruelly, sorely; boldly, valiantly.*

hearh, her(i)g, m.; pl. heargas; *pagan temple or sanctuary.*

hearm, m., *harm, injury, grief.*

hearm-scaða, m., *dangerous enemy.*

hearpe, f., *harp.* [Ger. harfe]

heaðo-dēor, adj., *battle-brave.*

heaðo-grim(m), adj., *battle-grim, fierce.*

heaðo-mǣre, adj., *renowned in battle.*

heaðo-sceard, adj., *battle-notched or gashed;* 161, 12 (see note).

heaðo-sīoc, adj., *battle-sick, wounded.*

heaðo-sweng, heaðu-, m., *battle-stroke.*

heaðo-torht, adj., *battle-bright, clear sounding in battle.*

heaðo-wielm, -wylm, m., *battle-surge, hostile flame;* 146, 8 (see note). [cf. weallan]

hēawan, S7; hēow; hēowon; (ge)hēawen; *to hew, cut, kill.* [Ger. hauen]

hebban (orig. *hafjan), S6; hōf; hōfon; (ge)hafen, -hæfen; *to heave, raise up, lift.* [cf. hefig; Ger. heben]

hēdan, W1, *to heed, care for* (with gen.).

hefelīc, adj., *heavy, serious, grievous.*

hefig, adj.; comp. hefigra; sup. hefigost; *heavy, oppressive.*

hefigian, W2, *to burden, oppress, weigh down.* [cf. hefig]

hefig-tīme, -tȳme, adj., *oppressive, grievous, serious.*

hege, m., *hedge, fence.* [cf. hæg-, haga]

hēhst, sup. of **hēah** q.v.

helan, S4; hæl; hǣlon; (ge)-holen; *to conceal.* [Ger. hehlen]

hel(l), f., *hell.* [Ger. hölle]

helle-wīte, n., *hell-torment.*

hel(l)-sceaða, m., *hell-fiend, demon of hell;* 118, 8 (see note).

helm, m., *helm, helmet; protector, guardian.* [cf. helan; Ger. helm]

helm-berend, m.(8), *helmet-bearer, warrior.*

Helmingas, pl. m., *the tribe of the Helmings,* i.e., descendants of Helm.

helpan, S3; healp; hulpon; (ge)holpen; *to help* (with gen. or dat.). [Ger. helfen]

hengest, hæncgest, m., *horse, steed.* [Ger. hengst]

Hengest, m., *Hengest,* traditional leader, with Horsa, of the first Anglo-Saxon invasion of Britain; 4, 18 (see note).

Hengestdūn, f., *Hengest Hill;* 5, 23.

hēo, hīo, hīe, f. sg. nom. and acc. and pl. nom. and acc. of **hē** q.v.

Heodeningas, pl. m., *the Heodenings;* 129, 23 (see note).

heofon, heofen, m., **heofone,** f., *heaven.*

heofon-bȳme, f., *heavenly trumpet.*

Heofon-cyning, m., *the King of Heaven.*

heofone, see **heofon.**

heofonlīc, adj., *heavenly.*

heofon-rīce, n., *kingdom of heaven.*

heofon-wōma, m., *sound from heaven;* 111, 12 (see note).

heoloð-helm, m., *helmet giving invisibility.* [cf. helan]

heolstor, m., *darkness, concealment, cover.* [cf. helan, Mod. Eng. holster]

heonan, adv., *hence.* [cf. hin-]

heonan-forð, heonon-, adv., *henceforth.*

heonanweard, adj., *going hence, passing away.*

heora, hiera, pl. gen. of **hē** q.v., generally used instead of the possessive adj. **sīn,** *their.*

heorcnung, hearcnung, f., *hearing, hearkening.*

heord, f., *guardianship, keeping.*

heordelīc, adj., *pastoral.*

hēore, hȳre, adj., *gentle, mild, pleasant.* — Also adv., *gently, mildly, safely, etc.;* 106, 17 (see note).

heoro-, see **heoru-.**

Heor(o)t, Heorut, m., *hart, stag;* specifically, *Heort,* i.e., *The Hart,* the great mead-hall erected by the Danish king, Hrothgar; sg. nom. Heort 146, 4 (see note). [Ger. hirsch]

heorra, hearra, m., *lord, master.* [Ger. herr]

Heorrenda, m., *Heorrenda,* the bard who superseded Deor; 129, 26 (see note).

heort, see **Heorot.**

heorte, f., *heart.* [Ger. herz]

heorð-genēat, m., *hearth-companion; retainer.*

heorð-werod, n., *band of retainers;* 113, 14 (see note).

heoru-drēorig, heoro-, adj., *bloody from the sword.*

heoru-gīfre, heoro-, adj., *greedy, eager to destroy, devouring, consuming.*

heoru-scearp, heoro-, adj., *sword-sharp, very sharp.*

heoru-weallende, hioro-, ptc. adj., *fiercely welling or surging.*

hēr, adv., *here; in this year* (as used in Chron.). [Ger. hier]

hēr-cyme, m., *advent.*

here, m.; pl. her(i)g(e)as; *pillaging, ravaging; army, expedition,* usually of the enemy, especially the Danes; 6, 9 (see note); also, *host, multitude;* sg. dat. herige 6, 17; herge 155, 13; pl. dat. herigum 125, 7. [cf. hergian; Ger. heer]

Herebryht, m., *Herebryht,* alderman; 6, 13.

Hereferð, m., *Hereferth,* bishop; 5, 17.

here-geatu, f., *war-equipment;* sg. acc. here-geatu 114, 5. [cf. Mod. Eng. heriot]

here-grīma, m., *army-mask, visored helmet.*

here-hūð, hȳð, f., *spoil, booty.*

Heremōd, m., *Heremod,* an ancestor of King Alfred; 8, 11.

Heremōding, m., *son of Heremod;* 8, 10.

herenes, -nis, f., *praise.* [cf. herigean]

here-spēd, f., *success in war.*

here-toga, m.(5), *leader, general.*

herfest, see hærfest.

hergað, m., *harrying, plundering.* [cf. hergian]

hergian, W2, *to harry, plunder.* [cf. here]

hergung, f., *harrying, plundering.*

herig, see hearh.

heri(ge)an, W1; herede; (ge)-hered; *to praise.*

her(i)geas, pl. of here q.v.

heriung, herung, f., *praise.* [cf. herigean]

Herod, Herodus, m., *Herod,* king of Judea, 40–44 B.C.; sg. dat. Herode 3, 9; sg. nom. Herodus 4, 1.

hērsumian, see hīersumian.

hete, m., *hate, hostility.* [cf. hatian, whence Mod. Eng. hate]

hetelīce, adv., *fiercely, violently, vehemently.*

hete-nīð, m., *enmity.*

hetol, hetel, adj., *full of hate, hostile.*

hettend, m.(8), pl. nom. hettend; also m.(1), pl. nom. hettendas; also m.(4), pl. nom. hettende; *enemy.*

hī, see hīe.

Hibernia, f., *Hibernia;* 16, 23.

hicg(e)an, see hycgean.

hider, hieder, adv., *hither.*

hī(e), hēo, hig, f. sg. nom. and acc. or pl. nom. and acc. of hē, pron., q.v.

hīenan, hȳnan, W1, *to scorn, despise, insult, humiliate.* [cf. hēan; Ger. höhnen]

hi(e)ne, m. sg. acc. of hē q.v.

hīeran, hȳran, hēran, W1, *to hear; obey; belong;* pres. 3rd sg. hȳrð 43, 15. [Ger. hören; cf. Ger. gehören]

hierde, hirde, hyrde, m., *shepherd, guardian, keeper;* fyrena hyrde, *master-criminal,* i.e., *Grendel,* 149, 30. [cf. heord]

hierde-bōc, f.(6), *pastoral book.* Alfred's translation of Gregory's *Cura Pastoralis;* 51, 17.

hierdelēas, hyrde-, adj., *shepherdless, without a leader.*

hīernes, hȳrnes, f., *obedience, subjection.* [cf. hīeran]

hīer(r)a, comp. of hēah q.v.

hīersumian, hȳr-, hēr-, W2, *to obey* (with dat.); subj. pres. pl. hȳrsumian 77, 4. [cf. hīersum 'obedient'; Ger. gehorsam]

hīersumnes, hȳr-, hēr-, f., *obedience; service, appointed work.* [cf. hīeran]

hig, see hī (see sec. 7, g).

hige(-), see hyge(-).

Higelāc, Hygelāc, m., *Higelac,* king of the Geats and uncle of Beowulf; mæg Higelāces, *Beowulf,* 149, 17; etc.

hiht, hyht, m., *hope, expectation, joy.*

hild, f., *battle, war.*

hilde-bill, n., *battle-sword.*

hilde-cyst, f., *battle-virtue, valor;* adv. pl. dat. hilde-cystum, *valorously,* 154, 6.

hilde-dēor, adj., *brave in battle.*

hilde-lēoma, m., *battle-flame.*

hilde-mecg, m., *warrior.*

hilde-rinc, m., *warrior.*

hilde-sæd, adj., *battle-sated.*

hilde-swāt, m., *battle-sweat, war-breath* (of the dragon).

hild-fruma, m., *war-chief.*

himbe, perhaps a scribal error. See note to p. 128, l. 1

hindan, adv., *from behind, behind.*

hindema, sup. adj., *hindmost.*

hin-fūs, adj., *eager or ready to go.* [cf. heonan]

hin-gang, -gong, m., *going hence, departure;* sg. dat. hingonge, North. hiniongae, 38, 16. [Ger. hingang]

hin-sīð, m., *journey hence, departure, death.* [cf. heonan]

hīo, see hēo.

hioro-, see heoru-.

hirde, see hierde.

hīrēd, m., *family, household.* [Ger. heirat]

hīrēd-man(n), -mon(n), m.(6), *retainer;* 120, 24 (see note).

hīðan, see hȳðan.

hīw, hēo(w), hīow, n., *shape, color, hue, appearance, likeness.*

hīwen, n., *family, household.*

hladan, S6, *to load, lade;* var. inf. hladon 159, 22. [Ger. laden]

hlāf, m., *bread, loaf;* gān tō hlāfe, *have a meal, eat, partake of food.* [Ger. laib]

hlāf-gang, m., *going to food,* hence, *a meal, food.*

hlāf-mæsse, f., *Lammas,* a holiday in England on Aug. 1; 47, 3 (see note).

hlāford, m., *lord, master, ruler.* [cf. hlāf + weard]

hlāfordlēas, adj., *lordless.*

hlāford-swica, m., *the betrayer of one's lord.*

hlāford-swice, m., *the betrayal of one's lord, treason.*

hlæst, n., *burden, load.* [Ger. last]

hlǣw, hlāw, m., *mound,* often, *funeral-mound.* [cf. -low, -law in Mod. Eng. place-names]

hlēapan, S7; hlēop; hlēopon, hlūpon; (ge)hlēapen; *to leap, run.* [Ger. laufen]

hlēapere, m., *runner, leaper, messenger.* [cf. hlēapan]

hlemman, W1, *to clash, snap.* [cf. hlimman, S3]

hleoðo, pl. of hlið q.v.

hlēo(w), n., *protection, shelter; guardian.* [Mod. Eng. lee]

hli(e)hhan (orig. *hlahjan), hlehhan, etc., S6; hlōh, hlōg; hlōgon; (ge)hle(a)hen; *to laugh, deride.* [Ger. lachen, lächeln]

hlīfian, W2, *to tower, stand high.*

hlīn-duru, f.(7), *grated door;* 137, 27 (see note).

hlīsa, m., *fame, reputation.*

hlið, n.; pl. hliðu, hlioðo, hleoðo; *slope, hill.*

hlōð, f., *band, troop, band of robbers;* pl. dat. hlōþum, *by bands,* 17, 32; 13, 19 (see note).

hlōðian, W2, *to rob, spoil, pillage.*

Hlōðwīg, m., *Hlothwig,* i.e., *Louis,* king of the Franks; 14, 33. [Ger. Ludwig]

hlōwan, S7; hlēow; hlēowon; (ge)hlōwen; *to low, bellow.*

hlūd, adj., *loud.* [Ger. laut]

hlūde, adv., *loudly.*

hlūt(t)or, adj., *clear, pure, undimmed.* [Ger. lauter]

hlynnan, W1, *to resound, roar, make a noise.*

hlynsian, W2, *to resound.*

hlyst, m. or f., *hearing, sense of hearing, listening.*

hnossian, W2, *to strike, beat.*

hnutu, f., *a nut.* [Ger. nuss]

hōc, m., *hook.*

hōcor, hōcer, m., *mockery, scorn.*

hōcorwyrde, adj., *using scornful speech.*

hof, n., *dwelling, court.* [Ger. hof]

hogian, W2, *to think, resolve.* [var. of hycgean q.v.]

hōh, hō, m., *heel, hock;* him on hōh, *behind them,* 103, 8.

hōl, n., *slander, vain speech.*

hold, adj.; comp. holdra; sup. holdost; *gracious, favorable, loyal.* [Ger. hold]

holm, m., *sea, ocean.*

holm-ærn, n., *sea-building,* i.e., *ship.*

holt, m. or n., *holt, forest.* [Ger. holz]

homer, see **hamor.**

homo (Lat.), m., *man.* [cf. A.S. guma]

hōn (orig. *hanhan), S7; hēng; hēngon; (ge)hangen; *to hang* (trans.); subj. pres. 3rd sg. hō 139, 7. [cf. hangian]

hond(-), see **hand(-).**

Honorius (Lat.), m., *Honorius,*

Roman Emperor (395–423 A.D.); 26, 2.

hord, n., and m., *hoard, treasure.* [Ger. hort]

hord-ærn, n., *treasure-house.*

hord-cofa, m., *treasure-container,* hence, *heart, breast.*

hordere, m., *treasurer, steward;* 80, 7 (see note to 80, 8).

hord-weard, m., *guardian of the hoard.*

horn, m., *horn.* [Lat. cornus, Ger. horn]

horn-gēap, adj., *wide-gabled,* or, *wide between the gables.*

hors, n.; pl. hors; *horse;* pl. dat. mid horsan 41, 29. [Ger. ross]

Horsa, see **Hengest.**

horsc, adj., *wise, discerning; quick, active.*

hors-hwæl, m., *walrus.*

horsian, W1, *to provide with horses.*

hors-þegn, m., *horse-thane, groom; an officer of the royal household.*

hrā, see **hrāw.**

hrān, m., *reindeer.*

hraðe, hrade, raðe, adv.; comp. hraðor; sup. hraðost, hradost; *soon, early, quickly.* [cf. Mod. Eng. rather]

Hraðraing, m., patronymic, *son of Hrathra;* that ancestor of the West-Saxon kings said to have been born in Noah's Ark; 8, 11.

hrā(w), hræ(w), hrēaw, m., *body, corpse; carrion.*

hræd, adj.; comp. hrædra; sup. hrædest, -ost; *quick, rapid.*

hrædlíce, hradlíce, adv.; comp. hrædlícor; *quickly, soon.*

hræd-wyrde, adj., *quick to speak, hasty of speech.*

hræfn, hrefn, hrem(m), m., *raven;* pl. nom. hremmas 115, 30. [Lat. corvus, Ger. rabe]

hræg(e)l, n., *garment.* [archaic Eng. rail]

hræðer, see **hreðer.**

hréam, m., *cry, clamor, lamentation.* [cf. hríeman]

hréaw, see **hráw.**

hréaw, hrǽw, adj., *raw, uncooked.* [Ger. roh]

hreddan, W1, *to deliver, save.* [Ger. retten, Mod. Eng. rid]

hrefn, see **hræfn.**

hrémig, adj., *exulting* (with dat. or gen.).

hremmas, pl. of **hræfn** q.v.

hréof, adj., *rough, rugged, scabby, leprous.*

hréoflig, adj., *leprous.* [cf. hréof]

hréo(h), adj., *rough, rude, fierce;* sg. dat. hréoum 153, 21.

Hreopedún, f., *Repton;* 11, 15.

hréosan, S2; hréas; hruron; (ge)hroren; *to fall, go to ruin.*

hréow, f., *sorrow, regret.* [Ger. reue]

hréowan, S2, *to rue, repent of.* [Ger. reuen]

hréowlíce, adv., *miserably, grievously, cruelly.*

hréowsung, f., *repentance.*

hrepian, hreopian, W2, *to touch, treat.*

hréran, W1, *to stir.* [Ger. rühren]

hréð, m., or n., *glory, triumph.*

hréð-éadig, adj., *exultant, triumphant.*

hreðer, hræðer, m. or n., *breast; heart, mind, thought.*

hréð-sigor, m. or n., *triumphant victory.*

hríeman, W1, *to cry out, lament, shout.*

hrím, m., *rime, hoarfrost.*

hrím-ceald, adj., *rime-cold, frost-cold, icy cold;* 130, 4 (see note).

hrínan, S1; hrán; hrinon; (ge)-hrinen; *to touch, smite;* inf. hrínon 104, 10 (see note).

hring, hrincg, m., *ring, circle.* [Ger. ring]

hring-boga, m., *the ring-bowed or coiled creature*

Hring-Dene, pl. m.(4), *the Ring-Danes,* i.e., *the ring-mailed Danes*

hringed, ptc. adj., *ringed;* f. sg. acc. hringde 154, 23.

hring-loca, m., *ring-corslet, coat of mail.*

hring-net(t), n., *ring-net, coat of mail.*

hríð, f., *snow-storm.*

hríðer, hrýðer, n., *ox, cow, cattle.* [Ger. rind]

hríðig, hrýðig, adj., *storm-beaten.*

hróf, m., *roof.*

Hrófesceaster, f., *Rochester;* 6, 19; 14, 8; tó Hrófesceastre 19, 10.

Hrones-næs, m., *Whale's Ness,* the promontory selected by Beowulf for his funeral pyre; 160, 20.

hron-rād, f., *the whale-road*, i.e., *ocean*.

hrōpan, S7; hrēop; hrēopon; (ge)hrōpen; *to cry out, clamor, scream*. [Ger. rufen]

Hrōðgār, m., *Hrothgar*, king of the Danes; sg. dat. Hrōð-gāre 145, 1; 148, 13, etc.

hrūse, f., *earth*.

hrycg, m., *ridge; back*. [Ger. rücken]

hryre, m., *loss, fall, death;* sg. ins. hryre 130, 7 (see note). [cf. hrēosan]

hrȳðer, see hrīðer.

hrȳðig, see hrīðig.

hū, adv., *how*.

Huda, m., *Huda*, a leader of the Surrey folk; 7, 15.

Humber, f., *the Humber river;* ofer Humbre-mūþan 9, 4.

hund, m., *dog*. [Mod. Eng. hound, Ger. hund]

hund, hunde, num., usually in-decl., *hundred*. [Lat. centum]

hundnigontig, num., *ninety*.

hundred, n.(3), pl. hundredu; or indecl. num.; *hundred*. [Ger. hundert]

hundseofontig, num., *seventy*.

hundtēontig, num., *hundred*.

hundtwelftig, num., *hundred and twenty;* 17, 11 (see note).

hungor, hunger, m., *hunger*.

hungri(g), adj., *hungry, famished*. [Ger. hungrig]

hunig, n., *honey*. [Ger. honig]

hunta, m., *hunter*.

huntoð, huntað, m., *hunting*.

huru, adv., *certainly, perhaps, about*.

hūs, n., *house*. [Ger. haus]

hūs(e)l, n., *housel, eucharist*.

hūsl-gang, -gong, m., *attendance upon or partaking of the sacrament or housel*.

hūð, f., *spoil, booty*.

hwā, m., hwæt, n., interrog. pron., *who, what;* used adv., *how;* hwæt magon men cwe-ðan þæt, *how can men say that*, 58, 14. — Indef. pron., *anyone, anything; someone, something;* m. sg. acc. hwæne, *someone*, 112, 2; hwone, 148, 16; for hwan, *why*, 132, 13. [cf. Ger. wer, was]

hwam(m), hwom(m), m., *corner*.

hwan, sg. ins. of hwā q.v.

hwanan, hwonan, -on, adv., *whence*.

hwanne, hwænne, hwonne, in-terrog. adv., *when;* — indef-inite adv., *at any time*.

hwæl, m., *whale*.

hwæl-hunta, m., *whale-hunter*.

hwæl-huntað, m., *whale-hunting*.

hwæne, m. sg. acc. of hwā q.v., *some one*.

hwænne, see hwanne.

hwǣr, hwār, interrog. adv., *where*. — Also indefinite adv., *somewhere, anywhere, every-where;* wel hwǣr, *almost every-where*, 23, 6. — Also conj. adv., *wherever*. [cf. Ger. wo]

hwæt, adj., *active, keen, bold*.

hwæt, n. sg. of hwā q.v., *some-what, something, anything, in any way;* gif hī hwæt gesyn-goden, *if they sinned in any way*, 58, 6; hwæt, *how*, 58, 14.

hwæt, interj., *lo, indeed.*

hwæthwugu, -hwegu, pron., *something.* — Also adv., *somewhat.*

hwæðer, hweðer, interrog. pron. adj., *which of two, which one.* — Also conj. *whether.*

hwæð(e)re, adv., *however, nevertheless.*

hwelan, hwylan, S4, *to roar, bellow.*

hwelchwugu, see hwilchwega.

hwēne, sg. ins. of hwōn q.v., *slightly, a trifle, somewhat.*

hweorfan, hwurfan, S3; hwearf; hwurfon; (ge)hworfen; *to turn, move, return, go.* [cf. hwierfan, Ger. werben]

hwergen, adv., *somewhere;* elles hwergen, *elsewhere.*

hwēsan (orig. *hwōsjan), S7; hwēos; *hwēoson; *gehwōsen; *to wheeze, breathe hard.*

hwider, adv., *whither.*

hwi(e)rfan, hwyrfan, W1, *to turn, revolve, move about.* [cf. hweorfan]

hwīl, f., *while, time;* þā hwīle þe, *as long as,* 115, 7; pl. dat. as adv., *sometimes, at times.* [Ger. weil]

hwilc, hwelc, hwylc, interrog. pron. adj., *which, what.* — Indefinite pron. adj., *any, any one, some.*

hwilchwega, hwelch(w)ugu, hwylc-h(w)ugu, etc., indef. pron., *some, any, some one.*

hwīlen, adj., *transitory, brief.*

hwīl-stycce, n., *a fragment or brief portion of time.*

hwīlum, hwīlon, pl. dat. of hwīl q.v., used adverbially, *at times, sometimes;* hwīlum ǣr, *in times past.* [Mod. Eng. whilom]

hwīt, adj., *white, fair.* [Ger. weiss]

hwōn, adj., used as subs. in n., *little, trifle;* adv. acc. hwōn, or adv. ins. hwēne, *a trifle, slightly, somewhat.*

hwonan, see hwanan.

hwone, var. sg. acc. of hwā q.v.

hwōpan, S7; hwēop; hwēopon; (ge)hwōpen; *to threaten.*

hwȳ, hwī, ins. of hwæt q.v., used as adv., *why, for what reason.*

hwylc, see hwilc.

hwyrfan, see hwierfan.

hwyrft, m., *turning, course.* [cf. hweorfan and hwierfan]

hȳ, hī, hīe, f. sg. nom. and acc. and pl. nom. and acc. of hē q.v.

hycg(e)an, hicg(e)an, W3; hogde; (ge)hog(o)d; *to think, resolve; turn one's attention.* [var. of hogian q.v.]

hȳd, f., *hide, skin.* [Lat. cutis, Ger. haut]

hȳdan, W1, *to hide, conceal.*

hyge, hige, m., *mind, heart, soul; purpose.*

hyge-cræftig, adj., *wise; sagacious.*

hyge-gēomor, adj., *sad, mournful, sorrowful.*

hyge-lēast, f., *foolishness, heedlessness.*

hyge-tēona, m., *deliberate injury.*

hyge-þihtig, hige-, adj., *great-*
hearted, determined.

hylt, contracted pres. 3rd sg
of healdan q.v.

hynan, see hienan.

hyne, var. sg. acc. of hē q.v.

hyr-, see hier-.

hyra, heora, pl. gen. of hē q.v.

hyrde(-), see hierde(-).

hyre, see hēore.

hyrned, adj., *horned, beaked.*
[cf. horn]

hyrst, f., *ornament, jewel, equip-*
ment.

hyrsum-, see hiersum-.

hyrtan, hiertan, W1, *to hearten,*
encourage; reflexively, *to take*
heart. [cf. heorte]

hyrð, pres. 3rd sg. of hieran q.v.

hyrwan, W1, *to vilify, abuse,*
blaspheme.

hyse, hysse, m.; pl. hyssas;
young man, warrior.

hyð, f., *landing-place, port.* [cf.
hithe in Mod. Eng. place-
names]

hyðan, hiðan, W1, *to ravage, con-*
sume. [cf. hūð]

I, J

Iaered, m., *Jared,* father of
Enoch (see Genesis 5:15); 8,
13.

Iafeth, m., *Japheth,* son of Noah;
67, 29.

ic, sg. 1st pers. pron. (sec. 29), *I;*
sg. acc. on mec, *as for me,* 155,
25. [Ger. ich]

Ida, m., *Ida,* king of Northum-
bria; 5, 3 (see note).

idel, ydel, adj., *idle, vain, empty,*
useless; on idel, adv., *in vain.*
[Ger. eitel]

i(e)can, ēcan, ycan, W1; i(e)hte,
ēhte, yhte; (ge)ieht, etc.; *to*
eke out, increase, add to. [cf.
ēac and Lat. augeo]

i(e)g-būend, ēg-, m.(8), *island-*
dweller.

ieldan, yldan, eldan, W1, *to*
hesitate, delay. [cf. eald]

ielde, ylde, ælde, elde, pl. m.,
men; pl. gen. yldo bearn, *the*
children of men, 145, 7 (see
note); pl. dat. mid yldum,
among men, 146, 3; mid eldum
154, 19.

ieldra, yldra, comp. of eald, q.v.,
older, elder; hence m.(5), *an-*
cestor, parent, elder.

i(e)ldu, yldo, yld, etc., f.(2) or
indecl., *age;* or collectively,
the aged; sg. gen. yldo 34, 13.
[cf. eald]

i(e)rhðu, yrhðu, f., *cowardice.*
[cf. earh]

ierman, yrman, W1, *to render*
miserable, afflict. [cf. earm]

i(e)rmð, yrmð(o), ermð, f.,
misery, poverty. [cf. earm]

i(e)rnan, yrnan, S3; arn, ærn,
orn; urnon; (ge)urnen; *to*
run. [cf. rinnan, ærnan; Ger.
rinnen]

i(e)rre, yrre, n., *ire, wrath,*
anger.

i(e)rre, yrre, eorre, adj., *angry,*
indignant, wrathful; also,
astray, confused. [Ger. irre]

i(e)rre-mōd, yrre-, adj., *in an-*
gry mood, angrily.

i(e)rringa, yrrenga, adv., *angrily.*

Jesu Christī (Lat.), sg. gen. of Jesus Christus, m., *Jesus Christ.*

iggað, īgeoð, etc., m., *small island, islet.* [Mod. Eng. ait or eyot]

īg-land, -lond, ēg-, n., *island.*

Īglēa, *Iley Oak;* 13, 4.

īhte, past sg. of īecan q.v.

ilca, ylca, adj. and pron., *the same;* sg. nom. yleca 78, 7; n. sg. dat. ilicum 82, 22. [Mod. Eng. ilk]

ilce, ylce, adv., *in the same way, likewise;* swā ilce 54, 18.

Ilfing, f., *the river Elbing,* in East Prussia; 44, 8–10–12.

in, prep. (with dat.), *in;* (with acc.), *into.* — Also adv., *in, on.*

inbryrdnis, inbrydnis, f., *inspiration, ardor;* sg. dat. inbrydnisse (probably misspelled by scribe) 33, 27. [cf. inbryrdan]

inca, incca, m., *offence, ill-will.*

incarnatiōne (Lat.), sg. ablative of incarnatio, f., *incarnation.*

ince, see ynce.

incer, dual gen. of þū q.v., *of you two.* — Also used as possessive adj.

incge, a word of doubtful meaning, perhaps intended for some personal name. See note to p. 153, l. 17.

incit, dual acc. of þū q.v., *you two.*

indryhten, adj., *very noble, courtly.*

Ine, m., *Ine,* king of West Saxons (688–726 A.D.); 7, 33.

infær, n., *entrance.* [cf. in + faran; Mod. Eng. infare]

ingang, ingong, m., *entrance.*

ingangan, -gongan, S7, *to go in, enter.* [cf. gangan]

ingeþanc, -þonc, m., *thought, mind.*

Ingild, m., *Ingild,* an ancestor of King Alfred; 7, 33.

Ingilding, m., patronymic (sec. 61), *son of Ingild;* 7, 33.

initio (Lat.), sg. ablative of initium, n., *beginning.*

in(n), n., *inn, dwelling, lodging.*

innan, adv., or prep. (with dat. or acc.), *in, within, among;* on innan, *within.*

innanbordes, adv. gen., *within borders, at home.*

inne, adv.; comp. inn(er)ra; sup. innemest; *inside, within.* — Comp. and sup. used as adj., *inner; inmost.*

in(ne)weard, adj., *inward, innermost.*

innoð, m., *inner part of body, womb.*

intinga, m., *cause, sake, occasion;* 34, 15 (see note).

intō, prep. (with dat. or acc.), *into, to, against.*

inuenta est (Lat.), passive pres. perfect 3rd sg. of inuenio; *has been found.*

Inwære, m., *Ingwære,* a Danish leader; 12, 26 (see note).

inwit-gæst, m., *malicious guest, stranger.*

inwit-sorg, inwid-, f., *evil, sorrow.*

inwit-þanc, m., *evil or malicious thought;* pl. dat. inwit-þan-cum, *with hostile intent,* 149, 29.

Iob, m., *Jove or Jupiter;* gen. Iobes 54, 12 (see note); 124, 18; nom. Iob 54, 12. [Lat. Jovis]

Johannes, m., *John,* one of the Seven Sleepers of Ephesus; 139, 3.

Iona, *Yonne;* 15, 17.

ipnalis, *a kind of adder;* 47, 12 (see note). [Lat. hypnale]

īra (Lat.), f., *wrath, ire.*

Īraland, n., *Ireland.* See note to p. 43, l. 5.

īren, īse(r)n, n., *iron; sword.* [Ger. eisen]

īren-bend, m., *iron band;* 150, 23 (see note).

irnan, see iernan.

is, ys, pres. 3rd sg. of bēon q.v.

īse(r)n, see īren.

Israēlas, pl. m., *Israelites;* gen. Israēla 36, 11.

Itermon, m., *Itermon,* an ancestor of King Alfred; 8, 11.

Itermoning, m., patronymic, *son of Itermon;* 8, 11.

Iðacige, f., *Ithaca;* 54, 3.

īu, see gēo.

Iudas, m., *Judas,* betrayer of Christ; 71, 6.

Judēas, pl. m., *Jews;* 141, 8.

Iulius (Lat.), m., *Julius;* sg. nom. Iulius 46, 5; 46, 16; sg. gen. Iuliuses 45, 31.

iung, see geong.

Iuðytta, m., *Judith,* daughter of Charles the Bald; 14, 34 (see note to 7, 26).

K

Karl, see Carl.

kāsere, see cāsere.

Kirkē, see Circē.

kuning, see cyning.

kycene, see cycene.

kyne-rīce, see cyne-rīce.

kyning, see cyning.

kyrtel, see cyrtel.

L

lā, interj., *lo;* lā hwæt, *indeed,* 91, 8. — See also wā lā wā.

lāc, n., *offering, sacrifice.* [cf. Guðlāc, Mod. Eng. wedlock]

lācan, S7; lēc, earlier leolc; lēcon; (ge)lācen; *to leap, play; to move or fly quickly, hurry.*

lād, f., *course, way, journey.* [cf. līðan; Mod. Eng. load, lode]

lād, f., *excuse, defense.* [cf. lādian]

lādian, W2, *to excuse, exculpate, defend.*

lāf, f., *remainder, remains, leavings; heirloom, heritage;* tō lāfe bið, *is left,* 44, 30; tō lāfe wunedon, *remained,* 88, 11; homera lāfe, *swords,* 142, 7; ealde lāfe, *old sword,* 151, 12. [cf. læfan]

lagu, lago, m., *sea, water.* [Ger. lache]

lagu, lago, f., *law.*

lagu-lād, f., *ocean-way, sea.* [cf. lædan]

lagu-strēam, m., *ocean-stream, sea.*

lah-bryce, m., *breach of the law.*

lahlīce, adv., *lawfully, according to law.*

lām, m., *loam, clay.* [Ger. lehm]

lama, loma, adj., weak form only, *lame, crippled.*

Lamach, Lamech, m., *Lamech,* father of Noah; sg. nom. Lamach 8, 12; sg. gen. Lameches 103, 13.

lamb, lomb, n.(9); or n.(3); *lamb.* [Ger. lamm]

land, lond, n., *land, country;* adv. gen. londes ōwēr, *anywhere in the land,* 111, 15. [Ger. land]

land-būend, lond-, m.(8); *dweller in the land, native;* in pl., *the people.* [cf. būan]

land-gemǣre, lond-, n., *border or boundary of the land.*

land-lēod, f. or m.(4) or m.(5), *native of a country;* in pl., *people.* [Ger. landleute]

land-ryht, lond-, *land-right,* probably, *estate.*

lang, long, adj.; comp. lengra; sup. lengest; *long.* [Ger. lang]

Langaland, n., *Langeland,* an island southeast of Denmark; 43, 27.

lange, longe, adv., comp. leng(e); sup. lengest; *long, a long time, late;* longe on dæg, *late in the day,* 10, 25; comp. lencg 44, 24; lenge 146, 9 (see note). [cf. lang]

langian, W2, *to fill with longing, make restless* (impers. with acc.).

langoð, longað, m., *longing, desire.*

langsum, longsum, adj., *lasting, long-lasting, enduring.* [Ger. langsam]

lār, f., *lore, learning, teaching.* [cf. lǣran]

lār-cwide, m., *precept, learned saying.*

lārēow, m., *teacher.* [cf. lār + þēow]

lāst, lǣst, m., *track, footprint;* on lāste (prep. with dat.), *behind, surviving.* [Mod. Eng. last]

late, adv.; comp. lator; sup. latost; *late, slowly, tardily, at last;* þē lator cymð, *comes the later,* 56, 27.

lāð, adj.; comp. lāðra; sup. lāðost; *loathsome, hateful, hostile, grievous;* as subs., *foe,* 151, 32.

lāðan, see lǣðan.

laðian, W2, *to invite, call.* [Ger. laden]

lāðlīc, adj., *loathsome.*

lāðlīce, adv., *hatefully, loathsomely, horribly.*

laudes (Lat.), pl. f., *lauds;* an early morning song-service; dægrēdlīce laudes 74, 7.

lǣcc(e)an, W1 (sec. 51,b); lǣhte; (ge)lǣht; *to seize, grasp.* [Mod. Eng. latch]

lǣce, m., *leech, physician.*

lǣce-cynn, n., *race of doctors.*

lǣdan, W1; lǣdde; (ge)lǣd(ed); *to lead, bring;* contracted pres. 3rd sg. lǣt 72, 6. [Ger. leiten]

Læden, Lēden, adj., *Latin.* — As subs., of lǣdene, *from Latin,* 59, 24.

Læden-gereord, Lēden-, n., *the Latin language.*

Læden-geþēode,-þīode, n., *Latin language.*

Læden-sprǣc, f., *Latin language.*

Lǣdenware, pl. m.(4), *Latin people.*

lǣfan, W1, *to leave;* also, *to remain.* [cf. lāf; Ger. leiben]

Lǣland, n., *Laaland,* an island of Denmark lying south of Zealand; 43, 28.

lǣn, lān, n., *loan;* sg. dat. tō lǣne, *as a loan,* i.e., *loaned,* 51, 32. [Ger. lehen]

lǣn-dæg, m., *transitory or fleeting day.*

lǣn(n)e, adj., *transitory, temporary, not enduring.*

lǣran, W1, *to teach.* [cf. lār; Ger. lehren]

lǣrig, m., *edge, border.*

lǣs, f.; pl. lǣswe or lǣse; *pasture.*

lǣs, comp. adv.; sup. lǣste, lǣsest; *less;* sup. *least;* lǣs þe, *less than,* 24, 10.

lǣssa, comp. of lȳtel q.v., *less;* micle lǣssa, *much smaller,* 41, 15.

lǣst, sup. of lȳtel q.v.

lǣstan, W1, *to perform, carry out; avail, do service* (with dat.). [Ger. leisten]

lǣste, sup. of lǣs q.v.

lǣt, contracted pres. 3rd sg. of **lǣdan** q.v. or of **lǣtan** q.v.

læt, adj., adv.; comp. lǣtra; sup. lǣtemest; *late.*

lǣtan, S7; lēt, older leort; lēton; lǣten; *to let, allow, leave, let go; to let on, pretend, deem, consider;* contracted pres. 3rd sg. lǣtt 67, 18; lǣt 94, 5; etc. [Ger. lassen]

lǣðan, lāðan, W1, *to speak ill of, loathe, detest, hate;* pres. 3rd sg. lāþet 95, 15. [cf. lāð]

lǣwede, adj., *not learned, lay, not of the church,* hence, *ignorant.*

lēaf, f., *leave, permission.*

lēaf, n., *leaf, foliage.* [Ger. laub]

lēafnes, lȳf-, lēf-, f., *leave, permission.*

lēah, f., and m., *lea, meadow.*

leahtor, leahter, m., *moral defect, crime, offence.* [cf. lēan, vb.]

le(a)htrian, W2, *to blame, revile;* pres. 3rd sg. lehtreð 95, 11.

lēan, n., *reward, requital.* [Ger. lohn]

lēan (orig. *lahan), S6; lōh, lōg; lōgon; (ge)lagen; *to blame, reproach.*

lēas, n., *falsehood, deception.*

lēas, adj., *loose, free from, bereft of* (with gen.); *false, deceiving.* [Ger. los]

lēaslīce, adv., *falsely, vainly, frivolously.*

lēasung, f., *falsehood, deception.*

leax, m., *salmon, lax.* [Ger. lachs]

lecc(e)an, W1 (sec. 51,b); leahte; (ge)leaht; *to moisten.* [cf. liccian 'to lick'; Ger. lecken]

lecg(e)an, W1; legde, lēde; (ge)legd, -lēd; *to lay;* pres. 3rd sg. legeþ 139, 13. [cf. licgean]

Lēden(-), see **Læden(-).**

lēfan, see **līefan.**

lēfnes, see **lēafnes.**

lēg(-), see **līg(-).**

Lēgaceaster, f., *Chester;* 20, 26 (see note). [Lat. Legionum Castra]

leger, n., *lying; illness.* [cf. licgean; Ger. lager]

legerfæst, adj., *ill, sick, confined to one's bed.*

legeð, pres. 3rd sg. of **lecgean** q.v.

legie, f.(5), *legion;* pl. nom. legian 46, 21 (see note). [Lat. legio]

leng(e), lencg, comp. of **lange** q.v.

lengra, comp. of **lang** q.v.

lengð, f., length. [cf. lang]

lēo, see **lēo(n).**

Lēo, m., *Leo IV,* pope 847–855 A.D.; domne Lēo 7, 13.

lēod, m., *man, prince.*

lēod, f., usually in the pl., *nation, people.* [Ger. leute]

lēod-hata, m., *tyrant.* [cf. hātan]

lēod-sceaða, m., *enemy of the people, public foe.*

lēodscipe, m., *people, sovereignty.*

lēof, adj.; comp. lēofra; sup. lēofost, -est; *dear, beloved, desirable;* m. pl. nom. used postpositively, þā lēofan, *beloved,* 37, 22; þā lēofostan, *most beloved,* 72, 8; micle

lēofre, *much more desirable,* 155, 26. [Ger. lieb, Mod. Eng. lief]

lēoflīc, adj., *dear, beloved.*

leofode, -on, past. ind. of **libban** q.v.

Lēofsunu, m., *Leofsunu,* a follower of Byrhtnoth; 120, 7.

Lēofwine, m., *Leofwine,* brother of King Harold; 24, 21.

lēogan, S2; lēah; lugon; (ge)logen; *to lie, deceive.* [Ger. lügen]

lēoht, līoht, n., *light, brightness.* [Ger. licht]

lēoht, līht, adj., *bright, light, clear.* [Ger. licht]

lēoht, līht, adj., *light* (of weight), *easy.*

lēohtan, lī(e)htan, lȳhtan, W1, *to shine, light, illuminate.* [cf. lēoht; Ger. leuchten]

Lēoht-berend, m.(8), *Light-bearing,* i.e., *Lucifer,* leader of the tenth and highest order of angels, the seraphim; 61, 27.

Lēoht-fruma, m., *the Lord of Light.*

lēoma, m., *light, gleam, ray.*

leomu, limu, pl. nom. of **lim** q.v.

lēo(n), m. and f.; pl. lēon; *lion; lioness.* [Lat. leo]

lēon (orig. *līhan), S1; lāh; ligon; (ge)ligen; *to lend.* [Ger. leihen]

leornere, m., *learner, disciple, pupil.*

leornian, liornian, W2, *to learn, study, read.* [Ger. lernen]

leorning-cniht, m., *disciple.*

leornung, liornung, -ing, f., *learning.*

lēoð, n., *song, lay, poem.* [Ger. lied]

lēoð-cræft, m., *poetic skill, song-craft.*

lēoð-cræftig, adj., *skilled as a poet.*

leoðo-cræft, m., *skill of limbs,* especially, *of hands.*

lēoð-song, n., *song, poem.*

Lepidus (Lat.), m., *Lepidus,* i.e., *Marcus Æmilius Lepidus* (died 13 B.C.), a Roman politician, co-triumvir with Antony and Octavian, defeated by the latter ultimately.

lēsan, see liesan.

lesan, S5, *to gather, collect.* [Ger. lesen]

letania, m.(5), pl. letanīan; also m.(1), pl. letanīas; *the litany.* [Lat. litanīa]

lettan, W1; lette; (ge)let; *to let, hinder, delay, make late.* [cf. læt]

lēw, lǣw, f., *injury, weakening.*

libban, lybban, W3, or W2; lifde, liofode, leofode; (ge)-lifd, -liofod; *to live;* pres. ptc. m. sg. acc. lifiendne 92, 34; pl. gen. ealra lybbendra, *of all living things,* 64, 11; lif-gendra, 108, 7. [Ger. leben]

līc, n., *body, corpse;* sg. gen. mycclan līces, *elephantiasis,* 89, 25. [Ger. leiche]

līcettan, W1, *to pretend, insist.*

licg(e)an (orig. *legjan), S5; læg; lǣgon; (ge)legen; *to lie, lie dead;* also, *to extend,* *flow* (of land or river); pres. 3rd sg. līþ 7, 30; ligeð 44, 12. [cf. lecgean; Ger. liegen]

līc-hama, -homa, m., *body;* sg. dat. on līchomon 55, 13.

līchamlīc, līcumlīc, adj., *bodily, corporeal.*

līcian, W2, *to be pleasing* (impers. with dat.); also *like* (pers.).

līc-sār, n., *body-wound, sore.*

līcumlīc, see līchamlīc.

lid, n., *ship, vessel.* [cf. līðan]

lid-man(n), -mon(n), m.(6), *shipman, sailor.*

Lidwiccas, Lidwīcingas, pl. m., *the people of Brittany,* also, *Brittany;* 14, 33.

līefan, lȳfan, lēfan, W1, *to allow, permit, give leave* (with dat. of person). [cf. lēaf]

lī(e)htan, see lēohtan.

līesan, lȳsan, W1, *to loose, release, deliver.* [cf. lēas, adj., forlēosan; Ger. lösen]

līetan, W1, *to bend, incline* (trans.); contracted pres. 3rd sg. līt 127, 4. [cf. lūtan]

līf, n., *life.* [cf. libban; Ger. leib]

līf-dæg, m., *day of life.*

lifian, lifgan, dial. variants of **libban** q.v.

līg, lēg, līeg, m., *flame, fire;* sg. dat. ligge 149, 7 (see note). [cf. Lat. lux, Ger. lohe]

līg-bryne, lēg-, m., *fire, confla-gration.* [cf. beornan]

līg-egesa, m., *flame-terror.*

ligeð, prcs. 3rd sg. of **licgean** q.v.

līg-ȳð, f., *flame-wave.*

līhtan, see **lēohtan.**

līhtan, lȳhtan, W1, *to alight* (from a horse).

lim, n.; pl. nom. leomu, limu, limo; *limb.*

Limen, f., *the Limen river* (in Kent); on Limenemūþan 17, 8; 19, 2; etc.

limpan, S3, *to befall, happen.*

lind, f., *linden;* often, *shield.*

Lindesse, Lindesīg, f., *Lindsey,* northern part of Lincolnshire; 11, 13.

lind-wiga, m., *linden-warrior,* i.e., *shield-warrior.*

liss, f., *kindness, favor;* pl. dat. as adv., lissum, *kindly, graciously.*

list, m., *craft, cunning, trick.* [Ger. list]

līt, contracted pres. 3rd sg. of **līetan** q.v.

līð, ligað, pres. 3rd sg. of **licg-(e)an** q.v.

līðan, S1; lāð; lidon; (ge)liden; *to travel, go.*

līxan, līcsan, W1, *to shine, gleam.*

locian, W2, *to look, see, gaze.*

lof, n., *praise, glory.* [Ger. lob]

lomb, see **lamb.**

lond, see **land.**

longað, see **langoð.**

Longbeardan, -as, pl. m., *the Lombards;* pl. gen. Longbeardna londe 15, 27.

long(e), see **lang(e).**

longsum, see **langsum.**

losian, W2, *to be lost, perish;* also, *to escape, evade* (with dat.). [cf. forlēosan; Mod. Eng. lose]

lūcan, S2; lēac; lucon; (ge)-locen; *to lock; close up* (trans. or intrans.); *to weave.*

Lūcius (Lat.), m., *Lucius,* a British king; 4, 7 (see note).

Lucumon, m., *Lucumon,* the king's reeve, under Alfred; 23, 22.

lufian, lufigean, W2, *to love.* [cf. lufu, lēof, Ger. lieben]

luflīce, adv., *lovingly.*

lufu, f.(2); also f.(5), pl. lufan; *love.* [cf. lēof, lufian; Ger. liebe]

Lunden, *London;* on Lundenne 6, 18.

Lundenburg, -burh, f.(6), *London;* tō Lundenbyrig 11, 9; tō Lundenbyrg 18, 31.

lungre, adv., *quickly, hastily.*

Lupi (Lat.), sg. gen. of **Lupus,** m., the Latinized form given to the name of Archbishop Wulfstan.

lūs, f.; pl. nom. lȳs; *louse.* [Ger. laus]

lust, m., *desire, pleasure, lust, enjoyment.* [cf. lystan]

lūtan, S2, *to bow, bend* (intrans.).

lybban, see **libban.**

lyft, f., *air, sky, heaven; wind, blast;* æfter lyfte, *through the air,* 161, 15. [Ger. luft]

lyft-floga, m., *air-flier, flier through the heavens.* [cf. flēogan]

Lȳge, f., *the river Lea;* on Lȳgan 21, 17.

lyre, m., *loss.* [cf. forlēosan]

lȳsan, see **līesan.**

lystan, W1, *to fill with desire;*

to please (used impersonally
with acc. of person and gen.
of thing, or infin. phrase);
þone āglǣcan ǣtes lysteþ, *the
monster desires food*, 137, 1.
[cf. lust; Ger. lüsten, archaic
Eng. list]

lȳt, indecl. subst., adj. or adv.,
little, few; 131, 17 (see note).

lytegian, W2, *to feign, dissemble.*

lȳtel, lītel, adj.; comp. lǣssa;
sup. lǣst; *little, small.*

lȳtlian, W2, *to lessen, diminish.*

M

mā, indecl. comp. adj. and adv.,
more.

Maccbethu, m., *Macbeth,* one of
the three 'Scots' who came to
visit King Alfred; 16, 31.

Maccus, m., *Maccus,* a kinsman
of Wulfstan; 115, 4.

Maelinmun, m., *Maelinmun,* a
'Scot' who visited King Al-
fred; 16, 31.

maga, m., *son, relative.*

magan, PP.; me(a)hte, mihte;
me(a)hton, mihton, myhtan;
ptc. wanting; *may, to be able;*
subj. pres. 1st sg. mǣge 158,
28; subj. pres. pl. mǣgen 51,
3; with verb of motion im-
plied, 150, 3.

magister (Lat.), m., *master,
teacher;* declined as A.S. pl.
gen. magistra 127, 8.

mago, magu, m., *son, man.*

mago-dryht, f., *band of young
warriors.*

magu-rinc, m., *young warrior.*

magu-þegn, mago-, m., *retainer,
vassal.*

Malchus, m., *Malchus,* one of
the Seven Sleepers of Ephesus;
139, 3 (see note).

Maleel, m., *Mahalaleel* (see
Genesis 5:12); 8, 13.

mān, n., *crime, wickedness.*

man, mon, form of man(n) q.v.,
indef. pron., *one.* [Ger. man]

mancus, m., *mancus,* a coin
worth an eighth of a pound or
thirty pence; pl. gen. man-
cessa 51, 26.

mān-dǣd, f., *evil deed, crime.*

mān-fǣhðu, f., *wickedness, evil;*
sg. gen. mān-fǣhðu bearn, *the
children of evil,* 103, 23.

mānful(l), adj., *wicked, criminal.*

manian, monian, W2; manode;
(ge)manod, -manad; *to ad-
monish, warn.* [Ger. mahnen]

mani(g), moni(g), mænig, menig,
adj., *many;* pl. nom. monge
129, 1.

manigf(e)ald, monig-, mænig-,
adj.; comp. mænigfealdre;
manifold, numerous.

man(n), mon(n), m.(6), pl.
nom. men(n); also m.(5),
sg. acc. mannan (only com-
mon form); *man, mankind.* —
Also indef. pron., *one, some-
one.* [cf. Ger. mann and man]

man(n)-cyn(n), mon(n)-, n.,
mankind.

man(n)-dryhten, mon(n)-, m.,
liege lord.

man(n)-silen, -sylen, f., *sale of
a man, enslavement.*

man(n)-sliht, -slieht, etc., m.,

manslaughter, murder. [cf. slēan]

mān-sc(e)aða, m., *evil-doer.*

māra, mǣrra, comp. of **micel** q.v.

Marcus Tullius Cicero, m., *Cicero,* famous Roman orator (born 106 B.C., assassinated 43 B.C.).

Maria, f., *Mary, mother of Christ;* sg. nom. Maria 69, 34; 70, 12, etc.; sg. dat. Marian 70, 8.

Marīnus, m., *Pope Martin II, or Marinus I* (882–884 A.D.); 15, 4.

Martinianus, m., *Martin,* one of the Seven Sleepers of Ephesus; 139, 3 (see note).

Matusalem, m., *Methuselah,* son of Enoch and oldest man named in the Bible; 8, 12.

maðelian, W2, *to make a speech, harangue, speak.*

māðm-, see **māððum-.**

māð(ð)um, m., *jewel, treasure.*

māð(ðu)m-ǣht, f., *valuable possession.*

māð(ð)um-gyfa, m., *treasure-giver.*

māððum-sigle, n., *precious jewel.*

māððum-wela, m., *wealth of treasure.*

Mauricius, error for **Martianus,** m., *Marcian,* Emperor of the East 450–457 A.D.; 4, 16.

māwan, S7; mēow; mēowon; (ge)māwen; *to mow.* [Ger. mähen]

maxime (Lat.), adv., *very greatly.*

Maxim(in)ianus, m., *Maximus,* Roman emperor, 383–388 A.D.;

4, 12. — Also one of the Seven Sleepers of Ephesus; 139, 2.

mǣd, f.(2); sg. gen. mǣde or mǣdwe; *mead, meadow.* [cf. mǣdwe; Ger. mahde]

mǣden-, see **mægden-.**

mǣdwe, f.(5), *meadow.* [cf. mǣd]

mǣg, m., *kinsman.*

mægden, mǣden, n., *maiden.* [Ger. mädchen]

mægden-man(n), mǣden-, m.(6), *virgin, maiden.*

mægen, n., *power, strength, might;* also, *host, throng, multitude.* [Mod. Eng. main]

mægen-cræft, m., *main force, power.*

mægen-cyning, m., *mighty king.*

mægen-earfeðe, n., *misery, terrible hardship.*

mægen-strengo, f., *main-strength, great force;* sg. dat. mægen-strengo 156, 20.

mægen-þrym(m), m., *multitude, force, majesty, glory.*

mægeð, see **mægð.**

mǣgrǣden, f., *kinship.*

mǣg-rǣs, m., *an attack upon kinsmen.*

mǣgð, f., *kin, tribe.* [cf. mǣg]

mægð, mægeð, f., *maid, maiden;* sg. acc. mægð 125, 17. [Ger. magd]

mǣl, n., *time, time for eating,* hence, *meal.* [cf. Ger. einmal, mahl]

mǣlan, W1; past sg. mǣlde; *to speak, announce.*

mǣl-gesceaft, f., *allotted time, destiny.*

mænig(-), see manig(-).

mænigu, see menigu.

mǣran, W1; mǣrde; (ge)mǣred; *to honor, glorify, make famous.* [cf. mǣre, adj.]

mǣre, n., *boundary, border.*

mǣre, adj., *famous, glorious; notorious;* sē mǣra, *that notorious one,* 150, 11 (see note). [Ger. märe, märchen]

Mǣringas, pl. m., *Mœringas or Ostrogoths;* 129, 6 (see note to l. 5).

mǣrð, mǣrðu, -o, f., *fame, glory, honor; glorious deed, mighty work.* [cf. mǣre, adj.]

Mǣs, f., *the Meuse river;* 13, 28.

mæsse, f., *mass; festival day;* sg. acc. mæssa 74, 10. [Lat. missa]

mæsse-ǣfen, m., *the eve before a mass-day.*

mæsse-prēost, -prīost, m., *mass-priest.*

mǣst, sup. of micel q.v., *most;* used as adv. with ælc, eall, *almost, nearly.*

mæst, m., *mast.* [Ger. mast]

Mǣtern, m., *the river Marne;* 15, 16. [Lat. Matrona]

mǣð, f., *measure, degree; honor, right;* mā þonne hit ǣnig mǣð wǣre, *more than was right,* 118, 23.

mǣðel-stede, meðel-, m., *place of assembly; battlefield.*

Mǣðhild, f., *Mathild,* apparently the heroine of some well known romantic tale (see note to p. 129, l. 1).

meaht, miht, f., *might, power.* [cf. magan; Ger. macht]

me(a)ht(e), mihte, myhte, past sg. of magan q.v.

meahtig, mihtig, myhtig, adj., *mighty.*

me(a)lu, melo, etc., n., *meal, flour.* [Ger. mehl]

mearc-stapa, m., *a wanderer in the borderlands.* [Mod. Eng. march; cf. steppan]

mearh, mearg, m., *horse;* sg. acc. mēar 118, 16. [cf. Mod. Eng. mare]

mearn, past sg. of murnan q.v.

mearð, m., *marten,* a fur-bearing animal related to the weasel.

mec, older sg. acc. of ic q.v.

mēce, m., *sword.*

mecgan, W1, *to stir up, mix with* (with dat.); 141, 15. [cf. mengan]

mēd, earlier meord, f., *reward, meed.* [Ger. miete]

medmicel, -mycel, adj., *moderately great; limited.* [cf. miccel]

mēdren-cynn, n., *maternal descent.* [cf. mōdor]

medu, me(o)do, m.(1), or m.(7), *mead,* a drink made from honey; sg. dat. æt meodo 119, 8. [Ger. meth]

medu-ærn, medo-, n., *mead-hall.*

medu-benc, f., *mead-bench.*

medu-heall, meodu-, f., *mead-hall.*

melcan, milcan, S3, *to milk.* [cf. meolc]

melda, m., *informer*.

meltan, S3; mealt; multon; (ge)molten; *to melt*.

mengan, W1, *to mingle, combine*. [cf. mecgan]

menig, see **manig**.

menigu, mænigu, -o, -eo, f., *multitude*. [cf. manig]

mennisc, n., *folk, race*. [cf. mann]

mennisc, adj., *human, manly*.

menniscnes, -nys, f., *humanness, incarnation*. [cf. mann]

meodo, see **medu**.

meolc, miolc, f., *milk*. [Ger. milch]

Mēore, *Möre*, a district of southern Sweden; 44, 1.

Me(o)tod, Metud, m., *Creator, Lord*. [cf. metan]

me(o)tod-sceaft, f., *appointed doom, death*.

Merce, see **Mierce**.

mere, m.; pl. meras; *mere, lake, sea*. [Lat. mare, Ger. meer]

mere-flōd, m., *sea-flood, ocean*.

mere-hengest, m., *sea-horse*, i.e., *ship*. [cf. Ger. hengst]

mere-hūs, n., *ocean-house*, i.e., *ark*.

Meresīg, f., *Mersey* (Essex); 21, 10.

Meretūn, m., *Merton;* 10, 24.

mere-weard, m., *sea-guard; whale*.

mergen, see **morgen**.

Merscware, pl. m.(4), *the Marsh-dwellers*.

mētan, W1; mētte; (ge)mēted, -mētt; *to meet, find, come across*.

metan, S5, *to measure, mete out*. [Ger. messen]

mete, m., *food, meat*.

mete-līest, -lȳst, f., *lack of food*.

Metod(-), Metud(-), see **Meotod(-)**.

mettrumnes, med-, -trymnes, f., *ill-health, infirmity*.

meðel-stede, see **mæðel-stede**.

mic(c)el, myc(c)el, adj.; comp. māra, mær(r)a; sup. mæst; *much, great; whole, entire;* sg. ins. miccle 63, 18; used with comp. 114, 7; pl. dat. of comp. þæm mārum, *to the larger ones,* 82, 22. [Scot. mickle]

mic(c)elnes, myc(c)el-, f., *greatness*.

Michael, m., *St. Michael*, whose day was the 29th of September; 24, 13.

micle, miccle, sg. ins. of **miccel** q.v., used as adv. with comp., *much*.

miclum, myclum, dat. of **miccel** q.v., used as adv., *greatly, much*.

mid, prep. (with dat., acc. or ins.), *with;* mid gefeohte 3, 3; mid hine 31, 1. — Also prep. adv., *along, with them*. [Ger. mit]

mid(d), adj.; sup. mid(e)mest; *mid, middle*. [cf. Lat. medius, Ger. mitte]

middan-geard, -eard, m., *earth, world;* sg. acc. middongeard 35, 7.

middæg, m., *midday, the sixth hour, noon;* sg. acc. middæg

79, 4; to middes dæges, *at midday*, 88, 15.

middæg-sang, n., *midday service*, held at twelve o'clock or noon; sg. nom. middægsang 78, 4.

midde, f., *middle*.

middel-niht, f., *midnight*.

middel-rīce, n., *the middle kingdom*.

Middeltūn, m., *Milton Royal* (Kent); 17, 19.

midde-neaht, -niht, f., *midnight*.

middeweard, adv., *toward the middle*.

mid ealle, adv. phrase, *and everything; completely, altogether*.

mide-winter, m., *mid-winter*.

mid rihte, adv. phrase, *justly, rightly, properly*.

mid þȳ þe, mid þȳ, conj., *while, when*.

M(i)erce, Myrce, pl. m.(4), *Mercians;* pl. gen. Miercna 5, 26; pl. dat. on Myrcon 119, 13; pl. acc. ofer Mierce 7, 10.

miht, see meaht.

mihtig, see meahtig.

mīl, f., *mile*. [Lat. milia passuum]

milde, adj., *mild, gentle, kind; gracious, merciful.* — Also adv., *graciously, mildly*.

mild-heortnes, -nis, f., *mildheartedness, mercy*.

millia (Lat.), num., *thousand*.

milts, f., *mercy, mildness*. [cf. milde]

miltsian, mildsian, W2, *to pity,* (with dat.), *have mercy*. [cf. milts]

mīn, sg. gen. of ic q.v.; also possessive adj., *my, mine;* pl. dat. mīnon 74, 5 (see note).

minne, see myne.

misbēodan, S2, *to abuse, offend, ill-use* (with dat). [cf. bēodan]

misdǣd, f., *misdeed*. [cf. dǣd; Ger. missetat]

misenlīc, see missenlīc.

misfaran, S6, *to go astray*. [cf. faran]

misfōn, S7, *to mistake*. [cf. fōn]

mislīc, mistlīc, adj., *various;* n. pl. dat. mistlīcum 55, 10.

mislimpan, S3, *to go wrong*. [cf. limpan]

missenlīc, misenlīc, adj., *various*.

missēre, n., *half-year*.

mist-glōm, m., *misty gloom*.

mist-hliŏ, n., *misty slope or hill;* pl. dat. mist-hleoþum 148, 20.

mistlīc, see mislīc.

mōd, n., *mind, heart, courage, mood*.

mōd-cearig, adj., *with anxious heart*.

mōdelīce, adv., *bravely, proudly, splendidly*.

mōder, see mōdor.

mōd-gemynd, n., *memory, intelligence*.

mōd-geþanc, m., *purpose of mind*.

mōdig, mōdi, adj., *brave, resolute, courageous*. [Ger. mutig, Mod. Eng. moody]

mōdigian, W2, *to be or become proud or arrogant*.

mōdignes, f., *pride.*

mōdor, mōder, f. (sec. 18); pl. nom. mōdra, mōdru; sg. gen. mōdor or mēder; sg. dat. mēder; *mother.* [Gr. μητηρ, Lat. mater, Ger. mutter]

mōd-sefa, m., *mind, heart, courage.*

mōd-welig, adj.; sup. mōdweligost; *spiritually rich;* m. sg. nom. mōdwelegost 52, 6.

Moises, m., *Moses;* sg. gen. Moises 36, 10.

molda, m., or molde, f., *top of the head.*

molde, f., *mould, earth, land.*

mon, see mann.

mōna, m., *moon.* [Ger. mond]

mōnað, mōnð, m.(1), pl. mōnaðas; also m.(6), pl. mōnað; *month.* [cf. mōna; Ger. monat]

monge, pl. acc. of manig q.v.

monian, see manian.

moni(g), see manig.

mon(n), see mann.

mōnð, see mōnað.

monuc, see munuc.

mōr, m., *moor.*

mōr-fæsten, n., *moor-fastness.*

morgen, mergen, m., *morning; morn; morrow.* [Ger. morgen]

morgen-swēg, m., *morning-cry.* [cf. swēg]

morð-bealu, n., *murder.* [Lat. mors, Ger. mord; cf. morðor]

morð-dæd, f., *murderous deed, murder.*

morðor, n., *murder, slaughter.*

morðor-bealo, n., *murder.*

mōtan, PP. (sec. 55); mōste; ptc. wanting; *may, be allowed;* pres. pl. in inversion þonne mōte wē 91, 3; subj. pres. pl. mōton 138, 3. [Ger. müssen]

moððe, f., *moth.* [Ger. motte]

munan, PP. (sec. 55); munde; (ge)munen; *to remember, be mindful of.*

mund, f., *hand; protection.* [cf. Ger. vormund]

mund-bora, m., *guardian, protector.* [cf. beran]

mund-gripe, m., *hand-grip.*

munt, m., *mount, mountain.* [Lat. mons, gen. montis]

munuc, munec, monuc, m., *monk.* [Lat. monachus]

munuc-hād, m., *monkhood, monastic life.*

murnan, S3; mearn; murnon; (ge)mornen; *to mourn, grieve, complain, be anxious; to shrink from.*

mūs, f.(6); pl. nom. mȳs; *mouse.* [Lat. mus, Ger. maus]

must, m., *must, grape-juice, new wine.*

mūð, m., *mouth,* figuratively, *door.* [Ger. mund]

mūða, m., *mouth of a river.* [cf. mūð]

mycel(-), see miccel(-).

mylen, m., *mill.* [cf. Lat. molīna, Ger. mühle, Mod. Eng. surname Milne]

mylen-scearp, adj., *mill-sharp,* i.e., *ground sharp.*

myne, min(n)e, m., *mind, desire, purpose, favor, love;* minne

wisse, *would show favor*, 131,
13. [Ger. minne]

mynecenu, f., *nun*. [cf. mu-
nuc]

mynegian, W2, *to recall, remind;
intend.*

mynegung, f., *admonition.*

mynle, f., *desire.*

mynster, n., *monastery; minster,
cathedral.* [Lat. monasterium]

myntan, W1, *to determine, in-
tend; suppose, mean.*

Myrce, see Mierce.

myre, mere, f., *mare;* myran
meolc 44, 17 (see note). [cf.
mearh; Ger. mähre]

myrige, mirige, adj., *pleasant,
delightful.* [Mod. Eng. merry]

myr(i)gð, mir(i)gð, myrhð, f.,
mirth, joy, pastime; mōdes
myrðe, *joyously, light-heart-
edly*, 151, 27. [cf. myrige]

myrðra, m., *murderer, homicide;*
heora dēaðes myrðra, trans-
lating *in eorum morte homici-
dam*, 89, 31.

myrð(u), f., *trouble, disturbance;*
var. interpretation of mōdes
myrðe as sg. acc., 151, 27 (see
note).

mȳs, pl. of mūs q.v.

mȳse, mēse, f., *table; food on the
table,* hence, *a meal.* [cf. Lat.
mensa]

N

nā, nō, adv., *no, not, not at all*
(usually with ne).

nabban (= ne habban), næb-
ban, W3; næfde; genæfd; *not
to have.*

nacod, adj., *naked, bare.* [Ger.
nackt]

nāgan (= ne āgan), PP., *not to
have or possess.* [cf. āgan]

nāht, nōht, see nāwiht.

nāhwæðer, nōhwæðer, nāwðer,
nāðor, pron., *neither.* — Also
correlative conj. with ne, nāh-
wæðer ne . . . ne, *neither . . .
nor.*

nāhwæðere, nōhweðere, conj.,
neither, nor.

nal(l)es, see nealles.

nama, noma, m., *name.* [Ger.
name]

nān, pron. adj., *not one, none, no;*
m. sg. acc. nænne 50, 21.
[Ger. nein]

nān-wuht, -wiht, n., *naught,
nothing.* [cf. nāwiht]

nāt (= ne wāt), pres. 1st and
3rd sg. of nytan q.v.

nāðor, nāðer, see nāhwæðor.

nāwiht, nāuht, nāht, nōht, nō-
wiht, n., used as pron., *no
whit,* hence, *naught, nothing.*
— Also adv., *not, not at all;*
nōht þon læs, *none the less,
nevertheless.*

nāwðer, see nāhwæðer.

næbban, see nabban.

nædre, næddre, f., *adder, serpent.*
[Ger. natter]

næfde, past sg. of nabban q.v.

næfre, adv., *never.* [cf. æfre]

næg(e)l, m., *nail.* [Ger. nagel]

næglian, W2, *to nail.* [cf. nægel]

Nægling, m., *Nægling,* the sword
used by Beowulf in his fight
with the dragon; 156, 22 (see
note).

nǣnig (= ne ǣnig), pron., also
adj., *not any, none;* nǣnige
þinga, *by no means, not for
anything.*

nǣron (= ne wǣron), negative
past pl. of **bēon** q.v.

næs, adv., *not, not at all.*

næs (= ne wæs), negative past
sg. of **bēon** q.v.

ne, negative adv., *not.*

nēad-behefe, nī(e)d-, nȳd-, adj.,
necessary, needful.

nēadung, f., *compulsion, neces-
sity.*

nēah, nēh, adv.; comp. nēahra,
nēar(ra); sup. nēahst, nīehst,
nēxst, nȳhst; *nigh, nearly,
near;* æt nēxstan, *next, finally,
at length,* 69, 32; æt nīehstan
104, 14. — Also used as prep.
(with dat.), *near.* — Comp.
and sup. also used as adj.,
nearer; nearest, next. [Ger.
nach]

nēalǣcan, -lēcan, W1; nēalǣhte,
nēalēcte; nēalǣht; *to approach*
(with dat.).

n(e)alles, nal(l)æs, adv., *not at
all, no.*

nēar, comp. of **nēah**, adv., q.v.,
nearer.

nearu, nearo, f., *confinement;
difficulty, distress.*

nearu, adj., *narrow, strait, strict.*

nēat, n., *neat, ox or cow, cattle.*
[cf. nīeten and Mod. Eng.
neat's-foot oil]

nēawist, nēawest, f., *nearness,
vicinity.*

nēd, see **nēod.**

nēd-þearf, see **nīed-þearf.**

nefne, nemne, conj., *unless,
except.*

nēh, see **nēah.**

nellan, see **nyllan.**

nemnan, W1; nem(n)de; (ge)-
nemned; *to name.* [cf. nama]

nemne, see **nefne.**

nemðe, see **nimðe.**

nēod, nē(a)d, nīed, nȳd, nīod,
f., *need, necessity, compulsion;
desire, eagerness;* sg. ins. nȳde,
of necessity, 90, 3; pl. gen.
ofer ūssa nīoda lust, *against
our will,* 109, 4 (see note).
[Ger. not]

nēodlīce, adv.; comp. nēodlīcor;
sup. nēodlīcost; *zealously.*

neorx(e)na-wang, -wong, m.,
paradise.

nēosan, W1; nēosian, nīosian,
W2; *to visit* (with gen. or
clause).

nēotan, S2, *to enjoy, employ, use*
(with gen.). [cf. Ger. genies-
sen]

neoðan, ni(o)ðan, adv.; comp.
niðer(ra); sup. niðemest; *be-
low.*

neowolnes, niwelnys, f., *abyss.*

Nergend, m.(8), *Saviour, pre-
server.* [pres. ptc. of nerian]

nerian, nerigean, W1; nerede;
(ge)nered; *to save, rescue.*

nēten, see **nīeten.**

net(t), n., *net.* [Ger. netz]

nēx(s)t, nīehst, sup. of **nēah** q.v.,
adj., *nearest;* used as subs.,
neighbor. — Adv., *next;* æt
nēxstan, *next, finally, at length.*

nic (= ne ic), negative pron.,
not I.

nī(e)dan, nȳdan, W1, *to force, constrain, compel;* nīþe genȳded, *driven violently,* 156, 22. [cf. nēod, genēadian]

nīed-beþearf, adj.; sup. nīedbeþearfosta; *necessary.*

nīed-faru, f., *enforced or needful journey,* i.e., *death;* sg. dat. nīedfare, North. nēidfaerae.

nī(e)d-gild, nȳd-gyld, n., *forced payment, tribute.*

nīed-þearf, nēd-, nīd-, nȳd-, f., *need, necessity.*

nīehst, nȳhst, sup. of nēah q.v.

nī(e)ten, nȳten, nēten, n., *domestic animal, cattle* (in pl.). [cf. nēat]

nī(e)ten-cyn(n), nȳten-, n., *cattle-kind.*

nigon, num., *nine.*

nigontēoða, ordinal num., *nineteenth;* nigontēoðe healf, *eighteenth and a half,* 7, 30 (see note to p. 6, l. 33). [Ger. neunzehnte]

niht, neaht, f.(6), but sg. gen. nihtes; *night.* [Ger. nacht]

niht-helm, m., *the cover of night.*

niht-sang, -song, m., *night-song, compline;* sg. nom. nihtsang 78, 5; sg. acc. nihtsangc 74, 15; sg. dat. nihtsange 79, 4.

niht-scua, m., *shadow of night.*

niht-weorc, n., *night's work.*

niman, S4; nōm, nām; nōmon, nāmon; (ge)numen; *to take, seize;* pres. 3rd sg. nimð 45, 11. [Ger. nehmen]

nimðe, nymðe, nemðe, conj., *unless, except.*

nīod, see nēod.

nīosian, see nēosan.

nioðor, comp. of niðer q.v.

nīpan, S1, *to grow dark.*

nis = ne is.

nið, m., *hatred, enmity; war, struggle, violence;* sg. dat. as adv., *violently.* [Ger. neid]

niðan, see neoðan.

niðer, nyðer, adv.; comp. nioðor, nioðoror; *down; below.* [Ger. nieder, Mod. Eng. nether]

nið-gæst, m., *malicious guest, hostile stranger.*

Nīðhād, m., *Nithhad,* i.e., *Niþoþr,* king of the Niarar, who had Weland hamstrung and set to work (see note to p. 128, l. 1).

niððas, m. pl. only, *men.*

nīwan, nȳwan, nēowan, adv., *newly, recently.*

nīwe, nēowe, nȳwe, adj., *new; startling;* 150, 32. [Ger. neu]

niwelnys, see neowolnes.

nō, see nā.

Nōe, m., *Noah;* sg. nom. Nōe 8, 12; 67, 26; 103, 1; sg. gen. Nōes 69, 16; Nōees 105, 5 (see note); sg. dat. Nōe 68, 13.

nōht, nāht, see nāwiht.

nōhwæðer(-), see nāhwæðer(-).

nō-læs, adv., *no less, not less.*

nolde, past sg. of nyllan q.v.

noma, see nama.

nōn, m., *three o'clock in the afternoon, the ninth hour, noon* or *nones;* sg. acc. nōn 74, 12; 79, 4; tō nōnes, *at nones,* 88,

20. [Lat. nōna hōra, Mod.
Eng. noon]

nōn-sang, -song, m., *nones, serv-
ice held at the ninth hour;*
sg. nom. nōnsang 78, 4.

nōn-tīd, f., *ninth hour, noon-
tide;* 88, 21.

Normandīg, f., *Normandy;* 24,
12.

norð, adv.; comp. norð(er)ra,
norðor; sup. norðmest; *north,
northwards;* sup. *northern-
most.* [Ger. nord]

norðan, adv., *from the north; —*
be norðan, prep. (with dat.),
north of.

Norðanhymbre, Norðhymbre,
pl. m.(4), *Northumbrians;* pl.
gen. Norþanhymbra 5, 3; pl.
dat. on Norðhymbron 120,
29; pl. acc. on Norþhymbre
9, 5, etc.

norð-dæl, m., *northern part.*

Norð-Dene, pl. m.(4), *North-
Danes.* [cf. Dene]

norðerne, adj., *northern.*

norð(e)weard, adj., *northward.*

norð(e)weardes, gen. of norð-
weard q.v., adv., *northwards.*

Norðhymbre, see **Norðanhym-
bre.**

Norðman(n), -mon(n), m.,
Northman, i.e., *Norwegian;*
42, 26, etc.

norðmest, sup. of norð q.v.,
northernmost.

norðryhte, adv., *due north, north-
ward.*

norð-sæ, m. or f., *North Sea.*

Norð-W(e)alas, pl. m.(1) or
Norð-W(e)alan, pl. m.(5),

North Welsh; acc. Norþ Wa-
las 7, 10 (see note); on Norð
Wealas 21, 2.

Norðwealcyn(n), n., *North Welsh
people or race;* 20, 5.

norðweard, see **norðeweard.**

Norðweg, m., *Norway;* 43, 8.

nōse, f.(5); also **nōsa,** m.(5);
ness, promontory, cape. [cf.
nosu]

noster (Lat.), possessive adj.,
our.

nosu, neosu, f.(2); also f.(7),
sg. gen. nosa; *nose.* [Ger.
nase]

notu, f., *office, employment.*

nōð, f., *presumption, daring;*
sg. ins. as adv., nōþe, *daringly,
boldly,* 136, 10.

nōwiht, see **nāwiht.**

nū, adv., *now. —* Also conj.,
now that, since; 158, 24, etc.
[cf. Gr. νῦν, Lat. nunc, Ger.
nun]

Nursige, *Nursia or Norcia,* in
the province of Perugia, Italy;
87, 13.

nȳd, see **nēod.**

nȳdan, see **nīedan.**

nȳde, sg. ins. of nēod q.v., *neces-
sarily, of necessity.*

nȳd-gyld, see **nīed-gild.**

nȳd-māge, f., *near kinswoman,
cousin.*

nȳd-þearf, see **nīed-þearf.**

nȳhst, see **nīehst.**

nyllan, nellan, nillan (= ne wil-
lan), spec. (sec. 57); nolde;
ptc. wanting; *to be unwilling.*
[cf. Mod. Eng. willy-nilly]

nymðe, see **nimðe.**

nysse, nyste, past sg. of **nytan** q.v.

nytan (= **ne witan**), PP.; nyste, nysse; ptc. wanting; *not to know;* subj. pres. 3rd sg. nyte 99, 20; ind. past pl. nyston 54, 15. [cf. Lat. nescio, and A.S. witan]

nȳten, see **nīeten.**

nytennes, -nis, f., *ignorance.* [cf. nytan]

nyt(t), f., *service, use, advantage.* [cf. Ger. nutz]

nyt(t), adj., *useful, of value.*

nyt(t)nes, f., *use, benefit, utility.*

nytwyrðe, adj.; comp. nyt-wyrðra; sup. nytwyrðost; *use-ful.*

O

occidente (Lat.), ablative sg. of **occidens,** m., *the west, occident.*

Octāviānus (Lat.), m., *Octavian or Augustus Caesar,* i.e., Caius Octavius Augustus, later called Caius Julius Caesar Octavianus (63 B.C.–14 A.D.). First Roman emperor; sg. nom. Octāuiānus 45, 30; sg. dat. Octāuiāne 46, 9; Octāu-iānuse 47, 9; sg. gen. Octā-uiānuses 46, 13.

Oda, m., *Odo or Eudes,* king of France (ca. 887–898 A.D.); 15, 26.

Odda, m., *Odda,* father of some cowardly followers of Byrht-noth; 118, 14; sg. gen. Oddan 120, 1.

of, prep. (with dat.), *from, of.* — Also prep. adv., *off.*

ofāslēan, S6, *to strike out.* [cf. slēan]

of-dūne, adv., *down.*

of-dūneweard, adv., *downward.*

ōfer, m., *shore, bank.* [Ger. ufer]

ofer, adv., *over, remaining, after-ward.*

ofer, prep. (with dat. or acc.), *over, across, above; in spite of; beyond, after;* ofer mægð giunge, *besides the young maiden,* 125, 17; ofer þā niht, *after that night,* 149, 16; ofer willan, *against his will, unwill-ingly,* 153, 29. [Ger. über]

ofercuman, S4, *to overcome, van-quish; deprive of* (with gen.); 129, 13 (see note). [cf. cu-man]

oferfēran, W1, *to travel over.* [cf. fēran]

oferfrēosan, S2, *to freeze over.* [cf. frēosan]

oferfyl(l), f., *excess, surfeit, su-perfluity.*

ofergān, spec., *to pass over, come to an end; to be over with or ended* (used impers. with gen.). [cf. gān; Ger. übergehen]

oferhergian, W2, *to ravage;* past pl. oferhergeadon 5, 14. [cf. hergian]

oferhīgian, W2, *deceive or lure into overconfidence;* 159, 13 (see note).

oferhlæstan, W1, *to overload.* [cf. hlæst]

oferhoga, m., *despiser.*

oferhrops, m. or n., *voracity, greed.*

ofermēttu, f., *pride, arrogance.*

ofermōd, n., *confidence, arrogance.* [Ger. übermut]

ofersceōtan, S2, *to shoot down.* [cf. sceōtan]

ofersēcan, W1, *to overtax, test too severely.* [cf. sēcean]

oferstīgan, S1, *to rise above, surpass.* [cf. stīgan]

oferswīðan, S1, oferswāð; but also W1, oferswīðde, etc.; *to overcome.* [cf. swīðe]

ofersȳman, W1, *to overload.*

ofertēon, S2, *to draw over; cover over.* [cf. tēon]

oferweorpan, S3, *to throw over.* [cf. weorpan]

oferwinnan, S3, *to overcome.* [cf. winnan]

ōfest, see **ōfost.**

Offa, m., *Offa,* king of Mercia (ca. 757–796 A.D.); sg. gen. Offan 5, 8; sg. nom. Offa 5, 26. — Also a follower of Byrhtnoth named in *Maldon;* sg. nom. Offa 118, 26; 119, 26; sg. gen. Offan 112, 5.

offaran, S6, *to overtake.* [cf. faran]

offellan, -fyllan, W1, *to kill by felling, destroy.* [cf. fyllan 'to fell']

offrian, ofrian, W2, *to offer, bring a sacrifice.* [Lat. offero]

ofgi(e)fan, -gyfan, S5, *to give up, surrender, desert, quit.*

oflǣte, -lāte, -lēte, f., *oblation, offering.* [Lat. oblata]

ofost, of(e)st, f., *haste.*

ofostlīce, ofst-, adv.; comp. ofostlīcor; *hastily, quickly, speedily.*

ofrian, see **offrian.**

ofrīdan, S1, *to overtake.* [cf. rīdan]

ofsceōtan, S2, *to shoot down.* [cf. sceōtan]

ofsettan, W1; ofsette; ofset; *to beset, oppress, weary.* [cf. settan]

ofsittan, S5, *to sit upon, occupy; besiege.* [cf. sittan]

ofslēan, S6, *to kill off, slaughter.* [cf. slēan]

ofspring, m., *offspring, progeny.*

ofst, see **ofost.**

ofstician, W2, *to stab.* [Ger. abstechen]

ofstlīce, see **ofostlīce.**

oft, adv.; comp. oftor; sup. oftost; *often, oft;* — for oft, *very often.*

oftrǣdlīce, adv., *frequently, often, habitually.*

ofþync(e)an, W1, *to regret; cause displeasure or offence* (impers. with dat. of person and gen. of thing or object clause). [cf. þyncean]

ōht, see **āwiht.**

Ōhthere, Ōhtere, m., *Ohthere,* a Norwegian sailor in the service of King Alfred; 40, 1 (see note). — Also a Swedish king, son of Ongentheow; 154, 20.

oll, n., *contumely, insult, contempt.*

Omerus, m., *Homer;* 127, 5.

ōmig, adj., *rusty.*

on, an, prep. (with dat., acc. or ins.), *on, in, at; into;* on his dæge, *in his day,* 8, 22; on

West Seaxe, *into Wessex,* 9, 34; an wildedēora līc, *into the bodies of wild animals,* 55, 2; — on ān, *anon, at once, forthwith,* 110, 16; — expressing measure or value, on fīftegum mancessa, *of the value of 50 mancusses,* 51, 26. [Ger. an]

on ān, adv., *anon, at once, forthwith.*

onarn, past sg. of **oniernan** q.v.

onǣlan, W1, *to kindle, set on fire.* [Mod. Eng. anneal]

onbærnan, W1, *to kindle, inflame,* hence, *to inspire, incite.* [cf. bærnan]

onbelǣdan, W1, *to bring on, inflict;* inf. onbelǣden 73, 7. [cf. lǣdan]

onbēodan, S2, *to bid, order; announce, proclaim.* [cf. bēodan]

onbītan, S1, *to taste, eat, partake of* (with gen.). [cf. bītan]

onbregdan, -brēdan, S3, *to move quickly, start; to break in, swing open* (trans.). [cf. bregdan]

onbryrdnes, -nis, f., *inspiration.*

onbyr(i)gan, -byrian, W1; onbyr(i)gde; onbyr(i)ged; *to taste of* (with gen.).

oncierran, -cyrran, W1, *to turn.* [cf. cierran]

oncnāwan, S7, *to recognize, understand;* past sg. oncnīow 152, 24. [cf. cnāwan]

oncor-, see **ancor-.**

oncweðan, S5, *to address, answer* (with dat.). [cf. cweðan]

oncyrran, see **oncierran.**

oncȳð(ð), f., *grief, distress;* sg. acc. oncȳþðe 152, 13.

ond, see **and.**

ondettan, see **andettan.**

ondrǣdan, S7, *to dread, fear.* Often used with reflexive dat. and acc. of thing. [cf. drǣdan]

ondreccan, W1, *to relate, narrate.* [cf. reccean]

ondsaca, see **andsaca.**

ondswarian, see **andswarian.**

ondwe(a)rd, see **andweard.**

on efen, adv., *together, at once.*

onefn, onemn, prep. (with dat.), *beside, alongside, near.*

Onela, m., *Onela,* a king of Sweden; 154, 24.

on emnlange, prep. (with dat.), *along.*

onfeohtan, S3, *to fight.* [cf. feohtan]

onfindan, S3, *to discover, perceive, experience;* ind. past sg. onfunde 149, 30; 151, 26. [cf. findan]

onfōn, S7; onfēng; onfēngon; onfangen; *to receive, gain* (with gen., dat. or acc.); pres. 3rd sg. onfēhð 57, 26. [cf. fōn; Ger. anfangen]

onforan, prep. (with acc.), *before.*

ongalan, S6, *to sing over; to charm.* [cf. galan]

ongē(a)n, angēan, agēn, adv., *back, in the opposite direction, again.* — Also prep. (with dat. or acc.), *towards, against.* [cf. Ger. entgegen, Mod. Eng. again]

Ongel-cynn, see **Angel-cynn.**

Ongel-þéod, see **Angel-þéod.**

ongemang, -mong, amang, prep. (with dat.), *among;* — onmang þám, adv., *while.*

ongeslēan, S6, *to produce, bring about, inflict on.* [cf. slēan]

ongi(e)ldan, -gyldan, S3, *to repay, suffer the penalty for* (with gen.). [cf. gieldan]

ongi(e)tan, -gytan, -giotan, S5; onge(a)t; ongē(a)ton; ongieten, -gyten; *to get hold of; to perceive, understand;* contracted pres. 3rd. sg. ongit 59, 10.

ongin(n), angin(n), n., *beginning.*

onginnan, S3, *to begin.*

ongytan, see **ongietan.**

ongytenes, f., *knowledge, comprehension.*

onhagian, W2, *to be convenient* (impers. with dat.); subj. pres. sg. onhagie 56, 29 (see note).

onh(i)eldan, -hyldan, W1, *to incline, bend down, bow.* [cf. heald, and Mod. Eng. heel, vb.]

onhrēran, W1, *to arouse, stir up.*

oniernan, S3; onarn; onurnon; onurnen; *to spring open, give way.* [cf. iernan]

on innan, adv., *within.*

onlícnes, anlícnys, f., *likeness, image.*

onliesan, -lȳsan, W1, *to loose, release.* [cf. líesan]

onlong, see **andlang,** prep.

onlūtan, S2, *to bow, incline.* [cf. lūtan]

on middan, prep. (with dat.), *in the midst of, amid.*

onmunan, PP., *to consider worthy* (with acc. of person and gen. of thing). [cf. munan]

ono, eno, one, interj., *lo, behold;* ono hwæt, *behold,* 32, 21.

onrīdan, S1, *to ride on* (with acc.). [cf. rīdan]

onsǣge, adj., *falling upon, assailing, attacking.*

onsc(e)acan, S6, *to shake.* [cf. sceacan]

onscunian, W2, *to shun, avoid.*

onscyte, m., *attack, assault, calumny.*

onsendan, W1, *to send, transmit;* past pl. onsendan 27, 12. [cf. sendan]

onsīen, an-, -sȳn, f., *sight, appearance; face, presence, form.* [cf. sēon]

onsittan, S5, *to sit upon, occupy, press down.* [cf. sittan]

onslǣpan, -slēpan, S7; also W1; *to fall asleep.* [cf. slǣpan; Ger. entschlafen]

onspannan, S7, *to unspan, unfasten, loosen.* [cf. spannan]

onspringan, S3, *to spring apart.* [cf. springan]

onstal, m., *institution, supply.* [cf. onstellan and Ger. anstalt]

onstandan, an-, S6, *to stand, occupy a place.* [cf. standan]

onstellan, W1, *to place, establish, create.* [cf. stellan]

onstyrian, W2, *to stir up, excite, move.*

onswīfan, S1, *to swing forward, raise, turn.*

onsȳn, see onsīen.

ontimber, antimber, n., *material, substance.*

ontȳnan, W1, *to open up* (intrans.); *to reveal* (trans.).

onwacan, S6, *to awake, arise, be born.* [cf. wacan]

onwæcnan, W1, *to awaken; to spring, be derived.* [cf. wæc-nan]

onw(e)ald, an(d)-, m., *power, rule;* sg. acc. andweald 61, 31. [cf. wealdan]

onweg, see aweg.

onwendan, W1; onwende; onwend(ed); *to overturn, change, invert;* ptc. dat. onwændum heafde, *with inverted head,* 86, 23. [cf. wendan]

onwinnan, S3, *to fight on, attack.* [cf. winnan]

open, adj., *open.* [Ger. offen]

openian, W2, *to open, become open* (intrans.); also, *to open* (trans.). [cf. open; Ger. öffnen]

openlīce, adv., *openly, plainly, clearly.*

ōr, n., *beginning.* [cf. ord]

ōra, m., *border, margin, shore.*

orc, m., *flagon.* [Lat. urceus]

orcnēas, m., in pl. only, *evil spirits, monsters.*

ord, n., *point, spear-point; beginning; front or vanguard of an army.* [Ger. ort]

ord-fruma, m., *beginning; author.*

Ordhēh, m., *Ordheh,* a thane of King Alfred; 20, 15.

or-eald, adj., *very old.* [Ger. uralt]

orf-cwealm, m., *pestilence among cattle.*

or-ieldu, -eldo, f., *extreme old age.* [cf. or-eald]

oriente (Lat.), ablative sg. of oriens, m., *the east, orient.*

or-mōdnes, f., *despondency, despair.*

oruð, n., *breath.*

Ōsbearn, m., *Osborn,* a Danish earl, slain in 871 A.D.; 10, 17.

Ōsbryht, m., *Osbert,* Northumbrian king; 9, 7.

Ōscytel, m., *Oscytel,* a Danish king; 11, 30.

Ōsmōd, m., *Osmod,* an alderman; 5, 19.

Ōsrīc, m., *Osric,* alderman; 6, 24; 8, 24.

Ōswold, m., *Oswold,* one of two brothers who fought with Byrhtnoth; 122, 2.

oð, prep. (with acc.), *until, up to, as far as;* oð ðis, *until this time,* 31, 12. — Also conj., *until.* Often with þæt.

oðberan, S4, *to bear away.* [cf. beran]

ōðer, adj. and pron., and ordinal num., *other, another; second; one of two;* ōðer twēga, *one of two things,* 119, 3; nihta ōðer swilc, *as many nights, also,* 103, 28; n. sg. acc. ōþer ēare, *one of the ears.* — Used correlatively, *the one . . . the other.* — In numbers; ōð-rum healfum, *one and a half,* 24, 10. [Ger. ander]

oǒfæstan, W1, *to commit to or set at.* [cf. fæstan]

oǒfeallan, S7, *to fall away, decline.* [cf. feallan]

oǒfléogan, S2, *to fly away.* [cf. fléogan]

oǒrōwan, S7; oǒréow; oǒréowon; oǒrōwen; *to row away.*

oǒstandan, S6, *to come to a standstill, stop.* [cf. standan]

oǒǒ-, see oǒ-þæt.

oǒ-þæt, oǒǒ-, conj. adv., *until.*

oǒǒe, oǒǒon, conj., *or;* used correlatively, *either . . . or;* North. aeththa 38, 12. — Also conj. adv., *until.* [cf. Ger. oder]

oǒwindan, S3, *to escape.* [cf. windan]

ōwēr, see āhwǽr.

ōwiht, see āwiht.

ōwihte, see āwihte.

oxa, m., *ox.* [Ger. ochs]

oxan-hierde, -hyrde, m., *oxherd, cowherd.*

Oxnaford, m., *Oxford.*

P

Pafia, f., *Pavia;* 16, 4.

Panta, m., *the Panta or Blackwater,* a river in Essex; 114, 25; 115, 21 (see note to 113, 16).

pāpa, m., *pope.* [Lat. papa]

Paris, *Paris;* 15, 15 (see note).

Pastōrālis (Lat.), adj., *pastoral, pertaining to shepherds or herdsmen.* See Gregory's *Cura Pastoralis;* 51, 17.

pater (Lat.), m., *father.* [cf. A.S. fǽder]

Paulīnus (Lat.), m., *Paulinus,* bishop of York (625 A.D.) and Rochester (633 A.D.), and missionary to the Northumbrians. Died 644 A.D.; acc. sg. Paulīnus 32, 10.

pæning, pening, m., *penny.* [Ger. pfennig]

pæǒ, m., *path.* [Ger. pfad]

Pedride, Pedrede, f., *the river Parret,* in Somerset; æt Pedridan-mūþan, *at the Parret's mouth,* 6, 25; be ēastan Pedredan 20, 3.

Pefnesēa, f., *Pevensey,* near Hastings, on the southeastern coast of England; 24, 12.

Pe(o)htas, Pyhtas, pl. m., *the Picts;* on Peohtas 11, 29; Pyhtas 27, 5; Pehtas 28, 19.

persecūti sunt (Lat.), pres. perfect 3rd pl. of persequor, *to persecute.*

Pippen, m., *Pepin,* king of the Franks, son of Charles ·Martel and father of Charlemagne; 15, 2.

plantian, W2, *to plant.* [Ger. pflanzen]

plega, m., *play, pleasure.*

plegian, W2; plegode, pleogode; (ge)plegod; *to play; fight.* [Ger. pflegen]

Plegmund, m., *Plegmund,* archbishop of Canterbury; 51, 19 (see note).

plēon (orig. *plehan), S5; pleah; *to risk* (with gen.).

Pompēius (Lat.), m., *Pompey,* i.e., *Cneius Pompēius Magnus* (106–48 B.C.), a famous Ro-

man general defeated at Phar-
salia by Augustus Caesar in 48
B.C.; sg. acc. Pompēius 46, 5.

populum (Lat.), sg. acc. of **popu-
lus**, m., *the people.*

port, m., *port, harbor.* [Lat.
portus]

Port, *Portland;* 6, 10.

potestas (Lat.), f.; pl. nom.
potestates; *power.*

prǣfost, prōfost, m., *provost*, an
officer of a monastery. [Lat.
praepostus, propostus]

prass, m. or n., *pomp, array.*

prēost, m., *priest.* [Lat. pres-
byter]

prīm, f., *the first hour*, 6 A.M.;
*prime; service held at the first
hour;* sg. acc. prīm 74, 8; 79,
3. [Lat. prīma hōra; cf. prīm-
sang]

prīm-sang, -song, m., *prime-
song, service held at the first
hour;* sg. nom. prīmsang 78, 4.

prīmus (Lat.), ordinal num.,
first.

principātus (Lat.), m.; pl. nom.
principātus; *principality.*

prōfian, W2, *to esteem or regard
as;* ðēof . . . tō prōfianne, *to
be regarded as a thief*, 100, 8.

pryt, f.(2), also **pryte**, f.(5);
pride.

pullian, W2, *to pull.*

pund, n., *pound.* [Lat. pondus,
Ger. pfund]

pund-mǣte, adj., *weighing a
pound.*

Pyhtas, see **Peohtas.**

pyt(t), m., *pit, hole in ground.*
[Ger. pfütze]

Q

quando (Lat.), conj., *when.*

quod (Lat.); n. sg. nom. of **quī;**
which.

R

racente, f., *chain, fetter.*

rād, f., *ride, raid.* [cf. rīdan]

ranc, adj., *proud, haughty, valiant.*

rand, rond, m., *border; shield.*
[Ger. rand]

rāp, m., *rope.*

raðe, see **hraðe.**

rǣc(e)an, W1; rǣhte; (ge)-
rǣht; *to reach.* [Ger. reichen]

rǣced, reced, m., or n., *house,
hall.*

rǣd, m., *rede, counsel, advice,
plan.* [Ger. rat]

rǣdan, S7; rēd, earlier reord;
rēdon; (ge)rǣden; also W1;
rǣdde; (ge)rǣd; *to advise,
counsel; to explain; read.*
[Ger. raten]

rǣde-here, m., *equestrian force,
cavalry.* [cf. rīdan]

rǣdere, m., *one who reads, reader.*

rǣding, f., *reading.*

rǣpan, W1, *to rope; to bind, tie*
(with a rope). [cf. rāp]

rǣran, W1, *to raise, rear, exalt.*
[cf. rīsan]

rǣs, m., *rush, onslaught, storm.*
[cf. Mod. Eng. race]

rǣsan, W1, *to rush, race.*

rǣst, see **rest.**

Rēadingas, pl. m., *Reading;*
tō Rēadingum 9, 34.

Rēad Sǣ, m., *the Red Sea.*

rēaf, n., *dress, armor; spoil,
booty.* [cf. rēafian, Ger. raub]

rēafian, W2, *to rob, plunder.*
[Ger. rauben; cf. Mod. Eng.
bereave]

rēaflāc, m., or n., *robbery, plun-
dering.* [cf. rēafian, lāc]

recc(e)an, W1 (sec. 51,b);
re(a)hte; (ge)re(a)ht; *to nar-
rate, tell, interpret.*

rēc(c)elēas, adj., *reckless, care-
less.* [cf. rēcean; Ger. ruch-
los]

rēc(e)an, rēcc(e)an, W1 (sec.
51,b); rōhte; (ge)rōht; *to
reck, care* (with gen.); pres. pl.
in inversion, rēce wē 73, 2.

reced, see ræced.

reducat (Lat.), subj. pres. 3rd
sg. of reduco, *to lead back.*

regn, rēn, m., *rain.* [Ger. regen]

regn-boga, rēn-, m., *rainbow.*

regn-heard, rēn-, adj., *exceed-
ingly hard.*

regol, regul, m., *rule, canon.*
[Lat. regula, Ger. regel]

regollīc, adj., *according to rules,
regular;* 36, 24 (see note).
[cf. regol, Lat. regula]

regollīce, adv., *regularly, ac-
cording to the rules.*

rehte, rehton, past ind. of reccean
q.v.

rēn, see regn.

ren-weard, perhaps rēn-, m.,
hall-guardian (?), or, *mighty
guardian* (?). See note to
p. 150, l. 19.

rēoc, adj., *fierce, savage.*

rēocan, S2, *to reek, smoke.* [Ger.
riechen]

reoht, an earlier form of riht
q.v.

rēonig-mōd, adj., *sad at heart,
weary.*

rēonung, f., *whispering, mutter-
ing.*

reord, f., *speech, voice.*

rēow, adj., *rough, fierce, cruel.*

repan, S5, *to reap.*

rest, ræst, f., *rest; place for rest.*

restan, W1, *to rest, remain.*

Rētie, f., *Rhaetia;* 54, 3 (see
note); sg. gen. Rētie 123, 8.

rēðe, adj., *fierce, cruel; stern,
austere.*

rēðnes, f., *fierceness, rage.*

rēðra, m., *oarsman, rower.* [cf.
rōðer]

rib(b), n., *rib.*

rīce, n., *kingdom, authority, do-
minion.* [Ger. reich]

rīce, adj.; comp. rīcra; sup.
rīcost; *powerful, rich, influ-
ential.* [Ger. reich]

ricene, rycene, recene, adv.,
quickly, instantly, hastily.

rīcsian, rīxian, W2, *to rule, reign.*
[cf. rīce]

rīdan, S1, *to ride.* [Ger. reiten]

riht, ryht, n., *right;* on riht, mid
rihte, *aright, rightly.* — Also
adj., *right, just, correct, direct.*
[cf. Lat. rectus; Ger. recht]

rihte, ryhte, adv., *right, properly;*
— mid rihte, *justly, rightly,
properly.*

riht-gerȳne, ryht-, n., *mystery;*
pl. acc. ryht-gerȳno 108, 23.

riht-lagu, f., *right law.*

rihtlīc, adj., *right, just, proper.*

rihtlīce, adv.; comp. rihtlīcor;
sup. rihtlīcost; *rightly, justly,
properly, correctly.*

riht-norðan-wind, m., *direct north wind.*

riht-spell, ryht-, n., *splendid discourse.*

rihtwīs, adj., *righteous.*

rihtwīsnes, ryht-, f., *righteousness.*

rīm, n., *number.* [Ger. reim, Mod. Eng. rime]

rīman, W1, *to count, number.* [cf. rīm; Mod. Eng. rime]

rīm-getæl, n., *number, count.*

Rīn, m. or f., *the Rhine;* be ēastan Rīn, *east of the Rhine,* 15, 25. [Ger. Rhein]

rīnan, rignan, W1, *to rain.* [cf. regn; Ger. regnen]

rinc, m., *man, warrior.*

rinnan, S3, *to run.* [cf. iernan; Ger. rinnen]

rip, ryp, n., *reaping, harvest.*

rīpan, see rȳpan

rīpe, adj., *ripe, mature.* [Ger. reif]

rīpung, f., *ripening, maturing.*

rīsan, S1; rās; rison; (ge)risen; *to rise.* [cf. ræran]

rīxian, see rīcsian.

rōd, f., *rood, cross; rod, pole.* [Ger. rute]

rōde-hengen, f., *crucifixion; cross.*

rōde-tāc(e)n, n., *sign of the cross.*

rodor, roder, m., *sky, heavens.*

rōf, adj., *strong, brave, renowned.*

rōhte, rōhton, past sg. and pl. of rēcean q.v.

Rōm, Rōme, f., *Rome,* the city; tō Rōme 7, 24; 27, 8; etc. [Lat. Roma]

Rōmāne, pl. m.(4), *Romans.* [Lat. pl. Romani]

Rōmānisc, adj., *Roman;* 27, 20.

Rōme-burg, Rōmaburh, Rōmāna-, f., *the city of Rome;* Rōmaburh 26, 4; 45, 29.

Rōmware, pl. m.(4), also Rōmwaran, pl. m.(5), *Rome-dwellers, Romans.*

rond, see rand.

rōtlīce, adv., *cheerfully.*

rōðer, n., *oar.* [Ger. ruder, Mod. Eng. rudder]

Roðulf, m., *Rodolf,* one of the rulers succeeding Charles the Fat; 15, 26.

rōwan, S7; rēow; rēowon; (ge)-rōwen; *to row, go by water.*

rūm, m., *room, space.* [Ger. raum]

rūm, adj., *roomy, spacious, extensive.*

rūme, adv., *widely, far and wide, abundantly, in full.*

rūm-gāl, adj., *rejoicing in ample space.*

rūn, f., *rune, secret, meditation.*

rycene, see ricene.

ryht(-), see riht(-).

rȳman, W1, *to enlarge, make spacious.* [cf. rūm, adj.; Ger. räumen]

rȳmet, n., *room, space.* [cf. rūm]

rȳn, W1; rȳde; (ge)rȳded; *to roar.*

ryne, m., *running, course.* [cf. iernan, rinnan]

rȳpan, rīpan, W1, *to plunder, spoil.* [Ger. raufen]

rȳpere, rīpere, m., *spoiler, plunderer.* [cf. rȳpan]

S

sacan, S6, *to fight, contend, dispute.*

sacu, f., *strife, war;* sg. acc. sǣce 148, 15. [cf. sǣcc, sacan; Mod. Eng. sake]

sadol, sadel, m., *saddle.* [Ger. sattel]

sāgol, m., *club, staff, stake.*

sagu, f.(2) and indecl.; also **saga**, m.(5); *saying, saw, statement, tale.* [cf. secg(e)an; Ger. sage, Icel. saga]

sagu, f., *saw* (for cutting).

Sale, m., *Salah*, grandson of Shem; 69, 10.

salu, adj., *dusky, dark.* [Mod. Eng. sallow]

sal(u)wig-feðera, adj., *dusky-feathered.*

salwian, W2; salwode; (ge)-salwod, -salwed; *to darken, discolor.* [cf. salu]

sam, conj. (used correlatively), *whether . . . or.*

sām-cwic, -cucu, sōm-, adj., *half-dead;* sg. dat. sōmcucre 47, 21. [cf. Lat. semi-]

same, adv., *similarly;* ēac swā same, *likewise, in the same way.*

samnian, somnian, W2, *to collect, assemble.* [Ger. sammeln]

samod, somod, somed, adv., *together, at the same time;* often with ætgæd(e)re; somod ætgædre, *together*, 131, 25; 149, 9. — Also prep. (with dat.), *together with;* ōðre dæge . . .

samod, *with the coming of the morrow*, 89, 9. [Ger. samt]

sām-worht, ptc. adj., *half-finished.* [cf. Lat. semi-]

sanct, m., *saint.* The Latin m. and f., Sanctus, Sancta, are generally used with names of saints. [Lat. sanctus]

Sancta Maria, f., *St. Mary;* sg. gen. Sancta Marian 11, 19; 98, 15 (see note).

Sanctulus (Lat.), m., *Sanctulus*, a mass-priest quoted by Gregory in his *Dialogues;* 87, 10.

sanctus (Lat.), m., *a saint.*

Sanctus Gregorius (Lat.), m., *St. Gregory*, pope from 590 to 604 A.D.; sg. nom. Sanctus Gregorius 30, 22; sg. gen. Sanctus Gregorius gemynddæg, *St. Gregory's day* (*March 12th*), 98, 12 (see note).

Sanctus Michael, m., *St. Michael;* on Sancte Michaeles mæsseæfen, *the eve before September 29th;* 24, 13.

Sanctus Paulus, m., *St. Paul;* sg. gen. Sancte Paules 98, 14.

Sanctus Petrus, m., *St. Peter;* sg. gen. Sancte Petres 98, 13; tō Sancte Petre, *to St. Peter's* (in Rome), 7, 34.

sand, sond, f., *a sending, mission; service* (of food), *a course.* [cf. sendan]

sand, sond, n., *sand, gravel.* [Ger. sand]

sand-beorg, sond-, m., *sand-dune.*

sang, song, m., *song, singing.* [cf. singan]

sangcræft, song-, m., *art of song.*

Sant Lauda, *St. Lô,* a city in Norman France; 16, 15.

sār, n., *soreness, pain, grief.*

sār, adj., *sore, painful, grievous.*

sāre, adv., *sorely.*

sārig, adj., *sorry, sad.* [cf. sār]

sārlíc, adj., *sad, grievous.* [cf. sār]

sarwe, pl. of **searu** q.v.

Saturnus (Lat.), m., *Saturn,* god of the sea and father of Jupiter; sg. nom. Saturnus 54, 17; sg. acc. Saturnus 124, 31.

sāwan, sǽwan, S7; sēow; sēowon; (ge)sāwen; *to sow.* [Ger. säen]

sāwol, sāwul, sāul, f., *soul.* [Ger. seele]

sāwul-drīor, m., or n., *life-blood.*

sǽ, m. or f.; sg. gen. sǽs or sǽwe; *sea;* pl. nom. sǽs 103, 20. [Ger. see, m. or f.]

sǽc(c), f., *strife, war.* [cf. sacu]

sǽce, sg. acc. of **sacu** q.v.

sǽd, adj., *satiated, heavy, weary* (with gen.). [Lat. satis, Ger. satt, Mod. Eng. sad]

Sǽfern, f., *Severn;* 19, 32; 22, 1; etc.

sǽ-fisc, m., *sea-fish.*

sǽ-flōd, m., *sea-flood, the water of the sea.*

sǽgen, segen, f., *saying, assertion, telling.* [cf. secgean]

sǽl, m.(1) or f.(2), *time, occasion; happiness, good fortune.*

sǽlan, W1, *to fasten, bind* (with a cord); *twist, interweave.* [cf. sāl, Ger. seil]

sǽ-lida, m., *seafarer, pirate.*

sǽ-līðend, m.(8), *seafarer.*

sǽ-man(n), -mon(n), m.(6), *seaman, pirate.*

sǽ-mearh, m., *ocean-steed,* i.e., *ship.*

sǽn(n)e, adj., *sluggish, slow, dull.*

sǽ-rima, m., *seashore.*

sǽ-rinc, m., *seaman; pirate.*

sǽ-rȳric, n., *sea-weed, weed-bed, island* (?). The meaning is uncertain. See note to p. 135, l. 9.

Sǽtern-dæg, Sæt(e)res-, m., *Saturday.*

sǽtian, W2, *to lie in wait.*

scafan, see **sceafan.**

Scald, *the river Schelde;* 14, 3.

scamian, see **sceamian.**

scamu, see **sceamu.**

scandlíc, see **sceandlíc.**

sc(e)acan, S6; scēoc, scōc; scēocon, scōcon; (ge)sc(e)acen; *to shake; to flee, hurry away.*

scead, n., *shed, shade, shelter.* [cf. sceadu]

scēadan, scādan, S7; scē(a)d; scē(a)don; (ge)scēaden, -scaden; *to separate, divide.* [cf. Ger. scheiden]

sceadu, f., *shadow, shade.* [cf. scead; Ger. schatte(n)]

sc(e)afan, S6; scēof, scōf; scēofon, scōfon; (ge)sc(e)afen; *to shave, scrape.* [cf. Lat. scabo, Ger. schaben]

sceaft, m., *shaft.*

sce(a)l, 1st and 3rd sg. pres. of **sculan** q.v.

scealc, m., *servant, man, soldier;*

rogue. [cf. Mod. Eng. marshal, Ger. schalk]

sc(e)amian, W2, *to be ashamed* (with gen. of thing); *to cause shame* (impers. with dat. or acc. of person and gen. of thing). [cf. sceamu; Ger. schämen]

sc(e)amu, sc(e)omu, f., *shame, disgrace.*

scēan, past sg. of scīnan q.v.

sc(e)andlīc, adj., *shameful, disgraceful.* [Ger. schändlich]

scēap, scēp, n., *sheep.* [Ger. schaf]

scē(a)p-hierde, -hyrde, m., *shepherd.*

Scēapīg, f., *Sheppey,* an island in Kent; 5, 14; 7, 21. [cf. scēap + īg]

scearp, adj., *sharp, keen.* [Ger. scharf]

scēat, m., *corner, region, district;* pl. gen. scēatta 150, 1. [Ger. schoss; cf. Mod. Eng. sheet]

sceatt, m., *money, tribute, treasure.* [cf. Mod. Eng. scotfree]

scēað, scǣð, scēð, f., *sheath.* [Ger. scheide]

sceaða, m., *enemy.* [cf. sceððan, Ger. schade]

scēawian, W2, *to look; to look at, view, behold;* also, *to show, display.* [Ger. schauen]

scēawung, f., *survey, seeing.*

scel, see sceal.

sceldan, see scildan.

Sceldwaing, m., patronymic, *son of Sceldwa;* 8, 10.

Sceldwea, m., *Sceldwa,* an ancestor of King Alfred; 8, 10.

scendan, W1, *to shame, insult, injure.* [Ger. schänden]

Scēoburg, f.(6), *Shoebury* (Essex); tō Scēobyrig 19, 27.

sceocca, scucca, m., *evil spirit, devil; Satan.*

sceolan, see sculan.

sceop, see scop.

sceorfan, S3, *to gnaw, bite, scarify.*

sceorpan, S3, *to scrape, irritate.*

sc(e)ort, adj.; comp. sciertra, scyrtra; sup. sciertost, scyrtest; *short.*

sc(e)ortlīce, adv., *shortly, briefly.*

scēotan, S2, *to shoot, hurl, thrust.* [Ger. schiessen]

scēo-wyrhta, see scōh-wyrhta.

scēp, see scēap.

sceran, sci(e)ran, S4; scǣr, scear; scǣron, scēaron; (ge)scoren; *to cut, shear.*

scēð, see scēað.

sceððan (orig. *scaðjan), S6; scēod, scōd; scēodon, scōdon; (ge)scaðen; also W1; sceðede; *to scathe, harm, injure* (with dat.). [cf. sceaða; Ger. schaden]

scē-wyrhta, var. of scōh-wyrhta q.v.

sci(e)ld, scyld, m., *shield, protection.* [Ger. schild]

sci(e)ld-burg, scyld-burh, f., *shield-defense, phalanx.*

scield-wiga, scyld-, m., *shield-warrior.*

sc(i)ellan, S3, *to sound, make a noise.*

sci(e)ppan, sceppan, scyppan
(orig. *scapjan), S6; scēop,
scōp; scēopon, scōpon; (ge)sce-
(a)pen; -scæpen; *to create,
shape, make.* [cf. Ger. schöp-
fen and schaffen]

Sci(e)ppend, Scyppend, m.(8),
Creator, i.e., *God.* [pres. ptc.
of scieppan]

scieran, see scēran.

scildan, scyldan, sceldan, W1,
to shield; past pl. sceldun 110,
26.

scilling, m., *shilling.*

scīn, m., *phantom, apparition,
evil spirit, demon.* [cf. scī-
nan]

scīnan, S1; scān, scēan; scinon;
(ge)scinen; *to shine.* [Ger.
scheinen]

scīn-lāc, n., *magic, sorcery.* [cf.
lāc]

scioldon, var. past pl. of sculan
q.v.

scip, scyp, n., *ship;* pl. acc. scipo
14, 16. For a description of
Danish ships see note to p. 5,
l. 9. [Ger. schiffe]

scip-here, m., *fleet; ship-army.*

scip-hlæst, m., *ship-load; crew.*
[cf. hladan, Ger. last]

scip-rāp, m., *ship-rope, cable.*

scip-stēora, -stīora, m., *steers-
man, pilot.*

scīr, f., *shire, district.*

scīr, adj., *sheer, bright, clear.*

Scīraburna, Scīre-, m., *Sher-
borne*, in Dorsetshire; æt
Scīraburnan 8, 20; æt Scīre-
burnan 8, 27.

Scīringeshēal, Scīrincges-, m.,

Sciringssal, a port in Southern
Norway; 43, 1; 43, 7 (see
note).

scōh, scō, scēo(h), m.(1), sg.
gen. scōs, scēos, pl. nom. scōs,
scēos; *shoe.* [Ger. schuh]

scōh-wyrhta, scēoh-, m., *shoe-
maker;* pl. nom. scēwyrhtan
74, 1.

scolde, scoldon, past sg. and pl.
of sculan q.v.

scolu, f., *shoal; school; multi-
tude.* [Lat. schola]

scomu, see sceamu.

Scōnēg, f., *Skaane*, extreme
southern district of Scandina-
via; 43, 28.

scōp, scēop, past sg. of scieppan
q.v.

scop, sceop, m., *scop, poet, bard.*
[cf. scieppan]

scop-gereord, n., *poetical lan-
guage.*

scort(-), see sceort(-).

Scottas, Sceottas, pl. m., *Scots;*
16, 22 (see note); 16, 32; 27,
5.

scrīfan, S1, *to decree, assign, ap-
point, shrive.* [Lat. scribo,
Ger. schreiben]

scrincan, S3, *to shrink.*

scrīðan, S1; scrāð; scridon;
(ge)scriden; *to go, wander, go
about, stride, glide.* [Ger.
schreiten]

scrūd, n.(3), pl. nom. scrūd;
but also n.(6), sg. dat. scrȳd;
dress, clothing. [Mod. Eng.
shroud]

scrȳdan, W1, *to clothe, dress.* [cf.
scrūd]

scūfan, S2; scēaf; scufon; (ge)-
scofen; *to shove, push.* [Ger.
schieben]

sculan, sceolan, PP. (sec. 55);
sc(e)olde, sciolde; ptc. want-
ing; *shall, must, be necessary;*
in a second-hand statement, *is
reported, is said;* ind. pres.
3rd sg. scel 47, 15; ind. pres.
pl. sceolon 114, 11; used with
inversion, ne sceole gē 114,
16; subj. pres. sg. scyle 56,
3; past pl. scioldon 125, 33. —
With verb of motion implied
ic him æfter sceal, *I must fol-
low them,* 160, 31. [Ger. sol-
len]

scyld(-), m., see scield(-).

scyld, f., *guilt, sin, offense.* [cf.
sculan; Ger. schuld]

scyldig, adj., *guilty.* [Ger. schul-
dig]

Scyldingas, pl. m., *Danes or
Scildings;* pl. gen. Scyldinga
148, 9; 150, 27.

scyle, subj. pres. sg. of sculan
q.v.

Scylfingas, pl. m., *the Scylfings,*
the reigning Swedish dynasty
in Beowulf's time; also, the
Swedes in general; 154, 11.

scyndan, W1, *to hasten.*

scyp, see scip.

scypen, scepen, scipen, n., *stall,
shed for cattle.* [cf. scoppa,
Mod. Eng. shop; Ger. schup-
pen]

Scyppend, see Scieppend.

sē, m., sēo, sīo, f., þæt, n., def-
inite article and demon. pron.
(sec. 19); *the; this, that;*

sometimes used as pers. pron.;
var. m. sg. acc. þæne 45, 2.

sealm, seolm, m., *a psalm, song.*
[Lat. psalmus]

sealt, adj., *salt.* [Ger. salz]

sealtere, m., *salt-worker.*

Sealwudu, m.(7), *Selwood forest*
(Essex); sg. dat. Sealwyda
12, 34; Sealwuda 20, 3.

sēam, m., *seam, suture.* [Ger.
saum]

searu, searo, n., pl. searu, -o;
or f., pl. s(e)arwe; *trick, de-
ceit, device; equipment, war-
gear;* adv. pl. dat. searwum,
cleverly, cunningly.

searu-cræft, m., *artifice, treach-
ery;* pl. acc. searacræftas 94,
29.

searu-gim(m), searo-, m., *cu-
rious gem, precious jewel.*

searu-nīð, searo-, m., *plot, hos-
tility, quarrel.*

searu-þanc, searo-, -þonc, m.,
*cunning thought, ingenuity,
skill;* adv. pl. dat. searo-
þoncum, *cunningly, ingeni-
ously.*

searu-þancol, searo-þoncol, adj.,
shrewd, wise, clever.

searwum, adv. pl. dat. of searu
q.v., *cleverly, cunningly.*

seax, sex, n., *knife; dagger, short
sword.*

Seaxe, pl. m.(4), Seaxan, pl.
m.(5), *Saxons,* the Old Sax-
ons, that part of the tribe re-
maining in Northern Ger-
many; 4, 27, etc.

Seaxnalond, n., *Saxonland.*

sēc(e)an, W1; sōhte; (ge)sōht;

to seek, strive; to come back; 105, 27 (see note). [Ger. suchen]

secg, m., *man, warrior.*

secg(e)an, W3; sægde, sæde; (ge)sægd, -sæd; *to say, tell, discuss;* pres. 2nd sg. sægst 55, 30; pres. 3rd sg. segeð 114, 2. [Ger. sagen]

Sed, m., *Seth,* son of Adam and Eve; 8, 13.

sefa, m., *mind, heart.*

sēft, comp. of **sōfte,** adv., q.v.

seg(e)l, m. or n., *sail.* [Ger. segel]

seg(e)lan, sig(e)lan, W1; also **seglian,** W2; seglede, -ode; (ge)segled, -od; *to sail.* [Ger. segeln]

segel-gyrd, f., *sail-yard, yard of a ship.*

seg(e)n, m. or n., *sign, token; banner.* [Lat. signum; cf. segnian]

segeð, var. pres. 3rd sg. of **secgean** q.v.

segnian, sēnian, W2, *to make a sign,* hence, *to cross* (often with reflexive acc.), *bless, consecrate;* 103, 10 (see note to 103, 8). [cf. segen; Ger. segnen]

sēl, sȳl, comp. adj. or adv.; sup. sēlost; *better.*

sele, m., *hall.* [Ger. saal]

sele-drēam, m., *hall-joy, revelry.*

sele-secg, m., *hero of the hall, retainer.*

sēlest, used as var. sup. of **gōd** q.v.

self, see **seolf.**

sellan, syllan, W1 (sec. 51,b);

s(e)alde; (ge)s(e)ald; *to give, yield, sell;* subj. pres. pl. syllon 114, 18; imp. sg. syle 52, 16.

sēlra, sēlla, comp. adj.; sup. sēlest, sēlost; *better.* [cf. sēl]

Sem, m., *Shem,* son of Noah; 67, 29; 69, 17.

semninga, samnunga, etc., adv., *all at once, suddenly, immediately*

sencan, W1, *to sink* (trans.), *flood.* [cf. sincan]

sendan, W1; sende; (ge)sended, -send; *to send.* [cf. sand 'mission']

sengan, W1, *to singe, scorch.* [cf. singan; Ger. sengen]

sēnian, see **segnian.**

sēoc, sīoc, adj., *sick, ill.*

seofian, siofian, W2, *to lament.* [Ger. seufzen]

seofon, syfan, num., *seven.* [Ger. sieben]

seofonfeald, adj., *sevenfold.*

seofon-sīðum, pl. dat. of **sīð** q.v., used as adv., *seven times.*

seofoða, ordinal num., *seventh.*

seofung, siofung, f., *lamentation.*

se(o)lf, si(e)lf, sylf, intensive adj., *self, selfsame;* as intensive, *even;* ðā sylfan his lārēowas, *even his teachers,* 36, 7. [Ger. selber, selbst]

seolfor, sylfur, n., *silver.* [Ger. silber]

seolh, siolh, m., *seal;* sg. gen. sēoles 42, 1.

seolm, see **sealm.**

seomian, siomian, W2, *to rest, lie, remain; to hang, swing.*

sēon (orig. *sīhan), S1; sāh; sigon; (ge)sigen; *to strain, filter.* [Ger. seihen]

sēon, S5; seah; sāwon, sǣgon; (ge)sawen, -segen, -sewen; *to see, look.* [Ger. sehen]

seonu, see **sionu.**

seonu-bend, seono-, f., *a sinew-bond* (see note to p. 128, l. 6).

sēoðan, S2; sēað; sudon; (ge)-soden; *to seethe, boil, cook, flame, burn.* [cf. Mod. Eng. sodden]

Serafion, m., *Serafion*, one of the Seven Sleepers of Ephesus; 139, 4 (see note).

seraphim (Hebrew), pl., *seraphs,* an order of angels.

sermo (Lat.), m., *sermon.*

sess, m., *seat.*

set, n., *seat, entrenchment.*

seten, f., *cultivation, planting;* also *nursery, crop.*

setl, n., *seat, throne, settle.* [cf. sittan]

setlan, W1, *to settle, seat, rest.* [cf. setl]

settan, W1; sette; (ge)sett, -seted; *to set, place.* [cf. sittan; Ger. setzen]

Seuērus, m., *Severus*, Roman Emperor, 193–211 A.D.; 4, 9 (see note); 27, 3.

sex, see **seax.**

sī, sȳ, sīe, subj. pres. sg. of **bēon** q.v.

sib(b), syb(b), f., *peace, friendship, relationship.* [Ger. sippe]

sib(b)-æðeling, m., *related noble, noble kinsman.*

sibb(e)-gedryht, -gedriht, f., *band of kinsmen, peaceful band.*

sib(b)-leger, n., *incest.*

sibsum, adj., *peaceful.*

sibsumnes, f., *peace, tranquillity.*

Sībyrht, m., *Sibyrht*, brother of Atheric, one of the brave followers of Byrhtnoth; 121, 11.

sīd, adj., *wide, broad, spacious; great.*

sīde, f., *side, flank.* [cf. sīd, adj.; Ger. seite]

sīde, adv., *widely;* generally, wīde and sīde, *far and wide.*

Sidroc, m., *Sidroc*, a Danish leader, slain in 871 A.D.; 10, 16.

sīe, sȳ, sī, subj. pres. sg. of **bēon** q.v.

sierwan, syrwan, W1, *to plot, scheme;* past ptc. gesyrwed, *wily, crafty*, 117, 19. [cf. searu]

si(e)x, syx, sex, num., *six;* syxa sum, *one of six*, 41, 19. [Ger. sechs]

siexhund, syx-, num., *six hundred.*

si(e)xtīene, num., *sixteen.* [Ger. sechszehn]

si(e)xtig, syxtig, num., *sixty.* [Ger. sechszig]

sife, n.; pl. si(o)fu; *sieve.* [Ger. sieb]

sīgan, S1; sāh, sāg; sigon; (ge)sigen; *to sink, settle down; approach.*

sige, m., *victory.*

sigefæst, adj., *victorious, triumphant.*

sige-hrēðig, adj., *exulting in victory, triumphant.*

sige-hwīl, f., *time of victory, victory.*

sig(e)lan, see **segelan**.

sigelēas, adj., *victory-less, of defeat.*

Sigen, f., *the Seine;* on Sigene 15, 10; 22, 13; etc.

sige-wǣpen, n., *victory-weapon.*

sige-wīf, n., *victory-woman,* perhaps, *wise woman;* 140, 16 (see note).

sigor, m., or n., *victory.*

Sillende, *Zealand;* 43, 20.

sim(b)le, see **symble**.

sīn, possessive adj., *his, her(s), its.* [Ger. sein]

sīn, sīen, subj. pres. pl. of **bēon** q.v.

sinc, n., *treasure.*

sincan, S3, *to sink* (intrans.). [cf. sencan; Ger. sinken]

sinc-gyfa, m., *giver of treasure, benefactor, patron.*

sinc-þegu, f., *receiving of treasure.* [cf. þicgean]

sind, sindon, siendon, sint, ind. pres. pl. of **bēon** q.v.

singāl, adj., *perpetual, constant.*

singāllīce, adv., *perpetually, continually.*

singan, syngan, S3; sang, song; sungon, -an; (ge)sungen; *to sing;* pres. 1st sg. ic sincge 73, 11. [cf. sengan; Ger. singen]

sīo, var. f. sg. nom. of **sē** q.v.

si(o)do, seodu, m.(7), *custom, morality.* [Ger. sitte]

siofian, see **seofian**.

siofung, see **seofung**.

sīoles, sg. gen. of **seolh** q.v.

siomian, see **seomian**.

si(o)nu, se(o)nu, f.; pl. nom. sinuwa, seon(o)we; *sinew.*

sittan, S5; sæt; sǣton; (ge)seten; *to sit, remain;* contracted pres. 3rd sg. sitt 71, 32; imp. pl. in inversion, sitte gē 140, 16. [cf. settan; Ger. sitzen]

sīð, m., *journey, enterprise; occasion, time;* seofonsīðum, *seven times,* 78, 1. [cf. sīðian]

sīð, adv.; comp. sīðra; sup. sīð(e)mest, sīðast; *late;* also, *later.* — Hence prep. or conj., *after, since.* [Ger. seit]

sīðast, var. sup. of **sīð**, adv., q.v., used as adj., *last, latest.*

sīð-fæt, m., *expedition, adventure;* sg. dat. sīð-fate 155, 14.

sīðian, W2, *to journey, go, travel.*

sið(ð)an, syððan, seoððan, adv., *afterwards, since.* — Also conj., *since, after.* [cf. sīð + þām; Ger. seitdem]

slāpol, slāpul, adj., *somnolent, sleepy.*

slāw, adj., *slow.*

slǣp, m., *sleep.* [Ger. schlaf]

slǣpan, slāpan, slēpan, S7; slēp; slēpon; (ge)slǣpen; also W1; slǣpte; (ge)slǣpt; *to sleep.* [Ger. schlafen]

slǣp-ærn, -ern, n., *dormitory.*

slēan (orig. *slahan), S6; slōh or slōg; slōgon; (ge)slǣgen, -slagen, -slegen; *to strike; slay.* [Ger. schlagen]

slege, m., *blow, stroke; slaughter, death.* [cf. slēan]

slīdan, S1, *to slide.*

slincan, S3, *to slink, crawl.*

slītan, S1, *to slit, tear, rend.*

slīðen, slīðe, adj., *perilous, cruel, hard.*

smæl, adj.; comp. smælra; sup. smalost; *small, narrow.*

smēagan, smēan, W3; smēade; (ge)smēad; *to think, reflect upon, consider, ponder;* ind. pres. pl. smēagiaþ 67, 11.

smeortan, S3, *to smart.* [cf. Ger. schmerz]

smēðnes, -nys, f., *smoothness.*

smītan, S1, *to smear, daub; defile.* [Ger. schmeissen, Mod. Eng. smite]

smið, m., *smith.* [Ger. schmidt]

smylte, adj., *mild, calm, peaceable.*

snā(w), m., *snow.* [Ger. schnee]

snell, adj., *bold, keen; active, quick.* [Ger. schnell]

snīðan, S1; snāð; snidon; (ge)-sniden; *to cut.* [Ger. schneiden]

snīwan, W1, *to snow.* [cf. snāw; Ger. schneien]

Snotingahām, Snotenga-, m., *Nottingham;* 9, 18.

snot(t)or, adj., *wise, discerning.*

snūde, adv., *quickly, immediately.*

snyt(t)ru, snyttro, f.; indecl. in sg.; *wisdom, discernment;* sg. acc. snyttro 32, 32. [cf. snottor]

sōfte, adj., *soft, easy.* [Ger. sanft]

sōfte, adv.; comp. sōftor, sēft; sup. sōftost; *softly, easily, pleasantly.*

sōm-cucre, sg. dat. of **sām-cwic** q.v.

somed, somod, see **samod.**

somnian, see **samnian.**

sōna, adv., *soon.* — Used as conj., sōna þæs ðe, *as soon as,* 27, 13; — sōna swā, *as soon as.*

sond(-), see **sand(-).**

Sondwīc, n., *Sandwich,* in Kent; 6, 31.

song, see **sang.**

sorg, sorh, f., *sorrow, care.* [Ger. sorge]

sorg-cearig, adj., *anxious, sorrowful.*

sorgian, W1, *to sorrow;* pres. ptc. sorgiende 55, 15. [cf. sorg; Ger. sorgen]

sorg-lufu, f., *unrequited or hapless love.*

sōð, n., *sooth, truth.*

sōð, adj., *true.*

sōðes, sg. gen. of **sōð** q.v., adv., *of a truth, verily, indeed.*

sōðfæst, adj., *true, righteous.*

sōðfæstnes, -nys, f., *truth.*

sōðlīce, adv., *truly, verily, certainly.*

spanan, sponan, S6; spōn, spēon; spōnon; (ge)spanen; *to attract, allure, entice.*

spannan, sponnan, S7; spē(o)nn; spē(o)nnon; (ge)spannen; *to fasten, bind together, span.*

spearwa, m., *sparrow.*

specan, see **sprecan.**

spēd, f., *success, riches; speed;* pl. dat. spēdum 103, 11 (see note).

spēdan, W1; spēdde; (ge)spēded; to speed, i.e., succeed, prosper.

spēdig, adj., successful, prosperous, rich. [cf. Mod. Eng. speedy]

spel(l), n., story, narrative, saying.

spendan, W1; spende; (ge)-spended; to spend. [cf. Lat. dispendo]

spere, n., spear.

spīder, m. (?), spider.

spillan, W1, to destroy. [Mod. Eng. spill]

spinnan, S3, to spin. [Ger. spinnen]

spor, n., track, footprint, spoor. [Ger. spur]

spornan, spurnan, S3, to spurn, strike with the foot.

spōwan, S7; spēow; spēowon; (ge)spōwen; to succeed (impers., with dat.).

sprǣc, f., speech, language, discourse, argument.

sp(r)ecan, S5; sp(r)æc; sp(r)ǣcon; (ge)sp(r)ecen; to speak; ind. pres. 2nd sg. sprycst 73, 9; subj. pres. pl. sprecan 73, 2; past pl. spǣcan 90, 7. [Ger. sprechen]

sprengan, W1, to cause to spring; to scatter, burst, fly to pieces. [cf. springan; Ger. sprengen]

springan, S3, to spring. [cf. sprengan; Ger. springen]

sprūtan, S2, to sprout. [Ger. spriessen]

spyri(ge)an, W2, to trace, follow up; hence, to inquire after, search. [cf. spor; Ger. spüren]

stalian, W2, to steal. [cf. stelan]

stalu, f., theft, robbery. [cf. stelan]

stān, m., stone. [Ger. stein]

stān-boga, m., stone arch, arch of rock.

standan, stondan, S6; stōd; stōdon; (ge)standen; to stand; to stand out, arise, emanate; contracted pres. 3rd sg. stent 17, 2 (see note); stynt 114, 8. [Ger. stehen]

stān-hleoð, -hlið, n., stony cliff.

stapol, m., column, pillar, post. [Mod. Eng. staple]

starian, W2, to stare, gaze, look.

staðol, staðel, m., foundation, station; fixed condition, position. [Mod. Eng. staddle, Ger. stadel]

stædefæst, see stedefæst.

stæf, m., staff, rod; letter, writing. [cf. Ger. buchstabe]

stæl-giest, m., thievish guest.

stæl-here, m., marauding band or army. [cf. stelan]

stæl-hrān, m., decoy-reindeer. [cf. stelan]

stælwyrðe, adj., serviceable, stalwart.

stǣnen, adj., stone, of stone, stony. [cf. stān]

stæppan, see steppan.

stǣr, n., story, history, narrative. [Lat. historia]

stæð, n., shore. [Ger. gestade]

stæðfæst, adj., firm on the shore.

stæð-weall, m., shore-wall, barrier formed by the shore.

stēap, adj., steep, lofty, high.

stearc, adj., stark, rough, violent. [Ger. stark]

stearc-heort, adj., *stout-hearted.*

stēda, m., *steed, stallion.*

stede, m., *place, stead.* [cf. standan; Mod. Eng. -stead]

stedefæst, stæde-, adj., *steadfast.*

stefn, stæfn, stemn, m., *stem or prow of a ship.*

stefn, stemn, stæfn, f., *voice, sound; summons, term of military service;* adv. sg. dat. nīwan stefne, *anew, afresh,* 154, 2. [Ger. stimme]

stelan, S4; stæl(l); stǣlon; (ge)-stolen; *to steal.* [cf. stalian; Ger. stehlen]

stellan, W1 (sec. 51,b); stealde; (ge)steald; *to place, establish.* [Ger. stellen]

stemn, see **stefn.**

stemnettan, W1, *to resist, stand firm.*

stenc, n., *odor, fragrance; stench.* [cf. stincan]

stent, contracted pres. 3rd sg. of **standan** q.v.

stēor-bord, n., *starboard, right side of a ship.*

steorfa, m., *mortality, pestilence.* [cf. steorfan]

steorfan, S3, *to die.* [Ger. sterben, Mod. Eng. starve]

steorra, m., *star.* [cf. Ger. stern]

steppan, stæppan (orig. *stapjan), S6; stōp; stōpon; (ge)-stapen; *to step, stride, advance.*

sticcemǣlum, see **styccemǣlum.**

stice, m., *stitch, prick.* [Ger. stich]

stician, W2, *to stick, stab, remain fixed.* [Ger. stechen]

stīg, f., *path, way, course.* [cf. stīgan]

stīgan, S1; stāh, stāg; stigon; (ge)stigen; *to ascend, step up.* [Ger. steigen; cf. Mod. Eng. sty, stile]

stigel, stigol, f., *stile, flight of steps over a fence;* also, *place of approach, entrance.* [cf. stīgan]

stig-rāp, stīrāp, m., *stirrup.* [cf. stīgan]

stihtan, W1, *to incite, direct.* [Ger. stiften]

stille, adj., *still, motionless.* [Ger. still]

stil(l)nes, f., *stillness, quiet, peace.*

stincan, S3, *to emit a smell; to stink.*

stingan, S3, *to sting, stab.*

stīð, adj., *firm, unyielding, stiff, stern.*

stīð-ferhð, adj., *strong-minded, stern.*

stīð-hycgend, -hicgend, ptc. adj., *strong of purpose, resolute.*

stīðlīce, adv., *firmly, stoutly, severely.*

stīð-mōd, adj., *stout-hearted, firm.*

stōd-hors, n., *stallion, stud-horse.*

stōl, m., *seat, throne; stool.*

stondan, see **standan.**

storm, m., *storm.* [Ger. sturm]

storm-sǣ, m. or f., *stormy sea.*

stōw, f., *place.* [cf. -stow in Mod. Eng. place-names]

strang, strong, adj.; comp. strangra, strengra; sup. strangest, strengest; *strong.*

Strǣcled Walas, pl. m., *the Strathclyde Welsh;* 11, 29.

strǣt, f., *street, road.* [Lat. strata via]

strēam, m., *stream.*

strēam-stæð, n., *shore.*

strecc(e)an, W1 (sec. 51,b); stre(a)hte; (ge)stre(a)ht; *to stretch.*

stregdan, strēdan, S3; strægd; strugdon; (ge)strogden; also W1, stregde, etc.; *to strew, sprinkle.*

streng, m., *string, cord, rope.*

strengra, comp. of strang q.v.

strengð(u), -o, f.(4,b), *strength.* [cf. strang]

strengu, f., *strength.* [cf. strang; Ger. strenge]

stric, m.(?), *plague.*

strīcan, S1, *to stroke, rub; to go, move, run.* [Ger. streichen]

strīdan, S1, *to stride.*

strong, see strang.

strudung, f., *spoliation, robbery.*

studu, stuðu, f.; pl. nom. styde, styðe(a); *post, pillar, stud.*

Stuf, m., *Stuf*, a West-Saxon invader of Dorsetshire; 4, 28.

Stufe, *the river Stour;* on Stufe-mūþan 14, 15.

stund, f., *while, time, hour;* æfre embe stunde, *every now and then.* [Ger. stunde]

stunian, W2, *to resound, crash;* past sg. stunede 124, 12.

Stūrmere, m., *estuary of the Stour*, in Essex; 120, 12 (see note).

styccemǣlum, sticce-, adv., *bit by bit, piecemeal, here and there.*

stynt, contracted pres. 3rd sg. of standan q.v.

stȳpel, m., *steeple.* [cf. stēap]

styrman, W1, *to storm.* [cf. storm; Ger. stürmen]

sūcan, sūgan, S2, *to suck.*

sufel, n., *anything eaten with bread, such as flesh, fish, or vegetable.*

sum, pron. adj., *certain, some; a certain one, some one;* with partitive gen., *one;* þrītiga sum, *one of thirty,* 13, 11. — Used correlatively, sume . . . sume, *some . . . others;* — pl. acc. sumæ 51, 1.

Sumersǣte, Sumur-, pl. m.(4), *the people of Somerset;* pl. gen. Sumursǣtna 12, 32 (see note); pl. dat. Sumursǣtum 6, 23.

sumor, sumer, m.(1); or m.(7), sg. dat. sumera; *summer;* sg. dat. sumere 24, 5. [Ger. sommer]

sumor-hǣte, sumer-, f., *summer heat.*

sumor-lida, m., *summer expedition;* 10, 29 (see note).

sund, n., *swimming, the power of swimming; sea, ocean, sound.*

sund-būend, m.(8), *sea-dweller;* in pl., *mankind;* 107, 8 (see note).

sund-hwæt, adj., *active in swimming.*

sundor, adv., *apart.*

Sunna, *the river Somme;* 14, 5.

Sunnan-dæg, m., *Sunday.* [Ger. Sonntag]

sunne, f., *sun.* [Ger. sonne]

sunu, m.(7), *son.* [Ger. sohn]

sūpan, S2, *to sup.* [Ger. saufen]

sūsl, n., or f., *torment.*

sūð, adv.; comp. sūð(er)ra, sȳðerra; sup. sūðmest; *south, southward.* [Ger. süd]

sūðan, adv., *from the south;* be sūðan (prep. with dat.), *south of;* wið sūðan (with acc.), *to the south of.*

sūð-dǣl, m., *southern part.*

sūðerne, adj., *southern, from the south.*

sūð(e)weard, adj., *southward.*

Sūðrīge, pl. m.(4), *the people of Surrey;* 7, 2; 8, 17.

sūð-rima, m., *south-coast.*

sūðryhte, adv., *due south, southward.*

Sūð-Seaxe, pl. m.(4); also pl. m.(5), pl. nom. Sūð-Seaxan; *South Saxons;* 8, 18; etc.; Sūð Seaxnalond 23, 29.

sūð-stæð, n., *south shore.*

swā, swǣ, dem. adv., *so;* conj. adv., *as;* used correlatively, swā . . . swā, *as . . . so, as; whether . . . or;* swā swā, *just as, in such a way that, so as;* with comp., swā norðor swā smælre, *the farther north, the narrower,* 42, 13; swā leng swā wyrse, *the longer, the worse,* 90, 3.

swā hwā swā, pron., *whosoever.*

swā hwǣr swā, adv., *wherever.*

swā hwæt swā, pron., *whatsoever.*

swā hwæðer swā, -hwaðer-, indefinite pron. adj., *whichever.*

swā hwilc swā, -hwelc-, -hywlc-, indefinite pron. adj., *whosoever, whichsoever, whatsoever.*

swā ilce, adv., *likewise, in the same way.*

swā līc swā; swylc swā, conj., *just as if.*

Swanawīc, n., *Swanwick;* 12, 12.

swancor, swoncor, adj., *pliant, supple, slender.* [cf. Ger. schwank, Scot. swank]

swāpan, S7; swēop; swēopon; (ge)swāpen; *to sweep; to swoop.* [Ger. schweifen]

swār, see swǣr.

swā same, swǣ-, adv., *in like manner, likewise.*

swāt, m., *blood, sweat.* [Ger. schweiss]

swā-þēah, -þēh, adv., *yet, nevertheless, however.*

swaðul, m., or n., *flame, heat.*

swǣr, swār, adj., *heavy, severe; deafening, loud.* [Ger. schwer]

swǣs, adj., *own, dear.*

swǣsendu, -o, pl. n., *victuals, food, a banquet.*

swæð, n., *swath, track.* [cf. swaðu]

swǣðer, swǣðer swā, pron., *whichever.*

sweart, adj., *swart, black, dark.* [Ger. schwarz]

swebban, W1, *to put to sleep,* hence, *to kill.* [cf. swefan, geswefian]

swefan, S5, *to sleep.* [cf. swebban]

swef(e)n, n., *sleep, dream.* [cf. swebban]

swēg, m., *noise, cry, sound.* [cf. swōgan]

swēg-dynn, m., *resounding din, violent noise, crash.*

sweg(e)l, n., *sky, heavens.*

sweg(e)l, adj., *bright, clear.*

swelan, S4, *to burn, perish with heat.*

swelc, see swilc.

swelgan, S3; swealh, swealg; swulgon; (ge)swolgen; *to swallow* (with dat. or acc.). [Ger. schwelgen]

swelgere, m., *glutton.* [cf. swelgan; Ger. schwelger]

swellan, S3; sweall; swullon; (ge)swollen; *to swell.* [Ger. schwellen]

sweltan, S3; swealt; swulton; (ge)swolten; *to die;* sweltan dēaðe, *to suffer death.* [cf. swelan, and Mod. Eng. sultry, swelter]

swencan, W1, *to trouble, afflict.* [cf. swincan]

sweng, m., *stroke, swing, blow.* [cf. swingan]

Swēoland, n., *Sweden.*

Swēon, pl. m., *Swedes;* dat. Swēom 44, 3.

sweora, swira, m., *neck.*

sweorcan, S3, *to become dark; to become gloomy or troubled.*

sweord, swurd, swyrd, n., *sword.* [Ger. schwert]

sweostor, swoster, swuster, f. (sec. 18); pl. nom. sweostor, -ra, -ru; *sister;* sg. nom. sweostar 140, 3. [Ger. schwester]

sweotol, swiotol, swutol, swytol, adj., *clear, manifest, distinct.*

sweotole, swutule, adv.; comp. sweotolor; sup. sweotolost; *clearly, plainly.*

sweri(ge)an (orig. *swarjan),

S6; swōr; swōron; (ge)sworen; *to swear.*

swēte, adj.; comp. swētra; sup. swētest; *sweet.* [Ger. süss]

swētnes, -nis, f., *sweetness.*

sweðrian, W2, *to subside, diminish.*

swīcan, S1, *to desist from, cease; deceive.* [cf. swician]

swīc-dōm, m., *deceit, deception.*

swice, m., *departure, escape.*

swician, W2, *to deceive, be treacherous.*

Swifneh, m., *Swifneh,* an Irish scholar; 16, 31 (see note).

swift, swyft, adj.; comp. swiftra; sup. swiftost; *swift.*

swīge, f., *silence.*

swīgian, s(w)ugian, W2, *to be quiet or silent.* [cf. swīgan; Ger. schweigen]

swilc (= swā-līc), swylc, swelc, pron. and adj., *such;* sometimes used as conj. pron., *such as;* swelcum 126, 5; swylcum ond swylcum, *by these and the like,* 126, 25.

swilc(e), swylc(e), swelc(e), conj. adv. (with ind.), *likewise, in such manner;* (often with subj.), *as if, as though.*

swilce ēac, swylce ēac, adv., *likewise.*

swimman, S3, *to swim.* [Ger. schwimmen]

swīn, swȳn, n., *hog, swine.* [Ger. schwein]

swincan, S3, *to toil, labor, strive.* [cf. swencan]

swingan, S3, *to swing, swinge, flog.* [Ger. schwingen]

swingel, f., *whip, scourge.* [cf.
swingan]

swinsian, W2, *to make melody,
make music.*

swinsung, f., *melody, harmony.*

swirman, W1, *to swarm;* subj.
pres. pl. swirman 140, 15.

swīð, swȳð, adj., *strong, active,
severe;* comp. f., sēo swīðre,
the right hand. [Ger. ge-
schwind]

swīðe, swȳðe, adv.; comp.
swīðor, swȳðor; sup. swīðost,
-ust; *very, exceedingly, severely;*
comp., *more, rather;* sup.,
especially, almost; ealles tō
swȳðe, *altogether too much,* 95,
11; ealles swīþost, *most of
all,* 22, 17; tō þæs swīðe, *so,*
107, 7.

swīð-ferhð, swȳð-, adj., *strong-
minded, brave.*

swīðlīc, adj., *very great, tremen-
dous, violent.*

swīðlīce, swȳð-, adv., *very
greatly, exceedingly.*

swīðre, comp. f. sg. nom. of
swīð q.v., *stronger, right,* hence,
sēo swīðre, *the stronger or right
hand.*

Swiðulf, m., *Swithulf,* bishop of
Rochester; 22, 19.

swōgan, S7; swēog; swēogon;
(ge)swōgen; *to make a noise,
resound.*

swoncor, see swancor.

sworettan, W1, *to sigh.*

swurd, see sweord.

swuster, see sweostor.

swutol, see sweotol.

swyft, see swift.

swylc(e), see swilc(e).

swylt-dæg, m., *death-day.* [cf.
sweltan]

swȳn, see swīn.

swyrd, see sweord.

swytol, see sweotol.

swȳðe, see swīðe.

swȳð-ferhð, see swīð-ferhð.

sȳ, sīe, sī, subj. pres. sg. of bēon
q.v.

syfan, see seofon.

sȳfernes, -nys, f., *sobriety, mod-
eration.*

sȳl, see sēl.

sylf, see seolf.

syll, f., *sill, foundation, support.*

syllan, see sellan.

symbel, symel, n., *feast, banquet.*

sym(b)le, sim(b)le, adv., *al-
ways, ever.*

synd, sind, and, rarely, syn, ind.
pres. pl. of bēon q.v.

synderlīc, adj., *separate, special,
distinct, different.*

synderlīce, adv., *specially.*

syn-dolh, n., *very great wound.*

syndon, sindon, ind. pres. pl.
of bēon q.v.

syndriglīce, adv., *separately,
specially.*

synful(l), adj., *sinful.*

syngan, see singan.

syngian, W2, *to sin.*

syn(n), f., *sin;* pl. dat. synnon
24, 24. [Ger. sünde]

syn(n)-lust, m., *sinful desire or
passion.*

syn-scaða, m., *malefactor, evil-
doer.*

syn-snæd, f., *huge morsel.* [cf.
snīðan]

syððan, see siððan.

syx(-), see siex(-).

syxtig, see siextig.

T

tacan, S6, to take.

tāc(e)n, n., token, sign. [Ger. zeichen]

tācnian, W2, to betoken, signify. [cf. tācen, Ger. zeichnen]

tam, tom, adj., tame. [cf. Lat. domo; Ger. zahm]

tawian, W2, to abuse, insult.

tǣc(e)an, W1 (sec. 51,b); tǣhte; (ge)tǣht; to teach, show, indicate.

tǣlan, W1, to blame, censure, reprove, scorn; ptc. pl. dat. tǣlendum 101, 13.

tǣsan, W1, to pierce, tear, wound. [Mod. Eng. tease]

Tætwa, m., Tætwa, an ancestor of King Alfred; 8, 10.

Tætwaing, m., patronymic, son of Tætwa; 8, 9.

tēag, tēah, f., tie, band.

tealde, past sg. of tellan q.v.

tealt, adj., unsteady, untrustworthy. [cf. Mod. Eng. tilt, totter]

tēar, teagor, m., a drop of water from the eye, tear.

tela, teala, teola, adv., well, rightly, properly. — Interj., well. [cf. till]

telga, m., branch, bough.

tellan, W1 (sec. 51,b); tealde; (ge)teald; to count, reckon, tell.

Temes, f., the Thames river; on Temese-mūþan, at the mouth

of the Thames, 6, 34; 17, 19; ofer Temese 7, 2; 18, 10.

temp(e)l, n., temple. [Lat. templum]

tēn, see tīen.

Tenet, the isle of Thanet; 7, 16; 8, 28.

teohhian, ti(o)hhian, W2; teohhode; (ge)teohhod, -tiohhod, -ad; to arrange, appoint, decide.

tēon (orig. *tīhan), S1; tāh; tigon; (ge)tigen; to censure, accuse.

tēon (orig. *tēohan), tīon, S2; tēah; tugon, tugan; (ge)togen; to draw; attract; to go; pres. pl. tīoð 55, 23. [Ger. ziehen; cf. Mod. Eng. tow, tug]

tēon, tēogan, tīon, W1; tēode; (ge)tēod; to arrange, create.

tēon-lēg, m., destroying flame.

teosu, tæsu, f., injury, hurt, destruction; sg. acc. teosu 136, 16 (see note).

tēoða, ordinal num., tenth; a tithe. [Ger. zehnte]

teran, S4, to tear, rend.

Terfinnas, pl. m., the Terfinns, who dwelt northwest of the White Sea; 41, 5 (see note to 41, 2).

thronus (Lat.), m., pl. nom. thronī; throne.

tīd, f., tide, time, season, hour. [Ger. zeit]

tīdlīce, adv., early, in good time, timely.

tīen, tȳn, tēn, num., ten. [Lat. decem, Ger. zehn]

tigris (Lat.), m., *tiger;* sg. acc. tigris 55, 9.

tihhian, see **teohhian.**

tihtan, see **tyhtan.**

tihting, see **tyhtung.**

tili(g)an, teolian, W2, *to till, cultivate; secure, acquire, provide for* (with gen., sometimes); pres. ptc. tilgende 12, 8 (see note).

til(l), adj., *good, brave.* [Ger. ziel]

tīma, tȳma, m., *time.*

timbran, W1, *to build.*

Tīna, or **Tīne** (?), *Tyne river;* 11, 28.

tintreglīc, adj., *full of torment.*

tīon, see **tēon.**

tīr, m., *fame, glory.*

tīrfæst, adj., *glorious.*

tō, adv., *too;* tō swȳðe, *too much;* tō wīde, *too widely;* tō forð, *too continually, too far;* tō hēanlīc, *too shameful,* 114, 12; tō fela, *too much,* 115, 14. [Ger. zu]

tō, prep. (with dat. or ins.), *to, at; for, in the capacity of;* tō wīfe, *to wife,* 46, 10. — With adv. gen. tō nōnes, *at nones,* 88, 20. [Ger. zu]

tōætīecan, -ȳcan, W1; tōætȳhte; tōætȳced; *to add.* [cf. īecan]

tōbecuman, S4, *to come, arrive.*

tōberstan, S3, *to burst, break up.* [cf. berstan]

tōbrecan, S4, *to break up, break to pieces, destroy.* [cf. brecan]

tōcnāwan, S7, *to acknowledge, recognize.* [cf. cnāwan]

tōcyme, m , *arrival, coming.* [cf. cuman]

tōdǣlan, W1, *to divide, separate.* [cf. dǣlan]

tōdrǣfan, W1, *to scatter, drive in all directions.* [cf. drǣfan]

tō ēacan, prep. (with dat.), *in addition to.*

tō-emnes, prep. (with dat.), *along, alongside.*

tōfaran, S6, *to go apart, go to pieces,* hence, *scatter.* [cf. faran]

tōfēran, W1, *to go in different directions, scatter.* [cf. fēran]

tōforan, prep. (with dat.), *before.* Sometimes the object precedes; 75, 16.

tōgæd(e)re, adv., *together.*

tōgēanes, -gēnes, adv., *again.* — Also prep. (with dat.), *toward, against.* Often the object precedes; him tōgēanes, *to meet him,* 72, 4.

tōgenīedan, -nȳdan, W1, *to force, compel.*

tōgeþēodan, W1, *to join.*

tōlicg(e)an, S5, *to lie between, separate;* pres. 3rd sg. tōlīð 44, 5. [cf. licgean]

tōlūcan, S2, *to shatter, tear to pieces.*

tōmiddes, prep. (with dat.), *amidst, among.*

tōniman, S4, *to take apart, divide.* [cf. niman]

torht, adj., *bright, splendid, clear.*

torhte, adv., *brightly, splendidly.*

torn, n., *anger, indignation, grief, affliction.* [Ger. zorn]

tor(r), m., *tower.* [Lat. turris]

tōslītan, S1, *to tear to pieces.* [cf. slītan]

tōsamne, -somne, adv., *together*. [cf. ætsamne; Ger. zusammen]

tōstencan, W1, *to scatter, disperse*.

tōtwǣman, W1, *to separate*. [cf. twēgen]

tōð, m.(6); pl. nom. tēð; *tooth*. [Ger. zahn]

tō þām, tō þǣm, tō þon, often with þe (or þæt), relative adv., *until;* tō ðon þæt 153, 31.

tō þām, tō þǣm, tō þon, dem. adv., *to such an extent, so;* tō ðon gemetlice, *so moderately,* 36, 32; tō þon, *until then,* i.e., *to that time,* 37, 28.

tō þæs swīðe, adv., *so*.

tō þæs þe, relative adv., *until, to the point that*.

tō þon þæt, relative adv., *until*.

tōweard, adj., *toward, impending, approaching, next in order.* — Also prep. (with dat.), *toward*.

tōweorpan, S3, *to overthrow, destroy*. [cf. weorpan]

tōwrecan, W1, *to scatter, disperse*. [cf. wrecan]

tredan, S5, *to tread*. [Ger. treten]

treddian, W2, *to step, go*. [cf. tredan]

trend(d)an, W1, *to roll*. [cf. Mod. Eng. trend]

trēow, f., *faith, pledge, truth*.

trēo(w), n., *tree, wood*.

triumpha, m.(5), *triumph, triumphal entry*. [Lat. triumpha]

Trōia, f., *Troy;* sg. gen. Trōia 123, 12; Trōia burg 124, 3.

Trōiāne, pl. m., *the Trojans;* pl. gen. Trōiāna 54, 1.

Trūsō, *Truso,* a city on the Drausensee; 43, 25; 44, 9.

trym(e)nes, f., *support, strengthening, firmness; exhortation*.

trym(m), trem(m), n., *step*.

trymman, trymian, W1, *to strengthen; exhort, confirm*. [Mod. Eng. trim]

tū, n. of twēgen q.v.

tūa, see twiwa.

tuā, var. of twā q.v.

tūd(d)or, n., *offspring*.

tugon, past pl. of tēon q.v.

tūn, m., *town, homestead*. [Ger. zaun]

tunge, f., *tongue*. [Ger. zunge]

tūn-gerēfa, m., *town-reeve, bailiff*.

tungol, n., sometimes m., *star*.

tungol-wit(e)ga, m., *star-seer, astrologer*.

Turecesīege, *Torksey,* in Lindsey; 11, 13.

tuw(w)a, see twiwa.

twā, tuā, f. or n. of twēgen q.v.

twēgen, m., twā, tuā, f. or n., tū, n., num. (sec. 36), *two, twain;* pl. dat. tuǣm 10, 24. [Ger. zwei]

twelf, num., *twelve*. [Ger. zwölf]

twelfta, tuelfta, ordinal num., *twelfth*. [Ger. zwölfte]

twēntig, num., *twenty*. [Ger. zwanzig]

twēo, twȳ, m., *doubt, uncertainty*.

twēogan, W1, *to doubt;* also, *to cause doubt or perplexity* (impers.); ðe mē ymbe twēoð, *which I am in doubt about,* 58, 23; pres. 2nd sg. twēost 87, 11.

twēo(g)ung, f., *doubt, perplexity*.

twēonung, twȳnung, -ing, f., *doubt, hesitation.*

twi(e)feald, adj., *twofold, double;* pl. dat. be twiefealdan bet, *twofold better,* 47, 27.

twig, twī, n., *twig, branch.* [Ger. zweig]

twi(o)-rǣde, adj., *of two minds, irresolute.*

twiwa, twuwa, tuw(w)a, tūa, etc., adv., *twice.*

tȳdernes, -nys, -nis, f., *weakness.*

tyhtan, tihtan, W1, *to urge, incite, instigate.* [Ger. züchten]

tyhtung, tihting, f., *enticement, instigation.*

tȳma, see **tīma.**

tȳman, tīman, W1, *to teem, have offspring.*

tȳn, see **tīen.**

tyrwa, tirwe, m. or f., *tar.*

Þ, Ð

þā, dem. adv., *then.* — Also conj. adv., *when;* used correlatively, *when . . . then;* þā þā, *then when;* þā þe, *when.* [Ger. da]

þā, f. sg. acc. and pl. nom. and acc. of **sē** q.v.

þafi(ge)an, W2, *to permit, consent to, endure, suffer* (with dat. or acc.).

þafung, f., *consent, permission.*

þām, þǣm, m. and n. sg. dat. and pl. dat. of **sē** q.v.

þanan, þanon, þonon, dem. adv., *thence;* with verb of motion implied, þæt hē þonan mōste, *that he might go thence,* 124, 5.

— Also conj. adv., *whence;* — þanon ðe, *whence.*

þanc, þonc, m., *thanks, grace, mercy;* sg. nom. Gode þonc, *thanks be to God,* 51, 29; sg. gen. Godes þances, *by God's grace,* 22, 14. [Ger. dank]

þancian, W2, *to thank, give thanks.* [Ger. danken]

þanc-snottor, þonc-, adj.; comp. þoncsnottora; *wise of thought.*

þancung, þoncung, f., *thanking, thankfulness.*

þanne, þænne, þon(ne), dem. adv., *then.* — Also conj. adv., *when.* Used correlatively, þanne . . . þanne, *when . . . then.* — After a comp., *than;* mā ūp þon nyðer, *more up than down,* 96, 14. [Ger. dann]

þār(a), see **þǣr.**

þara, pl. gen. of **sē** q.v.

þās, pl. nom. and acc. of **þēs** q.v.

þæne, var. of **þone,** m. sg. acc. of **sē** q.v.

þænne, see **þanne.**

þǣr, þār, þāra, dem. adv., *there;* also relative adv., *where.*

þǣre, þāre, f. sg. gen. and dat. of **sē** q.v.

þǣrinne, adv., *therein.*

þǣron, adv., *thereon, therein.*

þǣrrihte, adv., *straightway, at once.*

þǣrtō, adv., *thereto, thither.*

þæs, m. and n. sg. gen. of **sē,** q.v. Used as adv. alone or with þe, *from that time, afterward.* — Also conj. adv., alone or with þe, *from the time that, since.* —

Also adv. of degree, *so;* þæs
horsc, *so wise,* 108, 17.

þæt, n. of sē q.v. — Also conj.
(with subj.), *that,* (with ind.),
so that. — Also relative pron.,
that which, what. [Ger. das,
dass]

þætte (= þæt þe), conj., *that, so
that.*

þē, sg. dat. and acc. of þū q.v.

þē, þȳ, sg. ins. of sē q.v., used
with comp. of adj. or adv., ðē
baldran, *the bolder,* 28, 21;
ðē . . . þē, *in that . . . thereby,*
155, 13–16.

þe, indecl. relative particle, used
alone or in combination with
demons. or personal pron.,
that, who, which. — With
comp., *than;* þe þā þe, *than
those who,* 57, 11. — Conj.,
because, or. — Used correla-
tively after hwæðer. — As
adv. of manner or degree, *as;*
þe þū wille, *as you will,* 86,
27; þe ūre mægen lȳtlað, *as
our strength decreases,* 122,
11. — Used commonly in conj.
adv. combinations. See es-
pecially forþǣm, forþȳ, hwīl,
lǣs, oððe, tō þām, tō þæs þe,
þanan þe, þæs þe, þætte, þēah,
þider, þē lǣs þe, þurh þæt
þe.

þēah, þēh, adv., *however, never-
theless.* — Also conj., often
with þe, *although, though; even
if* (with subj.) 71, 9. [Mod.
Eng. though]

þēah-hwæðere, -hweðere, adv.,
yet, nevertheless, however.

þeahte, past sg. of þeccean q.v.

þearf, f., *need, necessity, benefit;*
tō þearfe, adv., *in time of need,
helpfully.* [cf. þurfan]

þearf, pres. 1st and 3rd sg. of
þurfan q.v.

þearfa, m., *the needy; poor man.*

þearle, adv., *severely.*

þēaw, m., *habit, custom.* [Mod.
Eng. thews]

þēawlīce, adv., *properly, sedately.*

þecc(e)an, W1 (sec. 51,b);
þe(a)hte; (ge)þe(a)ht; *to cover.*
[Ger. decken, Mod. Eng.
thatch]

þeg(e)n, þēn, þeng, m., *thane,
servant, retainer;* þeng 37, 3
(see note); pl. dat. þēnan 91,
21 (see note). [Ger. degen]

þegen-gyld, n., *wergild for a
thane.*

þegenlīce, adv., *as a thane should,*
i.e., *loyally.*

þeg(e)n-sorg, f., *sorrow for
thanes;* 147, 25 (see note).

þegnian, þēnian, W2, *to serve.*
[cf. þegen]

þegnung, þēnung, þēning, f.,
*service, ministration, perform-
ance.*

þegnung-fæt, þēning-, n., *serving-
dish, kitchen-dish, kitchen-
utensil.*

þegnung-man(n), þēning-, m.(6),
serving-man, attendant.

þēgun, var. past pl. of þicgean
q.v.

þē lǣs þe, conj., *lest* (with subj.).

þell-fæsten, n., *plank-fortress,
place of security built of planks.*

þenc(e)an, W1 (sec. 51,b); þōhte;

(ge)þōht; *to think, resolve.*
[Ger. denken]

þenden, conj., *while, as long as.*

þeng, var. of þegen q.v.

þēnian, see þegnian.

þēning, þēnung, see þegnung.

þēning-fæt, see þegnung-fæt.

þēod, þīod, f., *people, nation.*
[cf. Ger. deutsch]

þēodan, þī(e)dan, W1; þēodde;
(ge)þēoded; *to join.*

þēod-cyning, þīod-, m., *folk-king,
king of a people.*

þēodde, past sg. of þēodan q.v.
or of þēowan q.v.

þēoden, þīoden, m., *ruler, prince,
king.* [cf. þēod]

Þēodford, m.(4), *Thetford;* 9, 30.

Þēodrīc, m., *Theodoric,* king of
the Ostrogothic kingdom in
Italy, ruled from 493 to
527 A.D; 129, 5 (see note).
[Ger. Dietrich]

þēod-sceaða, m., *enemy of the
people.*

þēodscipe, -scype, m., *service.*

þēof, m., *thief.* [Ger. dieb]

þēon (orig. *þīhan), S1; þāh;
þigon; (ge)þigen, or -þungen
(S3); *to thrive, prosper.* [cf.
geþēon]

þēon, see þȳwan.

þēos, þīos, f. sg. nom. of þēs q.v.

þēoster, þȳster, adj., *dark,
gloomy;* figuratively, *pagan,
unenlightened.* [Ger. düster]

þēostru, þīostro, þȳstru, f., *dark-
ness, shadow.*

þēotan, þīotan, S2, *to howl.*

þēow, þīow, m.(1); also þēowa,
m.(5); also þēow, þēowe,

f.(2) and f.(5); *servant, slave.*
[cf. þegen]

þēow, adj., *enslaved, in bonds.*

þēowan, see þēowian.

þēowdōm, m., *service.*

þēowian, þēowan, W2 or W1;
þēowode, þēowde, þēodde;
(ge)þēowod, -þēod; *to serve
(with dat.).* [cf. þēow]

þēow-man(n), -mon(n), m., *a
bondman, serf.*

þēowot, þēow(e)t, m., *service;
bondage, slavery.*

þēowotdōm, þīowot-, m., *service.*

þerscan, S3; þærsc; þurscon;
(ge)þorscen; *to thresh, strike,
flail.* [Ger. dreschen]

þēs, m., þēos, þīos, f., þis, n.,
dem. pron. and adj. (sec. 33),
this, this one; f. sg. nom. þȳos
140, 25; n. sg. dat. ǣr ðison,
ere this, 91, 4. [Ger. dies]

þicg(e)an (orig. *þegjan), S5;
þeah, þah; þǣgon, þēgun;
(ge)þegen; also W1; *to re-
ceive, take, consume.*

þider, þyder, þyðer, dem. adv.,
thither. — Also relative adv.,
alone or with þe, *whither.*

þiderweard(es), adv., *thither-
wards.*

þiefð, þȳfð, f., *theft.* [cf. þēof]

þigen, f., *the taking* (of food),
partaking. [cf. þicgean]

þȳ lǣs, þy-, þē-, conj., *lest.*

þincan, see þyncean.

þindan, S3, *to swell up.*

þing, n., *thing; state, condition;*
pl. acc. þingc 74, 4; pl. gen.
ǣnige þinga, *for anything,* 151,
8. [Ger. ding]

þingian, W2, *to settle*, *compound,
come to terms;* féa þingian, *to
settle for money,* 148, 17.

þíod(-), see þéod(-).

þíotan, see þéotan.

þis, n. of þés q.v.

þolian, W2, *to endure, suffer, un-
dergo;* legally, *to forfeit, be
deprived of* (with gen.); subj.
pres. 3rd sg. þolie his hýde, *let
him suffer a hiding, or flogging,*
99, 17. [Ger. dulden, dial.
Eng. thole]

þon, var. sg. m. and n. ins. of sé
q.v., used adverbially with
comp. to express degree, *the,
by that much.* [cf. þý]

þon, see þanne.

þonan, see þanan.

þonc, see þanc.

þone, þæne, m. sg. acc. of sé
q.v.

þon mä þe, adv., *any more than;*
þon mä, *any more (than he),*
30, 17.

þonne, see þanne.

þonon, see þanan.

þorfte, past sg. of þurfan q.v.

þorn, m., *thorn.* [Ger. dorn]

Þracia, f., *Thrace;* sg. gen. Þracia
123, 7; 124, 5.

þrág, þráh, f., *time;* sg. gen. réðre
þráge, *of dire time,* 105, 2.

þrág-mǣl, n., *interval;* adv. pl.
dat. þrág-mǣlum, *at inter-
vals.*

þráwan, S7; þréow; þréowon;
(ge)þráwen; *to throw, twist,
turn.* [Ger. drehen]

þrǣl, m., *thrall, slave.*

þrǣl-riht, n., *the rights of a thrall.*

þréa, m. or f., *throe, þang, punish-
ment, misery;* 109, 23 (see
note).

þréa-nýd, f., *distress.*

þréotan, S2, *to weary.* [cf. Ger.
verdriessen]

þrē-rēðre, see þríe-rēðre.

þridda, ordinal num., *third;* of
þriddan healfre, *of two and a
half,* 16, 26. [Ger. dritte]

þridda-fæder, m., *great-grand-
father.* [cf. Lat. proavus]

þríe, þrí, þrý, m., þréo(w),
þrío(w), f. and n., num., *three;*
pl. dat. þrým 22, 19. [Ger.
drei]

þríe-rēðre, þrē-, adj., *having
three banks of oars,* hence, as
subs., *trireme.*

þringan, S3, *to press, crowd,
throng, rush upon.* [Ger. drin-
gen]

þrín(n)es, þrýnnis, -nys, f.,
trinity.

þríst(e), adj., *bold.* [Ger. dreist]

þríste, adv., *boldly, confidently,
without apprehension.*

þríst-hýdig, adj., *bold-minded,
brave.*

þrítig-wintre, adj., *thirty years
old.*

þrít(t)ig, num., *thirty.* [Ger.
dreizig]

þríwa, adv., *thrice.*

þrówian, W2, *to suffer.* [cf.
Mod. Eng. throe]

þrówung, f., *suffering, passion.*

þrý, see þríe.

þryccan, W1; þrycte, þryhte;
(ge)þrycced, -þryht; *to press,
oppress, crush.* [Ger. drücken]

þrym(m), m., *multitude, force, host; renown, glory.*

þrym(m)fæst, adj., *glorious, mighty.*

þrȳnnys, see þrīnnes.

þrȳð, þrȳðu, f., *might, power, force, multitude.*

þrȳð-swȳð, adj., *strong in might, very powerful;* 147, 25 (see note).

þrȳðum, pl. ins. of þrȳð, used as adv., *fiercely, mightily.*

þū, sg. 2nd pers. nom. of pers. pron. (sec. 29), *thou.* [Ger. du]

þurfan, PP. (sec. 55); þorfte; ptc. wanting; *to need, be required; have need of* (with gcn.); pres. 3rd sg. ðearf 158, 20; pres. pl. in inversion, ne þurfe wē 113, 24; past pl. hī his . . . ðorfton, *they had need of it,* 52, 10. [Ger. dürfen]

þurh, prep. (with acc.), *through.* [Ger. durch, Mod. Eng. thorough, also]

þurhbrecan, S4, *to break through, penetrate.* [cf. brecan]

þurhflēon, S2, *to fly, flee through.* [cf. flēon]

þurhsēon, S5, *to see through;* pres. 3rd sg. þurhsyhð 127, 20. [cf. sēon, S5]

þurhslēan, S6, *to strike through, permeate.* [cf. slēan]

þurhtēon, S2, *to accomplish, wage, carry out.* [cf. tēon]

þurh þæt þe, phrasal conj., *through the fact that, because.*

þurhwadan, S6, *to go through, pierce.* [cf. wadan]

þurhwunian, W2, *to continue, remain* (unchanged), *be steadfast.* [cf. wunigean]

Þūrstān, m., *Thurstan,* father of the Danish warrior Wistan, who fell in the battle of Maldon; 121, 27.

þus, adv., *thus, in this manner.*

þūsend, n., *thousand.* [Ger. tausend]

þwærnes, f., *agreement.*

þwēan (orig. *þwahan), S6; þwōh, þwōg; þwōgon; (ge)-þwagen, -þwægen; *to wash, cleanse.*

þwēores, þwȳres, adv., *crosswise.*

þwe(o)rh, adj., *crooked, cross, adverse;* m. sg. adverbial gen. þwēores windes, *with an adverse wind,* 59, 13.

þweran, S4, *to stir, twirl.*

þwȳr(e)s, see þwēores.

þȳ, þī, m. and n. sg. ins. of sē q.v., used as adv., *for the reason that, because.* — Also used alone or correlatively, with comp. adj. or adv. [cf. þon]

þȳfð, see þīefð.

þync(e)an, þinc(e)an, W1 (sec. 51,b); þūhte; (ge)þūht; *to seem, appear* (used impersonally with dat.). [Ger. dünken, archaic Eng. methinks]

þȳos, var. f. sg. nom. of þēs q.v.

þyr(e)l, n., *opening, aperture.* [cf. þurh, Mod. Eng. nostril]

þyr(e)l, adj., *pierced, perforated, having a hole.*

þyslīc, pron. adj., *such.*

þysne, var. m. sg. acc. of þēs q.v.

þȳster, see þēoster.

þȳstru, see þeostru.

þȳðer, see þider.

þȳwan, þeon, W1, *to threaten, oppress.*

U, V

Ualentīnus, Valentīnes, m., *Valentinian III,* Emperor of the West 425–455 A.D.; 4, 16.

ufan, adv.; comp. uferra, yfer(r)a; sup. ufemest, yfemest; *above, from above.*

ufanweard, adj., *at the top, above.*

ufeweard, adj., *upper, higher.*

ufor, comp. adv.; sup. ufemest; *farther away; higher up.*

ūht, m.(1); also ūhta, m.(5); *the time just before daybreak, the last part of the night, early dawn.*

uht, see wiht.

ūht-floga, m., *dawn-flier, nightflier.*

ūht-sang, m., *morning song, matins;* a service held between midnight and dawn; sg. acc. ūhtsang 74, 6; sg. dat. ūhtsancge 76, 16.

ūht-wæcce, f., *nightly vigil.*

Virāgo (Lat.), f., *Virago,* 'þæt is fæmne' 64, 8 (see note).

virtus (Lat.), f.; pl. nom. virtutes; *virtue, strength.*

uissillus (Lat.), m., *vissillus,* a kind of serpent; 47, 22 (see note).

unāblinnendlīce, adv., *without ceasing.* [cf. blinnan]

unālīefed, ptc. adj., *unallowed, unlawful; without permission.* [cf. ālīefan]

unanwendendlīce, adv., *unchangeably.*

unbeboht, ptc. adj., *unsold.* [cf. bycgean]

unbefohten, ptc. adj., *uncontested, unopposed.* [cf. feohtan]

unblīðe, adj., *unhappy, sorrowful.*

uncer, dual gen. of ic q.v., *of us two.* — Also used as possessive adj.

uncoðu, f., *disease.*

uncræft, m., *ill practice, dissimulation.*

uncūð, adj., *unknown, strange, uncertain.* [Mod. Eng. uncouth]

uncynlīc, adj.; uncynlīcra; uncynlīcost; *improper, unsuitable.*

undǣd, f., *wrong-doing, crime.*

undēadlīc, adj., *undying, immortal.*

undēadlīcnes, -nys, f., *immortality.*

under, prep. (with dat. and acc.), *under.* — Also adv., *backwards.* [Ger. unter]

underfōn, S7, *to receive, accept, undertake, assume;* past ptc. underfangen 59, 22; past pl. underfēngan 95, 29. [cf. fōn]

undern, m., *mid-morning, nine o'clock;* sg. acc. undern 79, 4.

undern-sang, -song, m., *service held at undern,* i.e., *mid-morning song;* sg. nom. undernsang 78, 4.

undern-tīd, under-, f., *nine o'clock in the morning;* sg.

acc. undertīde 74, 9. [cf. undern-sang]

undersmūgan, S2, *to creep under, surprise, take unawares.*

understandan, -stondan, S6, *to understand.* [cf. standan]

under-tīd, see undern-tīd.

underþēodan, -þīedan, W1, *to subject, submit.*

underþēodnys, -nes, f., *submission.*

undi(e)rne, -dyrne, adj., *not dim or hidden,* hence, *revealed, discovered; apparent.* — Also adv., *clearly, plainly.*

unearh, -earg, adj., *not cowardly,* hence, *brave.*

unēaðe, adv., *not easily,* hence, *with difficulty.*

unē(a)ðelīce, -īeðelīce, adv., *uneasily,* hence, *barely, with difficulty; hard.* [cf. ēaðe]

unēaðnes, -ēðnys, f., *uneasiness, grief.*

unfǣge, adj., *undoomed, not fated to die.*

unfæger, adj., *unfair, uncanny, horrible.*

unfeor(r), adv., *not far,* hence, *near.*

unforbærned, ptc. adj., *unburned.* [cf. forbærnan]

unforcūð, adj., *not despicable,* hence, *noble, brave.*

unforht, adj., *unafraid, unfrightened, fearless.*

unforworht, ptc. adj., *not criminal,* hence, *innocent.*

unfrið, n., *hostility, lack of peace or security;* 40, 26 (see note). [cf. frið; Ger. unfriede]

unfrōd, adj., *not old,* hence, *young.*

ungecynde, adj., *unnatural, unlineal;* 9, 8 (see note).

ungedered, ptc. adj., *unharmed.* [cf. derian]

ungeendod, ptc. adj., *without end.*

ungefērlīce, adv., *in civil war.* [cf. gefēra, gefērscipe]

ungefōge, adv., *exorbitantly.*

ungehīersum, -hȳrsum, adj., *disobedient.*

ungehī(e)rsumnes, -hȳrsumnes, f., *disobedience.*

ungehrepod, ptc. adj., *untouched.* [cf. hrepian]

ungelǣred, ptc. adj., *untaught.* [cf. lǣran]

ungelimp, n. or m., *misfortune, mishap.*

ungemet, n., *excess, immoderation;* mid ungemete, *without measure, very greatly.*

ungemete, adv., *immeasurably, exceedingly.*

ungemetlīc, adj., *immoderate, very great.*

ungemetlīce, adv., *immoderately, very greatly.*

ungetrēowð, -trȳwð, f., *treachery, infidelity.*

ungeþwǣrnes, f., *discord.*

ungewealdes, adv. gen., *unintentionally, not wilfully.*

ungewēned, adj., *unexpected.* [cf. wēnan]

ungi(e)ld, ungyld, n., *excessive tax;* pl. nom. ungylda 92, 17.

unhǣlo, f., indecl., *evil, destruction.* [cf. hāl]

unlagu, f., *bad law, injustice.*

unland, -lond, n., *that which is not land.*

unlifiend, -lyfigend, ptc. adj. used as subs., m., *the dead one.*

unlȳtel, adj., *not a little,* hence, *much.*

unmǣte, adj., *immense, prodigious, stupendous.*

unnan, PP. (sec. 55); ūðe; (ge)-unnen; *to grant, favor* (with dat. of pers. and gen. of thing).

unnyt(t), unnet(t), adj., *useless, vain.*

unnytlīce, adv., *in vain, uselessly.*

unorne, adj., *old.*

unrǣd, m., *evil counsel.*

unriht, n., *wrong, injustice;* mid unrihte, *wrongfully,* 87, 6; on unriht, *wrongfully,* 158, 18.

unrihte, adv., *wrongfully, unjustly.*

unrihtlīce, adv., *wrongfully.*

unrihtwīs, adj., *unrighteous.*

unrihtwīsnes, -wȳsnys, f., *unrighteousness, injustice.*

unrīm, n., *a countless number.*

unrōt, adj., *not cheerful,* hence, *sad, disconsolate.*

unrōtnes, f., *sadness, contrition.*

unsār, adj.; sup. unsārast; *not sore or painful;* sup., *least painful,* 47, 14.

unscyldig, adj., *guiltless, innocent, harmless.*

unsibb, f., *strife, unfriendliness.*

unsi(o)du, m.(7), *a bad habit, malpractice, immorality.*

unslāw, adj., *not slow* (of edge), hence, *very sharp.*

unspēdig, adj., *unsuccessful,* hence, *poor.*

unstilnes, f., *disturbance.*

unstrang, adj., *not strong,* hence, *weak, feeble.*

unswīðe, adv.; comp. unswīðor; sup. unswīðost; *not strongly;* comp., *less strongly,* 153, 18.

untrum, adj., *infirm, weak, sick.*

untrumnes, -trym-, -nys, f., *infirmity, weakness.*

untwēo, adj., *without doubt,* hence, *certain, sure.*

untȳdre, m., *evil progeny, unnatural growth.*

unþances, -þonces, gen. of unþanc, used as adv., often with noun or pron., *unwillingly, without consent, not of one's own accord;* hiora unþonces, *without their consent,* 45, 31.

unþēaw, m., *bad habit, vice.*

unwāclīce, adv., *without weakening, resolutely.*

unwær, -war, adj., *unwary, unprepared, unsuspecting;* on unwær, *unawares.*

unwærlīce, adv., *unwarily, heedlessly.*

unwæstm, m., *barrenness, sterility, unproductiveness, poor crops.*

unwealt, adj., *steady;* 22, 33 (see note).

unwearnum, adv. dat., *without hindrance, irresistibly.*

unweaxen, ptc. adj., *undeveloped, not grown, young.*

unweder, n., *bad weather, storm;* pl. nom. unwedera 92, 17. [Ger. unwetter]

unwillum, adv., *unwillingly.*

unwīs, adj., *unwise.*

volueris (Lat.), 2nd sg. future perfect of **volo**, *wish*.

ūp, ūpp, adv., *up, upwards*. [Ger. auf]

ūpāhafenes, -hefednys, f., *exaltation, elevation; arrogance, pride*. [cf. hebban]

ūpāstīgnes, f., *ascension*. [cf. stīgan]

ūpcund, adj., *heavenly, celestial*.

ūpgang, m., *rising* (of the sun), *way up, approach*.

ūpheofon, m., *heaven above*.

ūplang, adv., *upright, erect*.

upp(e), adv., *up, above;* wið upp, *upwards, above*, 42, 11.

ūprihte, adv., *upright, erect*.

ūre, pl. gen. of **ic** q.v.; also possessive adj., *our, ours*.

ūrum, pl. dat. of **ūre**, used, apparently, by mistake, for unc or for the gen. ūre, with bām; 156, 1 (see note).

ūser, ūsser, ūre, pl. 1st pers. gen. of **ic** q.v., *of us, our;* ūre æghwylc, *each of us*. — Also poss. adj. *our;* n. sg. gen. ūsses 160, 28; sg. dat. ūssum, 155, 9; pl. gen. ūssa 109, 4. [Ger. unser]

ūsic, older pl. 1st pers. acc. of **ic** q.v., *us*.

ūssa, ūsra, var. pl. gen. of **ūser**, poss. adj., q.v.

ūt, ūte, adv.; comp. ūt(er)ra, ȳtra; sup. ūtemest, ȳtemest; *out; outside, without;* comp. *outer, utter;* sup. *outermost, utmost, last*. [Ger. aus]

ūtan, adv., *without, from without, outside*.

utan, see **wuton**.

ūtanbordes, adv. gen., *abroad*.

ūte, see **ūt**.

ūter-mere, m., *outer or open sea*.

ūt(er)ra, comp. of **ūt** q.v., adj.; sup. ūtemest, ȳtemest; *outer, utter;* sup. *outermost, utmost, last*.

ūteweard, adj., *outward, outside*.

ūtfaru, f., *going out or abroad*. [cf. Ger. ausfahrt]

ūtgang, ūtgong, m., *departure, exodus*. [Ger. ausgang]

uton, see **wuton**.

ūt-sīð, m., *a going out, egress*.

ūtweard, adj., *outward, ready to go*.

ūðe, past sg. of **unnan** q.v.

ūðwita, m., *philosopher, sage*.

W

wā, wēa, m., *woe*. — Also interj. or adv., *alas*. [Ger. weh]

wāc, adj., *weak, pliant*. [Ger. weich]

wacan, S6, *to wake, to be born* (intrans.). [cf. wacian, wæccean, wæcnan, weccean]

wācian, W2, *to weaken, waver*.

wacian, W2, *to watch, wake* (intrans.). [cf. wacan]

wāc-mōd, adj., *faint-hearted, morally weak*.

wacsan, see **wascan**.

wadan, S6, *to go, advance* (intrans.); *to travel, traverse* (trans.). [Ger. waten, Mod. Eng. wade]

wafian, W2, *to wave*.

wā lā wā, wālā wā, wālā, interj.,
  well-a-way, *alas*. Superseded
  in later Eng. by the French
  'alas.' Used with dat. of
  person and gen. of thing or
  cause; wālā þǣre yrmðe, *alas
  the misery*, 94, 8.

waldend, see wealdend.

wall, see weall.

wan, won, adj., *wanting*, *lacking*;
  bereft (with gen.).

wana, m., *want*, *lack*. [cf. wan]

wandian, W2, *to waver*, *hesitate*,
  turn aside. [cf. windan]

wang, wong, m., *plain*, *field*.

wang-stede, wong-, m., *place*.

wan-hāl, adj., *unhealthy*, *weak*,
  ill.

wan-hygdig, -hȳdig, adj., *thought-
  less*, *rash*.

wanian, wonian, W2, *to wane*,
  diminish, *waste away* (in-
  trans.); *shrivel*, *lessen* (trans.).
  [cf. wan]

wāni(ge)an, W2, *to bewail*, *la-
  ment*, *weep*; pres. ptc. wān-
  ende 111, 6. [Ger. weinen]

wan(n), won(n), adj., *dark*,
  dusky, *black*. [Mod. Eng.
  wan]

wan-sǣlig, won-sǣli, adj., *un-
  happy*, *miserable*.

wansceaft, won-, m., *misery*.
  [cf. wan]

warenian, see warnian.

warian, W2, *to guard*, *occupy*,
  hold. [Ger. wahren]

warnian, warenian, W2, *to be-
  ware*, *take heed* (used re-
  flexively, sometimes). [cf.
  warian]

waroð, m., *shore*.

was, var. past sg. of bēon q.v.

wascan, wǣscan, wacsan, etc.,
  S6; wōsc, wōcs; wōscon;
  (ge)wascen, -wǣscen, etc.; *to
  wash*; subj. pres. pl. wacsan
  80, 12. [Ger. waschen]

wāt, pres. 1st and 3rd sg. of
  witan q.v.

waðem, waðum, m., *wave*; pl.
  gen. waþema gebind, *the
  mingling of the waves*, *the
  ocean*.

wax-, see weax-.

wæcc(e)an, W1; wæhte; (ge)-
  wæht; *to watch*, *wake* (in-
  trans.). [cf. wacan]

wæcnan, W1, *to awake*, *arise*,
  spring up. [cf. wacan]

wæd, n.; pl. wadu, -o; *shallow
  water*, *ford*. [cf. wadan]

wæg, wēg, m., *wave*. [cf. wegan;
  Ger. woge]

wæg-dēor, n., *sea-animal*.

wæg-līðend, m.(8), *wave-traveler*,
  seafarer.

Wǣgmundingas, pl. m., *the
  Wǣgmundings*, the family to
  which Beowulf and Wiglaf
  belonged; 154, 15.

wæg-þel, n., *wave-plank*, i.e., *ark*,
  ship.

wæl, wæll, n., *the slain*, *the body
  of the slain*; *slaughter*, *carnage*.
  [cf. Valhalla, Valkyrs]

wæl-blēat, adj., *deadly*, *mortal*.

wæl-fyllo, f., *fill of slaughter*.
  [cf. full]

wæl-fȳr, n., *slaughter-fire*, *deadly
  flames*; also, *corpse-fire*, *fu-
  neral pyre*.

wæl-gīfre, adj., *greedy for slaughter.*

wæl-grim(m), adj., *deadly, cruel.*

wæl-hrēow, adj., *murderous, cruel;* þā wælhrēowan, *the murderous ones,* 71, 17.

wælm, see wielm.

wæl-nīð, m., *deadly hate.*

wæl-rǣs, m., *deadly onslaught.*

wæl-rēc, m., *deadly reek or smoke.*

wæl-rest, f., *bed of slaughter.*

wæl-seax, wæll-, n., *battle-knife.*

wæl-sleaht, -sli(e)ht, m., *slaughter.* [cf. slēan]

wæl-spere, n., *slaughter-spear, deadly spear.*

wæl-stōw, f., *battlefield, place of slaughter.*

wæl-wulf, m., *slaughter-wolf,* hence, *warrior.*

wǣpen, n.; pl. wǣpnu, -o; *weapon.* [Ger. waffen]

wǣpen-gewrixl, n., *exchange,* i.e., *conflict, of weapons; fight.*

Wǣrferð, m., *Werferth,* bishop of Worcester (died 915 A.D.), friend of King Alfred and translator of Gregory's *Dialogues;* 49, 1 (see note).

wǣrlīce, adv., *warily, cautiously, circumspectly.*

wǣr-loga, m., *perfidious one, faithbreaker.*

wǣron, wǣrun, past pl. of **bēon** q.v.

wæs, was, past sg. of **bēon** q.v.

wæstm, m., or n., *fruit, growth, increase, profit.* [cf. weaxan]

wæstm-berend, ptc. adj., *fruitful.*

wæter, n., *water.* [Ger. wasser]

wæter-clāð, m., *towel.*

wæter-fæsten, n., *water-fastness, place protected by water.*

wæterscipe, -scype, m., *supply of water.*

wæter-þēote, f., *water-channel, conduit; torrent, cataract.*

wæter-þīsa, m., *water-rusher, mighty swimmer.*

wēa, wā, m., *woe, misery, trouble;* pl. gen. wēana gehwelcne, *every woe,* 148, 9. [cf. wā, Ger. weh]

we(a)la, weola, m., *weal, prosperity, wealth.*

wealcan, S7; wēolc; wēolcon; (ge)wealcen; *to roll, toss.* [Ger. walken, Mod. Eng. walk]

weald, m.(1), pl. nom. wealdas; but also m.(7), sg. dat. wealda; *weald, forest.* [Ger. wald]

wealdan, waldan, S7; wēold; wēoldon; (ge)wealden; *to wield, govern, control, limit; be the cause of, bring about* (with gen. or dat.); *strive, get along;* ptc. gewaldenum, *limited,* 18, 29. [Ger. walten]

w(e)aldend, m.(8), *ruler, lord.* [pres. ptc. of w(e)aldan]

Wealh, wealh, m., *Welshman; foreigner;* pl. acc. Wēalas 4, 25. [cf. Ger. welsch]

Wealh-gefēra, m., *commander of troops on the Welsh border;* 24, 3 (see note to p. 22, l. 24).

wealh-stōd, m., *interpreter, translator.*

weall, wall, m., *wall, rampart.*
[Lat. vallum]

weallan, S7; wēol(l); wēollon;
(ge)weallen; *to well up, boil,
surge, flow forth.*

weal(l)-steall, m., *wall-place,
foundation;* 133, 10 (see note).

weard, m., *guard, keeper, ward.*

weardian, W2, *to guard, occupy,
maintain.*

wearm, adj., *warm.* [Ger. warm]

weax, n., *wax.* [Ger. wachs]

we(a)xan, S6 and S7; wōx, wēox;
wōxon, wēoxon; (ge)we(a)xen;
to wax, grow, increase. [Ger.
wachsen]

weax-georn, wax-, adj., *eager to
grow, likely to grow.*

wecc(e)an, W1; we(a)hte; (ge)-
we(a)ht; *to wake, arouse*
(trans.); *to kindle* (a fire).
[cf. wacan; Ger. wecken]

wēdan, W1; wēdde; (ge)wēded;
to be mad or crazy; to rage.
[cf. wōd]

wed(d), n., *pledge, a security.*
[cf. weddian and Mod. Eng.
wedding]

wed(d)-brice, -bryce, m., *break-
ing a pledge.*

weder, n., *weather; season.*
[Ger. wetter]

Weder, m., *Weder-Geat;* pl. gen.
Wedra 155, 31; 157, 16.

Weder-Gēat, m., *Weder-Geat,
or Geat;* 152, 21.

wefan, S5, *to weave.* [Ger. we-
ben]

wēfod, see **wīg-bed.**

wēg, see **wǣg.**

weg, m., *way;* on weg, *away;*

adv. acc. ealne weg, or con-
tracted to ealneg, *all the way,
always.* [Ger. weg]

wegan, S5, *to carry, wear, have,
wage; move* (intrans.); past
pl. wēgon 115, 22. [Ger. we-
gen, Mod. Eng. weigh]

wegnest, -nyst, n., *viaticum,
provisions for a journey.*

wel, well, adv. with vb., *well;*
with adj., *very, quite.* — Also
interj., *well, ah.*

wela, m., *weal, prosperity, riches.*

Wēland, m., *Weland, the Smith,*
who avenged Nithhad's abuse
of him by assaulting Nithhad's
daughter, the princess Bea-
dohild; 128, 1 (see note).

weler, weolor, etc., m., *lip.*

wel hwǣr, indef. adv., *almost
everywhere.*

welig, adj., *wealthy, rich.*

wēman, W1, *to persuade, allure,
entice.*

wēn, f., *hope, expectation.* [Ger.
wahn]

wēna, m., *hope, supposition, ex-
pectation;* sg. dat. wēan on
wēnan, *in expectation of woe,*
129, 12.

wēnan, W1; wēnde; (ge)wēnd;
*to hope, ween, think; to hope
for, expect* (with gen.). [cf.
wēn]

wendan, W1; wende; (ge)-
wended; *to wend one's way, go,
turn* (intrans.); *change, trans-
late* (trans.). [cf. windan;
Mod. Eng. wend and went]

Wendelsǣ, m., usually, *the Med-
iterranean;* 14, 31; 124, 14.

wenian, W2, *to entertain, accustom, prepare;* wenian mid wynnum, *to treat kindly,* 131, 15.

Wēohstān, Wēoxstān, Wīhstān, m., *Weohstan,* father of Wiglaf, and slayer of Eanmund; 154, 10, etc.

Weonod-land, Weonoð-, n., *Wendland,* a part of Northern Germany inhabited by the Wends, Slavic neighbors of the Germans; 43, 26; 44, 3; 44, 5; Winod-lande 44, 11.

weorc, worc, n., *work, action, deed;* sg. gen. weorkes 73, 10 (see note).

we(o)rod, wered, weorud, n., *band, army, host;* sg. ins. unware weorude, *in an unwary multitude,* 137, 8; pl. acc. werode 54, 24. [cf. wer]

weorold, worold, -uld, etc., f., *world.* [Ger. welt]

weorold-bisgu, f., *worldly occupation.*

w(e)oroldcund, woruld-, adj., *worldly, secular.*

weorold-gesǣlig, woruld-, adj., *worldly-prosperous, well-to-do.*

weorold-hād, woruld-, m., *secular life.*

w(e)orold-rīce, w(e)oruld-, n., *kingdom of earth.*

w(e)orold-scamu, w(e)oruld-, f., *world-shame, public disgrace.*

w(e)orold-þing, w(e)oruld-, n., *worldly affair.*

weorold-wīdl, woruld-, m. or n., *earthly corruption.*

weorpan, wurpan, S3; wearp; wurpon; (ge)worpen; *to throw, cast;* hine wæteres weorpan, *to sprinkle him with water,* 160, 5. [Ger. werfen, Mod. Eng. warp]

weorð, wurð, n., *price, worth;* wið weorðe, *for a price.*

weorðan, wurðan, S3; wearð; wurdon; (ge)worden; *to become, happen;* used regularly with past ptc. to form passive voice; ind. pres. 3rd sg. wyrð 92, 8; subj. pres. pl. gewundade weorþan 79, 15. [Ger. werden]

weorð(e), wurðe, wyrðe, adj. (with gen. or dat.); comp. wyrðra; sup. weorðost, -ust; *worthy.*

weorðian, wurðian, W2, *to honor, worship.* [cf. weorðe]

weorðlīce, wurð-, adv., *worthily, honorably.*

weorðmynd, -mynt, wurð-, m., also f., *honor, respect.*

weorðnes, f., *worthiness, dignity.*

weorðscipe, wurð-, m., *worship, honor.*

weorðung, f., *honoring, reverence, worship;* hence, *religious service, festival.*

wēpan (orig. *wōpjan), S7; wē(o)p; wē(o)pon; (ge)wōpen; *to weep, cry out;* pres. ptc. wǣpendre 27, 24.

wer, m., *man.* — Also used as a legal term, *one's legal liability or legal value;* 97, 5 (see note). [cf. Lat. vir, Mod. Eng. werwolf]

wercan, see **wyrcean.**

wered, see **weorod.**

Werhām, m., *Wareham* (Dorsetshire); 12, 1.

werian, W1; werede; (ge)wered; *to defend; clothe.*

wērig, adj., *weary, tired, exhausted, wretched.*

wer(i)g, wearg, adj., *accursed, evil;* weak m. sg. gen. wergan 147, 27.

wērig-fer(h)ð, adj., *wearyhearted, disconsolate.*

werod, see **weorod.**

wer-þēod, f., *people, nation.*

wesan, bēon, spec. (sec. 57); wæs; wǣron; ptc. wanting; *to be, exist.* [cf. Ger. ptc. gewesen]

west, adv.; comp. westerra; sup. westmest; *west, westward.*

westan, adv., *from the west.*

westan-wind, m., *west-wind.*

west-dǣl, f., *western part.*

wēste, adj., *waste, deserted, desolate;* f. sg. dat. wēstre 20, 25.

wēsten, n., *waste, desert.*

westlang, adv., *along the west.*

west-rīce, n., *the western kingdom;* 14, 23, etc.

West-sǣ, m. or f., *Western Sea,* i.e., the ocean west of Norway; 40, 3 (see note). [cf. ēast-sǣ]

West-Seaxe, Wesseaxe, pl. m.(4); also pl. m.(5), pl. nom. -Seaxan; *West Saxons;* pl. nom. West Seaxe 4, 27 (see note); pl. gen. Wesseaxna 5, 26.

West-W(e)alh, m., *Western Welsh, Celts of Cornwall;* pl.

acc. West Walas 5, 20. [cf. Wealh]

westweard, westeweard, adv., *westward.*

Weðmōr, m., *Wedmore* (Somerset); 13, 14 (see note).

wīc, n., or f., *dwelling-place, abode, habitation;* often pl. with meaning of sg. [Mod Eng. -wick, -wich in placenames]

wice, see **wiece.**

wicg, n., *horse.*

Wicganbeorg, m., *Wembury,* on the Devonshire coast near Plymouth; 6, 28.

wīc-gefēra, m., *bailiff, reeve;* sg. nom. wīcgefēra 22, 24 (see note).

wīcian, W2, *to camp, lodge, dwell.*

wīcing, wīceng, m., *viking, pirate;* usually applied to the Northmen invading England. See note to p. 13, l. 19.

wīcnian, W2, *to perform an office, serve.*

wīc-stede, m., *dwelling-place, home.*

wic-þeg(e)n, -þēn, m., *weekservant,* i.e., *a brother in a monastery to whom certain duties have been assigned for the week.*

wīd, adj., *wide, widespread, farreaching;* perhaps n. pl. acc. used as subs. in wīdre gewindan, *to flee to a more remote place,* 150, 12. [Ger. weit]

wīde, adv.; comp. wīdor, perhaps, wīdre; sup. wīdost; *widely, everywhere;* — feor and wīde, *far and wide;* — tō wīde, *too widely*, 91, 23; wīdre ge-windan, *to escape farther*, 150, 12.

wīd-floga, m., *far-flier*.

wīd-lond, n., *the wide land, the entire earth*.

wīd-mǣre, adj., *widely known, famous far and wide*.

wīd-sǣ, f., *wide sea, open sea*.

widuwe, wydewe, etc., f., *widow*. [Ger. witwe]

wi(e)ce, wicu, wuce, wucu, f.(5), *week;* pl. gen. wucena 20, 9. [Ger. woche]

wi(e)lm, wylm, wælm, m., *welling up, surging; fervor*. [cf. weallan]

wiernan, wyrnan, W1, *to refuse, deny, withhold* (with gen. of thing and dat. of person).

wierrest, wyrrest, sup. of yfel q.v.

wiersa, wyrsa, comp. of yfel q.v.

wiersian, wyrsian, W2, *to grow worse, deteriorate*.

wīf, n., *woman, wife*. [Ger. weib]

wīf-man(n), -mon(n), m.(6), *woman*.

wīg, m. or n., *war, battle*.

Wig, m., *Wig*, an ancestor of King Alfred; 8, 5.

wiga, m., *warrior*.

wīg-bed, wīh-, wē(o)fod, n., *altar;* pl. acc. wīgbede 32, 19, but wīgbed 32, 27; pl. dat. wēfodum 77, 8.

Wīgelīn, m., *Wigelin*, apparently Thurstan, father of the Danish Wistan who fell at Maldon; 121, 29.

wīgend, m.(8), *warrior*. [pres. ptc. of wīgan; Ger. weigend]

wīg-haga, wī-, m., *war-hedge*, i.e., *line of battle*.

wīg-heafola, m., *war-head*, i.e., *helmet*.

wīg-heard, adj., *brave in battle, valorous*.

Wiging, m., patronymic, *son of Wig;* 8, 5.

Wīglāf, m., *Wiglaf*, son of Weohstan, and kinsman of Beowulf; 154, 10, etc.

wīg-plega, m., *war-play, battle*.

Wīgðēn, m., *Wigthen*, bishop; 5, 18.

Wīhstān, see Wēohstān.

wiht, wuht, uht, n., *wight, person, creature, thing;* used as adv. sg. acc. wiht, *at all, aught;* wihte ðē sēl, *a whit the better*, 156, 29. [cf. Mod. Eng. whit]

Wiht, f., *Isle of Wight;* 23, 5.

Wihtgār, m., *Wihtgar*, a West-Saxon invader of Dorsetshire; 5, 1.

wilde, adj., *wild*. [Ger. wild]

wild(ē)or, wild(e)dēor, n., *wild animal; reindeer;* pl. dat. wild-rum 41, 22; pl. gen. wildedēora 55, 2; wildra 125, 26. [cf. Mod. Eng. wilderness]

willa, m., *will, wish, desire, purpose;* sylfes willum, *of his own accord*, 155, 14; pl. dat. used adv., þīnum willum, *with thy consent*, 59, 2. [Ger. wille]

willan, wyllan, spec. (sec. 57); wolde; ptc. wanting; *will, to*

wish, be willing; pres. pl. in in-
version, wille gē 73, 4; wylle
gē 74, 14; past pl. uuoldon 13,
8. [cf. nyllan; Ger. wollen]

wille-burne, f., *bubbling burn or
stream.*

will-flōd, m., *flood-water.*

willsumnes, see **wilsumnes.**

wilnian, W2, *to desire, wish* (with
gen. or acc.). [cf. willan]

wilnung, f., *desire, wish;* sg. dat.
wilnunga 50, 25.

Wilsǣtan, -sǣte, pl. m.(5) or (4),
the people of Wiltshire; 13, 1.

wilsumnes, will-, f., *willingness.*

Wiltūn, m., *Wilton* (Wiltshire);
10, 34.

Wiltūnscīr, f., *Wiltshire;* 24, 4.

wīn, n., *wine.* [Lat. vinum,
Ger. wein]

Winburne, f., *Wimborne* (Dor-
setshire), burial place of King
Ethered; 10, 31.

wind, m., *wind.* [Ger. wind]

windan, S3; wand, wond; wun-
don; (ge)wunden; *to wind,
twist, roll, brandish* (trans.);
to turn, go winding (intrans.),
circle about. [cf. wendan;
Ger. winden]

win-dæg, m., *day of strife or
lubor.*

wīn-drenc, -drinc, m., *wine.*

wine, m.(4), pl. wine; also m.(1),
pl. win(e)as; *friend;* pl. gen.
winia 153, 7.

Winedas, pl. m., *the Wends;* 43,
15.

wine-dryhten,   -drihten, m.,
friend and lord.

winelēas, adj., *friendless.*

wine-mǣg, m., *friend and kins-
man.*

winestra, wynstra, adj., *left;* sēo
winestre hand, *the left hand.*

winnan, S3; wann, wonn; wun-
non; (ge)wunnen; *to fight,
struggle.* [Mod. Eng. win]

wīn-reced, n., *wine-hall.*

wīn-sæl, n., *wine-hall;* pl. nom.
wīn-salo 132, 32.

wīn-sele, m., *wine-hall.*

Wintanceaster, Winte-, f., *Win-
chester,* capital city of the
West Saxons under Alfred;
7, 30; 8, 23; on Winteceastre
22, 24.

winter, m.(1), pl. nom. wintras;
but also m.(7), sg. dat. wintra;
winter; but, in reckoning time,
year. [Ger. winter]

winter-ceald, adj., *winter-cold.*

winter-cearig, adj., *saddened by
years, old and full of cares.*

winter-setl, n., *winter quarters or
seat.*

winter-tīd, f., *winter-time.*

Wiogora-ceaster, f., *Worcester;*
49, title.

wiota, see **wita.**

wiotan, see **witan.**

wīpian, W2, *to wipe.*

Wīrhēal, m., *Wirral* (Cheshire);
on Wīrhēalum 20, 25; of
Wīrhēale 21, 2.

wir(i)gan, wyrgan, W1, *to curse.*

wīs, adj., *wise.* [Ger. weise]

wīsdōm, m., *wisdom, learning.*
In the passage from Boethius
a personified Wisdom carries
on a discussion with the im-
prisoned Boethius; 55, 26, etc.

wīse, f., *wise, manner, condition; idiom; matter;* sg. acc. wīsan 35, 26; *commandment,* 108, 5. [Ger. weise]

wīse, adv., *wisely.*

wīs-hycgende, ptc. adj., *wise-thinking.*

wīsian, W2, *to guide, direct.* [Ger. weisen]

Wīsle, f., *the Vistula river,* in northeastern Germany; 44, 4, etc.

Wīslemūða, m., *mouth of the Vistula;* 44, 4; 44, 13.

wīslīc, adj., *wise, discreet.*

wisse, wis(s)te, past sg. of witan q.v.

wisson, wiston, past pl. of witan q.v.

wist, f., *sustenance, abundance, food; feast.* [cf. wesan]

Wīstān (orig. *Wīgstān), m., *Wistan,* son of the Danish leader Thurstan, slain at the battle of Maldon; 121, 26.

wist-fyllo, f., *abundant meal.*

wit, dual 1st pers. nom. of ic q.v., *we two.*

wita, wiota, wyta, m., *wise man, councilor;* pl. gen. wiotona 50, 19. [Ger. weise]

wītan, S1, *to blame, reproach, accuse* (with dat. of person and acc. of thing). [cf. ætwī-tan]

witan, wiotan, PP. (sec. 55); wiste, wisse; (ge)witen; *to know, perceive, recognize;* past pl. wisson 126, 18. [Mod. Eng. to wit, Ger. wissen]

wīte, n., *punishment, injury,* *pain, evil;* tō wīte, *as a penalty,* 97, 9.

wīt(e)ga, m., *seer, prophet.* [cf. Mod. Eng. wiseacre]

witena-gemōt, n., *the assembly of wise men.*

wītig, adj., *wise.*

Wītland, n., *Witland,* in East Prussia, on the Baltic Sea; 44, 5–6.

wītnian, W2, *to punish.*

witodlīce, adv., *verily, truly, indeed.*

wið, prep. (with gen., dat. or acc.), *against, toward, for, along; in contrast to,* hence, rarely, *from;* wiþ þone here, *against the [Danish] army,* 8, 23; wið Exanceastres, *against Exeter,* 18, 28; wið heora fēondum, *against their enemies;* wið ða sǣ, *along the sea,* 42, 9; wið ēastan, *toward the east,* 42, 11; wið frēode, *for peace,* 113, 29; līf wið līce, *life from body,* 149, 13; wið sūðan, *as prep.* (with acc.), *to the south of,* 43, 8. [Mod. Eng. with]

Wiða, m., *Wido, or Guido,* king of the Lombards; 15, 27.

wiðerlēan, n., *requital, reward.*

wiðersaca, m., *adversary.*

wiðerweardlīc, adj., *hostile, perverse, rebellious, hurtful.*

wiðerweardnes, -nys, f., *opposition, hostility.*

wiðfeohtan, S3, *to fight against* (with dat.). [cf. feohtan]

wiðfōn, S7, *to seize in return, lay hold on* (with dat.). [cf. fōn] widhabban, W3, *to hold out against, resist* (with dat.).

wiðmetenes, f., *comparison.* [cf. metan]

wiðsacan, S6, *to strive against, oppose, renounce* (with dat.). [cf. sacan]

wiðstandan, -stondan, S6, *to withstand, resist* (with dat.). [cf. standan]

wið sūðan, prep. (with acc.), *to the south of.*

wið upp, adv., *upwards, above.*

wið ... weard, split prep., *toward, in the direction of;* wiþ Rōme weard, *toward Rome,* 47, 18.

wlacu, wlæc, adj., *tepid, lukewarm.*

wlanc, wlonc, adj., *proud.*

Wlencing, m., *Wlencing,* son of Ælle; 4, 23.

wlencu, f., *pride.* [cf. wlanc]

wlītan, S1, *to look.*

wlite, m., *appearance, beauty.*

wlite-beorht, adj., *of bright aspect, beautiful.*

wlitig, adj., *beautiful, pleasing.*

wōcor, f., *offspring, increase, fruit.*

wōd, adj., *mad, crazy, raging.* [Ger. wut]

Wōden, m., *Woden,* chief divinity of the Teutons. — Also, *Woden,* an ancestor of King Alfred; 8, 7.

Wōdening, m., patronymic, *son of Woden;* 8, 7.

Wōdnes-dæg, m., *Wednesday,* i.e., *Woden's Day;* Wōdnesdagas 98, 16.

wōh, wōg, wō, n., *wrong, injustice.*

wōh, wōg, adj., *crooked, wrong.*

wōh-bogen, ptc. adj., *crooked-bowed, coiled.* [cf. būgan]

wolcen, n., *cloud, sky.* [cf. Ger. wolke, Mod. Eng. welkin]

wolde, woldon, past. ind. of willan q.v.

wōma, m., *noise, alarm; terror.*

wom(m), wam(m), m. or n., *defilement, stain; sin, evil.*

won(-), see wan(-).

wong(-), see wang(-).

wonian, see wanian.

won(n), see wann.

wonsceaft, see wansceaft.

wōp, m., *lamentation, weeping, outcry.* [cf. wēpan]

worc, see weorc.

word, n., *word, speech;* adv. gen. wordes and dæde, *in word and deed,* 92, 26; pl. dat. wordon 122, 4. [Ger. wort]

word-cwide, -cwyde, m., *words, speech.*

word-riht, n., *right or appropriate word.*

worhte, past sg. of wyrcean q.v. [Mod. Eng. wrought]

wōrian, W2, *to move about; totter, crumble to pieces;* 135, 9 (see note).

worn, m., *a large number, a great many.*

worold(-), woruld(-), see weorold(-).

wōð-cræft, m., *art of song.*

wracu, f., *persecution, distress, punishment.* [cf. wrecan] wrang, **wrong**, n., *wrong, injustice*. [cf. wringan]

wrāð, adj., *wroth, angry, hostile, evil*.

wraðu, f., *support, sustenance*.

wræc, n., *exile*. [cf. wrecan; Mod. Eng. wrack]

wræcca, see **wrecca**.

wræc-lāst, m., *path of exile*.

wræt, f., *ornament, jewel*.

wrǣtlīc, adj.; comp. wrǣtlīcra; sup. wrǣtlīcost; *curious, wondrous*.

wrecan, S5, *to drive out, banish; to wreak, avenge, punish*. [cf. wræc; Ger. rächen; Mod. Eng. wreck]

wrecca, wræcca, m., *exile, adventurer, wretch;* sg. dat. wræccan 154, 21; pl. dat. wreccan 109, 7 (see note). [cf. wrecan]

wrēon (orig. *wrīhan), S1; wrāh, wrēah; wrigon; (ge)wrigen; *to cover, conceal*.

wringan, S3, *to wring, twist, squeeze, press out* (wine). [cf. wrang]

wrītan, S1, *to write;* inf. wrīttan 139, 2.

wrītere, m., *writer, scribe*.

wrīðan, S1; wrāð; wridon; (ge)wriden; *to writhe, twist*.

wrixendlīce, adv., *in turn*. [cf. wrixlan]

wrixlan, W1, *to change, alter*.

wuce, wucu, see **wiece**.

wudu, wi(o)du, m.(7), pl. nom. wuda; but also m.(1), pl. nom. wudas; *wood, forest;* sg. dat. on wuda 100, 18; sg. acc. wudu 118, 21.

wudu-fæsten, n., *forest-fastness, place protected by woods*.

wuldor, n., *glory*.

Wuldor-cyning, Wuldur-, m., *King of Glory*, i.e., *God*.

Wuldor-fæder, m. (sec. 18), *Father of Glory*.

wuldorfæstlīce, adv., *ever-gloriously*.

wulf, m., *wolf;* pl. dat. wulfan 55, 7.

Wulfheard, m., *Wulfheard*, alderman; 6, 6. — Also a Frisian in Alfred's service; 23, 23.

Wulfmǣr, Wulmǣr, m., *Wulfmaer*, nephew of Byrhtnoth; 116, 5; Wulmǣr 118, 11. — Also *Wulfmaer the Younger;* 117, 15.

Wulfrēd, m., *Wulfred*, alderman of Hampshire; 22, 21.

Wulfrīc, m., *Wulfric*, a member of King Alfred's household; 24, 2.

Wulfstān, m., *Wulfstan*, a Danish (?) sailor in the service of King Alfred; 43, 24. — Also the father of the young companion of Byrhtnoth; 117, 15.

Wulmǣr, see **Wulfmǣr**.

wund, f., *wound*.

wund, adj., *wounded*.

wundian, W2, *to wound*.

wundor, wundur, n., *wonder, marvel, miracle;* pl. dat. as adv., wundrum, *wondrously*, 156, 29, etc. [Ger. wunder]

wundorlīc, wunder-, adj., *wonderful, marvelous*.

wundrian, W2, *to wonder, marvel* (intrans.); *to wonder at, ad-*

mire (with gen., acc. or object clause).

wuni(ge)an, W2, *to dwell, remain, abide, live, be established;* him þā fērend on fæste wuniaþ, *the sailors are firmly established on him,* 136, 7; subj. pres. pl. wunian 83, 23. [Ger. wohnen]

wunung, f., *dwelling, abode;* hence, *living, life.* [Ger. wohnung]

wurman, perhaps a scribal error (see note to p. 128, l. 1).

wurð-, see **weorð-.**

wurðian, see **weorðian.**

wurðmynt, see **weorðmynd.**

wuton, uton, -un, subj. 1st pl. of **wītan,** *to go,* used to introduce an infinitive in a hortatory manner, *let us.*

wydewe, see **widuwe.**

wylf, f., *she-wolf.* [cf. wulf]

wylfen, adj., *wolfish, fierce.* [cf. wulf]

wyllan, see **willan.**

Wyllelm, m., *William, the Conqueror,* king of England 1066–1087 A.D.; 24, 12, etc.

wyll-spring, m., *well-spring, fountain.* [cf. weallan]

wylm, see **wielm.**

wynlēas, adj., *joyless.*

wyn(n), f., *joy, delight;* on wynnum, *rejoicing, delighted,* 136, 4. [Ger. wonne]

wynstra, see **winestra.**

wynsum, adj., *winsome, delightful.*

wynsumnes, f., *winsomeness.*

wyrc(e)an, we(o)rcan, W1 (sec. 51,b); worhte; geworht; *to work, make, perform;* past 2nd sg. worhtes 108, 16; inf. wercan 125, 23. [Ger. wirken]

wyrd, f., *weird, fate, destiny;* 130, 5 (see note). [cf. weorðan]

wyrgan, see **wirigan.**

wyrhta, m., *wright, maker, creator.* [cf. wyrcean]

wyrm, m., *serpent, dragon.* [Ger. wurm, Mod. Eng. worm]

wyrman, W1, *to warm.* [cf. wearm]

wyrm-līca, m., *dragon-figure;* pl. dat. wyrm-līcum fāh, *adorned with dragon-figures,* or if used as adv., *variegated dragon-like,* 133, 21 (see note).

wyrnan, see **wiernan.**

wyrrest, wierrest, sup. of **yfel** q.v.

wyrsa, wiersa, comp. of **yfel** q.v.

wyrsian, see **wiersian.**

wyrt, f., *herb, vegetable, wort, root.* [Ger. wurz, wurzel]

wyrt-geard, m., *vegetable- or kitchen-garden.*

Wyrtgeorn, m., *Vortigern,* a British king; sg. dat. Wyrtgeorne 4, 18 (see note).

wyrtūn, wyrt-tūn, m., *a vegetable enclosure,* hence, *garden.*

wyrt-weard, m., *gardener.*

wyrð, pres. 3rd sg. of **weorðan** q.v.

wyrðe, see **weorðe.**

wȳscan, W1, *to wish.* [Ger. wünschen]

wyta, see **wita.**

Y

yfel, n., *evil, wickedness.*

yfel, adj.; comp. wiersa, wyrsa; sup. wier(r)est, wyr(r)est; *evil, bad.*

yfel-dǣde, adj.; used as subs., *an evil-doer, malefactor.*

yfelian, W2, *to grow worse, become evil.*

ylca, see ilca.

yldan, see ieldan.

ylde, see ielde.

yld(o), see ieldu.

ylf, ælf, m.(4), *elf.*

ymbe, m. (?), *a swarm of bees.*

ymb(e), **emb(e)**, **ym**, adv., *about;* hū ymb þæt sceolde, *how that might come about,* 128, 12. — Also prep. (with acc.), *around, about, concerning.* [Ger. um]

ymbefōn, S7, *to clasp, encircle, enwrap.* [cf. fōn]

ymb(e)-sittend, ptc. adj., *neighboring;* as subs., m., *neighbor.*

ymbgān, spec., *to go round.* [cf. gān]

ymbhycg(e)an, W3, *to consider.* [cf. hycgean]

ymbren-wice, **-wicu**, f., *ember-week, a week in which ember days fall,* viz., the weeks immediately following the first Sunday in Lent, Whit-Sunday, September 14th and December 13th; 98, 16 (see note).

ymbsellan, W1, *to surround, encompass;* past ptc. ymbseald, *surrounded,* 135, 10. [cf. sellan]

ymbsettan, W1, *to set about, surround.* [cf. settan]

ymbsittan, S5, *to sit about, besiege.* [cf. sittan]

ymbūtan, adv., *about, around.* [cf. ymb(e) + ūtan]

ynce, **ince**, m., *inch;* sg. gen. inces lang, *an inch long,* 99, 1. [Lat. uncia; cf. Mod. Eng. ounce]

yppan, W1, *to disclose, reveal.*

yppe, adj., *brought to light, disclosed, manifest.*

Ypwinesflēot, m., *Ebbsfleet,* on the isle of Thanet; 4, 20 (see note).

yrfe-weard, m., *guardian of an inheritance,* hence, *heir.*

yrhðu, see ierhðu.

yrman, see ierman.

yrmð, see iermð.

yrmð(o), see iermð.

yrnan, see iernan.

yrre(-), see ierre(-).

yrrenga, see ierringa.

yrð, f., *crop; plowing.* [cf. erian; Ger. ernte]

yrðling, m.; -pl. yrðlin(c)gas; *farmer, plowman.*

ȳst, f., *storm.*

ȳt(e)mest, **-mǣst**, sup. of **ūt** q.v., *utmost, final, last.*

yteren, adj., *of an otter.*

ytst, pres. 2nd sg. of **etan** q.v.

ȳð, f., *wave.* [Lat. unda, O. H. Ger. unde]

ȳðan, W1, *to lay waste, destroy.*

ȳð-mearh, m., *wave-steed,* i.e., *ship.*

ȳwan, see ēowan.